CB005624

SHERLOCK
HOLMES

Rio de Janeiro, 2022

Diretora editorial: *Raquel Cozer*

Gerente editora: *Alice Mello*

Editor: *Ulisses Teixeira*

Revisão: *Anna Beatriz Seilhe, Carolina Rodrigues, Gregory Neres, Izabel Moreno, Mônica Surrage e Vinícius Louzada*

Diagramação: *Elza Maria da Silveira Ramos*

Capa: *Maquinaria Studio*

Rua da Quitanda, 86, sala 218 – Centro – 20091-005
Rio de Janeiro – RJ – Brasil
Tel.: (21) 3175-1030

A volta de Sherlock Holmes — tradução de Flávio Mello e Silva
O vale do medo — tradução de Luiz Orlando C. Lemos

CIP-Brasil. Catalogação na fonte
Sindicato Nacional dos Editores de Livros, RJ

D794s
v. 3

Doyle, Arthur Conan, Sir, 1859-1930
Sherlock Holmes : obra completa / Arthur Conan Doyle ; [tradução Flávio Mello e Silva; Luiz Orlando C. Lemos]. - Rio de Janeiro : HarperCollins Brasil, 2016.
472 p. ; 23 cm.

Tradução de: The Return of Sherlock Holmes; The Valley of Fear
ISBN 9788595080867

1. Holmes, Sherlock (Personagem fictício) - Ficção. 2. Detetives particulares - Inglaterra - Ficção. 3. Ficção policial inglesa. I. Título.

15-19971 CDD: 834
CDU: 824.143-4

Printed in China

SUMÁRIO

A VOLTA DE SHERLOCK HOLMES

A VOLTA DE SHERLOCK HOLMES

A AVENTURA DA CASA VAZIA

Foi na primavera de 1894 que toda Londres ficou interessada, e o mundo da alta sociedade atemorizado, pelo assassinato do *honourable* Ronald Adair em circunstâncias bastante extraordinárias e inexplicáveis. O público já ficara sabendo dos detalhes do crime que surgiram durante a investigação policial, mas uma boa parte foi suprimida na ocasião, já que as alegações para a instauração do processo eram tão esmagadoramente sólidas que não era necessário divulgar todos os fatos. Somente agora, depois de quase dez anos, é que estou autorizado a fornecer os elos que faltam, e que completam aquela cadeia memorável. O crime era, por si mesmo, interessante, mas aquele interesse não era nada para mim, comparado à sequência incrível que me causou mais choque e surpresa do que qualquer acontecimento da minha vida de aventuras. Mesmo agora, depois deste longo intervalo, eu fico emocionado quando penso nele, sentindo mais uma vez aquela súbita torrente de alegria, espanto e incredulidade que engolfou minha mente. Deixem-me dizer a esse público, que tem mostrado algum interesse por esses vislumbres que eu ocasionalmente lhe tenho dado sobre os pensamentos e as ações de um homem bastante notável, que não deve me censurar por eu não ter dividido meu conhecimento com ele, pois eu deveria ter considerado isso meu primeiro dever, se não tivesse sido impedido por uma proibição de seus próprios lábios, e que só foi retirada no terceiro dia do mês passado.

Pode-se imaginar que minha ligação íntima com Sherlock Holmes tenha provocado meu profundo interesse pelo crime, e que depois de seu desaparecimento nunca deixei de ler com cuidado os vários problemas que surgiram diante do público. E até tentei, mais de uma vez, para minha própria satisfação, empregar seus métodos nas soluções, embora com resultados medíocres. Não havia nenhum, no entanto, que me atraísse tanto quanto esta tragédia de Ronald Adair. Ao ler o depoimento no inquérito, que levou a um veredicto, por assassinato premeditado, contra pessoa ou pessoas desconhecidas, eu percebi mais claramente do que nunca a perda que a comunidade sofrera com a morte de Sherlock Holmes. Existem pontos sobre este caso estranho que, eu tinha certeza, o teriam atraído especialmente, e os esforços da polícia seriam suplantados ou, mais provavelmente, antecipados pela observação treinada e a mente alerta do principal detetive da Europa. Todos os dias, enquanto cumpria minha rotina, eu revolvia o caso na minha cabeça e não achava explicação que me parecesse adequada. Sob o risco de contar uma história já contada, vou recapitular os fatos como eram conhecidos do público na época da conclusão do inquérito.

O *honourable* Ronald Adair era o segundo filho do conde de Maynooth, naquela época governador de uma das colônias australianas. A mãe de Adair retornara da Austrália para se submeter a uma operação de catarata, e ela, seu filho Ronald e sua filha Hilda viviam juntos no número 427 de Park Lane. Os jovens frequentavam a melhor sociedade — até onde se sabia, não tinham nenhum inimigo ou vício especial. Ele esteve casado com a srta. Edith Woodley, de Carstairs, mas o compromisso fora rompido com consentimento mútuo alguns meses antes, e não havia nenhum sinal de que tivesse deixado para trás qualquer sentimento muito profundo. O resto de sua vida girava num círculo estreito e convencional, pois seus hábitos eram tranquilos e sua natureza, sem emoção. Mas foi sobre este jovem aristocrata bonachão que a morte se abateu, na forma mais estranha e inesperada entre 22 horas e 23h20 de 30 de março de 1894.

Ronald Adair gostava de cartas — jogando constantemente, mas nunca com apostas que pudessem prejudicá-lo. Era membro dos clubes de jogos de cartas Baldwin, Cavendish e Bagatelle. Ficou provado que depois do jantar, no dia de sua morte, participou de um jogo de uíste no último desses clubes. Também jogara lá à tarde. O depoimento dos que jogaram com ele — *mr.* Murray, *sir* John Hardy e o coronel Moran — revelou que o jogo era o uíste e que havia um justo equilíbrio no baixar das cartas. Adair poderia ter perdido cinco libras, não mais. Sua fortuna era considerável e uma perda assim não o afetaria de maneira nenhuma. Jogava quase todos os dias num ou noutro clube, mas era um jogador prudente e geralmente ganhava. Verificou-se no depoimento que, em parceria com o coronel Moran, realmente ganhara 420 libras de uma só vez, algumas semanas antes, de Godfrey Milner e lorde Balmoral. Era assim sua história recente, como se apurou no inquérito.

Na noite do crime, ele voltou do clube exatamente às 22 horas. Sua mãe e sua irmã estavam fora, passando a noite com um parente. A criada disse no depoimento que ouviu quando ele entrou no quarto da frente do segundo andar, geralmente usado como sala de estar. Ela acendera a lareira e, como fizesse fumaça, abrira a janela. Nenhum som foi ouvido na sala até as 23h20, a hora da volta de *lady* Maynooth e sua filha. Desejando dar-lhe boa-noite, tentou entrar no quarto do filho. A porta estava trancada por dentro, e não houve nenhuma resposta aos seus gritos e batidas. Conseguiram ajuda e arrombaram a porta. O jovem infeliz foi encontrado deitado perto da mesa. Sua cabeça fora horrivelmente mutilada por uma bala explosiva de revólver, mas não se encontrou nenhum tipo de arma no aposento. Na mesa estavam duas notas de dez libras e mais 17 libras, sendo dez em moedas de prata e ouro, o dinheiro arrumado em pequenas pilhas de valores variados. Havia também algumas cifras num pedaço de papel, com os nomes de alguns amigos dos clubes ao lado, e daí surgiu a hipótese de que antes de morrer ele estivesse tentando organizar uma lista de seus ganhos e perdas nas cartas.

Um rápido exame das circunstâncias só serviu para tornar o caso mais complexo. Em primeiro lugar, não havia nenhum motivo para que o rapaz trancasse a porta por dentro. Havia a possibilidade de o assassino ter feito isso e depois ter fugido pela janela. Entretanto, a queda era de pelo menos seis metros, e um canteiro de açafrões em pleno viço fica bem embaixo. Nem as flores nem a terra mostravam sinais de terem sido mexidas, nem havia marcas na estreita faixa de grama que separava a casa da rua. Aparentemente, portanto, foi o próprio rapaz quem trancou a porta. Mas como foi que a morte chegou até ele? Ninguém poderia ter subido até a janela sem deixar vestígios. Supondo que um homem atirou pela janela, ele teria de ser um atirador excepcional para poder, com um revólver, causar um ferimento tão mortal. Park Lane é uma via pública muito movimentada; há um ponto de cabriolés de aluguel a menos de cem metros da casa. Ninguém ouvira o tiro. E, mesmo assim, havia o homem morto, e a bala de revólver, que havia se expandido como um cogumelo, como fazem as balas de ponta mole, e causou um ferimento que deve ter provocado morte instantânea. Eram essas as circunstâncias do mistério de Park Lane, complicadas ainda mais pela ausência total de motivo, já que, como eu disse, ninguém sabia que o jovem Adair tivesse algum inimigo, e não foi feita nenhuma tentativa para tirar o dinheiro ou valores do quarto.

Todo dia eu analisava estes fatos, tentando encontrar uma teoria que abrangesse todos eles, e descobrir aquela linha de menor resistência, que meu pobre amigo afirmava ser o ponto de partida de toda investigação. Confesso que fiz poucos progressos. À noite, perambulei pela Park e só dei por mim lá pelas seis horas, na Oxford Street, no final de Park Lane. Um grupo de vadios na calçada, todos olhando para uma janela, me fez ir em direção à casa que viera olhar. Um homem alto e magro, com óculos coloridos, que eu suspeitava fortemente ser um detetive à paisana, estava expondo alguma teoria própria, enquanto os outros o rodeavam para ouvir o que ele dizia. Fiquei o mais perto possível dele, mas suas observações me pareceram absurdas, de modo que fui embora um pouco desapontado. Ao fazer isto, esbarrei num homem velho e deformado que estivera ali atrás de mim, e derrubei muitos dos livros que ele estava carregando. Lembro-me de que, enquanto os recolhia, notei o título de um deles, *A origem da adoração às árvores*, e me ocorreu que o sujeito deveria ser algum pobre bibliófilo que, por negócio ou por *hobby*, colecionava livros antigos. Tentei me desculpar pelo incidente, mas era evidente que aqueles livros, que eu maltratei de modo tão desastrado, eram objetos muito preciosos aos olhos de seu dono. Com um grunhido de descontentamento, deu meia-volta e vi suas costas encurvadas e as suíças brancas desaparecerem na multidão.

Minhas observações sobre o número 427 de Park Lane não ajudaram muito a esclarecer o problema que me interessava. A casa era separada da rua por um muro baixo e uma grade, não mais do que 1,5 metro de altura no total. Portanto, era muito fácil para qualquer um entrar no jardim, mas a janela era totalmente inacessível, já que não havia nenhuma calha ou qualquer coisa que pudesse ajudar o mais decidido dos homens a escalá-la. Mais intrigado do que nunca, voltei pelo mesmo caminho para Kensington. Eu não estava há mais de cinco minutos no meu gabinete quando a empregada entrou para dizer que uma pessoa queria falar comigo. Para minha surpresa não era outro senão o estranho e velho colecionador de livros, seu rosto severo e murcho, espreitando-me por entre tufos de cabelos brancos, e seus livros preciosos, pelo menos uma dúzia deles, apertados sob o seu braço direito.

— Está surpreso de me ver, senhor — disse ele, numa voz estranha e áspera.

Admiti que estava.

— Bem, tenho uma consciência, senhor, e quando por acaso eu o vi entrando nesta casa, enquanto eu vinha mancando atrás, pensei comigo mesmo, vou dar uma entradinha e visitar aquele homem bondoso, e dizer-lhe que se tive uma atitude um pouco rude, não foi por mal, e que estou muito agradecido a ele por apanhar meus livros.

— Você se incomoda demais por uma coisa banal — eu disse. — Posso perguntar como soube quem eu era?

— Bem, senhor, se não for uma liberdade muito grande, sou seu vizinho, pois encontrará minha pequena livraria na esquina da Church Street, e muito contente por vê-lo, com certeza. Talvez o senhor mesmo os colecione. Aqui estão *Pássaros britânicos, Catulo* e *A guerra santa,* uma pechincha, qualquer um deles. Com cinco volumes poderia preencher aquela lacuna na segunda prateleira. Parece desarrumada, não?

Virei a cabeça para olhar a prateleira atrás de mim. Quando me virei novamente, Sherlock Holmes estava sorrindo para mim, do outro lado da minha mesa. Levantei-me, encarei-o por alguns segundos com total espanto, e depois parece que desmaiei pela primeira e última vez na minha vida. Com certeza uma nuvem cinzenta rodopiou diante dos meus olhos, e quando se dissipou, descobri que meu colarinho estava aberto e senti o restinho do gosto de *brandy* nos lábios. Holmes estava curvado sobre minha cadeira, de cantil na mão.

— Meu caro Watson — disse a voz tão conhecida —, eu lhe devo mil desculpas. Não sabia que ficaria tão abalado.

Agarrei-o pelos braços.

— Holmes! — gritei. — É você mesmo. Você está vivo mesmo? É possível que tenha conseguido escalar aquele abismo horrível?

— Espere um momento — disse ele. — Tem certeza de que é capaz de discutir coisas? Eu lhe provoquei um choque grave com a minha reaparição desnecessariamente dramática.

— Estou bem, mas realmente, Holmes, eu mal posso acreditar nos meus olhos. Meu Deus! Pensar que você, de todos os homens, estaria no meu gabinete — eu o segurei novamente pela manga e senti por baixo o braço magro e rijo. — Bem, de qualquer modo, você não é um espírito — disse eu. — Meu caro amigo, estou radiante por vê-lo. Sente-se e conte como saiu com vida daquele abismo terrível.

Ele sentou-se na minha frente e acendeu um cigarro com seu antigo jeito displicente. Estava vestido com a sobrecasaca desmazelada do vendedor de livros, mas o resto daquele indivíduo estava empilhado na mesa — os cabelos brancos e os velhos livros. Holmes parecia até mais magro e vivo do que antes, mas havia um tom branco de morte no seu rosto de feições aquilinas que indicava que sua vida, ultimamente, não fora muito saudável.

— Estou feliz por me esticar, Watson — disse. — Não é brincadeira quando um homem alto tem que diminuir sua estatura durante várias horas. Agora, meu caro amigo, no caso dessas explicações, nós temos pela frente, se puder pedir a sua cooperação, uma noite de trabalho difícil e perigoso. Talvez seja melhor eu lhe fazer um resumo de toda a situação quando o trabalho estiver terminado.

— Estou cheio de curiosidade. Prefiro ouvir agora.

— Virá comigo esta noite?

— Quando e onde quiser.

— Isto é, de fato, como nos velhos tempos. Nós precisamos de um pequeno jantar antes de ir. Bem, então sobre aquele abismo. Não tive grandes dificuldades em sair dele, pela simples razão de que jamais estive nele.

— Jamais esteve nele?

— Não, Watson, nunca. Meu bilhete para você era absolutamente genuíno. Tive pouca dúvida de que tivesse chegado ao fim da minha carreira quando percebi aquela silhueta um tanto sinistra do falecido professor Moriarty, de pé sobre a trilha estreita que levava à segurança. Li nos seus olhos um propósito inexorável. Portanto, troquei alguns comentários com ele e obtive sua permissão para escrever a pequena nota que você recebeu depois. Deixei-a com meu maço de cigarros e minha bengala, e andei ao longo da trilha, Moriarty ainda nos meus calcanhares. Quando cheguei ao final, parei, acuado. Ele não tinha arma, mas correu na minha direção e jogou seus braços longos em torno de mim. Ele sabia que seu próprio jogo estava acabado, sentia-se ansioso para se vingar em mim. Cambaleamos juntos pela borda da cachoeira. Mas tenho algum conhecimento de *baritsu*, ou o método japonês de luta corpo a corpo, o que me foi muito útil mais de uma vez. Esquivei-me de suas garras, e ele, com um grito horrível, rolou desvairado por alguns segundos, tentando agarrar o ar com as duas mãos. Mas, apesar de todos os esforços, não conseguiu se equilibrar e caiu. Olhando por sobre a borda, eu o vi cair um bom pedaço. Depois bateu numa pedra, quicou e caiu n'água.

Escutei com assombro a sua explicação, contada entre baforadas de seu cigarro.

— Mas as pistas! — gritei. — Eu vi, com meus próprios olhos, que dois desceram a trilha e nenhum voltou.

— Já chegarei nesta parte. No instante em que o professor Moriarty desapareceu, me dei conta da oportunidade realmente extraordinária e feliz que o acaso colocara no meu caminho. Eu sabia que Moriarty não era o único homem que me jurara de morte. Havia pelo menos três outros cujo desejo de vingança contra mim só iria aumentar com a morte de seu líder. Todos eram homens extremamente perigosos. Um ou outro com certeza me pegaria. Por outro lado, se todo mundo se convencesse de que eu estava morto, esses homens agiriam com liberdade e logo se revelariam e, mais cedo ou mais tarde, eu poderia destruí-los. Aí seria o momento de anunciar que ainda continuava na terra dos vivos. A mente funcionou tão depressa que acho que pensei tudo isto antes de o professor Moriarty chegar ao fundo da Cachoeira Reichenbach.

"Levantei-me e examinei a parede rochosa atrás de mim. No seu resumo pitoresco do que aconteceu, que li com grande interesse alguns meses depois, você afirma que a parede era a pique. Não era bem assim. Na verdade, ela possuía alguns pequenos pontos de apoio e havia indícios de uma reentrância. O penhasco era tão alto que escalá-lo era uma impossibilidade óbvia, e também era impossível voltar pela trilha sem deixar algumas marcas. Eu deveria, é verdade, ter colocado minhas botas ao contrário, como já fiz em ocasiões semelhantes, mas a visão de três trilhas em uma direção sugeriria, com certeza, uma fraude. Em suma, era melhor que eu arriscasse a escalada. Não foi uma tarefa agradável, Watson. A cachoeira rugia ao meu lado. Não sou uma pessoa fantasiosa, mas lhe dou minha palavra de que julguei ter escutado a voz de Moriarty gritando para mim do fundo do abismo. Um erro teria sido fatal. Mais de uma vez, quando tufos de capim saíam nas minhas mãos ou meus pés escorregavam nas saliências da rocha, pensei que era o meu fim. Mas lutei para subir, e finalmente alcancei uma reentrância profunda e coberta de um musgo verde e macio, onde podia ficar sem ser visto, no mais perfeito conforto. Eu estava estirado ali quando você, meu caro Watson, e todos que o seguiam investigavam, da maneira mais simpática e ineficiente, as circunstâncias da minha morte.

"Por fim, quando todos vocês tiraram suas conclusões inevitáveis e totalmente errôneas, voltaram ao hotel e fiquei sozinho. Eu imaginara que havia chegado ao fim de minhas aventuras, mas um incidente bastante inesperado mostrou que ainda havia mais surpresas para mim. Uma rocha enorme, vinda lá de cima, passou por mim com estrondo, bateu na trilha e rolou para dentro do abismo. Por um instante pensei que fosse um acidente, mas logo depois, olhando para cima, vi a cabeça de um homem contra o céu quase escuro, e outra pedra bateu na reentrância em que eu estava estirado, a menos de trinta centímetros da minha cabeça. Naturalmente, o significado disso era óbvio, Moriarty não estivera ali sozinho. Um comparsa — e aquele único vislumbre bastou para me mostrar que o cúmplice era um homem perigoso — ficara de guarda enquanto o professor me atacava. De uma certa distância, sem ser visto por mim, fora testemunha da morte do seu amigo e da minha fuga. Ficara esperando e depois, dando a volta no topo do penhasco, tentara obter êxito onde seu companheiro falhara.

"Não me demorei muito pensando no assunto, Watson. Novamente vi aquele rosto sinistro olhando por cima do penhasco, e soube que viria outra pedra. Arrastei-me para a trilha. Acho que não poderia ter feito aquilo a sangue-frio. Era cem vezes mais difícil do que me levantar. Mas eu não tive tempo para pensar no perigo, pois outra pedra passou zunindo por mim enquanto eu me segurava na borda da saliência. No meio da descida, escorreguei mas, graças a Deus, aterrissei, rasgado e sangrando, sobre a trilha. Saí correndo, atravessei mais dez quilômetros pelas montanhas no escuro, e uma semana depois eu estava em Florença, certo de que ninguém no mundo sabia o que acontecera comigo.

"Só tinha um confidente: meu irmão Mycroft. Tenho de lhe pedir muitas desculpas, meu caro Watson, mas era importantíssimo que você pensasse que eu estava morto, e era quase certo que você não teria escrito um relato tão convincente da minha morte dramática se não acreditasse realmente nela. Várias vezes nos últimos três anos peguei uma caneta para escrever a você, mas sempre temi que sua amizade afetuosa por mim o levasse a cometer alguma indiscrição que pudesse trair o meu segredo. Por esse motivo, me afastei de você esta noite, quando derrubou meus livros, pois eu estava em perigo àquela hora, e qualquer demonstração de surpresa e emoção de sua parte chamaria atenção para minha identidade e acarretaria resultados deploráveis e irreparáveis. Tive de confiar em Mycroft para obter o dinheiro de que precisava. As coisas em Londres não correram tão bem quanto eu desejava, porque o julgamento da gangue de Moriarty deixou em liberdade dois de seus membros mais perigosos, meus inimigos mais vingativos. Portanto, viajei durante dois anos pelo Tibete, e me diverti visitando Lhassa, e passando alguns dias com o chefe Lama. Você deve ter lido a respeito das notáveis explorações de um norueguês chamado Sigerson, mas tenho certeza de que nunca lhe ocorreu que estava recebendo notícias do seu amigo. Depois passei pela Pérsia, dei uma olhada em Meca e fiz uma visita curta, mas interessante, ao califa, em Cartum, cujos resultados comuniquei ao Ministério das Relações Exteriores. Voltando à França, passei alguns meses numa pesquisa sobre os derivados do alcatrão, que fiz num laboratório em Montpellier, no sul da França. Concluído isto para minha satisfação, e sabendo que apenas um dos meus inimigos ficara agora solto em Londres, eu estava prestes a voltar quando meu deslocamento foi apressado pelas notícias deste notável Mistério de Park Lane, que não só me atraiu por suas próprias características, mas também parecia oferecer algumas oportunidades pessoais muito peculiares. Vim logo para Londres, me recolhi na Baker Street, deixei a sra. Hudson histérica e descobri que Mycroft conservara meus aposentos e papéis exatamente como sempre estiveram. De modo que, meu caro Watson, às 14 horas de hoje eu me encontrava na minha velha poltrona, no meu velho quarto e desejando apenas ver meu velho amigo Watson na outra cadeira, que ele ocupou com tanta frequência."

Esta foi a incrível narrativa que ouvi naquela noite de abril — uma narrativa que seria inteiramente inacreditável para mim, se não fosse confirmada pela visão real da figura alta e magra e da face ansiosa e viva que eu pensara nunca mais ver. De certo modo, ele sabia de minha própria e triste aflição, mostrava sua simpatia mais nas maneiras do que nas palavras.

— O trabalho é o melhor antídoto para a tristeza, meu caro Watson — disse ele —, e eu tenho um bocado de trabalho para nós dois esta noite, e se ele for concluído com êxito, bastará para justificar a vida de um homem neste planeta.

Pedi em vão para que ele me contasse mais.

— Você vai ver e ouvir o suficiente até amanhã — ele respondeu. — Nós temos três anos de passado para discutir. Vamos nos limitar a isso até as 21h30, quando então começaremos a notável aventura da casa vazia.

Era realmente como nos velhos tempos, quando, àquela hora, eu me sentei ao lado dele num cabriolé, revólver no bolso, e a excitação da aventura no coração. Holmes estava frio, sombrio e silencioso. Quando as luzes dos postes batiam sobre a sua fisionomia austera, eu via que as sobrancelhas estavam franzidas em meditação e os lábios comprimidos. Não sabia que monstro selvagem nós estávamos prestes a caçar na selva escura do crime de Londres, mas tinha certeza, pela conduta deste mestre-caçador, que a aventura era das mais sérias — embora o sorriso sardônico que rompia de vez em quando a sua melancolia austera indicasse pouca sorte para o objeto da nossa busca.

Eu imaginara que estávamos indo para a Baker Street, mas Holmes mandou o cabriolé parar na esquina da Cavendish Square. Observei que, quando saltou, deu uma olhada atenta para a direita e para a esquerda, e, a cada esquina subsequente, ele tomava os maiores cuidados para se assegurar de que não estava sendo seguido. Nosso trajeto, certamente, era singular. O conhecimento que Holmes tinha dos atalhos de Londres era extraordinário, e nesta ocasião ele passou rapidamente, e com passo seguro, por uma série de garagens e estábulos de cuja existência eu nunca soubera. Saímos finalmente numa estrada pequena, ladeada de casas velhas e austeras, que nos levou à Manchester Street, e daí para a Blandford Street. Ali ele desceu rapidamente por uma passagem estreita, entrou por um portão de madeira num pátio deserto e então abriu com uma chave a porta dos fundos de uma casa. Entramos juntos, e ele a fechou atrás de nós.

O lugar estava totalmente escuro, mas para mim era evidente que se tratava de uma casa vazia. Nossos pés estalavam no assoalho nu, e minha mão estendida tocou uma parede, cujo papel estava rasgado em tiras. Os dedos finos e frios de Holmes se fecharam em torno do meu pulso e me conduziram através de um saguão, até que percebi vagamente a lúgubre claraboia na bandeira da porta. Ali, Holmes virou de repente para a direita, e nos encontramos numa sala ampla, quadrada, vazia, muito escura nos cantos, mas fracamente iluminada no centro pelas luzes que vinham da rua. Como não havia nenhum poste próximo e o vidro da janela estivesse opaco devido ao pó, podíamos apenas vislumbrar os vultos um do outro ali dentro. Meu amigo pôs a mão no meu ombro e os lábios perto do meu ouvido.

— Você sabe onde estamos? — sussurrou.

— Certamente aquela é a Baker Street — respondi, olhando através da janela opaca.

— Exatamente. Estamos em Camden House, que fica em frente aos nossos velhos aposentos.

— Mas por que estamos aqui?

— Porque tem uma vista excelente daquele pitoresco bloco de edifícios. Posso pedir-lhe o incômodo, meu caro Watson, de chegar um pouco mais perto da janela, tomando cuidado para não se mostrar, e então olhar para os nossos velhos aposentos, o ponto de partida de tantos dos nossos pequenos contos de fadas? Veremos se a minha ausência de três anos eliminou totalmente o meu poder de surpreendê-lo.

Rastejei para a frente e olhei para a janela conhecida. Assim que bati os olhos nela, engasguei e soltei um grito de assombro. A parte transparente da janela estava abaixada e uma luz forte estava ardendo na sala. A sombra de um homem sentado numa cadeira lá dentro era um vulto negro, forte, contra o anteparo luminoso da janela. Não havia erro quanto à postura da cabeça, os ombros quadrados, a aspereza dos traços. O rosto estava meio de lado, e o efeito era o mesmo de uma dessas silhuetas negras que nossos avós adoravam fazer. Era uma reprodução perfeita de Holmes. Fiquei tão surpreso que estendi minha mão para ter certeza de que o próprio homem estava ao meu lado. Ele estremecia com um riso silencioso.

— Então? — perguntou.

— Meu Deus! — exclamei. — É maravilhoso.

— Acredito que a idade não faz definhar nem deteriora minha multiplicidade infinita — disse ele, e percebi na sua voz o prazer e o orgulho que o artista sente com sua própria criação. — Parece realmente comigo, não?

— Estaria pronto a jurar que era você.

— O mérito da execução cabe a *monsieur* Oscar Meunier, de Grenoble, que passou alguns dias fazendo a moldagem. É um busto de cera. O resto eu mesmo arranjei durante minha visita à Baker Street esta tarde.

— Mas por quê?

— Porque, meu caro Watson, tenho os mais fortes motivos para desejar que certas pessoas pensem que eu estava lá, enquanto, na verdade, eu estava em outro lugar.

— E você pensou que os quartos estavam sendo vigiados?

— Eu *sabia* que estavam.

— Por quem?

— Pelos meus velhos inimigos, Watson. Pela encantadora sociedade cujo líder jaz na Cachoeira Reichenbach. Você deve se lembrar que eles, e só eles, sabiam que eu ainda estava vivo. Acreditavam que mais cedo ou mais tarde eu voltaria aos meus aposentos. Eles o vigiavam permanentemente, e esta manhã me viram chegar.

— Como você sabe?

— Porque reconheci o vigia deles quando dei uma olhada pela janela. É um sujeito inofensivo chamado Parker, ladrão por profissão e um notável tocador de berimbau. Não liguei para ele. Mas prestei muita atenção na pessoa muito mais terrível que estava atrás dele, o amigo íntimo de Moriarty, o homem que atirou as rochas do penhasco, o criminoso mais perigoso e cheio de manhas de Londres. É este que está atrás de mim esta noite, Watson, e este é o homem que ignora que nós é que estamos atrás dele.

Os planos de meu amigo iam se revelando aos poucos. Deste recuo conveniente, os observadores estavam sendo observados e os rastreadores, rastreados. Aquela sombra angulosa lá em cima era a isca e nós, os caçadores. Ficamos juntos em silêncio no escuro observando as figuras apressadas que iam e vinham diante de nós. Holmes estava mudo e imóvel; mas posso afirmar que se mantinha bastante alerta e que ele examinava atentamente o fluxo de passantes. Era uma noite fria e agitada, e o vento soprava cortante pela rua comprida. Muita gente ia e vinha, a maioria agasalhada em seus casacos e cachecóis. Uma ou duas vezes tive a impressão de que vira a mesma pessoa antes, e notei especialmente dois homens, que pareciam estar se protegendo do vento no vão da porta de uma casa um pouco mais adiante. Tentei chamar a atenção de meu amigo para eles; mas Holmes deu um pequeno resmungo de impaciência e continuou a olhar para a rua. Mais de uma vez ele mexeu com o pé e bateu de leve com os dedos na parede. Era evidente que ele começava a irritar-se e que seus planos não corriam como planejara. Por fim, quando a meia-noite se aproximava e a rua aos poucos ficava vazia, ele ficou andando de um lado para outro na sala, numa agitação incontrolável. Eu ia fazer um comentário, quando levantei os olhos para a janela iluminada e tive de novo uma surpresa quase tão grande quanto a anterior. Puxei o braço de Holmes e apontei para cima.

— A sombra se moveu! — gritei.

Não era mais o perfil, e sim as costas que agora estavam viradas para nós.

Três anos certamente não aplainaram a aspereza do seu temperamento ou sua impaciência com uma inteligência menos ativa que a sua.

— É claro que se moveu — disse ele. — Será que sou uma pessoa tão desastrada e ridícula, Watson, que montaria uma fraude óbvia, esperando que alguns dos homens mais espertos da Europa fossem enganados por ela? Estamos nesta sala há duas horas, e a sra. Hudson fez mudanças naquela figura oito vezes, ou uma vez a cada 15 minutos. Ela as faz pela frente, para que sua sombra nunca seja vista. Ah!

Ele aspirou com força, uma respiração excitada e estridente. Naquela luz fraca, vi sua cabeça esticada para a frente, toda a sua postura rígida de atenção. Lá fora a rua estava absolutamente deserta. Os dois homens deveriam estar ainda de tocaia na porta da casa, mas eu não podia mais vê-los. Tudo estava quieto e escuro, menos aquela brilhante tela amarela à nossa frente, com a figura negra desenhada no centro. De novo, no silêncio total, ouvi aquela nota fina e sibilante, que revelava intensa excitação sufocada. Um instante depois, ele me puxou para trás, para o canto mais escuro da sala, e senti sua mão tapando minha boca, num sinal de advertência. Os dedos que me agarravam estavam tremendo. Nunca vira meu amigo tão emocionado, mas a rua escura ainda estava deserta e sem movimento diante de nós.

Mas de repente me dei conta daquilo que seus sentidos mais aguçados já haviam percebido. Um som baixo e dissimulado chegou aos meus ouvidos vindo não da direção da Baker Street, mas de trás da casa onde estávamos escondidos. Uma porta se abrira e se fechara. Logo depois, passos soaram pela passagem — passos que deveriam ser silenciosos, mas que ecoavam asperamente pela casa vazia. Holmes se agachou de costas para a parede e eu fiz o mesmo, com a mão segurando a coronha do meu revólver. Procurando na escuridão, divisei o contorno vago de um homem, uma sombra mais negra que o escuro da porta aberta. Ele parou por um instante e depois entrou na sala, curvado e ameaçador. Estava a menos de três metros de nós, uma figura sinistra, e eu me preparara para receber o seu bote, antes de perceber que ele não sabia da nossa presença. Passou perto de nós, foi até a janela e a abriu uns 15 centímetros, suavemente e sem ruído. Ao se erguer até o nível dessa abertura, a luz da rua, não mais diminuída pelo vidro empoeirado, bateu em cheio no seu rosto. O homem parecia estar fora de si de tão excitado. Seus olhos brilhavam como estrelas, e seus traços se agitavam convulsivamente. Era um homem idoso, com um nariz fino e protuberante, uma testa alta e calva, e um bigode enorme e grisalho. Um chapéu alto de molas foi puxado para a nuca e uma camisa de noite, com peitilho, apareceu pelo sobretudo aberto. Seu rosto era magro e moreno, marcado por linhas profundas e ferozes. Carregava na mão o que parecia ser uma bengala mas, ao ser deixada no chão, fez um som metálico. Então tirou um objeto volumoso do bolso do sobretudo e se ocupou com alguma tarefa que terminou num clique agudo e alto, como se uma mola ou ferrolho tivesse entrado no lugar. Ainda ajoelhado no chão, inclinou-se para a frente e empregou toda sua força e seu peso em alguma barra, resultando num barulho estridente, longo e confuso, que acabou uma vez mais num forte clique. Então ele se endireitou, e vi que o que carregava era uma espécie de arma com a coronha curiosamente deformada. Ele a abriu pela culatra, pôs alguma coisa dentro e fechou a tranca. Aí, agachou-se e descansou a ponta da barra na borda da janela aberta, vi seu longo bigode cair por cima da coronha e seu olho brilhar, enquanto mirava. Ouvi um pequeno suspiro de satisfação quando encostou a coronha no ombro, e vi o surpreendente alvo, o homem negro no fundo amarelo, bem visível na extremidade da sua alça de mira. Ficou rígido e imóvel por um instante. Então seu dedo apertou o gatilho. Houve um silvo alto e estranho, e um barulho de vidro quebrado. Naquele instante Holmes pulou como um tigre nas costas do atirador e o jogou com a cara no chão. Num segundo o sujeito estava de pé novamente e, com um esforço convulsivo, agarrou Holmes pela garganta, mas bati na sua cabeça com o cabo do meu revólver e ele caiu no chão mais uma vez. Pulei sobre ele, e enquanto o segurava, meu companheiro deu um assobio agudo num apito. Ouvimos o barulho de passos apressados na calçada e dois policiais uniformizados e um detetive à paisana entraram correndo pela porta da frente e surgiram dentro da sala.

— É você, Lestrade? — perguntou Holmes.

— Sim, sr. Holmes. Eu mesmo me encarreguei desta tarefa. É bom vê-lo de volta a Londres, senhor.

— Acho que você quer uma pequena ajuda extraoficial. Três assassinatos sem solução em um ano não o ajudarão, Lestrade. Mas você conduziu o Mistério Molesey abaixo do seu normal, ou seja, o conduziu muito bem.

Nós todos havíamos nos levantado, nosso prisioneiro, muito ofegante, tinha um policial robusto de cada lado. Alguns vadios já se aglomeravam na rua. Holmes foi até a janela, fechou-a e abaixou as persianas. Lestrade trouxera duas velas, e os policiais acenderam as lanternas. Finalmente eu podia dar uma boa olhada no prisioneiro.

Um rosto extremamente viril mas sinistro estava voltado para nós. Com a testa de um filósofo e a boca de um libertino, o homem deve ter começado com grande capacidade para o bem ou para o mal. Mas ninguém poderia olhar para seus cruéis olhos azuis, com as pálpebras cínicas e caídas, ou para o nariz agressivo e feroz e as sobrancelhas cerradas e ameaçadoras sem perceber os sinais mais evidentes de perigo da natureza. Não prestava atenção em nenhum de nós, mas seus olhos permaneciam fixos no rosto de Holmes, com uma expressão na qual ódio e assombro se misturavam.

— Seu demônio! — ele continuava a murmurar. — Seu demônio esperto, esperto!

— Ah, coronel! — disse Holmes, ajeitando o colarinho desarrumado. — "Viagens acabam como encontros de amantes", como diz a velha canção. Creio não ter tido o prazer de vê-lo desde que me dispensou aquelas atenções, enquanto eu estava na saliência sobre a Cachoeira Reichenbach.

O coronel ainda encarava meu amigo como um homem em transe.

— Seu demônio manhoso, manhoso! — era tudo o que conseguia dizer.

— Ainda não os apresentei — disse Holmes. — Este, cavalheiros, é o coronel Sebastian Moran, do Exército indiano de Sua Majestade, o melhor atirador de armas pesadas que o nosso Império Oriental já produziu. Acho que estou certo, coronel, em dizer que sua coleção de tigres continua sem rivais?

O velho feroz não disse nada, mas ainda fitava meu amigo. Com seus olhos selvagens e o bigode eriçado, parecia-se maravilhosamente com um tigre.

— Pergunto-me como um estratagema tão simples poderia enganar um *shikari* tão velho — disse Holmes. — Ele deve ser muito familiar para você. Não prendeu um garotinho debaixo de uma árvore, ficou acima dele com o seu rifle, e esperou pela isca para alimentar seu tigre? Esta casa vazia é a minha árvore e você, o meu tigre. Provavelmente você tinha outras armas de reserva para o caso de haver muitos tigres, ou na suposição desagradável de falhar na pontaria. Estas — apontou à sua volta — são minhas outras armas. A comparação é perfeita.

O coronel Moran deu um pulo para a frente com um rugido de ódio, mas foi puxado para trás pelos guardas. A fúria em seu rosto era terrível de se ver.

— Confesso que você tinha uma pequena surpresa para mim — disse Holmes. — Eu não previ que você iria usar pessoalmente esta casa vazia e essa conveniente janela da frente. Eu imaginei que você agiria da rua, onde meu amigo Lestrade e seus homens joviais estavam esperando por você. Com exceção disso, tudo correu como eu esperava.

O coronel Moran virou-se para o inspetor:

— Você pode ou não ter uma causa justa para me prender — disse ele —, mas pelo menos não existe motivo para me submeter à tagarelice deste cidadão. Se eu estou nas mãos da lei, que as coisas sejam feitas de uma maneira legal.

— Bem, isto é razoável — disse Lestrade. — Não tem mais nada a dizer, sr. Holmes, antes de irmos?

Holmes apanhara do chão a poderosa arma de pressão e estava examinando seu mecanismo.

— Uma arma única e admirável — disse ele —, silenciosa e com um poder tremendo: eu sabia de Von Herder, o mecânico alemão cego, que a fabricara por ordem do falecido professor Moriarty. Há anos eu sabia de sua existência, embora nunca tenha tido a oportunidade de segurá-la. Recomendo a sua atenção especial, Lestrade, e também para as balas que a carregam.

— Pode confiar-nos a sua guarda, sr. Holmes — disse Lestrade enquanto o grupo todo se dirigia para a porta. — Algo mais a dizer?

— Quero apenas perguntar que acusação vai escolher.

— Que acusação, senhor? Ora, naturalmente a tentativa de assassinato do sr. Sherlock Holmes.

— Não, Lestrade. Não tenho a intenção de aparecer neste caso. A você, e somente a você, cabem os créditos da prisão notável que fez. Sim, Lestrade, eu o congratulo! Com sua habitual e feliz mistura de audácia e esperteza, você o pegou.

— Peguei-o! Peguei quem, sr. Holmes?

— O homem que toda a perícia tem procurado em vão, o coronel Sebastian Moran, que atirou no *honourable* Ronald Adair com uma bala explosiva, de uma arma de ar comprimido, pela janela aberta do segundo andar em frente ao número 427 de Park Lane, no dia 30 do mês passado. Esta é a acusação, Lestrade. E agora, Watson, se puder aguentar a corrente de ar da janela quebrada, creio que meia hora no meu gabinete, fumando um charuto, pode lhe proporcionar alguma diversão proveitosa.

Nossos velhos aposentos estavam intactos devido à supervisão de Mycroft Holmes e aos cuidados da sra. Hudson. É verdade que, quando entrei, vi uma bagunça incomum, mas todos os velhos pontos de referência continuavam em seus lugares. Lá estavam o canto da química e a mesa de pinho manchada de ácido. Numa prateleira havia vários cadernos enormes de notas e livros de referência, que muitos dos nossos concidadãos adorariam queimar. Os diagramas, o estojo do violino e o conjunto do cachimbo — até mesmo o chinelo persa que continha o tabaco — vi todos ali assim que dei uma olhada em volta. Havia dois ocupantes na sala — um, a sra. Hudson, que sorriu para nós quando entramos; o outro, o estranho boneco que desempenhara um papel importante na aventura noturna. Era um modelo cor de cera do meu amigo, feito de maneira tão admirável que era um fac-símile exato. Ficava num pequeno pedestal, com um velho chambre de Holmes, tão bem colocado que, da rua, a ilusão era absolutamente perfeita.

— Espero que tenha tomado todas as precauções, sra. Hudson — disse Holmes.

— Entrei lá de joelhos, senhor, exatamente como me mandou.

— Excelente. Trabalhou muito bem. Viu por onde a bala passou?

— Sim, senhor. Receio que tenha estragado seu bonito busto, pois passou direto pela cabeça e se esborrachou na parede. Peguei-a no tapete. Aqui está!

Holmes mostrou-me a bala.

— Uma bala de revólver macia, Watson, está vendo? É genial isto, pois quem imaginaria uma coisa dessa sendo disparada de uma espingarda de ar? Tudo bem, sra. Hudson. Estou muito grato pela sua ajuda. E agora, Watson, deixe-me vê-lo uma vez mais sentado em sua velha poltrona, pois quero discutir vários detalhes com você.

Tirara a sobrecasaca surrada e agora era o velho Holmes no roupão cor de rato que tirara do seu busto.

— Os nervos do velho *shikari* não perderam sua firmeza, nem seus olhos a crueldade — disse ele com uma risada, enquanto examinava a testa esmigalhada de seu busto. — Bem no meio da parte posterior da cabeça, direitinho através do cérebro. Era o melhor atirador da Índia, e acho que existem poucos melhores em Londres. Ouviu falar no seu nome?

— Não, não ouvi.

— Ora, ora, assim é a fama. Mas, se me lembro bem, você não tinha ouvido o nome do professor James Moriarty, que foi um dos maiores cérebros do século. Quer apanhar o índice de biografias na estante?

Virava as páginas preguiçosamente, recostado na cadeira e soltando grandes baforadas do cachimbo.

— Minha coleção de M é ótima — comentou. — O próprio Moriarty é suficiente para tornar qualquer letra ilustre, e aqui estão Morgan, o envenenador, Merridew, de abominável lembrança, e Mathews, que arrancou com um soco o meu canino esquerdo na sala de espera de Charing Cross, e finalmente, eis o nosso amigo desta noite.

Estendeu-me o livro, e li:

Moran, Sebastian, coronel. *Desempregado. Antigamente no Primeiro Batalhão dos Pioneiros de Bangalore. Nascido em Londres em 1840. Filho de* sir *Augustus Moran, C. B., que foi embaixador britânico na Pérsia. Educado em Eton e Oxford. Serviu na campanha de Jowaki, na campanha afegã, Charasiab (despachos), Sherpur e Cabul. Autor de* A caça no Himalaia Ocidental *(1881),* Três meses na selva *(1884). Endereço: Conduit Street. Clubes: O Anglo-Indiano, o Tankerville e o Clube Bagatelle de Cartas.*

Na margem estava escrito, com a letra firme de Holmes:

O segundo homem mais perigoso de Londres.

— É assombroso — eu disse ao devolver o livro. — A carreira deste homem é a de um soldado honrado.

— É verdade — respondeu Holmes. — Até certo ponto ele agiu corretamente. Sempre foi um homem de nervos de aço, e conta-se ainda na Índia a história de como se arrastou por um escoadouro atrás de um tigre devorador de homens ferido. Existem árvores, Watson, que crescem até certa altura e de repente desenvolvem um desvio disforme. Você perceberá isso com frequência nos seres humanos. Tenho uma teoria segundo a qual o indivíduo reproduz no seu desenvolvimento toda a evolução de seus antepassados e que uma mudança repentina, para o bem ou para o mal, surge em consequência de alguma forte influência ocorrida em sua linhagem.

— Isto com certeza é bem fantasioso.

— Bem, não vou insistir neste ponto. Seja qual for a causa, o coronel Moran começou a comportar-se mal. Sem qualquer escândalo público, ainda tornou a Índia quente demais para abrigá-lo. Reformou-se, veio para Londres e adquiriu de novo má fama. Nessa época, foi requisitado pelo professor Moriarty, para quem trabalhou durante algum tempo como chefe da equipe. Moriarty o abastecia generosamente de dinheiro e o utilizou em apenas um ou dois trabalhos de primeira categoria, que nenhum criminoso comum poderia realizar. Você deve ter alguma lembrança da morte da sra. Stewart, de Lauder, em 1887. Não? Bem, estou certo de que Moran estava por trás disso, mas nada pôde ser provado. Foi tão esperto que, mesmo quando a quadrilha de Moriarty foi desbaratada, nós não conseguimos incriminá-lo. Você se lembra de que naquela data, quando fui visitá-lo em seus aposentos, fechei as venezianas com medo das armas de ar comprimido? É claro que você pensou que eu era um lunático. Eu sabia o que estava fazendo, porque tinha conhecimento da existência dessa arma notável, e sabia também que um dos maiores atiradores do mundo estaria atrás de mim. Quando fomos para a Suíça, ele nos seguiu com Moriarty e, sem sombra de dúvida, foi ele quem me proporcionou aqueles malditos cinco minutos na saliência de Reichenbach.

"Pode imaginar que li aqueles papéis com atenção durante minha estada na França, à espera de alguma oportunidade de pegá-lo pelo pé. Assim que ele estivesse livre em Londres, minha vida não valeria absolutamente nada. Noite e dia sua sombra estaria no meu encalço, e cedo ou tarde ele teria sua oportunidade. O que eu poderia fazer? Não poderia simplesmente atirar nele, ou eu mesmo iria para o banco dos réus. Não adiantaria apelar para um juiz. Eles não poderiam interferir com energia no que, para eles, pareceria uma suspeita insensata. Portanto, não poderia fazer nada. Mas olhava as notícias de crimes, sabendo que mais cedo ou mais tarde eu o pegaria. Aí veio a morte desse Ronald Adair. Minha oportunidade chegara finalmente. Pelo que eu sabia, não era certo que o coronel Moran tivesse feito isso? Ele jogara cartas com o rapaz, seguira-o do clube até em casa, atirara nele através da janela aberta. Sobre isso não havia dúvidas. Só as balas seriam suficientes para levá-lo à forca. Comecei a trabalhar logo. Fui visto pela sentinela que, eu sabia, iria chamar a atenção do coronel para a minha presença. Ele não deixaria de ligar a minha volta repentina ao seu crime e ficaria terrivelmente alarmado. Eu tinha certeza de que ele tentaria me tirar do caminho *imediatamente* e usaria sua arma mortal com este propósito. Deixei para ele um ótimo alvo na janela e, tendo avisado a polícia de que poderíamos precisar dela — falando nisso, Watson, você descobriu a presença deles na porta com grande exatidão —, ocupei o lugar que me pareceu ser um bom posto de observação, sem nunca ter imaginado que ele escolheria o mesmo lugar para o seu ataque. Agora, meu caro Watson, quer que eu explique mais alguma coisa?"

— Sim — eu disse. — Você não esclareceu qual o motivo do coronel Moran para assassinar o *honourable* Ronald Adair.

— Ah, meu caro Watson, aqui entraremos nos domínios da conjectura, onde a mais lógica das mentes pode falhar. Cada um pode formular sua própria hipótese em cima da evidência existente, e a sua pode estar tão correta quanto a minha.

— Tem uma, então?

— Acho que não é tão difícil explicar os fatos. Foi revelado no inquérito que o coronel Moran e o jovem Adair tinham, entre eles, ganhado uma soma considerável. Agora, sem dúvida Moran jogava sujo, disso eu sabia há muito tempo. Acho que, no dia do crime, Adair descobriu que Moran andava trapaceando. É provável que tenha falado com ele em particular e tenha ameaçado denunciá-lo, a menos que desistisse voluntariamente de ser membro do clube, e prometesse não jogar cartas de novo. É improvável que um jovem como Adair fizesse logo um escândalo terrível, expondo um homem tão conhecido e mais velho que ele. Certamente agiu como imaginei. A exclusão de seus clubes significaria a ruína para Moran, que vivia de seus ganhos nas cartas, conseguidos de modo desonesto. Portanto, assassinou Adair, que àquela hora estava tentando descobrir quanto dinheiro deveria devolver, já que não poderia lucrar com o jogo sujo do seu parceiro. Trancou a porta para que as mulheres não o surpreendessem e insistissem em saber o que ele estava fazendo com aqueles nomes e as moedas. Aprovado?

— Não tenho dúvida de que você descobriu a verdade.

— Será confirmada ou contestada no julgamento. Enquanto isso, o coronel Moran não nos atrapalhará mais. A famosa arma de ar de Von Herder irá enfeitar o museu da Scotland Yard e mais uma vez o sr. Sherlock Holmes está livre para dedicar sua vida a examinar aqueles probleminhas interessantes que a vida complexa de Londres apresenta com tanta fartura.

A AVENTURA DO CONSTRUTOR DE NORWOOD

— Do ponto de vista de um perito criminal — disse o sr. Sherlock Holmes —, Londres transformou-se numa cidade singularmente desinteressante desde a morte do saudoso professor Moriarty.

— Duvido que encontre muitos cidadãos decentes que concordem com você — respondi.

— Bem, bem, não devo ser egoísta — ele disse com um sorriso, enquanto afastava sua cadeira da mesa, depois do café da manhã. — A comunidade com certeza é a ganhadora e ninguém é o perdedor, a não ser o pobre perito sem trabalho, cuja ocupação desapareceu. Com aquele homem na área, cada jornal matutino apresentava possibilidades infinitas. Frequentemente, Watson, o menor traço, a indicação mais vaga já bastavam para me dizer que o grande cérebro maligno estava ali, assim como os menores tremores nas bordas da teia lembram-nos da aranha que se oculta no centro. Furtos insignificantes, assaltos audaciosos, afrontas sem propósito, quem tivesse a pista poderia juntar tudo num conjunto interligado. Para o estudioso científico do alto mundo do crime, nenhuma capital da Europa oferecia as vantagens que Londres tinha então. Mas agora... — encolheu os ombros numa depreciação bem-humorada do estado de coisas para o qual ele próprio contribuíra.

Na época de que falo, Holmes tinha reaparecido havia alguns meses, e, a seu pedido, eu vendera minha clínica e voltara a dividir com ele os antigos aposentos na Baker Street. Um jovem médico chamado Verner comprara minha pequena clínica em Kensington, pagando sem objeções o alto preço que ousei pedir — um incidente que só se explicou alguns anos depois, quando descobri que Verner era um parente distante de Holmes e, na verdade, fora o meu amigo quem dera o dinheiro.

Nossos meses de parceria não foram tão desprovidos de casos como ele afirmara, pois descobri, examinando minhas anotações, que este período inclui o caso dos papéis do ex-presidente Murillo, e também o caso chocante do barco a vapor holandês *Friesland*, que quase nos custou a vida. Entretanto, sua natureza fria e orgulhosa era sempre avessa a qualquer tipo de aplauso público, intimando-me, nos termos mais rigorosos, a não dizer uma palavra sobre ele, seus métodos ou suas vitórias — uma proibição que, como já expliquei, só agora foi retirada.

Sherlock Holmes recostara-se na cadeira após seu protesto lamentoso e estava desdobrando sem pressa o jornal matutino, quando nossa atenção foi atraída por um tremendo toque da campainha, seguido de uma pancada oca, como se alguém estivesse batendo na porta de fora com a mão fechada. Assim que ela se abriu, houve um tumulto no saguão, passos rápidos subindo a escada e logo depois um jovem fora de si, com um olhar selvagem, pálido, desalinhado e palpitante, irrompeu na sala. Olhou alternadamente para nós dois e, diante de nosso olhar inquiridor, percebeu que era preciso alguma desculpa para esta entrada sem cerimônia.

— Desculpe-me, sr. Holmes! — exclamou. — Não deve me censurar. Estou quase louco, sr. Holmes, sou o infeliz John Hector McFarlane.

Ele se anunciou como se bastasse o nome para explicar sua visita e seus modos, mas eu podia ver, pelo rosto inexpressivo do meu amigo, que não significava mais para ele do que para mim.

— Pegue um cigarro, sr. McFarlane — disse ele, estendendo-lhe sua cigarreira. — Estou certo de que, com os seus sintomas, meu amigo aqui, o dr. Watson, lhe prescreveria um sedativo. O tempo tem estado tão quente nesses últimos dias. Agora, se o senhor estiver um pouco melhor, eu gostaria que se sentasse naquela cadeira e nos contasse calma e lentamente quem é e o que deseja. Mencionou seu nome como se eu devesse conhecê-lo, mas asseguro-lhe que, a não ser os fatos óbvios de que é solteiro, advogado, maçom e asmático, não sei mais nada sobre o senhor.

Familiarizado como estava com os métodos do meu amigo, não foi difícil para mim acompanhar suas deduções e observar as roupas desalinhadas, o maço de papéis legais, o berloque do relógio e a respiração que as sugerira. Mas nosso cliente ficou espantado.

— Sim, sou tudo isso, sr. Holmes, e também o homem mais infeliz de Londres neste momento. Por Deus, não me abandone, sr. Holmes! Se vierem me prender antes de eu terminar minha história, faça com que me deem tempo para que possa lhe contar toda a verdade. Poderia ir para a cadeia feliz, se soubesse que o senhor estaria trabalhando por mim do lado de fora.

— Prender você! — disse Holmes. — Isto é realmente muito grati... muito interessante. Sob que acusação você espera ser preso?

— Sob a acusação de assassinar o sr. Jonas Oldacre, de Lower Norwood.

O rosto expressivo do meu amigo mostrava uma simpatia que, receio, não estava totalmente isenta de satisfação.

— Pobre de mim — disse ele. — Há poucos instantes, no café da manhã, eu estava dizendo ao meu amigo, dr. Watson, que os casos sensacionais haviam desaparecido dos nossos jornais.

Nosso visitante estendeu a mão trêmula e pegou o *Daily Telegraph*, que ainda estava sobre os joelhos de Holmes.

— Se o tivesse lido, senhor, teria visto logo com que intenção vim aqui esta manhã. Sinto-me como se meu nome e meu infortúnio estivessem na boca de todos. — Mostrou-nos a página central. — Aqui está e, com sua permissão, vou lê-lo para o senhor. Escute isto, sr. Holmes. O cabeçalho é: "Caso misterioso em Lower Norwood. Desaparecimento de um conhecido construtor. Suspeita de assassinato e incêndio premeditado. Pista para o criminoso." Esta é a pista que eles já estão seguindo, sr. Holmes, e sei que ela conduz infalivelmente a mim. Fui seguido desde a estação da Ponte de Londres, e tenho certeza de que estão apenas esperando pelo mandado para me prenderem. Isto vai partir o coração de minha mãe, vai partir o coração dela! — Ele torcia as mãos de angústia e se balançava para a frente e para trás na cadeira.

Olhei com interesse para esse homem, que era acusado de ser o autor de um crime violento. Era bonito e louro, de um modo desbotado e neutro, com olhos azuis amedrontados e um rosto escanhoado, uma boca sensível e delicada. Devia ter uns 27 anos, seu modo de vestir e seu procedimento eram os de um cavalheiro. Do bolso de seu sobretudo claro de verão sobressaía o maço de papéis que revelava sua profissão.

— Devemos aproveitar o tempo que temos — disse Holmes. — Watson, você faria a gentileza de pegar o jornal e ler o tema em questão?

Abaixo dos cabeçalhos incisivos que nosso cliente citara, li o seguinte relato sugestivo:

Na noite de ontem, ou bem cedo esta manhã, ocorreu um incidente em Lower Norwood que aponta, como se receia, para um crime grave. O sr. Jonas Oldacre é um conhecido morador daquele subúrbio, onde, durante muitos anos, manteve seu negócio como construtor. O sr. Oldacre é solteiro, tem 52 anos de idade e mora em Deep Dene House, no terminal Sydenham da estrada do mesmo nome. Tinha fama de ser um homem excêntrico, reservado e modesto. Há alguns anos praticamente se retirou do negócio, no qual dizem que acumulou uma fortuna considerável. Entretanto, ainda existe um pequeno depósito de madeiras nos fundos da casa, e na noite passada, por volta da meia-noite, foi dado o alarme: uma pilha de lenha estava pegando fogo. Os bombeiros chegaram logo ao local, mas a madeira seca queimou com muita fúria, e não foi possível apagar o incêndio até que a pilha toda fosse consumida. Até esse ponto o fato parecia um acidente comum, mas novos indícios parecem apontar para um crime grave. Causou surpresa a ausência, no local do incêndio, do dono do estabelecimento, e procedeu-se a um interrogatório, que apurou que ele desaparecera da casa. Um exame do seu quarto revelou que a cama não fora desarrumada, o cofre que havia lá estava aberto, vários papéis importantes estavam espalhados pelo chão e, finalmente, que havia sinais de luta mortal, sendo encontrados vestígios de sangue pelo quarto, e uma bengala de carvalho, cujo cabo também mostrava manchas de sangue. Sabe-se que o sr. Jonas Oldacre recebeu em seu quarto um visitante naquela noite, e a bengala encontrada foi identificada como de propriedade desta pessoa, um jovem advogado de Londres chamado John Hector McFarlane, sócio da Graham e McFarlane, no número 426 dos edifícios Gresham, E.C.A polícia acredita dispor de indícios que fornecem um motivo bem convincente para o crime, e não há dúvida de que se farão progressos sensacionais.

MAIS TARDE:

Surgiram rumores, enquanto imprimimos, de que o sr. John Hector McFarlane já foi preso sob a acusação de assassinato do sr. Jonas Oldacre. É certo, pelo menos, que um mandado foi expedido. Existem mais indícios sinistros na investigação em Norwood. Além dos sinais de luta no quarto do infeliz construtor, sabe-se agora que as portas envidraçadas de seu quarto (que fica no primeiro andar) foram encontradas abertas; que há marcas como se um objeto grande tivesse sido atirado na pilha de madeira e, finalmente, afirma-se que restos carbonizados foram descobertos entre as cinzas do incêndio. A teoria da polícia é a de que um crime, dos mais sensacionais, foi cometido, que a vítima foi morta a pauladas em seu próprio quarto, seus papéis revirados e seu corpo sem vida jogado na pilha de madeira, que foi então acesa, para esconder todos os vestígios do crime. A condução da investigação criminal foi deixada nas mãos experientes do inspetor Lestrade, da Scotland Yard, que está seguindo as pistas com sua energia e sagacidade costumeiras.

Sherlock Holmes ouviu, de olhos fechados e com as pontas dos dedos unidas, este relato incrível.

— O caso certamente tem alguns pontos interessantes — disse ele com seu jeito indolente. — Em primeiro lugar, sr. McFarlane, posso perguntar como ainda está em liberdade, já que parece haver indícios suficientes para justificar sua prisão?

— Moro em Torrington Lodge, Blackheath, com meus pais, sr. Holmes, mas na noite passada, tendo de trabalhar até muito tarde com o sr. Jonas Oldacre, pernoitei num hotel em Norwood, e vim de lá para o trabalho. Não sabia nada sobre este caso até estar no trem, quando li o que acabou de ouvir. Percebi logo o perigo horrível da minha situação e corri para pôr o caso em suas mãos. Não tenho dúvida de que teria sido preso no escritório ou em casa. Um homem me seguiu desde a estação da Ponte de Londres e não duvido que... Meu Deus! O que é isto?

Houve um toque de campainha, seguido de passos pesados na escada. Logo depois, nosso velho amigo Lestrade apareceu à porta. Por cima do seu ombro vi um ou dois policiais uniformizados do lado de fora.

— Sr. John Hector McFarlane? — perguntou Lestrade.

Nosso infeliz cliente levantou-se, pálido.

— Prendo-o pelo assassinato premeditado do sr. Jonas Oldacre, de Lower Norwood.

McFarlane virou-se para nós com um gesto de desespero, e afundou de novo na cadeira como alguém que se sentisse derrotado.

— Um momento, Lestrade — disse Holmes. — Meia hora a mais ou a menos não fará diferença, e o cavalheiro estava para nos dar um resumo deste caso interessante e que pode nos ajudar a esclarecê-lo.

— Creio que não há dificuldade em esclarecê-lo — disse Lestrade, inflexível.

— Mas, com sua permissão, eu gostaria muito de ouvir o relato dele.

— Bem, sr. Holmes, é difícil para mim recusar-lhe qualquer coisa, pois já foi útil para a polícia uma ou duas vezes no passado, e nós lhe devemos muito na Scotland Yard — disse Lestrade. — Enquanto isso, devo ficar com o meu prisioneiro, e aviso-lhe que qualquer coisa que diga pode depor contra ele.

— Não espero nada melhor — disse nosso cliente. — Tudo que peço é que escute e reconheça a verdade absoluta.

Lestrade consultou o relógio.

— Tem meia hora — avisou.

— Devo explicar primeiro — disse McFarlane — que não sabia nada sobre o sr. Jonas Oldacre. Eu o conhecia de nome porque meus pais mantinham relações com ele, mas depois se afastaram. Portanto, fiquei muito surpreso quando ontem, lá pelas 15 horas, ele entrou no meu escritório, na cidade. Mas fiquei ainda mais espantado quando me disse o objetivo de sua visita. Tinha na mão várias folhas de caderno cobertas com texto manuscrito, aqui estão, e as deixou na minha mesa.

"'Aqui está o meu testamento', disse ele. 'Quero que o senhor, McFarlane, o coloque numa forma legal apropriada. Vou me sentar aqui enquanto faz isso.'

"Pus-me a copiá-lo, e o senhor pode imaginar o meu assombro quando descobri que, com algumas exceções, deixara todas as suas posses para mim. Era um homem pequeno e estranho, parecido com um furão, com pestanas brancas e, quando ergui os olhos para ele, encontrei seus penetrantes olhos cinzentos fixos em mim com uma expressão divertida. Mal podia acreditar nos meus próprios sentidos enquanto lia os termos do testamento; mas ele explicou que era solteiro, com quase nenhum parente vivo, que tinha conhecido meus pais quando era jovem e que sempre ouvira falar de mim como um rapaz muito digno, e estava certo de que seu dinheiro estaria em boas mãos. Naturalmente, eu só pude balbuciar os meus agradecimentos. O testamento foi devidamente terminado, assinado e testemunhado pelo meu escrivão. Está aqui no papel azul, e estas notas, como já expliquei, são o rascunho. O sr. Jonas Oldacre me informou então que havia vários documentos — aluguéis de edifícios, títulos de propriedade, hipotecas, certificados de subscrição de ações e assim por diante, que eu precisava ver e entender. Disse que sua cabeça não ficaria tranquila até que a coisa toda estivesse pronta, e me pediu para ir à sua casa em Norwood aquela noite, levando o testamento comigo, para acertar tudo.

"'Lembre-se, meu rapaz, nem uma palavra a seus pais sobre isto, até que tudo esteja pronto. Guardaremos isto como uma pequena surpresa para eles.' Ele insistiu muito nesse ponto e me fez prometer.

"Pode imaginar, sr. Holmes, que eu não estava num estado de espírito para lhe recusar nada. Era o meu benfeitor e tudo o que eu queria era satisfazer seus desejos em cada detalhe. Portanto, mandei um telegrama para casa dizendo que tinha um negócio importante para resolver e que era impossível calcular quanto tempo me atrasaria. O sr. Oldacre dissera que gostaria que eu jantasse com ele às 21 horas, pois não estaria em casa antes dessa hora. Mas tive certa dificuldade em achar sua casa e já estava quase meia hora atrasado quando cheguei. Encontrei-o..."

— Um momento! — interrompeu Holmes. — Quem abriu a porta?

— Uma senhora de meia-idade, que era a governanta, suponho.

— Presumo que tenha sido ela quem mencionou o seu nome?

— Exatamente — disse McFarlane.

— Continue, por favor.

McFarlane enxugou a testa úmida e continuou a narrativa:

— Essa senhora me levou até uma sala de estar onde estava servido um jantar frugal. Mais tarde, o sr. Jonas Oldacre me levou até o seu quarto, onde havia um cofre pesado. Ele o abriu e pegou uma pilha de documentos, que examinamos juntos. Terminamos entre 23 horas e meia-noite. Ele comentou que não deveríamos perturbar a governanta. Fez com que eu saísse pela porta envidraçada que ficara aberta o tempo todo.

— A veneziana da janela estava abaixada?

— Não tenho certeza, mas creio que estava apenas à meia altura. Sim, lembro-me de que ele a levantou para abrir a janela. Eu não conseguia achar a minha bengala, e ele disse: "Não tem importância, meu rapaz, eu o verei com frequência agora, espero, e eu a guardarei até que volte para apanhá-la." Deixei-o lá, o cofre aberto e os papéis em pilhas sobre a mesa. Era tão tarde que não poderia voltar a Blackheath, de modo que passei a noite no Anerley Arms, e não soube de mais nada até que li sobre este caso horrível de manhã.

— Não há mais nada que gostaria de perguntar, sr. Holmes? — disse Lestrade, cujas sobrancelhas se ergueram uma ou duas vezes durante este relato.

— Não até que tenha ido a Blackheath.

— Você quer dizer a Norwood — comentou Lestrade.

— Ah, sim, sem dúvida é o que pretendia dizer — afirmou Holmes, com seu sorriso enigmático. Lestrade aprendera, por mais experiências do que podia se lembrar, que aquela mente afiada como lâmina podia trespassar o que era impenetrável para ele. Vi que olhava com curiosidade para o meu amigo.

— Acho que gostaria de ter uma palavra com o senhor — disse ele para Holmes. — Agora, sr. McFarlane, dois de meus homens estão lá na porta, e há um carro esperando. — O infeliz jovem se levantou com um último olhar suplicante para nós, e saiu da sala. Os policiais o levaram para o cabriolé, mas Lestrade ficou.

Holmes apanhara as páginas do rascunho do testamento e as estava examinando com o maior interesse.

— Existem alguns detalhes a respeito deste documento, Lestrade, não é? — disse ele, entregando-os.

O policial olhou para eles com uma expressão confusa.

— Posso ler as primeiras linhas, e as do meio da segunda página, e uma ou duas no final. São nítidas como se fossem impressas — disse ele —, mas a escrita entre elas é muito ruim, e há três lugares em que não consigo ler nada.

— O que você deduz daí? — disse Holmes.

— Bem, o que *você* deduz dele?

— Que foi escrito num trem. A caligrafia boa representa paradas, a ruim significa movimento, e a muito ruim, passando por desvios.

Um perito diria que isto foi escrito numa linha suburbana, já que em nenhum outro lugar, a não ser na periferia de uma cidade grande, haveria uma sucessão tão rápida de desvios. Admitindo que ele passou a viagem toda fazendo o testamento, então o trem era um expresso, só parando uma vez entre Norwood e a Ponte de Londres.

Lestrade começou a rir.

— O senhor é demais para mim quando começa com suas teorias, sr. Holmes — disse ele. — O que isso tem a ver com o caso?

— Bem, isso confirma a história do rapaz de que o testamento foi escrito por Jonas Oldacre durante sua viagem ontem. É curioso, não é?, que um homem escreva um documento tão importante de maneira tão displicente. Isso sugere que ele não achava que iria ter muita importância prática. Se um homem fosse escrever um testamento que não quisesse efetivar nunca, ele o faria desta maneira.

— Bem, ele escreveu ao mesmo tempo a sua própria sentença de morte — disse Lestrade.

— Oh, acha isso?

— Você não?

— Bem, é possível, mas o caso ainda não está claro para mim.

— Não está claro? Bem, se aquilo não está claro, o que *poderia* estar? Temos um rapaz que de repente descobre que, se um certo homem idoso morrer, ele herdará uma fortuna. O que ele faz? Não diz nada a ninguém, mas inventa que tem de ir visitar seu cliente, sob algum pretexto, aquela noite. Espera até que a outra pessoa da casa esteja na cama, e então, no isolamento do quarto de um homem, assassina-o, queima seu corpo na pilha de madeira e vai para um hotel da vizinhança. As manchas de sangue no quarto e também na bengala são muito tênues. É provável que imaginasse que seu crime fosse sem sangue, e pensou que se o corpo fosse consumido, ocultaria todos os traços do método da morte; traços que, por algum motivo, apontariam para ele. Isso tudo não é óbvio?

— Isto me impressiona, meu bom Lestrade, por ser uma ninharia óbvia demais — disse Holmes. — Você não acrescenta imaginação às suas outras grandes qualidades, mas se o conseguir por um instante, ponha-se no lugar deste rapaz; escolheria a noite seguinte à preparação do testamento, para cometer seu crime? Não pareceria perigoso, para você, fazer uma relação tão próxima entre os dois incidentes?

Além disso, escolheria uma ocasião em que sabiam que você estava na casa, quando uma empregada o deixara entrar? E, finalmente, você se esforçaria para ocultar o corpo e mesmo assim deixa sua própria bengala como um sinal de que foi o criminoso? Confesse, Lestrade, que tudo isso é muito improvável.

— Com relação à bengala, sr. Holmes, sabe tão bem quanto eu que em geral um criminoso é um indivíduo perturbado, e faz coisas que um homem equilibrado evitaria. Muito provavelmente ele estava com medo de voltar ao quarto. Dê-me outra teoria que se encaixe nos fatos.

— Poderia facilmente dar meia dúzia — disse Holmes. — Aqui, por exemplo, está uma muito possível e mesmo provável. Vou dá-la de graça para você. O velho está mostrando documentos que são de valor evidente, um vagabundo passa e os vê pela janela, cuja persiana só está à meia altura. O advogado sai. Entra o vagabundo! Pega a bengala que vê ali, mata Oldacre e vai embora depois de queimar o corpo.

— Por que o vagabundo queimaria o corpo?

— Quanto a isso, por que McFarlane o faria?

— Para esconder alguma prova.

— Possivelmente o vagabundo queria esconder que havia sido cometido um crime.

— E por que ele não levou nada?

— Porque não eram papéis que ele pudesse negociar.

Lestrade balançou a cabeça, embora me desse a impressão de estar menos seguro do que antes.

— Bem, sr. Sherlock Holmes, pode procurar o seu vagabundo, e enquanto faz isso, nós seguraremos o nosso homem. O futuro mostrará quem está certo. Mas atente para este ponto, sr. Holmes: até onde sabemos, nenhum dos papéis foi roubado, e nosso prisioneiro é o único homem no mundo que não tinha motivo para tirá-los de lá, já que era o herdeiro legítimo, e teria a posse deles de qualquer maneira.

Meu amigo pareceu impressionado por esta observação.

— Não nego que a evidência, em alguns aspectos, é muito forte em favor de sua teoria — disse ele. — Só desejo lembrar que existem outras teorias possíveis. Como você disse, o futuro decidirá. Até logo! Acho que durante o dia vou dar um pulo a Norwood e ver como está se saindo.

Quando o detetive foi embora, meu amigo levantou-se e fez seus preparativos para o dia de trabalho com a expressão alerta de um homem que tem pela frente uma tarefa adequada.

— Meu primeiro movimento, Watson — disse ele, enquanto se metia na sua sobrecasaca —, tem de ser, como eu disse, na direção de Blackheath.

— Por que não Norwood?

— Porque nós temos neste caso um incidente singular vindo junto com outro incidente singular. A polícia está cometendo o erro de concentrar sua atenção no segundo, porque este parece ser o único realmente criminoso. Mas para mim é evidente que a maneira lógica de solucionar o caso é começar tentando jogar alguma luz sobre o primeiro incidente: o curioso testamento, feito tão repentinamente, e para um herdeiro tão inesperado. Pode ajudar a simplificar o que veio depois. Não, meu caro amigo, não acho que você possa me ajudar. Não existe nenhuma perspectiva de perigo, ou nem sonharia em sair sem você. Creio que quando o vir à noite, estarei apto a dizer que pude fazer algo por este jovem infeliz que se colocou sob a minha proteção.

Já era tarde quando meu amigo voltou, e pude ver, num olhar de relance para o seu rosto fatigado e ansioso, que as grandes esperanças com que começara não se realizaram. Durante uma hora ficou arranhando seu violino, tentando acalmar seu espírito agitado. Finalmente deixou o instrumento e começou a fazer um relato detalhado de suas desventuras.

— Está tudo dando errado, Watson; o mais errado possível. Não dei o braço a torcer diante de Lestrade, mas no fundo da minha alma acredito que pela primeira vez o sujeito está no caminho certo e nós no errado. Todos os meus instintos vão num sentido e todos os fatos noutro, e receio que os júris britânicos ainda não tenham alcançado este nível de inteligência quando derem preferência às minhas teorias, e não aos fatos de Lestrade.

— Você foi a Blackheath?

— Sim, Watson, estive lá, e descobri rapidamente que o saudoso Oldacre era um grandississímo cafajeste. O pai de McFarlane tinha saído para procurar o filho. A mãe estava em casa, pequenina, rechonchuda, de olhos azuis, trêmula de medo e indignação. É claro que ela não podia admitir nem mesmo a possibilidade de culpa do filho. Mas não manifestou nem surpresa nem pesar pela morte de Oldacre. Pelo contrário, falou dele com tal rancor que estava inconscientemente reforçando a tese da polícia, pois, naturalmente, se o seu filho a ouviu falar desse homem desta maneira, ficaria predisposto contra ele com ódio e violência. "Ele se parecia mais com um macaco maligno e manhoso do que com um ser humano", disse ela, "e sempre foi assim, desde que era jovem".

"'Você o conhecia naquela época?', perguntei.

"'Sim, na verdade o conhecia bem; era um antigo pretendente meu. Graças a Deus tive o bom senso de me afastar dele e me casar com um homem melhor, embora mais pobre. Estava noiva dele, sr. Holmes, quando ouvi uma história chocante de como ele soltou um gato num aviário, e fiquei tão horrorizada com sua crueldade brutal que não quis ter mais nada a ver com ele.' Ela foi até uma escrivaninha, pegou a fotografia de uma mulher, a imagem estava horrivelmente desfigurada e mutilada com uma faca. 'É a minha fotografia', e disse: 'Ele a enviou para mim neste estado na manhã de meu casamento, junto com sua maldição.'

"'Bem', eu disse, 'pelo menos ele a perdoou agora, pois deixou todas as suas posses para seu filho.'

"'Nem meu filho nem eu queremos nada de Jonas Oldacre, vivo ou morto!', exclamou ela, com coerência. 'Existe um Deus no céu, sr. Holmes, e o mesmo Deus que puniu esse homem perverso mostrará, em Seu justo tempo, que as mãos de meu filho são inocentes do sangue dele.'

"Bem, tentei um ou dois outros indícios, mas não consegui chegar a nada que pudesse ajudar a nossa hipótese, e há vários pontos que vêm contra ela. Finalmente desisti e fui para Norwood.

"Este lugar, Deep Dene House, é uma casa de campo grande e moderna, nos fundos de seu terreno, com moitas de louro na frente. À direita e a uma certa distância da estrada estava o pátio de lenha que foi o cenário do incêndio. Aqui está um esboço do mapa, numa folha do meu caderno. Esta janela à esquerda é a que dá para o quarto de Oldacre. Da estrada, você pode olhar lá para dentro. Este foi o único consolo que tive hoje. Lestrade não estava lá, mas seu braço direito fez as honras. Tinham acabado de achar uma preciosidade. Haviam passado a manhã inteira remexendo as cinzas da pilha de madeira queimada e, além dos restos orgânicos torrados, encontraram vários discos de metal descoloridos. Examinei-os com cuidado, e não havia dúvida de que eram botões de calça. Até percebi que um deles estava marcado com o nome de 'Hyams', que era o alfaiate de Oldacre. Então examinei a área cuidadosamente à procura de sinais e vestígios, mas esta seca deixou tudo duro como ferro. Não havia nada para ser visto, a não ser que um corpo ou fardo fora atirado numa pequena sebe de alfena, que está ao lado da pilha de madeira. Tudo isso, claro, se encaixa na teoria oficial. Rastejei pelo jardim com um sol de agosto nas minhas costas, mas me levantei depois de uma hora sem saber mais do que antes.

"Bem, depois deste fiasco, fui para o quarto e o revistei também. As manchas de sangue eram muito tênues, simples borrões e descolorações, mas, sem dúvida alguma, frescas. A bengala já tinha sido retirada, mas lá as marcas também eram superficiais. Não há dúvida de que a bengala pertencia ao nosso cliente. Ele admite isso. Pegadas dos dois homens podiam ser notadas no tapete, mas nenhuma de uma terceira pessoa, o que é novamente uma decepção para nós. Eles estão aumentando seu escore, enquanto nós ainda estamos na estaca zero.

"Só tive um pequeno lampejo de esperança — e de novo não deu em nada. Examinei o conteúdo do cofre, cuja maior parte havia sido retirada e colocada em cima da mesa. Os papéis foram postos em envelopes selados, dos quais um ou dois a polícia abrira. Não eram, pelo que pude ver, de grande valor, nem a caderneta do banco mostrava que o sr. Oldacre estava numa situação tão boa. Mas me pareceu que nem todos os papéis estavam ali. Havia alusões a certos documentos — possivelmente os mais valiosos — que não consegui encontrar. Isto, é claro, se pudéssemos prová-lo definitivamente, viraria o argumento de Lestrade contra ele mesmo; pois quem roubaria algo se soubesse que o herdaria em breve?

"Por fim, tendo vasculhado todos os livros e não encontrando nenhuma pista, tentei a sorte com a governanta, a sra. Lexington — pequenina, morena e silenciosa, com olhos desconfiados e oblíquos. Ela poderia nos contar algo, se quisesse — estou convencido disso. Mas era muito fechada. Sim, deixara o sr. McFarlane entrar às 21h30.

Desejou que sua mão tivesse secado antes de fazer aquilo. Foi para a cama às 22h30. Seu quarto ficava no outro lado da casa, e não podia ouvir nada do que se passou. O sr. McFarlane tinha deixado o chapéu e, tanto quanto sabia, a bengala, no saguão. Foi acordada pelo alarme de incêndio. Seu pobre, querido patrão certamente fora assassinado. Ele tinha inimigos? Ora, todo homem tem inimigos, mas o sr. Oldacre era muito fechado, e só se relacionava com as pessoas na área de trabalho. Ela vira os botões e tinha certeza de que pertenciam às roupas que ele vestira na noite passada. A pilha de madeira estava muito seca, pois não chovera durante um mês. Queimou como uma isca inflamável, e quando chegou ao local, não se via nada além das chamas. Ela e todos os bombeiros sentiram o cheiro de carne queimada que vinha de lá. Não sabia nada sobre os papéis nem sobre a vida particular do sr. Oldacre.

"Aí está, meu caro Watson, o relato de um fracasso. E ainda assim... e ainda assim...", ele cerrou as mãos num paroxismo de convicção. "Eu *sei* que está tudo errado. Sinto isso nos meus ossos. Existe algo que ainda não apareceu, e aquela governanta sabe o que é. Havia uma espécie de desafio irritado em seus olhos, que só se explica pelo conhecimento culposo. Entretanto, é melhor não falarmos mais nisso, Watson; mas, a não ser que algum feliz acaso nos apareça, receio que o Caso do Desaparecimento de Norwood não figurará nas crônicas dos nossos êxitos, dos quais prevejo que um público paciente tomará conhecimento, cedo ou tarde."

— Decerto — disse eu — a aparência do homem ajudaria em qualquer júri?

— Este é um argumento perigoso, meu caro Watson. Lembra-se daquele assassino terrível, Bert Stevens, que queria que o puséssemos em liberdade em 1887? Já houve algum rapaz mais bem-educado, com aparência de aluno de uma escola de catecismo?

— É verdade.

— A menos que consigamos elaborar uma teoria alternativa, este homem está perdido. Você dificilmente pode achar uma falha na acusação que agora pode ser apresentada contra ele, e toda investigação a mais tem servido para reforçá-la. Falando nisso, há um pequeno detalhe curioso em relação a esses papéis que pode nos servir como ponto de partida de uma investigação. Ao examinar a caderneta do banco, descobri que o saldo pequeno era causado principalmente por grandes somas que foram retiradas durante o ano passado para o sr. Cornelius. Confesso que estou interessado em saber quem seria este sr. Cornelius, com quem um construtor aposentado manteve transações tão vultosas. Será possível que ele tenha tido um dedo no caso? Cornelius podia ser um corretor, mas não encontramos nenhum certificado de subscrição de ações que correspondesse a esses pagamentos grandes. Depois do fracasso de outras indicações, minhas pesquisas devem se concentrar agora no banco, para descobrir o cavalheiro que se apresentou para descontar estes cheques. Mas receio, meu caro amigo, que o nosso caso termine de modo inglório, com Lestrade enforcando nosso cliente, o que certamente será um triunfo para a Scotland Yard.

Não sei se Sherlock Holmes conseguiu dormir naquela noite, mas, quando desci para o café da manhã, encontrei-o pálido e fatigado, seus olhos brilhantes reluziam ainda mais devido às sombras escuras ao redor deles. O tapete em volta da sua cadeira estava coberto de pontas de cigarro e com as edições recentes dos jornais matutinos. Um telegrama estava aberto na mesa.

— O que acha disso, Watson? — perguntou, atirando-o para mim.

Era de Norwood, e dizia o seguinte:

Importante indício novo em mãos. Culpa de McFarlane definitivamente estabelecida. Aconselho abandonar caso.

Lestrade

— Isso parece ser sério — eu disse.

— É o pequeno canto de vitória de Lestrade — respondeu Holmes, com um sorriso amargurado. — E ainda pode ser prematuro abandonar o caso. Afinal, importante indício novo é uma faca de dois gumes, e pode cortar numa direção bem diferente da que Lestrade imagina. Tome o seu café, Watson, sairemos juntos e veremos o que podemos fazer. Sinto-me como se precisasse de sua companhia e apoio moral hoje.

Meu amigo não tomou o café da manhã, pois uma de suas peculiaridades era que em seus momentos mais intensos ele não se permitia nenhuma comida, e eu sabia que confiava demais na sua força de ferro, até que desmaiava de pura inanição. "No momento não posso gastar energia e força dos nervos para a digestão", ele diria, em resposta aos meus conselhos médicos. Sendo assim, não me surpreendi quando nessa manhã ele deixou sua comida intacta e foi comigo para Norwood. Um grupo de observadores mórbidos ainda estava reunido em volta de Deep Dene House, que era uma casa de campo suburbana tal como eu imaginara. Dentro dos portões, Lestrade encontrou-se conosco, seu rosto corado com a vitória, seus modos triunfantemente brutos.

— Bem, sr. Holmes, já provou que estamos errados? Achou o seu vagabundo? — exclamou.

— Ainda não cheguei a nenhuma conclusão — respondeu o meu amigo.

— Mas nós chegamos à nossa ontem, e agora ela prova que é correta; assim, deve reconhecer que desta vez estamos um pouco à sua frente, sr. Holmes.

— Sua expressão mostra que aconteceu algo incomum — disse Holmes.

Lestrade riu alto.

— O senhor não gosta de ser derrotado, assim como nós — ele disse. — Um homem não pode esperar que tudo saia sempre à sua maneira, pode, dr. Watson? Sigam por aqui, cavalheiros, e acho que posso convencê-los de uma vez por todas que foi John McFarlane quem cometeu este crime.

Ele nos levou por um corredor e chegamos a um saguão.

— Foi aqui que o jovem McFarlane deve ter vindo para apanhar seu chapéu, depois de o crime ter sido cometido — disse ele. — Agora olhem para isto. — Com uma rapidez dramática, acendeu um fósforo, e à sua luz vimos uma mancha de sangue na parede branca. Quando ele aproximou o fósforo, vi que era mais do que uma mancha. Era a nítida impressão de um polegar.

— Olhe para ela com sua lente de aumento, sr. Holmes.

— Sim, estou fazendo isso.

— Sabe que duas impressões de polegar nunca são iguais?

— Ouvi algo deste tipo.

— Bem, então, queira comparar esta impressão com a do jovem McFarlane, em cera, que eu mandei tirar esta manhã.

Quando ele comparou as duas, não era necessário usar uma lente de aumento para se ver que elas eram, sem sombra de dúvida, do mesmo polegar. Era evidente para mim que o nosso cliente estava perdido.

— Isto é definitivo — disse Lestrade.

— Sim, é definitivo — repeti involuntariamente.

— É definitivo — disse Holmes.

Alguma coisa no seu tom chamou minha atenção, e me virei para ele. Ocorrera uma mudança extraordinária em seu rosto. Estava com uma expressão de contentamento interior. Seus olhos brilhavam como estrelas. Parecia que estava fazendo um esforço desesperado para reprimir um ataque de riso.

— Pobre de mim! Pobre de mim! — ele disse afinal. — Bem, agora, quem teria pensado nisso? E como as aparências podem ser enganadoras! Parece um rapaz tão bom! É uma lição para nós não confiarmos no nosso próprio julgamento, não é, Lestrade?

— Sim, alguns de nós tendem a ser convencidos, sr. Holmes — disse Lestrade. A insolência do homem era enlouquecedora, mas não podíamos nos ofender com isso.

— Que coisa providencial que o rapaz tenha apertado seu polegar direito na parede ao pegar seu chapéu no cabide! Um ato bastante natural, também, se pensarmos nisso. — Holmes aparentemente estava calmo, mas todo o seu corpo estremecia de excitação contida enquanto falava.

— Por falar nisso, Lestrade, quem fez esta descoberta notável?

— Foi a governanta, sra. Lexington, quem chamou a atenção do policial da noite para ela.

— Onde estava o policial?

— Ele ficou de guarda no quarto onde o crime foi cometido, para que nada fosse tocado.

— Mas por que a polícia não viu esta marca ontem?

— Ora, não tínhamos nenhum motivo especial para examinar com cuidado o saguão. Além disso, não é um lugar muito visível, como pode constatar.

— Não, não, claro que não. Suponho que não haja dúvida de que a marca estava aí ontem.

Lestrade olhou para Holmes como se pensasse que ele estivesse fora de si. Confesso que eu mesmo fiquei surpreso com seu jeito irônico e sua observação irritada.

— Não sei se pensa que McFarlane saiu da cadeia na calada da noite para reforçar a prova contra ele mesmo — disse Lestrade. — Desafio qualquer perito no mundo a me dizer se não é a marca do polegar dele.

— Esta é, inegavelmente, a marca do seu polegar.

— Então, isto é suficiente — disse Lestrade. — Sou um homem prático, sr. Holmes, e, quando consigo minhas provas, chego às minhas conclusões. Se tiver algo a me dizer, estarei escrevendo meu relatório na sala de estar.

Holmes havia recobrado sua calma, embora eu ainda pudesse detectar sinais de regozijo na sua expressão.

— Pobre de mim, este é um acontecimento muito triste, Watson, não é? — disse ele. — E mesmo assim existem detalhes singulares sobre ele que dão esperanças ao nosso cliente.

— Estou encantado por ouvir isso — eu disse calorosamente. — Receava que estivesse tudo acabado para ele.

— Não chegaria a ponto de dizer isso, meu caro Watson. O fato é que existe uma falha grave nesse indício, ao qual nosso amigo dá tanta importância.

— É mesmo, Holmes? Qual é?

— Apenas isto: eu *sei* que aquela marca não estava lá ontem quando examinei o saguão. E agora, Watson, vamos dar uma voltinha ao sol.

Com a mente confusa, mas com um coração que voltava a ter alguma esperança, acompanhei meu amigo numa caminhada pelo jardim. Holmes escolhia um lado da casa de cada vez e o examinava com grande interesse. Depois entrou e percorreu o prédio inteiro, do porão ao sótão. A maioria dos aposentos estava sem mobília, mas mesmo assim Holmes os inspecionou detalhadamente. Por fim, no corredor do último andar, que passava por três quartos vazios, ele manifestou contentamento.

— Há realmente alguns aspectos muito singulares neste caso, Watson — disse. — Acho que é hora de confiarmos no nosso amigo Lestrade. Ele deu sua risadinha à nossa custa, e talvez possamos fazer o mesmo com ele, se minha interpretação deste problema se mostrar correta. Sim, sim, acho que sei como podemos abordá-lo.

O inspetor da Scotland Yard ainda estava escrevendo na sala de visitas quando Holmes o interrompeu.

— Entendi que você estava escrevendo o relatório deste caso — disse ele.

— E estou.

— Não acha que pode ser um pouco prematuro? Não consigo deixar de pensar que o seu indício está incompleto.

Lestrade conhecia o meu amigo bem demais para desprezar suas palavras. Largou a caneta e olhou para ele com curiosidade.

— O que quer dizer, sr. Holmes?

— Apenas que há uma testemunha importante que ainda não viu.

— Pode apresentá-la?

— Acho que posso.

— Então faça isso.

— Farei o possível. Quantos policiais você tem?

— Tenho três aqui perto.

— Excelente! — disse Holmes. — Posso perguntar se eles são grandes, homens robustos com vozes potentes?

— Não tenho dúvida de que são, embora não consiga ver o que as suas vozes têm a ver com isso.

— Talvez eu possa ajudá-lo a ver isso, e mais uma ou duas outras coisas também — disse Holmes. — Mande chamar os seus homens e eu tentarei.

Cinco minutos depois, três policiais estavam no saguão.

— Fora da casa encontrarão grande quantidade de palha — disse Holmes. — Peço a vocês que tragam dois molhos dela. Creio que vai ajudar a fazer aparecer a testemunha de que eu necessito. Muito obrigado. Acho que tem alguns fósforos no bolso, Watson. Agora, sr. Lestrade, peço que todos me acompanhem ao último patamar.

Como já mencionara, havia um corredor largo ali, que passava por três quartos vazios. Numa extremidade do corredor estávamos todos nós, conduzidos por Sherlock Holmes, os policiais sorrindo e Lestrade encarando meu amigo com espanto, expectativa e escárnio se alternando em suas feições. Holmes ficou diante de nós com a expressão de um ilusionista que está fazendo seu número.

— Você poderia, por gentileza, mandar um de seus subordinados buscar dois baldes de água? Ponham a palha no chão aqui, longe da parede, dos dois lados. Agora acho que já estamos prontos.

O rosto de Lestrade começou a ficar vermelho e furioso.

— Não sei se está fazendo uma brincadeira conosco, sr. Sherlock Holmes — disse ele. — Se sabe de alguma coisa, pode muito bem contá-la para nós sem toda essa tolice.

— Eu lhe asseguro, meu bom Lestrade, que tenho um ótimo motivo para tudo o que faço. É provável que se lembre de que caçoou de mim algumas horas atrás, quando o sol parecia brilhar a seu favor; portanto, você tem de me conceder um pouco de pompa e cerimônia agora. Watson, quer abrir aquela janela e depois jogar um fósforo na ponta da palha?

Fiz isso, e levada pela corrente de ar, uma coluna de fumaça cinza encheu o corredor, enquanto a palha seca crepitava e ardia.

— Agora vamos ver se conseguimos arranjar essa testemunha para você, Lestrade. Peço-lhes que gritem juntos "fogo!" Agora, então: um, dois, três...

— Fogo! — gritamos todos.

— Obrigado. Vou incomodá-los mais uma vez.

— Fogo!

— Só mais uma vez, cavalheiros, e todos juntos.

— Fogo! — O grito deve ter ecoado por toda Norwood.

O grito mal havia morrido, quando aconteceu uma coisa espantosa. Uma porta se abriu de repente no lugar que parecia ser uma parede sólida no final do corredor, e um homem pequeno e mirrado saiu correndo como um coelho para fora da toca.

— Excelente! — disse Holmes, calmamente. — Watson, um balde de água sobre a palha. Está bom! Lestrade, permita-me apresentá-lo à nossa principal testemunha desaparecida, sr. Jonas Oldacre.

O inspetor olhou para o recém-chegado com uma surpresa desconcertada. Este, piscando por causa da luz brilhante do corredor, olhava com curiosidade para nós e para o fogo que ardia. Era um rosto odioso — manhoso, perverso, maligno, com olhos astutos, de um cinza-claro com pestanas brancas.

— O que é isto? — perguntou Lestrade finalmente. — O que esteve fazendo todo este tempo, hein?

Oldacre deu um sorriso forçado, recuando diante da cara vermelha e furiosa do inspetor.

— Não fiz nenhum mal.

— Nenhum mal? Você fez o que pôde para levar à forca um homem inocente. Se não fosse por estes cavalheiros aqui, não sei se não teria conseguido.

A criatura desprezível começou a choramingar.

— Estou certo, senhor, de que foi só uma brincadeira.

— Oh! Uma brincadeira, não foi? Não vai achar graça na sua vez, eu lhe prometo. Levem-no para baixo e o mantenham na sala de visitas até que eu chegue. Sr. Holmes — continuou, depois que eles saíram —, eu não podia falar diante dos policiais, mas não me importo de dizer, na presença do dr. Watson, que esta foi a coisa mais brilhante que já fez, embora seja um mistério para mim como a fez. Salvou a vida de um homem inocente e evitou um grande escândalo, que arruinaria minha reputação na polícia.

Holmes sorriu e deu um tapinha no ombro de Lestrade.

— Em vez de ser arruinada, meu caro, descobrirá que a sua reputação foi enormemente aumentada. Faça algumas alterações naquele relatório que estava escrevendo, e eles entenderão como é difícil jogar areia nos olhos do inspetor Lestrade.

— E o senhor não quer que seu nome apareça?

— De modo algum. O trabalho é a própria recompensa. Talvez eu também tenha algum crédito num dia distante, quando permitir que o meu zeloso historiador espalhe seus papéis mais uma vez, hein, Watson? Bem, agora vamos ver onde esse rato estava escondido.

Havia um aposento de ripas e gesso junto ao corredor, a dois metros do final, com uma porta engenhosamente disfarçada nele. Era iluminado por meio de brechas no beiral do telhado. Alguns móveis e um suprimento de comida e água estavam ali, juntamente com alguns livros e papéis.

— Esta é a vantagem de ser um construtor — disse Holmes quando saímos. — Era capaz de fazer seu próprio esconderijo sem nenhum cúmplice; a não ser, é claro, aquela sua preciosa governanta, que eu não demoraria em colocar na sua bagagem, Lestrade.

— Seguirei o seu conselho. Mas como descobriu este lugar, sr. Holmes?

— Concluí que o sujeito estava escondido nesta casa. Quando medi um corredor e descobri que era dois metros menor que o seu correspondente abaixo, ficou bem claro onde ele estava. Imaginei que não teria sangue-frio para ficar quieto depois de um alarme de incêndio. É claro que nós poderíamos ter entrado e o capturado, mas me diverti fazendo com que ele se denunciasse. Além do mais, devia-lhe um pequeno embuste, Lestrade, pela sua troça da manhã.

— Bem, senhor, conseguiu empatar comigo nisso. Mas como soube que ele estava de fato na casa?

— A marca do polegar, Lestrade. Você disse que era definitiva; e era, num sentido muito diferente. Eu sabia que não estava lá no dia anterior. Presto muita atenção nos detalhes, como já deve ter observado, e tinha examinado o saguão e me certificado de que a parede estava limpa. Portanto, fora feita durante a noite.

— Mas como?

— Muito simples. Quando aqueles pacotes foram selados, Jonas Oldacre fez McFarlane segurar um dos selos, colocando o seu polegar na cera mole. Isto pode ser feito tão rápida e naturalmente que duvido que o rapaz se lembre. Muito provavelmente isso aconteceu, e Oldacre não tinha ideia de como usá-lo. Remoendo o caso em seu refúgio, ele percebeu de repente que poderia forjar uma prova contra McFarlane usando aquela impressão de polegar. Era a coisa mais simples do mundo para ele fazer uma impressão em cera do selo, umedecê-la com o sangue que poderia tirar de uma pequena alfinetada, e colocar a marca na parede durante a noite, com suas próprias mãos ou com as da governanta. Se examinar os documentos que ele levou para sua toca, aposto que encontrará o selo com a marca do polegar.

— Maravilhoso! — disse Lestrade. — Maravilhoso! Está tudo claro como cristal, do jeito como explica. Mas qual é o objetivo desta imensa fraude?

Divertia-me ver como o comportamento arrogante do inspetor mudara rapidamente para o de uma criança fazendo perguntas ao professor.

— Ora, não acho muito difícil explicar. O cavalheiro que agora está nos esperando lá embaixo é uma pessoa muito astuta, maliciosa e vingativa. Sabe que uma vez ele foi rejeitado pela mãe de McFarlane?

Não sabe! Eu lhe disse que deveria ir primeiro a Blackheath e depois a Norwood. Bem, essa ferida, se a considerarmos assim, envenenava-lhe a mente cruel e ardilosa, e durante toda a vida desejou vingança, mas nunca via sua oportunidade. Durante o ano passado, e talvez no anterior também, as coisas correram mal para ele, especulações secretas, acho, e ele descobre que está em má situação. Resolve dar um calote nos seus credores e, com esse objetivo, paga grandes cheques em favor de um certo sr. Cornelius, que é, imagino, ele mesmo com outro nome. Ainda não localizei esses cheques, mas não tenho dúvida de que estão depositados sob aquele nome em alguma cidade do interior onde Oldacre, de tempos em tempos, levava uma vida dupla. Pretendia mudar de nome, pegar seu dinheiro e desaparecer, começando uma vida nova em outro lugar.

— É, isso é bem provável.

— Pensou que, se desaparecesse, tiraria os perseguidores da sua pista e, ao mesmo tempo, iria se vingar de modo esmagador de sua antiga namorada se desse a impressão de que fora assassinado pelo filho único dela. Era uma obra-prima de maldade, e ele a conduziu como um mestre. A ideia do testamento, que daria um motivo óbvio para o crime, a visita secreta sem o conhecimento dos pais, a retenção da bengala, o sangue e os restos de animais e os botões na pilha de madeira, tudo isso é admirável. Era uma rede da qual me parecia, algumas horas atrás, não haver escapatória. Mas ele não tinha aquele dom supremo do artista: saber quando parar. Queria melhorar o que já estava perfeito, apertar ainda mais a corda em torno do pescoço de sua desgraçada vítima, e aí arruinou tudo. Vamos descer, Lestrade. Quero fazer uma ou duas perguntas a ele.

A criatura maligna estava sentada em sua própria sala de visitas, com um policial de cada lado.

— Foi uma brincadeira, meu bom senhor, um trote, nada mais — ele gemia sem parar. — Eu lhe asseguro, senhor, que eu só me escondi para ver o efeito do meu desaparecimento, e tenho certeza de que não seria tão injusto a ponto de imaginar que eu permitiria que algum mal acontecesse ao pobre rapaz McFarlane.

— Isso é o júri que vai decidir — disse Lestrade. — De qualquer modo, nós o prendemos sob acusação de conspiração, se não por tentativa de homicídio.

— E você com certeza vai descobrir que os seus credores confiscarão a conta bancária do sr. Cornelius — disse Holmes.

O homenzinho estremeceu e virou seus olhos malignos para o meu amigo.

— Tenho muito que agradecer a você — ele disse. — Talvez algum dia eu pague a minha dívida.

Holmes sorriu com indulgência.

— Imagino que, durante alguns anos, o seu tempo estará muito ocupado — disse ele. — Falando nisso, o que foi que colocou na pilha de madeira, além de suas calças? Um cachorro morto, coelhos ou o quê? Não quer dizer? Pobre de mim, quanta indelicadeza sua! Ora, ora, arriscaria dizer que um casal de coelhos serviria de explicação para o sangue e para os restos torrados. Se algum dia escrever um resumo disto, Watson, pode usar os coelhos para o seu objetivo.

A AVENTURA DOS HOMENZINHOS DANÇANTES

HOLMES ESTAVA SENTADO EM SILÊNCIO HAVIA algumas horas, com as suas costas longas e magras curvadas sobre um recipiente químico, no qual despejava algum produto malcheiroso. Seu queixo estava enterrado no peito, e ele parecia um pássaro estranho e encolhido, com uma plumagem cinza-fosca e um topete preto.

— Então, Watson — ele disse de repente —, você não pretende investir em ações sul-africanas?

Dei um gemido de espanto. Embora eu estivesse acostumado aos curiosos talentos de Holmes, esta intromissão repentina nos meus pensamentos mais íntimos era completamente inexplicável.

— Como é que sabe disso? — perguntei.

Ele girou em seu tamborete, com um tubo de ensaio fumegante na mão e um brilho divertido nos olhos fundos.

— Ora, Watson, confesse que foi apanhado inteiramente de surpresa — disse ele.

— Fui mesmo.

— Devia fazer você assinar um papel dizendo isso.

— Por quê?

— Porque daqui a cinco minutos vai dizer que isso tudo é muito simples.

— Tenho certeza de que não direi nada desse tipo.

— Veja, meu caro Watson — pôs o tubo de ensaio no seu suporte e começou a falar como um professor se dirigindo à sua classe —, não é realmente difícil elaborar uma série de deduções, cada uma dependente de sua antecessora e simples em si mesma. Se, depois de fazer isso, simplesmente deitamos por terra todas as deduções centrais e apresentamos ao público o ponto de partida e a conclusão, podemos produzir efeitos espantosos, embora possivelmente falsos. Portanto, não foi realmente difícil, pela observação do sulco entre seu dedo indicador e o polegar esquerdos, perceber que você *não* pretende investir seu pequeno capital nas minas de ouro.

— Não vejo nenhuma ligação.

— Provavelmente não; mas posso mostrar-lhe rapidamente uma ligação estreita. Aqui estão os elos que faltam nessa cadeia simples: 1) Você tinha giz entre seu dedo e o polegar esquerdos quando voltou do clube na noite passada. 2) Você passa giz aí quando joga bilhar, para fixar o taco. 3) Nunca joga bilhar, a não ser com Thurston. 4) Você me disse, quatro semanas atrás, que Thurston tinha uma opção sobre algumas propriedades na África do Sul que expiraria em um mês, e que ele queria dividi-la com você. 5) Seu talão de cheques está trancado na minha gaveta, e você não me pediu a chave. 6) Você não pensa em investir o seu dinheiro desta maneira.

— Como é absurdamente simples! — exclamei.

— De fato! — disse ele, um pouco irritado. — Todo problema passa a ser infantil depois que é explicado a você. Aqui está um inexplicado. Veja o que pode fazer com isto, caro Watson. — Atirou um pedaço de papel na mesa, e virou-se de novo para a sua análise química.

Olhei com espanto para os hieróglifos absurdos que estavam no papel.

— Mas, Holmes, é um desenho de criança — exclamei.

— Oh, é o que pensa?

— O que mais poderia ser?

— Isso é o que o sr. Hilton Cubitt, de Riding Thorpe Manor, Norfolk, está muito ansioso para saber. Este pequeno enigma veio pela primeira remessa e ele viria depois, no próximo trem. A campainha está tocando, Watson. Não me surpreenderia se fosse ele.

Ouvimos passos pesados na escada e logo depois entrou um homem alto, corado e bem barbeado, cujos olhos claros e bochechas vermelhas indicavam uma vida passada bem longe da neblina da Baker Street. Parecia trazer junto com ele um sopro forte, fresco e revigorante do ar litorâneo quando entrou. Depois de nos cumprimentar com um aperto de mão, estava prestes a se sentar quando seu olhar pousou no papel com as marcas curiosas que eu havia examinado e deixado sobre a mesa.

— Bem, sr. Holmes, o que acha delas? — perguntou. — Disseram-me que gostava de mistérios estranhos, e não acredito que encontre um mais estranho do que esse. Mandei o papel primeiro, para que tivesse tempo de examiná-lo antes da minha chegada.

— É de fato uma criação curiosa — disse Holmes. — À primeira vista parece ser uma brincadeira de criança. Consiste em algumas figurinhas ridículas dançando no papel em que estão desenhadas. Por que dá importância a uma coisa tão grotesca?

— Eu nunca daria, sr. Holmes. Mas a minha mulher dá. Isso a está matando de medo. Ela não diz nada, mas vejo terror nos seus olhos. Por isso quero tirar tudo a limpo.

Holmes segurou o papel de modo que a luz do sol batesse em cheio nele. Era uma página arrancada de um caderno. As marcas eram feitas a lápis, e dispunham-se desta maneira:

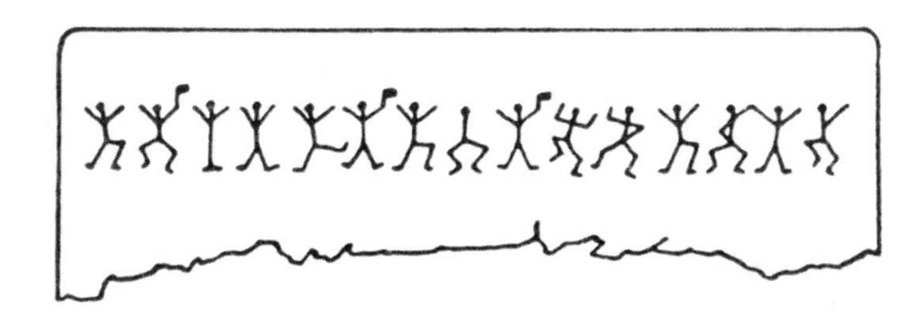

Holmes examinou o papel por algum tempo e depois, dobrando-o com cuidado, guardou-o em sua agenda de bolso.

— Este caso promete ser muito interessante e incomum — disse ele. — O senhor me deu alguns detalhes em sua carta, sr. Hilton Cubitt, mas agradeceria se repetisse tudo, por gentileza, para o meu amigo, dr. Watson.

— Não sou um bom contador de histórias — disse nosso visitante, torcendo nervosamente as mãos grandes e fortes. — Perguntem-me qualquer coisa que eu não deixe clara. Começarei na época do meu casamento, no ano passado, mas, antes de tudo, quero dizer que, embora não seja um homem rico, minha família está em Riding Thorpe há cerca de cinco séculos, e que não existe família mais conhecida no condado de Norfolk. No ano passado, vim a Londres para o jubileu, e me hospedei numa pensão, na praça Russell, porque Parker, o vigário de nossa paróquia, estava lá. Havia uma jovem americana, Patrick era o sobrenome, Elsie Patrick. De certo modo nos tornamos amigos, e antes do final do mês eu estava tão apaixonado quanto um homem poderia estar. Nós nos casamos discretamente num cartório e voltamos a Norfolk como marido e mulher. Pode achar loucura, sr. Holmes, que um homem de uma família tradicional possa se casar com uma mulher desta maneira, sem saber nada do seu passado ou de sua família, mas compreenderia se a visse e a conhecesse.

"Elsie foi muito correta em relação a isso. Não posso dizer que ela não me deu muitas oportunidades de desistir, se eu quisesse fazê-lo. 'Tive alguns relacionamentos muito desagradáveis na minha vida', ela disse. 'Quero esquecer tudo sobre eles. Prefiro nunca aludir ao passado, pois isso é muito doloroso para mim. Se me quiser, Hilton, ficará com uma mulher que não tem nada do que se envergonhar; mas você terá de se contentar com a minha palavra, e me permitir silenciar sobre tudo o que me aconteceu até o dia em que passei a ser sua. Se estas condições forem muito duras, então volte para Norfolk, e me deixe na vida solitária em que me encontrou.' Foi só na véspera do nosso casamento que ela me disse essas palavras. Eu lhe respondi que aceitava ficar com ela nas suas próprias condições, e tenho cumprido minha palavra.

"Bem, estamos casados há um ano e temos sido muito felizes. Mas, um mês atrás, em fins de junho, foi que percebi os primeiros sinais de problemas. Um dia minha esposa recebeu uma carta dos Estados Unidos. Vi o selo americano. Ficou branca como a morte, leu a carta e a jogou no fogo. Não comentou nada sobre isso, e eu também não, porque promessa é promessa; mas ela não teve uma hora de tranquilidade desde aquele momento. Há sempre um olhar de medo em seu rosto — como se estivesse sempre esperando, na expectativa. Ela faria melhor confiando em mim. Descobriria que sou seu melhor amigo. Mas até que fale, não posso dizer nada. Acredite, ela é uma mulher sincera, sr. Holmes, e qualquer problema que tenha ocorrido no passado não foi por culpa sua. Sou um simples proprietário rural de Norfolk, mas não existe um homem na Inglaterra que preze tanto a honra de sua família quanto eu. Ela sabe disso muito bem, e sabia antes de se casar comigo. Não a mancharia, estou certo disso.

"Bem, agora chego à parte mais estranha de minha história. Há cerca de uma semana — foi na terça-feira da semana passada — descobri, no peitoril de uma das janelas, várias figurinhas dançantes absurdas. Estavam riscadas a giz. Pensei que fora o garoto da estrebaria quem as desenhara, mas o rapaz jurou que não sabia nada sobre aquilo. De qualquer modo, apareceram ali durante a noite. Mandei lavá-las, e só depois mencionei o fato à minha esposa. Para minha surpresa, ela as levou a sério e me implorou que, se aparecesse mais alguma, eu a deixasse ver. Não apareceu nada durante uma semana, e então ontem de manhã achei este papel caído perto do relógio de sol no jardim. Mostrei-o a Elsie, e ela desmaiou. Desde então parece uma mulher num sonho, meio aturdida, com o terror permanentemente nos olhos. Foi quando escrevi e mandei o papel para o senhor. Não era uma coisa que eu pudesse levar para a polícia, pois eles ririam de mim, mas o senhor me dirá o que fazer. Não sou um homem rico, mas se algum perigo estiver ameaçando minha esposa, gastaria até meu último *penny* para protegê-la."

Era um sujeito digno, este homem do velho solo inglês — simples, direto e gentil, com seus grandes e honestos olhos azuis, o rosto largo e bonito. Sua expressão demonstrava amor e confiança na esposa. Holmes ouvira sua história com a maior atenção e agora estava sentado, em meditação silenciosa, durante algum tempo.

— Não acha, sr. Cubitt — disse ele por fim —, que o seu melhor procedimento seria fazer um apelo direto à sua esposa, e pedir que ela divida o seu segredo com o senhor?

Hilton Cubitt balançou sua cabeça imponente.

— Uma promessa é uma promessa, sr. Holmes. Se Elsie quisesse me contar, ela o faria. Do contrário, não forçarei uma confidência sua. Mas eu tenho motivo para adotar minha própria linha de ação, e o farei.

— Então eu o ajudarei de todo o coração. Em primeiro lugar, ouviu falar de algum estranho pelas redondezas?

— Não.

— Presumo que seja um lugarejo muito tranquilo. Qualquer cara nova provocaria comentários?

— Na vizinhança próxima, sim. Mas temos vários balneários pequenos, não muito distantes. E os fazendeiros aceitam hóspedes.

— Estes hieróglifos certamente têm um significado. Se for um sentido puramente arbitrário, talvez nos seja impossível decifrá-lo. Se, por outro lado, for sistemático, não tenho dúvidas de que chegaremos ao fundo disto. Mas esta amostra específica é tão curta que não posso fazer nada, e os fatos que me trouxe são tão vagos que não tenho uma base para a investigação. Sugiro que volte a Norfolk, fique de olhos abertos, e faça uma cópia exata de qualquer figura dançante que apareça. É uma pena que não tenha uma reprodução daqueles que foram feitos a giz no peitoril da janela. Faça também uma investigação discreta sobre algum estranho na vizinhança. Quando tiver conseguido algum novo indício, venha aqui outra vez. É o melhor conselho que posso lhe dar, sr. Hilton Cubitt. Se houver qualquer novo acontecimento urgente, estarei sempre pronto a sair e ir até sua casa em Norfolk.

A entrevista deixou Sherlock Holmes muito pensativo, e várias vezes nos dias que se seguiram, eu o vi tirar do seu caderno aquele pedaço de papel e olhar longa e seriamente para as curiosas figuras desenhadas nele. Entretanto, não comentou nada sobre o caso até uma tarde, há mais ou menos duas semanas. Eu estava saindo quando ele me chamou.

— Seria melhor você não sair, Watson.

— Por quê?

— Porque recebi um telegrama, esta manhã, de Hilton Cubitt. Lembra-se de Hilton Cubitt, dos homenzinhos dançantes? Ele vai chegar à Liverpool Street às 13h20. Pode estar aqui a qualquer momento. Deduzi, pelo seu telegrama, que ocorreram alguns incidentes importantes.

Não tivemos que esperar muito, pois o nosso proprietário rural de Norfolk veio tão depressa quanto podia um cabriolé. Parecia deprimido e preocupado, com os olhos cansados e a testa marcada.

— Esse negócio está me dando nos nervos, sr. Holmes — disse ele, enquanto afundava numa poltrona como um homem exausto. — É péssimo você sentir que está cercado por alguém invisível e desconhecido que está planejando alguma coisa, ainda por cima, quando sabe que isto está matando sua esposa aos poucos, e aí chega ao máximo que a carne e o sangue podem aguentar. Ela está se consumindo por causa disso, definhando diante dos meus olhos.

— Ela já disse alguma coisa?

— Não, sr. Holmes, não disse. Mesmo assim houve vezes em que a pobre moça quis falar, mas não consegui convencê-la a dar esse passo arriscado. Tentei ajudá-la, mas confesso que o fiz de modo desajeitado, e a amedrontei. Falou de minha família antiga, de nossa reputação no condado e de nosso orgulho da honra imaculada, e sempre senti que estávamos chegando ao ponto, mas de algum modo nos desviávamos antes de chegar lá.

— Mas descobriu alguma coisa por conta própria?

— Muito, sr. Holmes. Tenho uma grande quantidade de novos homenzinhos dançantes para o senhor examinar e, o que é mais importante, eu vi o sujeito.

— O quê, o homem que os desenha?

— Sim, eu o vi trabalhando. Mas contarei tudo para o senhor pela ordem. Quando voltei de minha visita, a primeira coisa que vi na manhã seguinte foi uma nova safra de homenzinhos dançantes. Estavam desenhados na porta preta de madeira do galpão de ferramentas, que fica ao lado do jardim, dando diretamente para as janelas da frente. Peguei uma cópia exata, e aqui está. — Desdobrou um papel e o deixou na mesa. Eis a cópia dos hieróglifos:

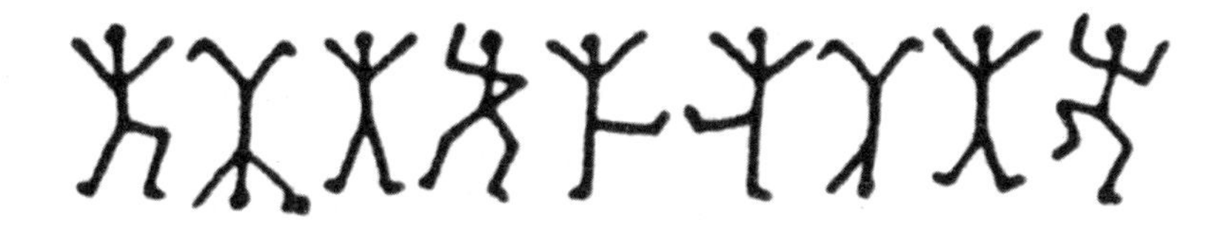

— Excelente! — exclamou Holmes. — Excelente! Por favor, continue.

— Quando tirei a cópia, apaguei as marcas, mas dois dias depois, apareceu um novo desenho. Tenho uma cópia dele aqui.

Holmes esfregou as mãos, exultante.

— Nosso material está se acumulando rapidamente — disse ele.

— Três dias depois uma mensagem escrita num papel foi deixada no relógio de sol, presa por uma pedra. Aqui está. Os caracteres são, como vê, iguais aos do último. Depois deste, resolvi ficar à espreita; então peguei meu revólver e me sentei no meu estúdio, de onde se avista o gramado e o jardim. Por volta das duas horas, eu estava sentado à janela, tudo escuro, com exceção do luar lá fora, quando ouvi passos atrás de mim, e apareceu minha esposa de roupão. Ela me implorou que fosse para a cama. Disse-lhe francamente que queria ver quem estava fazendo essas brincadeiras absurdas conosco. Ela respondeu que era algum trote sem sentido, e que eu não devia dar importância.

"'Se isso o irrita tanto, Hilton, podíamos viajar, você e eu, e assim evitar este aborrecimento.'

"'O quê, ser posto para fora de minha própria casa por um engraçadinho?', eu disse. 'Mas todo o condado iria rir de nós.'

"'Ora, venha para a cama', disse ela, 'e falaremos sobre isso de manhã.'

"De repente, enquanto falava, vi seu rosto ficar mais branco que o luar e suas mãos se crisparam no meu ombro. Algo se movera na sombra do galpão de ferramentas. Vi uma figura escura, furtiva, que se arrastou e agachou em frente à porta. Segurando minha arma, eu ia sair correndo quando minha esposa jogou seus braços em torno de mim e me segurou com muita força. Tentei me desvencilhar dela, mas se agarrou a mim desesperadamente. Por fim me livrei, e quando abri a porta e cheguei ao galpão, a criatura já tinha ido embora. Entretanto, deixara uma marca de sua presença, pois na porta havia quase o mesmo conjunto de homenzinhos dançantes que já havia aparecido por duas vezes, e que eu copiara naquele papel. Não havia sinal do sujeito em lugar nenhum, embora eu tivesse procurado por toda parte. E o mais incrível é que deve ter estado lá o tempo todo, pois quando examinei a porta de manhã, ele tinha feito mais alguns desenhos, abaixo da linha que já vira."

— Tem esse último desenho?

— Sim, é muito curto, mas fiz uma cópia dele. Está aqui.

De novo nos mostrou um papel. A nova dança tinha esta forma:

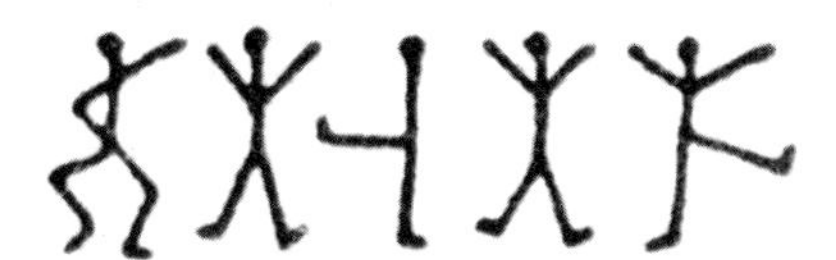

— Diga-me — continuou Holmes, e eu podia ver pelos seus olhos que estava muito excitado —, isto era um mero adendo ao primeiro ou parecia estar inteiramente separado?

— Estava num painel diferente da porta.

— Excelente! Este é de longe o mais importante dos nossos objetivos. Enche-me de esperanças. Agora, sr. Hilton Cubitt, por favor, continue seu relato interessantíssimo.

— Não tenho mais nada a dizer, sr. Holmes, a não ser que fiquei irritado com minha esposa naquela noite por ter me segurado, quando poderia ter apanhado aquele canalha fujão. Ela disse que eu podia ter me machucado. Por um instante veio à minha mente a ideia de que ela temia que acontecesse algum mal a *ele*, pois eu estava certo de que ela conhecia aquele homem e sabia o que aqueles sinais queriam dizer. Mas havia um tom na sua voz, sr. Holmes, e algo em seus olhos que não permitiam dúvidas, e estou certo de que era na minha própria segurança que ela pensava. Aqui está todo o caso, e agora quero seu conselho sobre como proceder. Minha ideia é colocar meia dúzia de meus rapazes nos arbustos e, quando esse sujeito aparecer novamente, dar-lhe uma recepção que o fará nos deixar em paz daqui para a frente.

— Receio que o caso seja profundo demais para estes remédios tão simples — disse Holmes. — Quanto tempo pode ficar em Londres?

— Tenho de voltar ainda hoje. De modo algum deixaria minha mulher sozinha a noite toda. Ela está muito nervosa e me implorou para que eu voltasse.

— Acho que está certo. Mas se ficasse, eu poderia voltar com o senhor em um ou dois dias. Enquanto isso, vai deixar comigo esses papéis, e é muito provável que eu possa fazer-lhe uma visita em breve e esclarecer alguma coisa sobre seu caso.

Sherlock Holmes manteve a sua calma profissional até que o nosso visitante foi embora, mas para mim, que o conhecia tão bem, era fácil notar que estava extremamente excitado. No momento em que as largas costas de Hilton Cubitt desapareceram pela porta, meu amigo correu para a mesa, abriu os pedaços de papel com os homenzinhos dançantes à sua frente, e se lançou à elaboração de um cálculo intrincado. Durante duas horas eu o observei enquanto cobria o papel de letras e figuras, e estava tão absorvido em seu problema que evidentemente esquecera a minha presença. Algumas vezes fazia progressos, e cantava e assobiava enquanto trabalhava; em outras mostrava-se confuso e fazia longos discursos, com as sobrancelhas cerradas e o olhar distante. Finalmente ele pulou de sua cadeira com um grito de satisfação, e começou a andar de um lado para outro na sala, esfregando as mãos. Então escreveu um longo telegrama num formulário. “Se minha resposta a isto vier como espero, você terá um belo caso para acrescentar à sua coleção, Watson”, disse ele. “Espero que possamos ir a Norfolk amanhã, e levar ao nosso amigo algumas novidades sobre o segredo que o preocupa.”

Confesso que estava curioso, mas sabia que Holmes gostava de fazer suas revelações na hora que achasse conveniente e à sua maneira; de modo que esperei até que quisesse confiar em mim.

Mas houve um atraso na resposta do telegrama, e seguiram-se dois dias de impaciência, durante os quais Holmes ficava com os ouvidos atentos a cada toque da campainha. Na noite do segundo dia chegou uma carta de Hilton Cubitt. Estava tudo bem com ele, exceto que uma longa inscrição aparecera naquela manhã no pedestal do relógio de sol. Incluiu uma cópia dela, que é reproduzida aqui:

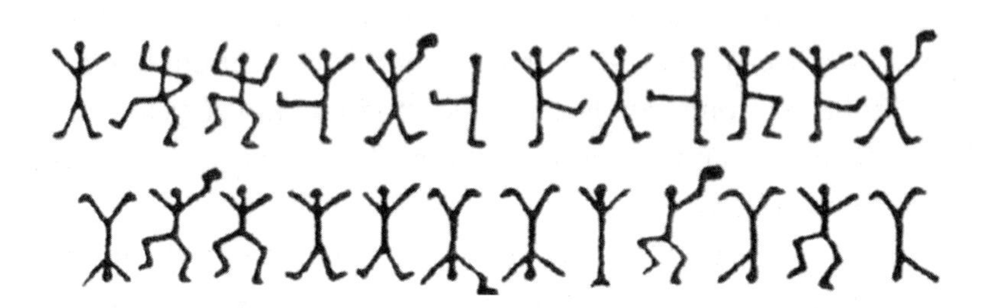

Holmes curvou-se durante alguns minutos sobre este friso grotesco, e então, de repente, deu um pulo, com uma exclamação de surpresa e consternação. Seu rosto estava crispado de ansiedade.

— Nós deixamos este caso ir longe demais — disse ele. — Há algum trem para North Walsham esta noite?

Peguei o horário dos trens. O último acabara de sair.

— Então devemos tomar o café da manhã bem cedo e pegar o primeiro de amanhã — disse Holmes. — Precisam da nossa presença com urgência. Ah! Aqui está o nosso esperado cabograma. Um momento, sra. Hudson, talvez haja uma resposta. Não, é exatamente como eu esperava. Com esta mensagem, não devemos perder nem uma hora para deixar Hilton Cubitt saber como vão as coisas, porque é uma rede bem estranha e perigosa esta em que o nosso simples proprietário de terras de Norfolk está metido.

Era realmente, e quando cheguei ao final sinistro da história que me parecia ser apenas infantil e bizarra, senti mais uma vez o horror e a consternação que me dominavam. Gostaria de ter um final mais alegre para contar aos meus leitores, mas estas são as crônicas dos fatos e devo seguir, até o momento decisivo, a estranha série de acontecimentos que por alguns dias fizeram de Riding Thorpe Manor um nome conhecido em toda a Inglaterra.

Mal chegamos em North Walsham e mencionamos o nome de nosso destino, o chefe de estação correu até nós.

— Suponho que sejam detetives de Londres? — disse ele.

Um olhar de irritação passou pelo rosto de Holmes.

— O que o faz pensar assim?

— Porque o inspetor Martin, de Norwich, acabou de passar por aqui. Mas talvez os senhores sejam cirurgiões. Ela não está morta, ou não estava, segundo os últimos relatos. Talvez ainda tenham tempo de salvá-la, embora seja para a forca.

A expressão de Holmes mostrava ansiedade.

— Nós estamos indo para Riding Thorpe Manor — disse ele —, mas não ouvimos nada sobre o que aconteceu lá.

— Algo terrível — disse o chefe da estação. — Foram baleados, o sr. Hilton Cubitt e a esposa. Ela atirou nele e depois em si mesma; é o que dizem os empregados. Ele está morto e ela, desenganada. Meu

Deus, meu Deus, uma das famílias mais antigas do condado de Norfolk e uma das mais honradas.

Sem uma palavra, Holmes correu até a carruagem, e durante os sete longos quilômetros do trajeto não abriu a boca. Raras vezes o vi tão desconsolado. Esteve inquieto durante toda a viagem, e notei que folheara os jornais da manhã com uma atenção ansiosa, mas agora a repentina concretização de seus piores temores deixou-o numa melancolia confusa. Recostou-se no assento, perdido em especulações tristes. Ainda assim, havia muita coisa à nossa volta que nos interessasse, pois passávamos pelo campo, tão singular quanto qualquer outro na Inglaterra, onde alguns chalés representam a população de hoje em dia, enquanto, por todo lado, enormes igrejas de torres quadradas levam-se na paisagem verde e contam a glória e a prosperidade da velha East Anglia. Por fim surgiu a orla violeta do mar do Norte por sobre a borda verde da costa de Norfolk, e o condutor apontou com seu chicote para dois telhados de tijolos e madeira que se projetavam de um bosque. "Aquela é Riding Thorpe Manor", ele disse.

Ao passarmos pela entrada de colunas, observei diante dela, ao lado da quadra de tênis, o galpão de ferramentas preto e o relógio de sol com o pedestal, com os quais tínhamos associações tão estranhas. Um homem baixo e ativo, com um bigode enorme, acabara de descer de uma carruagem. Apresentou-se como o inspetor Martin, da polícia de Norfolk, e ficou muito surpreso quando ouviu o nome do meu amigo.

— Oh, sr. Holmes, o crime só foi cometido às três horas. Como pôde ouvir falar dele em Londres e estar no local ao mesmo tempo que eu?

— Eu o previ. Vim com a esperança de evitá-lo.

— Então deve ter um indício importante que ignoramos, pois dizia-se que eles eram um casal muito unido.

— Só tenho o indício dos homenzinhos dançantes — disse Holmes. — Explicarei tudo a você depois. Enquanto isso, já que é tarde demais para evitar a tragédia, estou ansioso para usar o conhecimento que possuo, a fim de que a justiça seja feita. Vai me incluir na sua investigação ou prefere que eu aja de modo independente?

— Ficaria orgulhoso de saber que estamos trabalhando juntos, sr. Holmes — disse o inspetor com sinceridade.

— Nesse caso, gostaria de ouvir os depoimentos e examinar o local sem demora.

O inspetor Martin teve o bom senso de deixar meu amigo fazer as coisas a seu modo, contentando-se em anotar cuidadosamente os resultados. O cirurgião local, um homem idoso, de cabelos brancos, acabara de vir do quarto da sra. Hilton Cubitt, e nos informou que seus ferimentos eram graves mas não necessariamente fatais. A bala atravessara a região frontal do cérebro, e ela provavelmente levaria algum tempo até recobrar a consciência. Quanto a saber se ela fora baleada ou atirara em si mesma, ele não se arriscava a dar nenhuma opinião definitiva. Certamente a bala fora disparada de muito perto. Encontramos uma única pistola no quarto, da qual dois cartuchos tinham sido esvaziados. O sr. Hilton Cubitt fora atingido no coração. Também era possível que tivesse atirado nela e depois em si mesmo, ou que ela fora a criminosa, pois o revólver estava no chão, entre os dois.

— Ele foi retirado? — perguntou Holmes.

— Não retiramos nada, a não ser a senhora. Não podíamos deixá-la caída no chão, ferida.

— Há quanto tempo está aqui, doutor?

— Desde as quatro horas.

— Mais alguém?

— Sim, o guarda aqui.

— E tocou em alguma coisa?

— Nada.

— Agiu com muita discrição. Quem o chamou?

— A criada, Saunders.

— Foi ela quem deu o alarme?

— Ela e a sra. King, a cozinheira.

— Onde estão agora?

— Na cozinha, eu acho.

— Pois então é melhor ouvir logo a história delas.

O velho saguão, com painéis de carvalho e janelas altas, fora transformado em corte de investigação. Holmes sentou-se numa cadeira grande e antiga, seus olhos inexoráveis brilhando no rosto ansioso.

Podia ler neles o firme propósito de dedicar sua vida a esta questão, até que o cliente, que ele não conseguira salvar, fosse vingado. O elegante inspetor Martin, o velho médico do campo, de cabelos brancos, eu e um robusto policial da vila completávamos aquele grupo estranho.

As duas mulheres contaram sua história de modo bem claro. Foram acordadas pelo som de uma explosão, seguido por outro, um minuto depois. Desceram juntas a escada. A porta do estúdio estava aberta e uma vela estava acesa na mesa. O patrão estava caído no centro do quarto, com o rosto para o chão. Estava morto. Perto da janela sua esposa estava agachada, com a cabeça apoiada na parede. Estava horrivelmente ferida, com o lado do rosto vermelho de sangue. Respirava pesadamente, mas não era capaz de dizer nada. O corredor, bem como o quarto, estava cheio de fumaça e com cheiro de pólvora. Certamente a janela ficara fechada e trancada por dentro. As duas mulheres eram positivas sobre este ponto. Imediatamente foram chamar o médico e o policial. Depois, com a ajuda do criado e do rapaz da estrebaria, levaram a patroa ferida para o quarto. Ela e o marido tinham usado a cama. Ela estava vestida — ele estava com o roupão sobre o pijama. Nada fora mexido no estúdio. Até onde sabiam, nunca houve uma discussão entre marido e mulher. Sempre os consideraram um casal muito unido.

Estes eram os pontos principais do depoimento das empregadas. Em resposta ao inspetor Martin, afirmaram que todas as portas estavam trancadas por dentro e que ninguém poderia ter fugido da casa. Em resposta a Holmes, ambas se recordaram do cheiro da pólvora, desde o momento em que saíram de seus quartos, no último andar. "Recomendo a sua atenção especial para este fato", disse Holmes ao seu colega de profissão. "E agora acho que estamos em condições de fazer um exame completo no quarto."

O estúdio mostrou ser um aposento pequeno, repleto de livros em três lados, e com uma escrivaninha de frente para uma janela comum, que dava para o jardim. Demos atenção primeiro ao corpo do infeliz proprietário de terras, que estava estendido no chão do quarto. Sua roupa desarrumada mostrava que tinha sido acordado repentinamente. A bala fora disparada contra ele de frente e permanecera em seu corpo depois de penetrar no coração. Sua morte certamente foi instantânea e indolor. Não havia marcas de pólvora no seu roupão nem nas mãos. De acordo com o médico, a mulher tinha manchas no rosto, mas nenhuma na mão.

— A ausência destas últimas não significa nada, ao passo que sua presença significa tudo — disse Holmes. — A menos que a pólvora de um cartucho mal colocado espirre para trás, uma pessoa pode dar vários tiros sem deixar traço. Sugeriria que o corpo do sr. Cubitt fosse removido agora. Suponho, doutor, que ainda não recuperou a bala que feriu a senhora.

— Será necessária uma operação difícil para que isso possa ser feito. Mas ainda há quatro cartuchos no revólver. Dois foram disparados e dois ferimentos foram causados, de modo que cada bala pode ser responsável por eles.

— Parece que sim — disse Holmes. — Talvez possa explicar também a bala que tão obviamente lascou a borda da janela?

Ele se virara de repente, e seu dedo longo e magro apontava para um buraco feito diretamente na baixa janela corrediça, menos de um centímetro acima do parapeito.

— Ora! — exclamou o inspetor. — Como viu isso?

— Porque o procurei.

— Maravilhoso! — disse o médico do campo. — O senhor está certo. Então um terceiro tiro foi disparado e, portanto, uma terceira pessoa esteve presente. Mas quem teria sido, e como conseguiu ir embora?

— Este é o problema que estamos prestes a resolver agora — disse Sherlock Holmes. — Lembra-se, inspetor Martin, de que quando as empregadas disseram que, ao saírem de seus quartos, logo perceberam um cheiro de pólvora, eu comentei que esse detalhe era extremamente importante?

— Sim, senhor; mas confesso que não consegui entender o motivo.

— Isso sugere que, na hora dos disparos, a janela e a porta estavam abertas. Do contrário, o cheiro da pólvora não teria se espalhado tão rapidamente pela casa. Para isto era preciso uma corrente de ar no quarto. Mas a porta e a janela ficaram abertas por muito pouco tempo.

— Como prova isso?

— Porque a vela não havia pingado.

— Excelente! — exclamou o inspetor. — Excelente!

— Tendo certeza de que a janela estava aberta na hora da tragédia, imaginei que devia haver uma terceira pessoa no caso, que ficou do lado de fora desta abertura e atirou através dela. Qualquer tiro dirigido a essa pessoa poderia acertar o caixilho. Olhei e lá estava, é claro, a marca da bala!

— Mas como é que a janela foi fechada e trancada?

— O primeiro impulso da mulher foi o de fechar e trancar a janela. Mas, ah! O que é isto?

Era uma bolsa de mulher que estava na mesa do estúdio — uma bolsa pequena e elegante de couro de crocodilo e prata. Holmes a abriu e retirou o seu conteúdo. Havia 25 notas de uma libra do Banco da Inglaterra, presas por um elástico de borracha da Índia — e nada mais.

— Isto precisa ser guardado, pois vai aparecer no julgamento — disse Holmes, enquanto entregava a bolsa e seu conteúdo ao inspetor. — Agora é necessário tentar esclarecer alguma coisa sobre essa terceira bala que, pelo lascado da madeira, foi disparada de dentro do quarto. Gostaria de ver de novo a sra. King, a cozinheira. Disse, sra. King, que foi acordada por uma explosão alta. Quando disse isso, queria dizer que parecia ser mais alta do que a segunda?

— Bem, senhor, ela me arrancou do sono, por isso é difícil dizer. Mas me pareceu bem alta.

— Não acha que poderiam ser dois tiros disparados quase ao mesmo instante?

— Não posso afirmar isso, senhor.

— Não tenho dúvidas de que foi assim. Creio que já esgotamos tudo o que este quarto poderia nos mostrar, inspetor Martin. Se quiser, por gentileza, dar uma volta comigo, veremos que novos indícios o jardim tem para nos apresentar.

Um canteiro de flores se estendia até a janela do estúdio, e todos nós soltamos uma exclamação, quando nos aproximamos. As flores estavam caídas e a terra macia, cheia de pegadas. Eram pés grandes e masculinos, com o bico do sapato especialmente longo e fino. Holmes vasculhou a grama e as folhas como um cão de caça atrás de um pássaro ferido. Então, com um grito de satisfação, curvou-se e pegou um pequeno cilindro cor de bronze.

— Como eu pensava — ele disse —, o revólver tinha um ejetor, e aqui está o terceiro cartucho. Penso realmente, inspetor Martin, que o nosso caso está quase completo.

O rosto do inspetor provinciano mostrou seu grande assombro com o rápido e magistral progresso da investigação de Holmes. No início mostrara certa disposição para impor a própria posição, mas agora estava cheio de admiração e pronto a seguir sem questionar o caminho que Holmes indicasse.

— De quem o senhor suspeita? — perguntou.

— Chegarei lá mais tarde. Existem vários pontos neste problema que ainda não posso explicar para vocês. Agora que já cheguei tão longe, é melhor continuar na minha própria linha, e então esclarecer este caso inteiro de uma vez por todas.

— Como queira, sr. Holmes, até que peguemos nosso homem.

— Não quero fazer mistérios, mas é impossível, no momento da ação, entrar em explicações longas e complexas. Tenho todos os fios da meada em minha mão. Mesmo que essa senhora nunca recobre a consciência, podemos reconstituir os fatos da noite passada, e garantir que seja feita justiça. Antes de mais nada, gostaria de saber se existe algum hotel na vizinhança chamado "Elrige's".

Os criados foram interrogados, mas nenhum deles ouvira falar de tal lugar. O rapaz da estrebaria lançou alguma luz no assunto, lembrando que um fazendeiro com aquele nome vivia a alguns quilômetros dali, na direção de East Ruston.

— É uma fazenda isolada?

— Muito isolada, senhor.

— Talvez eles ainda não tenham sabido nada sobre o que aconteceu aqui durante a noite.

— Talvez não, senhor.

Holmes pensou um pouco, e então um curioso sorriso apareceu em seu rosto.

— Sele um cavalo, meu rapaz — disse. — Gostaria que levasse um bilhete à fazenda de Elrige.

Tirou do bolso os vários pedaços de papel dos homenzinhos dançantes. Com eles na sua frente, trabalhou durante algum tempo na escrivaninha. Finalmente entregou um bilhete ao garoto, com instruções para só entregá-lo nas mãos da pessoa a quem estava endereçado, e, principalmente, não responder a nenhuma pergunta que lhe fizessem. Vi o verso da nota, endereçada numa letra irregular e espalhada, muito diferente da habitual escrita precisa de Holmes. Era dirigida ao sr. Abe Slaney, fazenda de Elrige, East Ruston, Norfolk.

— Creio, inspetor — observou Holmes —, que seria bom telegrafar para pedir uma escolta, porque talvez tenha um prisioneiro particularmente perigoso para levar à cadeia do condado. Certamente o rapaz que vai levar esta nota chegará antes do seu telegrama. Se houver algum trem à tarde para a cidade, Watson, acho melhor pegá-lo, pois tenho uma análise química interessante para acabar, e esta investigação está caminhando rapidamente para um desfecho.

Quando o jovem foi despachado com o bilhete, Sherlock Holmes deu suas instruções aos empregados. Se aparecesse alguma visita procurando pela sra. Hilton Cubitt, nenhuma informação deveria ser-lhe dada a respeito de sua situação, e ela deveria ser conduzida imediatamente à sala de visitas. Enfatizou estes pontos com a maior seriedade. Por fim, dirigiu-se à sala de visitas, com a observação de que agora o negócio estava fora de nossas mãos, e que devíamos passar o tempo o melhor que pudéssemos até conseguirmos ver o que nos estava reservado. O doutor tinha ido cuidar dos seus outros pacientes, e só o inspetor e eu ficamos.

— Creio que posso ajudá-los a passar uma hora de modo interessante e proveitoso — disse Holmes, puxando sua cadeira até a mesa, e espalhando à sua frente os vários papéis nos quais estavam desenhados os grotescos homenzinhos dançantes. — Quanto a você, amigo Watson, devo-lhe uma compensação por ter deixado sua curiosidade natural insatisfeita por tanto tempo; ao senhor, inspetor, todo o incidente deve tê-lo interessado como um notável estudo profissional. Devo contar-lhe, antes de tudo, as circunstâncias curiosas ligadas às consultas prévias que o sr. Hilton Cubitt me fez na Baker Street. — Ele então recapitulou os fatos de que já falamos. Tenho aqui estas inscrições singulares, diante das quais alguém poderia sorrir, se não tivessem mostrado que foram as precursoras de uma tragédia tão terrível. Estou familiarizado com todas as formas de escrita secreta, e eu mesmo sou o autor de uma monografia banal sobre o assunto, na qual analiso 160 códigos diferentes, mas confesso que este era inteiramente novo para mim. O objetivo daqueles que o inventaram aparentemente seria ocultar que estes caracteres continham uma mensagem, dando a ideia de que eram meros rabiscos de crianças.

"Entretanto, tendo reconhecido que os símbolos representavam letras, e tendo aplicado as regras que servem para qualquer forma de escrita secreta, a solução ficou bem fácil. A primeira mensagem entregue a mim era tão curta que era impossível fazer algo mais do que dizer, com alguma certeza, que o símbolo  representava o E. Como sabem, o E é a letra mais comum no alfabeto inglês, e predomina de modo tão notável, que mesmo numa sentença curta podemos esperar encontrá-la com muita frequência. Dos 15 símbolos da primeira mensagem, quatro eram os mesmos, portanto seria razoável apontá-los como E. É verdade que em alguns casos a figura segurava uma bandeira e em outros não, mas era provável, pela maneira como as bandeiras estavam distribuídas, que eram usadas para dividir as palavras da frase. Aceitei isso como uma hipótese, e anotei que E era representado por  .

"Mas agora vinha a verdadeira dificuldade da pesquisa: a ordem das letras inglesas depois do E não é bem demarcada, e qualquer preponderância que possa ser mostrada na média de uma folha impressa pode ser revertida numa única frase pequena. De modo aproximado, T, A, O, I, N, S, H, R, D e L são a ordem numérica em que as letras ocorrem; mas T, A, O e I aparecem com frequência quase igual uma da outra, e seria um trabalho infindável tentar cada combinação, até chegar a um sentido. Portanto, esperei por novo material. Na minha segunda entrevista com o sr. Hilton Cubitt, ele me deu duas outras frases curtas e uma mensagem, que parecia, já que não havia bandeiras, ser uma única palavra. Aqui estão os símbolos. Agora, na palavra única, consegui dois E, vindo em segundo e quarto lugares num total de cinco letras. Podia ser *'sever'*, *'lever'* ou *'never'*.[1] Não há dúvida de que a última, em resposta a um apelo, é a mais provável, e as circunstâncias a apontavam como sendo uma resposta escrita pela senhora.

[1] "Separar", "alavanca" ou "nunca". (N.T.)

Aceitando isso como correto, podemos dizer agora que os símbolos

representam respectivamente N, V e R.

"Mesmo assim eu estava numa grande dificuldade, mas uma ideia feliz deu-me várias outras letras. Ocorreu-me que se esses apelos vinham, como esperava, de alguém íntimo da senhora em sua vida passada, uma combinação que contivesse dois E, com três letras entre eles, podia muito bem ser o nome 'Elsie'. Num exame, descobri que esta combinação formava o final da mensagem, que se repetia três vezes. Devia ser algum apelo a 'Elsie'. Desta maneira consegui meus L, S e I. Mas que apelo seria esse? Só havia quatro letras na palavra que precedia 'Elsie' e terminava em E. Certamente a palavra seria *'Come'*.[2] Tentei todas as outras quatro letras, terminando em E, mas não consegui encontrar nenhuma que se encaixasse no caso. De modo que agora eu tinha C, O e M, e estava em condições de atacar mais uma vez a primeira mensagem, dividindo-a em palavras e colocando pontos para cada símbolo ainda desconhecido. Fiz isso, e saiu desta maneira:"

. m . e r e . . e s l . n e.

— Agora, a primeira letra só *pode* ser A, o que é uma descoberta muito útil, já que aparece não menos do que três vezes nesta frase curta, e o H também é evidente na segunda palavra. Agora ficou assim:

am here a. e. slane.

— Ou, preenchendo os espaços óbvios no nome:

AM HERE ABE SLANEY[3]

— Tinha tantas letras agora que podia continuar com bastante confiança na segunda mensagem, que ficou desta forma:

a . elri. es.

[2] "Venha". (N.T.)

[3] "Aqui estou abe slane." (N.T.)

— Aqui só podia fazer sentido colocando T e G no lugar das letras que faltavam, e supondo que o nome era o de uma casa ou hotel em que estava o autor da mensagem.

O inspetor Martin e eu ouvimos com o maior interesse o relato completo e claro de como meu amigo obteve os resultados que nos levaram a superar completamente nossas dificuldades.

— O que fez então, senhor? — perguntou o inspetor.

— Tinha motivo para supor que este Abe Slaney era americano, porque Abe é uma contração americana e uma carta dos Estados Unidos é que foi o ponto de partida de todo o problema. Também tinha motivos para pensar que havia algum segredo criminoso no assunto. As alusões da senhora sobre o seu passado e sua recusa em confiar no marido apontavam nessa direção. De modo que passei um cabograma ao meu amigo Wilson Hargreave, do Departamento de Polícia de Nova York, que mais de uma vez recorreu aos meus conhecimentos do crime de Londres. Perguntei a ele se conhecia o nome Abe Slaney. Aqui está a resposta: "O bandido mais perigoso de Chicago." Na mesma noite em que recebi esta resposta, Hilton Cubitt me mandou a última mensagem de Slaney. Trabalhando com as letras conhecidas, ela ficou com esta forma:

elsie . re . are to meet thy go.

O acréscimo de um P e um D completaram a mensagem,[4] que me mostrou que o patife estava passando da persuasão às ameaças, e o meu conhecimento a respeito dos bandidos de Chicago fez com que eu achasse que ele transformaria rapidamente suas palavras em ação. Vim imediatamente para Norfolk com o meu amigo e colega, dr. Watson, mas, infelizmente, apenas a tempo de descobrir que o pior já tinha acontecido.

— É um privilégio trabalhar junto com o senhor em um caso — disse o inspetor com entusiasmo. — Porém, vai me desculpar se lhe falar francamente. O senhor só precisa dar respostas a si mesmo, mas eu tenho de prestar contas aos meus superiores. Se este Abe Slaney, que mora em Elrige, é de fato o assassino, e se ele

[4] Elsie, prepara-te para encontrar teu deus. (N.T.)

escapou enquanto estou sentado aqui, eu certamente terei sérios problemas.

— Não precisa se preocupar. Ele não tentará escapar.

— Como sabe?

— A fuga seria uma confissão de culpa.

— Então vamos prendê-lo.

— Espero-o aqui a qualquer momento.

— Mas por que ele viria?

— Porque escrevi pedindo a ele que viesse.

— Mas isto é incrível, sr. Holmes! Ele viria porque o senhor pediu? Um pedido deste tipo não despertaria sua suspeita e o faria fugir?

— Creio que soube elaborar a carta — disse Sherlock Holmes. — De fato, se não me engano, ali está o cavalheiro subindo pela estrada.

Um homem entrava pelo caminho que ia até a porta. Era alto, bonito e moreno, vestido com um terno de flanela cinza, com um chapéu panamá, uma barba negra eriçada e um nariz adunco, grande e agressivo, e balançando uma bengala enquanto andava. Passou pelo caminho como se o lugar lhe pertencesse, e ouvimos seu toque alto e confiante na campainha.

— Creio, cavalheiros — disse Holmes calmamente —, que é melhor nos colocarmos atrás da porta. Toda precaução é necessária ao lidarmos com esse camarada. Vai precisar de suas algemas, inspetor. Pode deixar a conversa comigo.

Esperamos em silêncio por um minuto — um desses minutos dos quais nunca poderemos nos esquecer. Então a porta se abriu e o homem entrou. Num instante Holmes apontou a pistola para sua cabeça e Martin colocou as algemas nos seus pulsos. Tudo foi feito com tanta rapidez e habilidade que o sujeito estava indefeso antes de perceber que fora atacado. Olhou-nos um a um com seus olhos negros em chamas. Então explodiu numa gargalhada.

— Bem, cavalheiros, vocês me pegaram desta vez. Acho que bati em alguma coisa dura. Mas vim em resposta à carta da sra. Hilton Cubitt. Não me digam que ela está metida nisso. Não me digam que ela ajudou a preparar essa armadilha para mim.

— A sra. Hilton Cubitt foi gravemente ferida e está à beira da morte.

O homem deu um grito rouco de dor, que ecoou pela casa.

— Está maluco! — gritou, furioso. — Foi ele o atingido, não ela. Quem iria machucar a pequena Elsie? Posso tê-la ameaçado, Deus me perdoe!, mas não tocaria num fio de cabelo de sua linda cabeça. Diga que é mentira! Diga que ela não está machucada!

— Ela foi encontrada, muito ferida, ao lado de seu marido morto.

Ele mergulhou no sofá com um gemido profundo e cobriu o rosto com suas mãos algemadas. Durante cinco minutos ficou em silêncio. Depois ergueu o rosto mais uma vez, e falou com a fria serenidade do desespero.

— Não tenho nada a esconder de vocês, cavalheiros — disse. — Se atirei no homem, ele também atirou em mim, e não há assassinato nisso. Mas se pensam que eu poderia ter machucado aquela mulher, então não me conhecem, nem a ela. Digo-lhes, nunca houve no mundo um homem que amasse uma mulher mais do que eu a amava. Tinha direito a ela. Estava comprometida comigo há anos. Quem era esse inglês para se manter entre nós? Eu lhes digo que tinha prioridade em relação a ela e só estava reclamando o que era meu.

— Ela escapou à sua influência quando descobriu o homem que você é — disse Holmes com rispidez. — Fugiu dos Estados Unidos para evitá-lo, e se casou com um cavalheiro respeitável na Inglaterra. Você a perseguiu, a seguiu, e transformou a vida dela num tormento para induzi-la a abandonar o marido, a quem amava e respeitava, para ir com você, de quem tinha medo e ódio. Você acabou levando à morte um homem nobre e induzindo sua mulher ao suicídio. Este é o seu papel neste negócio, sr. Abe Slaney, e vai responder por isto à justiça.

— Se Elsie morrer, não me importo com o que vier a acontecer comigo — disse o americano. Abriu uma das mãos e olhou para um bilhete amassado em sua palma. — Olhe aqui, senhor! — exclamou, com um brilho de suspeita nos olhos —, não está tentando me amedrontar com isto, está? Se a senhora está tão ferida quanto diz, quem foi que escreveu este bilhete? — Ele o jogou na mesa.

— Eu o escrevi, para trazê-lo aqui.

— Você o escreveu? Não havia ninguém fora da União que conhecesse o segredo dos homenzinhos dançantes. Como conseguiu escrevê-lo?

— O que um homem inventa, outro pode descobrir — disse Holmes. — Há um carro chegando para transportá-lo até Norwich, sr. Slaney. Mas, enquanto isso, tem tempo para reparar um pouco do dano que causou. Sabe que a própria sra. Hilton Cubitt esteve sob séria suspeita de ter assassinado o marido, e que foi só a minha presença e o conhecimento que eu possuo que a salvaram da acusação? O mínimo que o senhor deve fazer por ela é esclarecer ao mundo inteiro que ela não foi, direta ou indiretamente, responsável pelo trágico fim dele.

— Não peço nada mais que isso — disse o americano. — Creio que o melhor que posso fazer por mim mesmo é a verdade nua e crua.

— É meu dever avisá-lo de que isto vai ser usado contra você — exclamou o inspetor, com a sublime honestidade da lei criminal britânica.

Slaney encolheu os ombros.

— Tentarei isso — disse. — Antes de qualquer coisa, quero que os cavalheiros entendam que conheço esta senhora desde que era uma criança. Éramos sete numa gangue em Chicago, e o pai de Elsie era o chefe da União. Era um homem esperto, o velho Patrick. Foi ele quem inventou aquela escrita, que passaria por um desenho de criança, a menos que se soubesse a chave dela. Bem, Elsie aprendeu alguns dos nossos métodos, mas não podia suportar o negócio, e tinha um pouco de seu próprio dinheiro honesto, então passou-nos a perna e foi para Londres. Era minha noiva e teria se casado comigo, acho, se eu tivesse outra profissão, mas ela não teria conhecido a desgraça. Só depois que havia casado com este inglês é que consegui descobrir onde estava. Escrevi para ela, mas não obtive resposta. Depois disso, vim para cá e, como as cartas eram inúteis, coloquei minhas mensagens em lugares onde ela poderia ler.

“Bem, estou aqui há um mês. Vivi naquela fazenda, onde tinha um quarto embaixo, e podia entrar e sair todas as noites, sem testemunhas. Fiz de tudo para que Elsie fosse embora. Sabia que lera as mensagens, pois uma vez escreveu uma resposta embaixo de uma delas. Então perdi a calma e comecei a ameaçá-la. Mandou-me uma carta, então, implorando que eu fosse embora, dizendo que seu coração ficaria partido se houvesse algum escândalo envolvendo seu marido. Disse que desceria quando o marido estivesse dormindo, às três horas, e falaria comigo pela janela de trás, se depois eu fosse embora e a deixasse em paz. Ela veio e trouxe dinheiro, tentando me convencer a ir embora. Isto me deixou louco e agarrei seu braço, tentando puxá-la através da janela. Naquele momento entrou o marido com o revólver na mão. Elsie jogou-se no chão, e nós ficamos cara a cara. Também me agachei e apontei minha arma, a fim de assustá-lo e poder fugir. Ele atirou e errou. Atirei quase ao mesmo tempo, e ele caiu. Saí correndo pelo jardim e ouvi a janela se fechar atrás de mim. Esta é a verdade de Deus, cavalheiros, cada palavra dela; e não ouvi mais nada sobre isso até que aquele rapaz veio me entregar um bilhete, que me fez vir até aqui, como um palerma, e me entregar em suas mãos."

Um carro havia chegado enquanto o americano falava. Dois policiais uniformizados estavam sentados lá dentro. O inspetor Martin levantou-se e bateu no ombro do seu prisioneiro.

— É hora de irmos.

— Posso vê-la primeiro?

— Não, ela não está consciente, sr. Sherlock Holmes, só espero que, se me aparecer novamente um caso importante, eu tenha a sorte de contar com o senhor a meu lado.

Vimos da janela a partida do cabriolé. Quando me virei, vi o pedaço de papel que o prisioneiro jogara na mesa. Era o bilhete com o qual Holmes o atraíra.

— Veja se consegue lê-la, Watson — disse, com um sorriso.

Não continha nenhuma palavra, mas esta fila de homenzinhos dançantes:

— Se usar o código que eu expliquei — disse Holmes —, descobrirá que significa simplesmente *"Come here at once"*.[5] Eu estava certo de que era um convite que ele não recusaria, pois nunca imaginaria que pudesse vir de alguém que não fosse a senhora. E assim, meu caro Watson, acabamos desviando os homenzinhos dançantes para o

[5] "Venha aqui imediatamente." (N.T.)

bem, depois de terem sido com frequência agentes do mal, e acho que cumpri minha promessa de lhe dar algo incomum para o seu caderno. Nosso trem é às 15h40, e acho que estaremos de volta à Baker Street para o jantar.

Apenas uma palavra de epílogo. O americano, Abe Slaney, foi condenado à morte numa sessão de inverno do tribunal superior, em Norwich, mas sua pena foi transformada em trabalhos forçados em consideração às circunstâncias atenuantes e à certeza de que Hilton Cubitt atirou primeiro. Da sra. Hilton Cubitt só sei que se recuperou completamente, e que ainda permanece viúva, dedicando sua vida a cuidar dos pobres e administrando as propriedades do marido.

A AVENTURA DA CICLISTA SOLITÁRIA

ENTRE OS ANOS DE 1894 E 1901, O SR. SHERLOCK HOLMES foi um homem muito ocupado. Pode-se dizer com certeza que não houve nenhum caso público de alguma dificuldade em que ele não tenha sido consultado durante esses oito anos, e houve centenas de casos particulares, alguns deles extremamente intrincados e extraordinários, nos quais teve uma participação importante. Muitos êxitos surpreendentes e algumas derrotas inevitáveis foram o resultado desse longo período de trabalho contínuo. Como guardei muitas anotações detalhadas de todos esses casos, e eu mesmo participei de muitos deles, pode-se imaginar que não é uma tarefa muito fácil saber qual selecionar para apresentar ao público. Mas devo manter minha regra básica, e dar preferência aos casos cujo interesse decorre da engenhosidade e da qualidade dramática da solução, e não tanto da brutalidade do crime. Por este motivo vou apresentar ao leitor os fatos ligados à srta. Violet Smith, a ciclista solitária de Charlington, e a sequência curiosa de nossa investigação, que culminou numa tragédia inesperada. É verdade que a situação não admitiu nenhuma demonstração notável dos poderes pelos quais meu amigo era famoso, mas havia alguns detalhes a respeito do caso que o fizeram se destacar naqueles longos registros de crimes, dos quais recolhi material para estas pequenas narrativas.

Procurando no meu caderno, descobri que foi num sábado, dia 23 de abril de 1895, que ouvimos falar pela primeira vez da srta. Violet Smith. Sua visita foi, lembro-me, extremamente inconveniente para Holmes, porque naquele momento ele estava imerso num problema complicado e obscuro, relativo à estranha perseguição que John Vincent Harden, o conhecido milionário do tabaco, vinha sofrendo. Meu amigo, que amava acima de tudo a precisão e a concentração de pensamento, se ressentia de tudo que distraísse sua atenção do assunto em que estivesse envolvido. Mesmo assim, sem a aspereza que era estranha a seu temperamento, era impossível recusar-se a ouvir a história da bela jovem, alta, graciosa e majestosa, que se apresentou na Baker Street tarde da noite e implorou sua ajuda e conselho. Foi inútil dizer que seu tempo já estava todo tomado, pois a jovem viera determinada a contar sua história, e era evidente que nenhum tipo de pressão a faria sair da sala antes que o fizesse. Com ar resignado e um sorriso um tanto cansado, Holmes pediu à bela intrusa que se sentasse e nos contasse o que a estava afligindo.

— Pelo menos não pode ser sua saúde — disse, enquanto seus olhos penetrantes a examinavam —; ciclista tão ardorosa, deve estar cheia de energia.

Ela olhou surpresa para os próprios pés, e eu notei um ligeiro arranhado do lado da sola, causado pela fricção da ponta do pedal.

— Sim, eu ando muito de bicicleta, sr. Holmes, e isto tem algo a ver com a minha visita de hoje.

Meu amigo pegou a mão nua da dama e a examinou com tanta atenção e tão pouca emoção quanto um cientista demonstraria em relação a um espécime.

— Vai me desculpar, tenho certeza. É o meu negócio — disse, enquanto a soltava. — Quase caí no erro de supor que você praticava datilografia. É claro, é óbvio que é música. Você notou as pontas dos dedos espatuladas, Watson, comuns às duas profissões? Mas existe uma espiritualidade no rosto — ela gentilmente o virou para a luz — que uma datilógrafa não tem. Esta dama é uma musicista.

— Sim, sr. Holmes, eu ensino música.

— No campo, presumo, pela sua compleição.

— Sim, senhor, perto de Farnham, nos limites de Surrey.

— Uma bela região, e cheia das associações mais interessantes. Você deve se lembrar, Watson, foi lá perto que pegamos Archie Stamford, o falsificador. Agora, srta. Violet, o que lhe aconteceu perto de Farnham, nos limites de Surrey?

A jovem, com grande clareza e calma, fez o seguinte relato:

— Meu pai já morreu, sr. Holmes. Era James Smith, que regia a orquestra no velho Teatro Imperial. Minha mãe e eu ficamos sem um parente no mundo, a não ser um tio, Ralph Smith, que foi para a África há 25 anos e desde então nunca mais ouvimos falar dele. Quando meu pai morreu, ficamos muito pobres, mas um dia nos disseram que havia um anúncio no *Times* pedindo o nosso endereço. Pode imaginar como ficamos alegres, pois pensamos que alguém nos deixara uma fortuna. Fomos procurar o advogado, cujo nome estava no jornal. Lá encontramos dois cavalheiros, o sr. Carruthers e o sr. Woodley, que voltavam de uma visita à África do Sul. Disseram que o meu tio era amigo deles, que ele falecera alguns meses antes na maior miséria, em Joanesburgo, e que lhes solicitara, como último pedido, que procurassem seus parentes para ver se não passavam necessidades. Achamos estranho que o tio Ralph, que não ligara para nós enquanto estava vivo, se preocupasse conosco depois de morto, mas o sr. Carruthers explicou que o motivo era que meu tio acabara de saber da morte de seu irmão, e se sentiu responsável pelo nosso destino.

— Com licença — disse Holmes. — Quando foi essa entrevista?

— Em dezembro, quatro meses atrás.

— Por favor, prossiga.

— O sr. Woodley me pareceu ser uma pessoa abominável. Estava sempre olhando para mim; um homem ordinário, de barba vermelha e rosto gordo, com o cabelo grudado nos dois lados da testa. Achei-o detestável; e tenho certeza de que Cyril não gostaria que eu conhecesse uma pessoa assim.

— Oh, Cyril é o nome dele! — disse Holmes, sorrindo.

A jovem ficou vermelha e riu.

— Sim, sr. Holmes, Cyril Morton, um engenheiro eletricista, e esperamos nos casar no fim do verão. Meu Deus, como consegui começar a falar sobre ele? O que quis dizer é que o sr. Woodley era absolutamente odioso, mas o sr. Carruthers, que era um homem muito mais velho, era mais agradável. Era uma pessoa silenciosa, pálida e sem barba, tinha maneiras polidas e um sorriso amável. Perguntou em que situação tínhamos sido deixadas e, ao saber que éramos pobres, sugeriu que eu fosse dar aulas de música para sua filha única, de dez anos. Eu disse que não gostaria de deixar minha mãe, e ele sugeriu então que eu fosse para casa todo fim de semana, e me ofereceu cem libras por ano, o que certamente era um esplêndido pagamento. Então acabei aceitando, e fui para a Granja Chiltern, a cerca de dez quilômetros de Farnham. O sr. Carruthers era viúvo, mas contratara uma empregada, uma pessoa idosa muito respeitável, chamada sra. Dixon, para tomar conta de sua casa. A criança era um amor e tudo parecia promissor. O sr. Carruthers era muito gentil e musical, e passamos noites muito agradáveis juntos. Todo fim de semana eu ia para casa, ficar com minha mãe na cidade.

"A primeira brecha na minha felicidade foi a chegada do sr. Woodley, do bigode vermelho. Veio para uma visita de uma semana, e oh! pareceram três meses para mim. Era uma pessoa desagradável — arrogante com todos, mas para mim infinitamente pior. Apaixonou-se por mim, e manifestava o seu amor de modo abominável, vangloriava-se de sua riqueza, disse que se me casasse com ele, poderia ter os melhores diamantes de Londres, e finalmente, quando viu que eu não teria nada com ele, agarrou-me um dia depois do jantar — ele era terrivelmente forte — e jurou que não me deixaria sair até que o beijasse. O sr. Carruthers entrou e o afastou de mim, e ele então agrediu seu anfitrião, dando-lhe um soco e cortando o seu rosto. Esse foi o final da visita dele, como pode imaginar. O sr. Carruthers me pediu desculpas no dia seguinte e me garantiu que eu não ficaria exposta novamente a um insulto desses. Desde então não vi mais o sr. Woodley.

"E agora, sr. Holmes, cheguei afinal ao motivo especial que me fez vir pedir o seu conselho hoje. Deve saber que todo sábado de manhã vou de bicicleta até a estação Farnham, para pegar o trem das 12h22 para a cidade. A estrada da Granja Chiltern é muito deserta, principalmente num certo ponto, pois fica a mais de um quilômetro entre Charlington Heath, de um lado, e os bosques que circundam Charlington Hall, de outro. Não existe um trecho de estrada mais ermo, e é muito raro encontrar-se pelo menos uma carroça ou um camponês, até que se chegue à estrada principal, perto de Crooksbury Hill. Duas semanas atrás eu estava passando por esse lugar, quando olhei por acaso por cima do ombro e vi, a cerca de duzentos metros atrás de mim, um homem também de bicicleta. Parecia ser de meia-idade, com uma barba curta e escura. Antes de chegar a Farnham, olhei para trás, mas o homem tinha sumido, e não pensei mais nisso. Mas pode imaginar como fiquei surpresa, sr. Holmes, quando, na minha volta na segunda-feira, vi o mesmo homem no mesmo trecho da estrada. Meu assombro aumentou quando o incidente ocorreu de novo, exatamente como antes, no sábado e na segunda-feira seguintes. Ele sempre mantinha distância e não me molestava de modo nenhum, mas ainda assim era muito estranho. Comentei o fato com o sr. Carruthers, que pareceu interessado e me disse que havia pedido um cavalo e uma carruagem, para que no futuro eu não tivesse de passar sozinha por essas estradas desertas.

"O cavalo e a carruagem deviam ter vindo esta semana, mas por algum motivo não foram entregues, e novamente tive de pedalar até a estação. Isso foi esta manhã. Pode pensar que olhei em volta quando cheguei a Charlington Heath, e lá, com certeza, estava o homem, exatamente como estivera nas duas últimas semanas. Ficava sempre tão longe de mim que não podia ver direito seu rosto, mas era com certeza alguém que eu não conhecia. Estava vestido com um terno escuro e um boné de pano. A única coisa em seu rosto que podia ver claramente era a sua barba escura. Hoje não fiquei alarmada, mas cheia de curiosidade, e determinada a descobrir quem ele era e o que queria. Desacelerei minha bicicleta, mas ele também o fez. Então parei de repente, mas ele também parou. Resolvi preparar uma armadilha para ele. Há uma curva fechada na estrada, e pedalei muito depressa nela, e então parei e esperei. Esperava que ele fizesse a curva e passasse por mim antes de conseguir parar. Mas ele não apareceu. Voltei e olhei pela curva. Podia ver um quilômetro de estrada, mas ele não estava ali. Para tornar a coisa ainda mais incrível, não existe nenhuma estrada secundária neste ponto, por onde ele pudesse ter entrado."

Holmes exultou e esfregou as mãos.

— Este caso com certeza apresenta algumas características específicas — disse. — Quanto tempo decorreu entre o momento em que você fez a curva e a sua descoberta de que a estrada estava vazia?

— Dois ou três minutos.

— Então ele não poderia ter voltado pela estrada, e você diz que não existe nenhuma estrada secundária?

— Nenhuma.

— Então ele com certeza tomou uma trilha de um lado ou do outro.

— Não poderia ter sido do lado da mata, porque eu o teria visto!

— Então, pelo processo de exclusão, chegamos ao fato de que ele foi na direção de Charlington Hall, que, como entendi, fica isolada num dos lados da estrada. Algo mais?

— Nada, sr. Holmes, a não ser que fiquei tão perplexa que achei que não ficaria satisfeita até vê-lo e obter seu conselho.

Holmes ficou em silêncio por um momento.

— Onde está o cavalheiro de quem é noiva? — perguntou por fim.

— Está na Companhia Elétrica Midland, em Coventry.

— Ele não faria uma visita surpresa a você?

— Oh, sr. Holmes! Como se eu não o conhecesse!

— Você teve outros admiradores?

— Vários, antes de conhecer Cyril.

— E depois disso?

— Houve esse homem horrível, Woodley, se puder considerá-lo um admirador.

— Ninguém mais?

Nossa bela cliente pareceu um tanto confusa.

— Quem era ele? — perguntou Holmes.

— Oh, pode ser uma mera fantasia de minha parte; mas me pareceu algumas vezes que o meu patrão, sr. Carruthers, se interessa muito por mim. Convivemos com alguma intimidade. Tenho a sua companhia à noite. Ele nunca disse nada. É um perfeito cavalheiro. Mas uma garota sempre sabe.

— Ah! — Holmes parecia sério. — Do que ele vive?

— É um homem rico.

— Sem carruagem nem cavalos?

— Bem, pelo menos está bem de vida. Mas vai à cidade duas ou três vezes por semana. Está profundamente interessado no negócio de ouro da África do Sul.

— Você nos avisará de qualquer fato novo, srta. Smith. Estou muito ocupado agora, mas arranjarei tempo para fazer algumas investigações sobre o seu caso. Enquanto isso, não faça nada antes de me avisar. Adeus, e creio que só teremos boas notícias de você.

"É parte da ordem da natureza que uma garota como essa tenha seguidores", disse Holmes, enquanto fumava, pensativo, o seu cachimbo, "mas não em bicicletas em estradas desertas do campo. Algum apaixonado secreto, sem dúvida. Mas há detalhes curiosos e sugestivos nesse caso, Watson."

— Que ele só apareça naquele trecho?

— Exatamente. Nossa primeira providência será descobrir quem são os donos de Charlington Hall. E sobre a ligação entre Carruthers e Woodley, já que parecem ser homens de tipos tão diferentes. Por que ambos estavam tão interessados em procurar os parentes de Ralph Smith? Mais um detalhe. Que espécie de família é esta que paga o dobro do preço normal a uma governanta mas não tem um cavalo, embora more a dez quilômetros da estação? Estranho, Watson, muito estranho!

— Irá até lá?

— Não, meu caro amigo, *você* irá até lá. Isto pode ser alguma intriga sem importância, e eu não posso parar minha outra pesquisa importante por causa desta. Na segunda-feira, você chegará bem cedo em Farnham; irá esconder-se perto de Charlington Heath; observará os fatos por si mesmo e agirá segundo o seu próprio julgamento. Então, depois de obter informações sobre os ocupantes do Hall, voltará e me contará tudo. E agora, Watson, nem uma palavra sobre o assunto até que tenhamos algumas rochas sólidas onde possamos pisar para encontrar uma solução.

Verificamos com a moça que ela tomava, na segunda-feira, o trem que saía de Waterloo às 9h50; então, saí cedo e peguei o de 9h13. Em Farnham, não tive dificuldade para saber onde ficava Charlington Heath. Era impossível errar o local da aventura da jovem, pois a estrada passa entre o campo aberto de um lado e um velho bosque de teixos de outro, circundando um parque cheio de árvores magníficas. Havia um portão principal de pedras cobertas de musgo, cada pilar lateral encimado por emblemas heráldicos emoldurados, mas além dessa passagem central para carruagens, observei muitos pontos onde havia falhas na sebe e trilhas que passavam por elas. A casa era invisível da estrada, mas os arredores mostravam tristeza e decadência.

O campo tinha moitas douradas de tojos floridos, brilhando magnificamente sob a luz do sol da primavera. Fiquei atrás de uma dessas moitas, a fim de poder ver tanto o portão da casa como um bom pedaço da estrada de cada lado. Estava deserta quando saí dela, mas agora eu via um ciclista vindo na direção oposta daquela por onde eu havia chegado. Estava vestido com um terno escuro, e notei que tinha uma barba negra. Chegando ao final do terreno de Charlington, pulou da bicicleta e entrou por uma abertura na sebe, desaparecendo de minha vista.

Quinze minutos depois um segundo ciclista apareceu. Desta vez era a jovem, que vinha da estação. Eu a vi olhar em volta ao chegar à sebe de Charlington. Um instante depois o homem surgiu de seu esconderijo, pulou na sua bicicleta e a seguiu. Em todo o vasto campo, estas eram as únicas figuras móveis, a graciosa garota sentada bem reta em seu veículo, e o homem atrás dela, curvando-se sobre o guidom com um traço curiosamente furtivo em cada movimento. Ela olhou para trás e diminuiu a velocidade. Ele diminuiu também. Ela parou. Ele também parou na mesma hora, mantendo a distância de duzentos metros atrás dela. O movimento seguinte dela foi tão inesperado quanto inteligente. De repente, ela fez a volta e correu na direção dele. Mas ele foi tão rápido quanto ela e saiu correndo numa fuga desesperada. Então ela voltou à estrada, sua cabeça altiva no ar, não se dignando a tomar conhecimento de seu admirador silencioso. Ele também se virara, e ainda mantinha a mesma distância até que a curva da estrada os escondeu de minha vista.

Continuei no meu esconderijo, e foi bom ter feito isso, pois logo depois o homem reapareceu, pedalando de volta, lentamente. Entrou no portão do Hall e desmontou da bicicleta. Durante alguns minutos pude vê-lo de pé entre as árvores. Suas mãos estavam erguidas e ele dava a impressão de estar ajeitando a gravata. Depois montou na bicicleta e se afastou de onde eu estava, pelo caminho que ia na direção do Hall. Corri pelo campo e olhei por entre as árvores. Lá longe eu podia vislumbrar o velho prédio cinzento, com suas chaminés Tudor, mas o caminho passava por entre uns arbustos densos, e não vi mais o ciclista.

Entretanto, achei que já tinha feito um bom trabalho naquela manhã, e voltei contente para Farnham. O corretor de imóveis local não pôde me dizer nada sobre Charlington Hall, e me recomendou uma firma conhecida em Pall Mall. Parei ali quando voltava para casa, e esbarrei na polidez do representante. Não, não poderia ter Charlington Hall para o verão. Eu chegara atrasado. Fora alugada um mês atrás. Sr. Williamson era o nome do locatário. Era um cavalheiro idoso e respeitável. O agente, muito gentil, lamentava não poder dizer mais nada, porque os negócios dos clientes eram assuntos que ele não podia comentar.

Sherlock Holmes ouviu com atenção o longo relato que lhe apresentei naquela noite, mas não fez o elogio que eu esperava e merecia. Ao contrário, seu rosto austero estava mais severo que de costume enquanto comentava as coisas que eu fizera e as que eu não havia feito.

— Seu esconderijo, meu caro Watson, era muito impróprio. Deveria ter ficado atrás da sebe, de onde poderia ter uma visão melhor desta pessoa interessante. Mas ficou a algumas centenas de metros, e pôde me contar menos ainda que a srta. Smith. Ela acha que não conhece o homem; estou convencido de que sim. Do contrário, por que ele estaria tão ansioso para que ela não chegasse suficientemente perto para que visse suas feições? Você o descreveu como curvado sobre o guidom. Disfarce novamente, como vê. Você se saiu incrivelmente mal. Ele volta à casa e você quer descobrir quem ele é. Vai, então, a um corretor de imóveis em Londres!

— O que eu deveria ter feito? — exclamei, um tanto exasperado.

— Ido ao bar mais próximo. É o centro dos mexericos no campo. Eles lhe teriam dito todos os nomes, do patrão à cozinheira. Williamson? Não me diz nada. Se é um homem idoso, não pode ser este ciclista ágil que foge tão depressa da perseguição atlética da jovem. O que conseguimos com a sua expedição? A confirmação de que a história da garota é verdadeira. Nunca duvidei disso. Que existe uma ligação entre o ciclista e o Hall. Nunca duvidei disso também. Que o Hall é alugado por Williamson. De que adianta isso? Ora, ora, meu caro, não se sinta tão deprimido. Poderemos descobrir um pouco mais até o próximo sábado, e enquanto isso farei uma ou duas pesquisas por minha conta.

Na manhã seguinte, recebemos um bilhete da srta. Smith, recontando resumida e detalhadamente os incidentes que eu vira, mas a essência da carta estava no pós-escrito:

Tenho certeza de que respeitará minha confidência, sr. Holmes, quando lhe contar que a minha situação aqui ficou difícil, devido ao fato de que meu empregador me propôs casamento. Estou convencida de que seus sen-

timentos são os mais profundos e nobres. Ao mesmo tempo, é claro, estou comprometida. Encarou minha recusa com seriedade, mas também muito gentilmente. Entretanto, pode compreender que a situação está um pouco tensa.

— Parece que nossa jovem amiga está se metendo em dificuldades — disse Holmes, pensativo, ao terminar a carta. O caso apresenta mais ângulos de interesse e mais possibilidades de desenvolvimento do que eu havia pensado a princípio. Não me faria mal nenhum um dia calmo e pacífico no campo, e estou disposto a ir lá esta tarde e testar uma ou duas teorias que formulei.

O dia calmo de Holmes no campo teve um final singular, pois voltou à Baker Street tarde da noite, com o lábio cortado e um galo na testa, além de um ar de dispersão geral que faria dele um objeto de estudo adequado a uma investigação da Scotland Yard. Estava deliciado com suas próprias aventuras e ria com gosto ao recontá-las.

— Faço tão pouco exercício, que é sempre uma ameaça — disse. — Você sabe que tenho alguma habilidade no velho e bom esporte inglês do boxe. Ocasionalmente, é útil; hoje, por exemplo, eu teria chegado a um humilhante malogro se não fosse ele.

Implorei-lhe que me contasse o que acontecera.

— Descobri o tal bar no campo que recomendara a você, e lá fiz algumas perguntas discretas. Eu estava no bar, e o dono tagarela ia me contando tudo o que eu queria. Williamson é um homem de barbas brancas, e vive sozinho com poucos criados no Hall. Dizem que é ou foi um clérigo, mas um ou dois incidentes em sua curta estada no Hall me impressionaram por serem tipicamente não eclesiásticos. Já fiz algumas perguntas numa agência clerical, e me disseram que *havia* um homem com esse nome na classe, cuja carreira tinha sido especialmente sombria. O taberneiro também me informou que geralmente há visitas nos fins de semana, "um bando de ricos, senhor", no Hall, e especialmente um cavalheiro com bigode vermelho, chamado sr. Woodley, que estava sempre lá. Tínhamos chegado neste ponto quando entra ninguém menos que o próprio cavalheiro, que estivera bebendo sua cerveja no salão do bar e ouvira toda a nossa conversa. Quem era eu? O que eu queria? Por que estava fazendo perguntas? Sua conversa era bem fluente e seus adjetivos, bem fortes. Terminou a série de desaforos com uma bofetada traiçoeira, que não consegui evitar totalmente. Os minutos seguintes foram deliciosos. Foi um direto de esquerda contra um valentão forte. Saí dessa como me vê. O sr. Woodley foi para casa de carroça. Assim terminou minha viagem pelo campo, e devo confessar que, embora agradável, meu dia às margens de Surrey não foi muito mais proveitoso que o seu.

A quinta-feira nos trouxe outra carta de nossa cliente.

Não se surpreenderá, sr. Holmes [dizia ela], ao saber que estou deixando o emprego do sr. Carruthers. Nem mesmo o salário alto pode amenizar o desconforto da minha situação. No sábado vim para a cidade e não pretendo voltar. O sr. Carruthers comprou uma charrete, e agora os perigos da estrada deserta, se é que havia algum perigo, se acabaram.

A causa principal da minha saída não é apenas a situação tensa com o sr. Carruthers, mas o reaparecimento daquele homem abominável, o sr. Woodley. Sempre foi horrível, mas parece mais medonho do que nunca, pois dá a impressão de ter sofrido um acidente e está muito desfigurado. Eu o vi pela janela, mas alegro-me em dizer que não estive com ele. Teve uma longa conversa com o sr. Carruthers, que parecia estar muito nervoso depois. Woodley deve estar nas vizinhanças, pois não dormiu aqui, e ainda assim o vi de relance esta manhã, andando furtivamente entre os arbustos. Eu preferia que houvesse um animal selvagem solto por aqui. Eu o odeio e tenho mais medo dele do que consigo dizer. Como o sr. Carruthers pode aguentar essa criatura por um momento sequer? Mas todos os meus problemas irão terminar sábado.

— Assim espero, Watson, assim espero — disse Holmes gravemente. — Há uma grande intriga rondando essa mulher, e é nosso dever cuidar para que ninguém a moleste até a sua última viagem. Acho, Watson, que devemos ir até lá juntos no sábado de manhã para nos certificarmos de que esta investigação curiosa não tenha um final desagradável.

Confesso que até então eu não achava que o caso me parecera mais grotesco e bizarro do que perigoso. Que um homem ficasse à espreita e seguisse uma mulher muito bonita não é uma coisa inédita, e se ele tinha tão pouca audácia que não ousava se dirigir a ela, mas até fugia dela, não seria um atacante muito terrível. O valentão Woodley era uma pessoa muito diferente, mas, exceto em uma ocasião, não molestara nossa cliente, e agora visitara a casa de Carruthers sem incomodá-la. O homem na bicicleta era, sem dúvida, um integrante dos grupos de fim de semana no Hall, dos quais o taberneiro falara, mas quem era ele ou o que seria, isto continuava a ser um mistério. Foi a severidade da atitude de Holmes e o fato de que enfiara um revólver no bolso antes de sairmos de casa que me impressionaram, com a sensação de que poderia haver uma tragédia por trás desta curiosa sequência de acontecimentos.

A noite chuvosa foi seguida de uma manhã límpida, e o campo coberto de grama, com os exuberantes tufos de tojo em flor, parecia ainda mais bonito aos olhos de quem estava cansado das tonalidades cinzentas de Londres. Holmes e eu caminhamos pela estrada larga e poeirenta aspirando o ar fresco da manhã e nos deleitamos com o canto dos pássaros e com a brisa fresca da primavera. De um lugar mais elevado da estrada perto de Croksbury Hill, podíamos ver o Hall sombrio aparecendo em meio aos velhos carvalhos, que, mesmo velhos, ainda eram mais novos que a construção que circundavam. Holmes apontou para o longo trecho da estrada que serpenteava, uma faixa amarelo-avermelhada, entre o marrom do campo e o verde que brotava nos bosques. Ao longe, um ponto negro, podíamos ver um veículo se movendo em nossa direção. Holmes soltou uma exclamação de impaciência.

— Eu dei uma margem de meia hora — disse. — Se aquela é a sua charrete, ela deve estar indo tomar o trem mais cedo. Receio, Watson, que passe por Charlington antes de podermos nos encontrar com ela.

A partir do instante em que passamos deste ponto elevado, não conseguíamos mais ver a charrete, mas andamos tão depressa que a minha vida sedentária começou a se revelar, e eu fui obrigado a ficar para trás. Mas Holmes estava sempre em forma, pois tinha estoques inesgotáveis de energia nervosa aos quais recorrer. Seu passo elástico nunca diminuía até que de repente, quando estava a uns cem metros à minha frente, parou, e eu o vi erguer a mão num gesto de dor e desespero. No mesmo instante uma carruagem vazia, com o cavalo a meio galope, as rédeas caídas, apareceu na curva da estrada, avançando ruidosa e rapidamente na nossa direção.

— Tarde demais, Watson, tarde demais! — exclamou Holmes, enquanto eu corria ofegante para o seu lado. — Como eu fui idiota por não ter pensado no primeiro trem da manhã! Isto é rapto, Watson, rapto! Assassinato! Os céus sabem disso! Bloqueie a estrada! Pare o cavalo! Isso mesmo. Agora, pule para dentro e vamos ver se posso reparar as consequências do meu erro.

Tínhamos pulado para dentro da carruagem, e Holmes, depois de fazer virar o cavalo, deu-lhe uma chicotada e voamos de volta pela estrada. Ao fazermos a curva, todo o trecho da estrada entre o Hall e o campo estava vazio. Segurei o braço de Holmes.

— Aquele é o homem! — exclamei.

Um ciclista solitário vinha vindo em nossa direção. Sua cabeça estava abaixada e os ombros curvados, enquanto punha toda a sua energia nos pedais. Corria como um atleta. De repente, ergueu o rosto barbado, viu que estávamos bem perto e pulou fora do veículo. A barba negra contrastava estranhamente com a palidez do rosto, e seus olhos estavam brilhantes como se estivesse com febre. Olhou para nós e para a charrete. Então seu rosto mostrou uma expressão de espanto.

— Ei! Pare aí! — gritou ele, segurando sua bicicleta para bloquear nosso caminho. — Onde conseguiram essa charrete? Salte, homem! — gritou, tirando uma pistola de um bolso lateral. — Salte, já disse, ou meterei uma bala no seu cavalo.

Holmes jogou as rédeas no meu colo e pulou da charrete.

— Você é o homem que queríamos ver. Onde está a srta. Violet Smith? — disse com sua maneira rápida e clara.

— É o que pergunto a você. Está na charrete dela. Deve saber onde ela está.

— Encontramos a charrete na estrada. Não havia ninguém nela. Voltamos para ajudar a jovem.

— Bom Deus! Bom Deus! O que farei? — exclamou o estranho num acesso de desespero. — Eles a capturaram, aquele cão maldito Woodley e o vigário indecente. Venha, homem, venha, se é amigo dela de verdade. Siga-me e a salvaremos, mesmo que tenha de deixar minha carcaça na floresta de Charlington.

Correu enfurecido, de pistola na mão, para uma abertura na sebe. Holmes o seguiu, e eu, depois de deixar o cavalo pastando ao lado da estrada, fui atrás de Holmes.

— Foi por aqui que eles passaram — disse ele, apontando para as marcas de vários pés na trilha cheia de lama — Ei! Parem um instante! Quem é este na moita?

Era um garoto de cerca de 17 anos, vestido como moço de estrebaria, com tiras de couro e galochas. Estava deitado de costas, os joelhos para cima e um corte horrível na cabeça. Inconsciente, mas vivo. Uma olhada no ferimento me deu a certeza de que não havia penetrado o osso.

— Este é Peter, o rapaz da estrebaria! — exclamou o estranho. — Era ele que levava a moça. Os monstros o jogaram para fora e lhe deram pauladas. Deixem-no aí; não podemos ajudá-lo, mas podemos salvá-la do pior destino que uma mulher pode ter.

Corremos como loucos pela trilha, que passava por entre as árvores. Tínhamos chegado ao bosque que cercava a casa quando Holmes parou.

— Não foram para a casa. Aqui estão suas marcas para a esquerda; aqui, ao lado das moitas de louro. Ah! Exatamente como eu disse.

Quando falou, ouvimos um grito agudo de mulher — um grito que vibrava com um frenesi de horror — que vinha do amontoado de arbustos verdes e densos à nossa frente. Terminou repentinamente em sua nota mais alta, com um engasgo e um gorgolejo.

— Por aqui! Por aqui! Estão no campo de boliche! — exclamou o estranho, correndo por entre os arbustos. — Ah, cães covardes! Sigam-me, cavalheiros! Tarde demais! Tarde demais! Pelo amor de Deus!

Chegamos de repente a uma bonita clareira gramada circundada por árvores antigas. Na outra extremidade, sob a sombra de um enorme carvalho, estava um grupo de três pessoas. Uma delas era uma mulher, nossa cliente, curvada e pálida, um lenço tapando sua boca. Diante dela estava um jovem de bigode vermelho, brutal e de rosto cruel, as pernas com perneiras bem separadas, uma mão no quadril, a outra balançando o cabo de um chicote, e toda a sua atitude sugeria uma fanfarronice triunfante. Entre eles, um velho de barba cinza, vestindo uma sobrepeliz curta sobre um terno claro de *tweed*, tinha, evidentemente, celebrado a cerimônia de casamento, porque colocou no bolso o seu missal quando aparecemos, e dera um tapinha de congratulações nas costas do noivo sinistro.

— Estão casados? — gaguejei.

— Venham! — exclamou nosso guia. — Venham! — Ele correu pela clareira, Holmes e eu atrás dele. Quando nos aproximamos, a mulher cambaleou até o tronco da árvore para se apoiar. Williamson, o ex-clérigo, inclinou a cabeça para nós com uma polidez irônica, e o pulha, Woodley, avançou para nós com uma sonora gargalhada, brutal e exultante.

— Pode tirar sua barba, Bob — disse. — Eu o conheço muito bem. Ora, você e seus amigos chegaram bem a tempo de apresentá-los à sra. Woodley.

A resposta do nosso guia foi singular. Tirou a barba escura que servia de disfarce e a jogou no chão, descobrindo um rosto comprido, moreno e barbeado. Então ergueu seu revólver e o apontou para o jovem valentão, que avançava para ele com o perigoso chicote balançando na mão.

— Sim — disse nosso aliado —, eu sou Bob Carruthers, e verei esta mulher livre mesmo que tenha de lutar por isso. Eu lhe disse o que faria se você a molestasse, e, por Deus!, cumprirei minha palavra.

— Está atrasado. Ela é minha esposa.

— Não, ela é sua viúva.

Seu revólver disparou, e vi o sangue jorrar da frente do colete de Woodley, que girou com um grito e caiu de costas; seu horrível rosto vermelho mudando repentinamente para uma manchada palidez mortal. O velho, ainda usando sua sobrepeliz, explodiu numa série de blasfêmias sórdidas como jamais ouvira, e puxou seu próprio revólver, mas antes que pudesse levantá-lo, estava olhando para o cano da arma de Holmes.

— Basta — disse meu amigo com frieza. — Largue essa pistola! Watson, pegue-a! Aponte-a para a cabeça dele! Obrigado. Você, Carruthers, dê-me esse revólver. Não teremos mais violência. Vamos, largue-o.

— Mas, quem são vocês?

— Meu nome é Sherlock Holmes.

— Meu Deus!

— Já ouviu falar de mim, pelo que vejo. Representarei a polícia oficial até que ela chegue. Aqui, você! — gritou para um amedrontado rapaz de estrebaria que aparecera na extremidade da clareira. — Venha aqui. Leve este bilhete o mais depressa possível a Farnham. — Rabiscou algumas palavras numa folha de seu caderno. — Entregue-a ao superintendente na delegacia. Até que ele venha, devo deter todos vocês sob minha custódia pessoal.

A personalidade forte e imperiosa de Holmes dominou a trágica cena, e todos eram fantoches nas suas mãos. Williamson e Carruthers carregaram Woodley ferido até a casa, e dei o braço à moça amedrontada. O homem ferido foi deitado em sua cama, e eu o examinei a pedido de Holmes. Levei meu relatório até o lugar onde ele estava sentado, na velha sala de jantar decorada com tapeçarias, com os dois prisioneiros diante dele.

— Ele viverá — eu disse.

— O quê?! — exclamou Carruthers, pulando da cadeira. — Vou até lá em cima acabar de vez com ele. Poderia me dizer se aquela garota, aquele anjo, ficará ligada a Jack Woodley para sempre?

— Não precisa se preocupar com isso — disse Holmes. — Existem duas boas razões para que ela não seja, sob quaisquer circunstâncias, esposa dele. Em primeiro lugar, podemos questionar o direito do sr. Williamson de realizar um casamento.

— Eu fui ordenado! — exclamou o velho patife.

— E também destituído.

— Uma vez sacerdote, sempre um sacerdote.

— Não acho. E sobre a licença?

— Nós tínhamos uma licença para o casamento. Está aqui, no meu bolso.

— Então a conseguiu por meio de trapaça. Mas, de qualquer modo, um casamento forçado não é um casamento, mas sim um delito muito grave, como descobrirá antes de haver terminado. Vai ter tempo para pensar no assunto nos próximos dez anos ou mais, se não me engano. E você, Carruthers, faria melhor se deixasse a sua pistola no bolso.

— Começo a achar que sim, sr. Holmes, mas quando penso em toda a preocupação que tive para protegê-la... pois eu a amava, sr. Holmes, e foi só aí que soube o que era o amor... quase fico louco ao pensar que ela estava em poder do maior bruto e tirano da África do Sul, um homem cujo nome inspira um terror sagrado de Kimberley a Joanesburgo. Sr. Holmes, pode não acreditar, mas desde que aquela garota é minha empregada nunca deixei que ela passasse por esta casa, onde sabia que os patifes se escondiam, sem segui-la na minha bicicleta, só para ver que não lhe acontecia nada de mal. Mantive distância dela, usei uma barba para que não me reconhecesse, pois é uma menina bondosa e cheia de brio e não ficaria mais a meu serviço se soubesse que a estava seguindo pelas estradas do campo.

— Por que não lhe falou do perigo?

— Porque então, de novo, ela me deixaria e eu não aguentaria isso. Mesmo que não pudesse me amar, já era muito para mim apenas ver sua graciosa forma pela casa, e ouvir o som da sua voz.

— Bem — eu disse —, chama isso de amor, sr. Carruthers, mas eu o chamaria de egoísmo.

— Talvez as duas coisas ao mesmo tempo. De qualquer modo, não podia deixá-la ir embora. Além disso, com essa turma por aí, era bom que ela tivesse alguém por perto para protegê-la. Então, quando o cabograma chegou, soube que eles estavam para fazer uma jogada.

— Que cabograma?

Carruthers tirou um papel do bolso.

— Aqui está — disse.

Era curto e conciso:

O VELHO ESTÁ MORTO

— Hum! — disse Holmes. — Acho que sei como as coisas aconteceram, e posso entender como esta mensagem, como disse, os deixou loucos. Mas, enquanto espera, deve me contar o que puder.

O velho miserável de sobrepeliz explodiu numa enxurrada de termos ofensivos.

— Por Deus! — disse — se nos delatar, Bob Carruthers, farei com você o que fez com Jack Woodley. Você pode choramingar pela garota para satisfazer seu coração, isso é problema seu, mas se denunciar seus companheiros para esse detetive à paisana, vai ser a pior coisa que já fez.

— Vossa Reverência não precisa ficar excitado — disse Holmes acendendo um cigarro. — O caso está suficientemente claro contra você e tudo o que peço são alguns detalhes para satisfazer minha própria curiosidade. Contudo, se tiver dificuldade para me contar, eu falarei, e então verá quanta possibilidade tem de me esconder seus segredos. Em primeiro lugar, três de vocês vieram da África do Sul nesse jogo: você, Williamson, você, Carruthers, e Woodley.

— Mentira número um — disse o velho —; nunca vi nenhum deles até dois meses atrás e nunca estive na África na minha vida; portanto, ponha isso em seu cachimbo e fume-o, sr. Abelhudo Holmes!

— O que ele diz é verdade — observou Carruthers.

— Ora, ora, dois de vocês vieram. O Reverendíssimo é artigo caseiro. Vocês conheceram Ralph Smith na África do Sul. Tinham motivo para acreditar que ele não viveria por muito tempo. Descobriram que sua sobrinha herdaria a fortuna dele. Que tal, hein?

Carruthers assentiu com a cabeça e Williamson praguejou.

— Ela era parente próxima, sem dúvida, e vocês sabiam que o velho não faria nenhum testamento.

— Não podia ler nem escrever — disse Carruthers.

— De modo que vocês vieram, dois de vocês, e procuraram a garota. A ideia era que um se casaria com ela e o outro teria uma parte da pilhagem. Por algum motivo, Woodley foi escolhido como marido. Por que foi?

— Ela foi disputada num jogo de cartas durante a viagem. Ele ganhou.

— Certo. Você contratou a garota e lá na sua casa Woodley faria a corte. Ela percebeu o bruto bêbado que ele era, e nunca se interessaria por ele. Enquanto isso, a combinação foi atrapalhada pelo fato de que você se apaixonara pela moça. Não podia mais suportar a ideia de que esse valentão a conquistasse?

— Não, por Deus, não podia.

— Houve uma discussão entre vocês dois. Ele ficou furioso e começou a fazer os seus próprios planos.

— Fico impressionado, Williamson, porque não há muita coisa para contarmos a este cavalheiro — exclamou Carruthers com uma risada amarga. — Sim, discutimos e ele me bateu. Mas nisso estou no mesmo nível que ele. Depois, eu o perdi de vista. Foi quando se juntou a este padre renegado aqui. Descobri que se instalaram neste lugar, bem no caminho da garota para a estação. Fiquei de olho nela depois disso, pois havia maldade no ar. Eu os via de vez em quando, porque estava ansioso para saber o que tramavam. Dois dias atrás,

Woodley foi à minha casa com este telegrama, que me fez ver que Ralph Smith estava morto. Perguntou se eu continuaria com o negócio. Eu disse que não. Perguntou se eu queria me casar com a garota e lhe dar uma parte do dinheiro. Respondi que o faria com prazer mas que ela não me queria. Ele disse: "Deixe-nos casar primeiro, e depois de uma semana ou duas ela estará vendo as coisas de um modo diferente." Eu disse que não queria saber de violência. Então ele foi embora praguejando, como o cafajeste de boca suja que era, e jurando que ainda a possuiria. Ela ia embora neste fim de semana, e consegui uma charrete para levá-la à estação, mas estava tão inquieto que a segui de bicicleta. Mas ela já partira e, antes de conseguir alcançá-la, o mal já havia sido feito. O primeiro sinal que tive sobre isso foi quando vi os dois cavalheiros de volta com sua carruagem.

Holmes levantou-se e jogou a ponta do cigarro na lareira.

— Fui muito estúpido, Watson — disse. — Quando, no seu relatório, você disse que vira um ciclista, e o vira ajeitando a gravata nas moitas, só isto deveria ter sido suficiente para mim. Contudo, podemos nos congratular por um caso curioso e, em alguns aspectos, único. Vejo três dos policiais no caminho, e fico contente de saber que o rapazinho da estrebaria está apto a acompanhá-los; portanto, é provável que nem ele nem o interessante noivo estejam prejudicados para sempre por suas aventuras desta manhã. Creio, Watson, que na sua qualidade de médico, deve ir ver a srta. Smith e lhe dizer que, se estiver suficientemente recuperada, teremos prazer em escoltá-la até a casa de sua mãe. Se não, descobrirá que a insinuação de que estamos para telegrafar para um jovem eletricista em Midlands completará a cura. E o senhor, Carruthers, creio que fez o que podia para redimir-se da sua participação numa trama perversa. Aqui está o meu cartão, senhor, e se o meu depoimento puder ajudá-lo no julgamento, estará à sua disposição.

No tumulto de nossa atividade incessante, tem sido em geral difícil para mim, como o leitor provavelmente observou, rematar minhas narrativas, e dar aqueles detalhes finais que um curioso esperaria. Cada caso tem sido o prelúdio de outro, e depois de acabada a crise, seus atores saem para sempre de nossas vidas atribuladas. Entretanto, descobri uma nota curta no final de meu manuscrito sobre este caso, na qual registrei que a srta. Violet Smith herdou realmente uma grande fortuna, e que ela é agora a esposa de Cyril Morton, sócio principal de Morton & Kennedy, os famosos eletricistas de Westminster. Williamson e Woodley foram condenados por rapto e tentativa de agressão, o primeiro pegando sete anos e o outro, dez. Sobre o destino de Carruthers não tenho registro, mas estou certo de que sua agressão não foi considerada muito grave pelo tribunal, já que era Woodley quem tinha fama de ser um valentão muito perigoso, e acho que alguns meses foram suficientes para satisfazer a necessidade de justiça.

A AVENTURA DA PRIORY SCHOOL

Tivemos algumas entradas e saídas dramáticas em nosso pequeno palco da Baker Street, mas não me lembro de nada mais repentino e surpreendente que a primeira aparição de Thorneycroft Huxtable, M.A., PhD, etc. Seu cartão, que parecia pequeno demais para carregar o peso de suas distinções acadêmicas, chegou alguns segundos antes dele, e então ele mesmo entrou — tão forte, pomposo e sério que era a própria personificação do autocontrole e da solidez. Mesmo assim, a primeira coisa que fez depois que a porta se fechou atrás dele foi cambalear até a mesa e dali escorregou para o chão — e lá estava aquela figura majestosa prostrada e inconsciente sobre nosso tapete de pele de urso.

Nós nos levantamos, e por alguns instantes olhamos com silenciosa surpresa para aquele pesado monte de ruínas que revelava alguma tempestade repentina e fatal lá longe, no oceano da vida. Então Holmes veio com uma almofada para a sua cabeça e eu com *brandy* para os seus lábios. O rosto branco e abatido estava marcado por linhas de preocupação, as bolsas salientes sob os olhos fechados eram cor de chumbo, os cantos da boca estavam caídos, o queixo roliço por barbear. O colarinho e a camisa mostravam a sujeira de uma viagem longa, e o cabelo eriçava-se despenteado na cabeça bem formada. Era um homem cruelmente ferido que jazia à nossa frente.

— O que é isso, Watson? — perguntou Holmes.

— Absoluta exaustão; possivelmente apenas fadiga e fome — eu disse, com o dedo no pulso delgado, onde a corrente da vida fluía lenta e frágil.

— Passagem de volta de Mackleton, no norte da Inglaterra — disse Holmes, tirando-a do bolso do relógio. — Ainda não é meio-dia. Com certeza ele gosta de chegar mais cedo.

As pálpebras franzidas começaram a tremer, e agora um par de olhos cinzentos inexpressivos estava olhando para nós. Um momento depois o homem se levantou com dificuldade, o rosto rubro de vergonha.

— Perdoe-me esta fraqueza, sr. Holmes, tenho estado um pouco sobrecarregado. Agradeceria se me dessem um copo de leite e biscoitos, não tenho dúvida de que vou melhorar. Vim pessoalmente, sr. Holmes, para garantir que voltaria comigo. Receava que nenhum telegrama o convenceria da absoluta urgência do caso.

— Quando estiver completamente recuperado...

— Já estou bem de novo. Não posso entender como fiquei tão fraco. Gostaria, sr. Holmes, que viesse comigo a Mackleton no próximo trem.

Meu amigo balançou a cabeça.

— Meu colega, dr. Watson, poderia lhe dizer que estamos muito ocupados no momento. Estou trabalhando neste caso dos Documentos Ferrers, e o assassinato de Abergavenny está indo a julgamento. Somente algo muito importante me tiraria de Londres no momento.

— Importante! — Nosso visitante jogou as mãos para o alto. — Não ouviu nada sobre o rapto do filho único do duque de Holdernesse?

— O quê!, o ex-ministro do gabinete?

— Exatamente. Tentamos manter isso fora dos jornais, mas houve alguns rumores no *Globe* da noite passada. Pensei que pudessem ter chegado aos seus ouvidos.

Holmes estendeu o braço magro e longo e pegou o volume "H" em sua enciclopédia de referências.

— "Holdernesse, sexto duque, K.G., P.C.", metade do alfabeto! "barão Beverley, conde de Carston". Meu Deus, que lista! "Governador do condado de Hallamshire desde 1900. Casou-se com Edith, filha de *sir* Charles Appledore, em 1888. Herdeiro e filho único, lorde Saltire; proprietário de cerca de 250 acres. Minérios em Lancashire e Gales. Endereços: Carlton House Terrace; Holdernesse Hall, Hallamshire; Castelo Carston, Bangor, Gales. Ministro da Marinha em 1872;

secretário-geral de Estado por..." Ora, ora, este homem é com certeza um dos grandes da Coroa!

— O maior e talvez o mais rico. Estou sabendo, sr. Holmes, que o senhor mantém um nível muito elevado em assuntos profissionais, e que está preparado para trabalhar apenas pelo amor ao trabalho. Entretanto, posso lhe dizer que Sua Graça já me notificou que um cheque de cinco mil libras será dado à pessoa que puder dizer-lhe onde está seu filho, e outras mil a quem puder lhe informar o nome do homem ou homens que o pegaram.

— É uma oferta principesca — disse Holmes. — Watson, creio que devemos acompanhar o dr. Huxtable de volta ao norte da Inglaterra. E agora, dr. Huxtable, depois que tiver tomado aquele leite, vai me dizer, por gentileza, o que aconteceu, quando, como e, finalmente, o que o dr. Huxtable, da Priory School, perto de Mackleton, tem a ver com o caso, e por que só vem três dias depois do acontecimento, o estado de seu queixo mostra a data, para pedir meus humildes serviços.

Nosso visitante tomara o leite com biscoitos. A luz voltara aos seus olhos e a cor à sua face, enquanto se sentava com grande vigor e lucidez para explicar a situação.

— Devo informá-los, cavalheiros, que a Priory é uma escola preparatória da qual sou fundador e diretor. *Huxtable's Sidelights on Horace* talvez possa lembrar-lhes o meu nome. Sem exceção, a Priory é a melhor e a mais seleta escola preparatória da Inglaterra. Lorde Leverstoke, o conde de Blackwater, *sir* Cathcart Soames, todos me confiaram seus filhos. Mas eu senti que minha escola atingira o seu auge quando, há três semanas, o duque de Holdernesse enviou o sr. James Wilder, seu secretário, para me comunicar que o jovem lorde Saltire, de dez anos, seu único filho e herdeiro, ia ser confiado aos meus cuidados. Eu estava longe de pensar que isto seria o prelúdio da mais arrasadora desgraça da minha vida.

"O rapaz chegou no dia 1º de maio, o começo do período de verão. Era um jovem encantador, e logo conquistou nossas boas graças. Devo dizer-lhe — acho que não estou sendo indiscreto, mas meias confidências são absurdas num caso assim — que ele não era inteiramente feliz em casa. Não é segredo que a vida de casado do duque não era pacífica, e terminou numa separação por consentimento mútuo, e a duquesa fixou residência no sul da França. Isto havia ocorrido pouco tempo antes, e sabe-se que o garoto ficou muito solidário com a mãe. Depois da saída dela de Holdernesse Hall ficou abatido, e foi por esse motivo que o duque o mandou para o meu estabelecimento. Em duas semanas o rapaz sentia-se em casa conosco e, aparentemente, estava muito feliz.

"Ele foi visto pela última vez na noite de 13 de maio, ou seja, na noite da última segunda-feira. Seu quarto era no segundo andar e chegava-se lá por um outro aposento grande, onde dois garotos dormiam. Esses garotos não viram nem ouviram nada, de modo que é certo que o jovem Saltire não saiu por esse caminho. Sua janela estava aberta, e há uma hera resistente que vai até o chão. Não podia deixar pegadas lá embaixo, mas com certeza é a única saída possível.

"Seu desaparecimento foi descoberto às sete horas de terça-feira. A cama estava desarrumada. Tinha se vestido, antes de se ir, com o uniforme habitual do colégio, de jaqueta preta do Eton e calças cinza--escuro. Não havia sinais de que alguém tivesse entrado no quarto, e é certo que nada como gritos ou luta foi ouvido, já que Caunter, o rapaz mais velho do quarto ao lado, tem um sono muito leve.

"Quando o desaparecimento de lorde Saltire foi descoberto, imediatamente convoquei todo mundo do colégio — rapazes, professores e empregados. Foi então que constatamos que lorde Saltire não fugira sozinho. Heidegger, o professor alemão, sumira. Seu quarto ficava no segundo andar, na extremidade mais afastada da casa, do mesmo lado que o do lorde. Sua cama também estava desarrumada, mas aparentemente foi embora só meio vestido, porque sua camisa e suas meias estavam no chão. Sem dúvida desceu pela hera, já que podíamos ver suas pegadas no ponto em que chegou ao canteiro. Sua bicicleta estava guardada num pequeno depósito perto desse canteiro, e também desaparecera.

"Estava comigo há dois anos e veio com as melhores referências, mas era um homem silencioso, fechado, não muito popular entre professores ou alunos. Não se conseguiu achar nenhum vestígio dos fugitivos, e agora, na manhã de quinta-feira, não sabemos mais do que na terça. É claro que foi feita logo uma investigação em Holdernesse Hall. Fica a apenas alguns quilômetros, e pensamos que, num súbito ataque de saudades de casa, ele voltara para seu pai, mas ninguém sabia dele. O duque está muito agitado e, quanto a mim, vocês viram por si mesmos o estado de esgotamento nervoso a que o suspense e a responsabilidade me reduziram. Sr. Holmes, se ainda não usou todos os seus talentos, imploro-lhe que o faça agora, pois nunca em sua vida teve um caso que merecesse tanto sua utilização."

Sherlock Holmes ouvira com o maior interesse o relato do infeliz diretor de escola. Suas sobrancelhas contraídas e a profunda ruga entre elas demonstravam que não precisava de nenhuma exortação para se concentrar num problema que, além dos grandes interesses envolvidos, apelava tão diretamente para seu amor às coisas complexas e incomuns. Ele puxou seu caderno de notas e escreveu um ou dois lembretes.

— O senhor foi muito negligente por não ter vindo me procurar mais cedo — ele disse com seriedade. — Recorreu à minha investigação com uma desvantagem muito grave. É inconcebível, por exemplo, que essa hera e o canteiro não tivessem fornecido nada a um observador experiente.

— Não pode me censurar, sr. Holmes. Sua Graça queria muito evitar qualquer escândalo público. Receava que a infelicidade de sua família fosse mostrada ao mundo. Tem um horror profundo de qualquer coisa desse tipo.

— Mas houve alguma investigação oficial?

— Sim, senhor, e foi decepcionante. Uma pista provável foi obtida, já que soubemos que um garoto e um homem jovem foram vistos saindo de uma estação vizinha pelo trem da manhã. Somente na noite passada tivemos a notícia de que a dupla foi encontrada em Liverpool, e ficou provado que não tinham nenhuma ligação com o caso. Foi então, em meu desespero e desapontamento, após uma noite em claro, que vim direto ao senhor, no primeiro trem da manhã.

— Suponho que a investigação local foi relaxada enquanto se seguia essa pista falsa?

— Foi abandonada por completo.

— De modo que perdemos três dias. O caso foi conduzido da maneira mais deplorável.

— Também acho e concordo.

— Ainda assim o problema deve ter uma solução definitiva. Ficaria muito feliz em poder encontrá-la. Pode fazer alguma ligação entre o rapaz e esse professor alemão?

— Nenhuma.

— Ele estava na turma desse professor?

— Não, nunca trocou uma palavra com ele, pelo que sei.

— Isso certamente é muito estranho. O garoto tinha uma bicicleta?

— Não.

— Alguma outra bicicleta estava faltando?

— Não.

— Tem certeza?

— Absoluta.

— Bem, não sugere seriamente que o alemão foi embora na calada da noite com sua bicicleta, levando o garoto nos braços?

— Claro que não.

— Então qual é a sua teoria a respeito?

— A bicicleta pode ter sido uma simulação. Pode ter sido escondida em algum outro lugar, e os dois foram embora a pé.

— Pode ser, mas parece uma simulação um tanto absurda, não? Existem outras bicicletas no depósito?

— Muitas.

— Ele não teria escondido um par, se desejasse dar a impressão de que foram embora com elas?

— Suponho que esconderia.

— Claro que esconderia. A teoria da simulação não funciona. Mas o incidente é um excelente ponto de partida para uma investigação. Afinal, uma bicicleta não é uma coisa fácil de se esconder ou destruir. Uma outra pergunta. Ninguém veio visitar o rapaz no dia anterior ao seu desaparecimento?

— Não.

— Recebeu alguma carta?

— Sim, uma carta.

— De quem?

— De seu pai.

— O senhor abre as cartas dos garotos?

— Não.

— Como sabe que era do pai dele?

— O brasão estava no envelope, sobrescritado na caligrafia firme e característica do duque. Além disso, o duque se lembra de tê-la escrito.

— Quando recebeu outra carta antes dessa?

— Nenhuma durante vários dias.

— Ele recebeu alguma vez carta da França?

— Não, nunca.

— O senhor vê o objetivo das minhas perguntas, é claro. Ou o garoto foi levado à força ou fugiu por vontade própria. Neste último caso, espera-se que algum estímulo vindo de fora seja necessário para que um rapaz tão jovem faça uma coisa assim. Se não recebeu nenhuma visita, então esse estímulo deve ter vindo por carta, e por isso estou tentando descobrir com quem ele se correspondia.

— Receio não poder ajudá-lo muito. Pelo que sei, a única pessoa que escrevia para ele era o próprio pai.

— Que escreveu para ele no mesmo dia de seu desaparecimento. As relações entre pai e filho eram amigáveis?

— Sua Graça nunca é muito simpático com ninguém. Está completamente envolvido em grandes questões públicas, e é inacessível a todas as emoções comuns. Mas era sempre carinhoso com o menino, à sua maneira.

— Mas o garoto não estava solidário com a mãe?

— Sim.

— Ele disse isso?

— Não.

— O duque, então?

— Meu Deus, não!

— Então como o senhor podia saber?

— Tive algumas conversas confidenciais com o sr. James Wilder, secretário de Sua Graça. Foi ele quem me deu informações sobre os sentimentos de lorde Saltire.

— Sei. Falando nisso, essa última carta do duque... foi encontrada no quarto do rapaz, depois que ele foi embora?

— Não, ele a levou consigo. Creio, sr. Holmes, que já é hora de irmos para Euston.

— Vou chamar uma carruagem. Em 15 minutos estaremos à sua disposição. Se está telegrafando para casa, sr. Huxtable, seria melhor deixar que as pessoas na sua vizinhança pensem que a investigação ainda continua sendo feita em Liverpool ou qualquer outro lugar que imaginar. Enquanto isso, farei um trabalhinho discreto em sua própria casa, e talvez a pista não esteja tão fria que dois velhos perdigueiros como eu e Watson não possamos segui-la.

Aquela noite nos encontrou na atmosfera fria e envolvente da região do Peak, onde ficava o famoso colégio do dr. Huxtable. Já estava escuro quando chegamos lá. Havia um cartão na mesa do saguão, e o mordomo sussurrou alguma coisa para o seu patrão, que se virou para nós bastante agitado.

— O duque está aqui — disse. — Ele e o sr. Wilder estão no escritório. Venham, cavalheiros, e os apresentarei.

Eu já estava, é claro, familiarizado com as fotografias do famoso homem de estado, mas em pessoa ele era muito diferente do seu retrato. Era um indivíduo alto e solene, vestido com capricho, com um rosto magro e bem desenhado, e um nariz grotescamente curvo e longo. A pele era de uma palidez mortal, contrastando com a barba longa e afilada, de um vermelho vivo, que descia pelo colete branco, com a corrente do relógio brilhando pela abertura. Essa era a figura majestosa que nos olhava com firmeza do centro do tapete de pele do dr. Huxtable. A seu lado estava um homem muito jovem, que imaginei tratar-se de Wilder, o secretário particular. Era baixo, nervoso e alerta, com olhos azuis inteligentes e traços expressivos. Foi ele quem começou logo a conversa, num tom incisivo e positivo.

— Cheguei esta manhã, dr. Huxtable, tarde demais para impedi-lo de partir para Londres. Soube que o seu objetivo era convidar o sr. Sherlock Holmes a assumir a condução deste caso. Sua Graça está surpreso, dr. Huxtable, com o fato de o senhor ter tomado tal atitude sem consultá-lo.

— Quando soube que a polícia havia falhado...

— Sua Graça não está convencido de que a polícia falhou.

— Mas certamente, sr. Wilder...

— Está ciente, dr. Huxtable, de que Sua Graça está particularmente ansioso para evitar qualquer escândalo público. Prefere ter o menor número possível de pessoas sabendo do seu segredo.

— Isso pode ser facilmente remediado — disse o intimidado doutor —; o sr. Sherlock Holmes pode voltar a Londres pelo primeiro trem da manhã.

— Dificilmente, doutor, dificilmente — disse Holmes, com sua voz mais suave. — Este ar do norte é agradável e revigorante, de modo que proponho passar alguns dias em seu território, e ocupar minha mente da melhor maneira possível. Se me hospedarei sob o seu teto ou no hotel da vila, certamente é o senhor quem vai decidir.

Eu podia perceber que o infeliz doutor estava no último grau de indecisão, do qual foi arrancado pela voz sonora e profunda do duque de barba vermelha, que soou como um gongo.

— Concordo com o sr. Wilder, dr. Huxtable, que seria melhor ter me consultado. Mas já que o sr. Holmes é de sua confiança, seria absurdo não nos beneficiarmos de seus serviços. Longe de ir para o hotel, sr. Holmes, seria um prazer se viesse se hospedar comigo em Holdernesse Hall.

— Agradeço a Sua Graça. Para o objetivo da minha investigação, creio que é melhor para mim ficar no local do mistério.

— Como queira, sr. Holmes. Qualquer informação que eu ou o sr. Wilder possamos lhe fornecer está, é claro, à sua disposição.

— Talvez seja necessário visitá-lo no Hall — disse Holmes. — Gostaria apenas de lhe perguntar agora, senhor, se chegou a pensar em alguma explicação para o misterioso desaparecimento do seu filho?

— Não, senhor, nenhuma.

— Desculpe-me por aludir a algo tão doloroso para o senhor, mas não tenho alternativa. Acha que a duquesa tem alguma coisa a ver com o caso?

O grande ministro mostrou uma hesitação perceptível.

— Não creio — disse por fim.

— A outra explicação óbvia é que o garoto foi raptado com o objetivo de se pedir resgate. Não recebeu nenhum pedido deste tipo?

— Não, senhor.

— Mais uma pergunta, Sua Graça. Soube que o senhor escreveu a seu filho no dia em que esse incidente ocorreu.

— Não, escrevi um dia antes.

— Exato. Mas ele a recebeu no dia seguinte?

— Sim.

— Havia algo em sua carta que poderia tê-lo abalado ou induzido a tomar essa atitude?

— Não, senhor, certamente que não.

— O senhor mesmo pôs a carta no correio?

A resposta do nobre foi interrompida pelo seu secretário, que falou com certa irritação.

— Sua Graça não tem o hábito de mandar as cartas pessoalmente — disse. — Essa carta foi deixada com outras em cima da escrivaninha, e eu mesmo as coloquei na mala postal.

— Tem certeza de que ela estava entre as outras?

— Sim, observei isso.

— Quantas cartas Sua Graça escreveu naquele dia?

— Vinte ou trinta. Tenho um grande volume de correspondência. Mas isso certamente é irrelevante.

— Não inteiramente — disse Holmes.

— De minha parte — continuou o duque — aconselhei a polícia a desviar sua atenção para o sul da França. Já disse que não creio que a duquesa incentivasse um ato tão monstruoso, mas o rapaz tinha umas opiniões muito erradas, e é possível que tenha fugido para ela, ajudado e instigado por esse alemão. Acho, dr. Huxtable, que podemos voltar agora para o Hall.

Eu podia perceber que Holmes ainda queria fazer outras perguntas, mas os modos ríspidos do nobre mostravam que a entrevista estava no fim. Era evidente que, para a sua natureza aristocrática, essa discussão sobre assuntos familiares íntimos com um estranho era muito desagradável e que ele temia que qualquer nova pergunta lançasse uma luz mais intensa nos recantos discretamente sombrios de sua história ducal.

Depois que o nobre e seu secretário saíram, meu amigo lançou-se com sua energia típica à investigação.

Os aposentos do garoto foram examinados com cuidado, o que não levou a nada, a não ser à absoluta convicção de que a única saída era pela janela. O quarto e os bens do professor alemão não forneceram outras pistas. No caso dele, a trilha na hera foi provocada pelo seu peso, e vimos, à luz de uma lanterna, a marca no canteiro onde seus pés tocaram o chão. Esta marca na grama verde e curta era a única testemunha material deixada nesta inexplicável fuga noturna.

Sherlock Holmes saiu da casa sozinho e só voltou depois das 23 horas. Obtivera um grande mapa topográfico da área, e o levou ao meu quarto, onde o abriu em cima da cama, e, depois de colocar a luz do abajur diretamente sobre seu centro, começou a examiná-lo, apontando de vez em quando para algum lugar de interesse com a parte fumegante, cor de âmbar, do seu cachimbo.

— Este caso me interessa cada vez mais, Watson — disse. — Decididamente existem pontos interessantes ligados a ele. Neste estágio inicial, quero que veja estas características geográficas que podem ter muito a ver com nossa investigação.

— Olhe este mapa. Este quadro escuro é a Priory School. Colocarei um ponto sobre ele. Agora, esta linha é a estrada principal. Veja que depois do colégio ela vai para leste e para oeste, e também que não existem estradas secundárias por mais de um quilômetro, nos dois sentidos. Se esses dois foram embora pela estrada, foi por *esta* estrada.

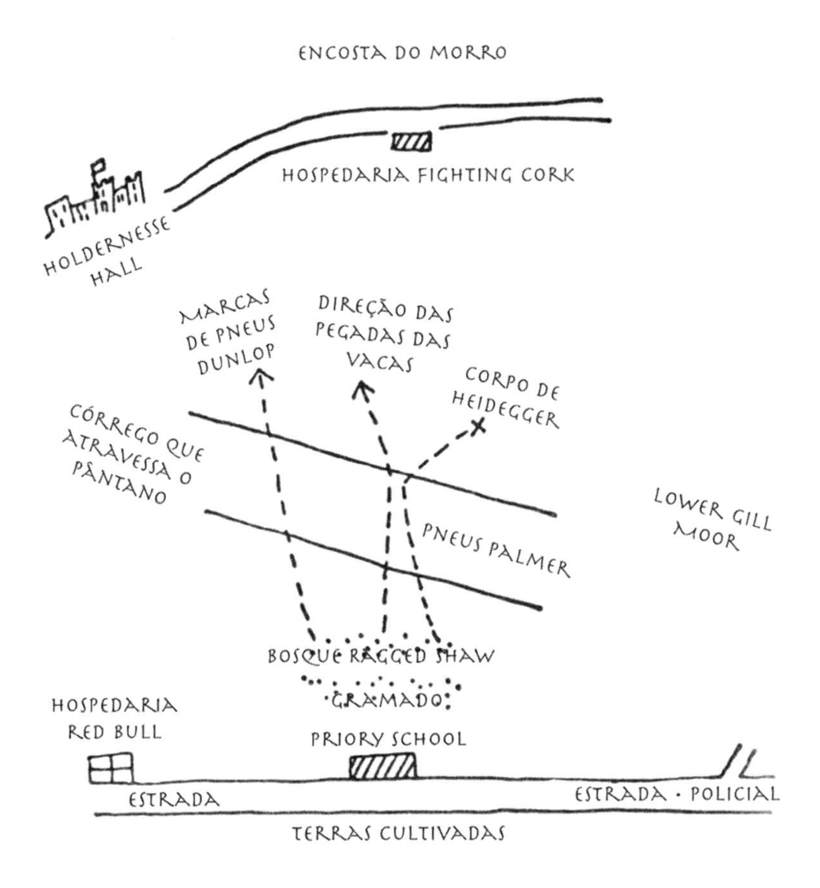

Mapa de Holmes da área do colégio

— Exatamente.

— Por um acaso feliz e singular, podemos verificar até certo ponto o que passou por esta estrada na noite em questão. Neste lugar, onde está agora meu cachimbo, um policial estava de guarda da meia-noite às seis horas. É, como vê, o primeiro cruzamento para leste. Este homem diz que não se ausentou do posto por um instante sequer, e garante que nem o garoto nem o homem poderiam ter passado por ali sem serem vistos. Falei com o policial esta noite, e me pareceu ser uma pessoa confiável. Isso fecha esta saída. Temos agora que lidar com a outra. Há uma hospedaria aqui, a Red Bull, cuja proprietária está doente. Ela chamou um médico em Mackleton, mas ele só chegou pela manhã, pois estava fora, num outro caso. O pessoal do hotel ficou alerta a noite toda, esperando a chegada dele, e um ou outro estava sempre de olho na estrada. Afirmaram que ninguém passou. Se o depoimento deles é verdadeiro, então podemos bloquear o oeste, e também estamos em condições de afirmar que os fugitivos *não* usaram a estrada de maneira nenhuma.

— Mas, e a bicicleta? — objetei.

— Perfeitamente. Chegaremos já na bicicleta. Continuando nosso raciocínio: se estas pessoas não foram pela estrada, devem ter cruzado o campo para o norte ou para o sul da casa. Isso é certo. Vamos comparar um e outro. Ao sul da casa, como vê, há um terreno grande de terra arável, cortado em campos pequenos, com muros de pedra entre eles. Aqui, admito que uma bicicleta é impossível. Podemos descartar a ideia. Vejamos o norte do terreno. Aqui há um bosque, chamado Ragged Shaw, e do lado mais distante há um pântano grande e ondulado, Lower Gill Moor, que se estende por dez quilômetros e se eleva gradualmente. Aqui, num lado dessa região isolada, está Holdernesse Hall, a pouco mais de dez quilômetros pela estrada, mas a apenas seis pelo pântano. É uma planície particularmente desolada. Alguns fazendeiros têm pequenos terrenos, onde criam ovelhas e gado bovino. À exceção destes, as aves e os maçaricos são os únicos habitantes até que se chegue à estrada principal de Chesterfield. Há uma igreja ali, alguns chalés e um hotel. Depois dali os precipícios tornam-se mais íngremes. Com certeza é aqui para o norte que a nossa busca deve seguir.

— Mas e a bicicleta? — insisti.

— Ora, ora! — disse Holmes com impaciência. — Um bom ciclista não precisa de uma autoestrada. A planície é cortada por trilhas e era lua cheia. Ei, o que é isso?

Houve uma batida nervosa na porta e logo depois o dr. Huxtable estava dentro do quarto. Segurava um boné de críquete azul com um distintivo branco no alto.

— Afinal temos uma pista! — exclamou. — Graças a Deus! Finalmente estamos na trilha do pobre garoto! Este é o seu boné.

— Onde foi encontrado?

— Numa carroça de ciganos que acamparam na planície. Foram embora na terça-feira. Hoje a polícia os alcançou e examinou a caravana. Encontrou isto.

— Como explicam isso?

— Esquivaram-se e mentiram: disseram que o encontraram no campo na terça de manhã. Eles sabem onde ele está, os patifes! Graças a Deus estão todos trancafiados. O medo da lei ou o dinheiro do duque certamente arrancarão deles tudo o que sabem.

— Até aqui tudo bem — disse Holmes quando o doutor finalmente saiu do quarto. — Pelo menos confirma a teoria de que é para o lado de Lower Gill Moor que devemos esperar resultados. A polícia não fez nada realmente no local, a não ser a prisão desses ciganos. Olhe aqui, Watson! Há um rio que corta o campo. Você o vê marcado aqui no mapa. Em alguns trechos se alarga num brejo. Está exatamente na região entre Holdernesse Hall e o colégio. É inútil procurar pegadas em outro lugar neste tempo seco, mas *naquele* ponto certamente há uma possibilidade de ter sido deixada alguma marca. Eu o chamarei amanhã bem cedo e tentaremos esclarecer alguma coisa desse mistério.

O dia estava começando a clarear quando acordei e vi a figura alta e magra de Holmes à minha cabeceira. Já estava todo vestido e, aparentemente, havia saído antes.

— Dei uma olhada no canteiro e no depósito das bicicletas — disse. — Também dei uma voltinha por Ragged Shaw. Agora, Watson, há chocolate pronto no quarto ao lado. Devo pedir-lhe que se apresse, pois temos um grande dia pela frente.

Seus olhos brilhavam e seu rosto estava corado com a satisfação do mestre de obras que vê o trabalho pronto à sua frente. Um Holmes muito diferente, este homem ativo e alerta, do sonhador introspectivo e pálido da Baker Street. Ao olhar para aquela figura ágil, sustentado por uma energia nervosa, senti que era um dia realmente ativo o que nos esperava.

Mas tivemos a maior decepção. Com grandes esperanças, andamos pelo campo avermelhado e turfoso, cortado por milhares de trilhas de ovelhas até que chegamos no trecho verde-claro e largo que assinalava o pântano entre nós e Holdernesse. Se o menino tivesse ido para casa, certamente teria de passar por ali, e não podia passar sem deixar vestígios. Mas nenhum sinal dele ou do alemão podia ser visto. Com o rosto sombrio, meu amigo vasculhava a margem observando atentamente cada mancha na superfície musgosa. Havia pegadas de ovelhas em profusão, e num ponto, alguns quilômetros abaixo, vacas deixaram suas marcas. Nada mais.

— Verificação número um — disse Holmes, olhando com tristeza para a extensão ondulante do campo. — Há um outro brejo mais abaixo e uma passagem estreita no meio. Ora viva! O que temos aqui?

Tínhamos chegado a uma pequena faixa preta de trilha. No meio dela, claramente marcada no solo fofo, estavam as marcas de uma bicicleta.

— Hurrah! — exclamei. — Conseguimos.

Mas Holmes estava balançando a cabeça e seu rosto mostrava mais confusão e expectativa do que alegria.

— Uma bicicleta, certamente, mas não *a* bicicleta — disse. — Conheço 42 impressões diferentes deixadas por pneus. Este, como vê, é um Dunlop, com um remendo na parte externa. Os pneus de Heidegger eram Palmer, que deixam listras longitudinais. Aveling, o professor de matemática, estava certo sobre isso. Portanto, não é o rastro de Heidegger.

— Do garoto, então?

— Possivelmente, se pudermos provar que ele estava com uma bicicleta. Mas falhamos completamente nisso. Esta trilha, como se percebe, foi feita por alguém que vinha da direção da escola.

— Ou na direção dela?

— Não, não, meu caro Watson. A marca mais profunda é claramente a da roda traseira, sobre a qual todo o peso se apoia. Percebemos vários pontos onde ela cruzou e modificou a marca menos funda da roda dianteira. Sem dúvida estava se afastando do colégio. Pode ou não ter alguma ligação com a nossa busca, mas nós a seguiremos para trás, antes de irmos mais adiante.

Fizemos isso, e após algumas centenas de metros perdemos as pistas, quando saímos da porção pantanosa do campo. Seguindo a trilha para trás, chegamos em outro local, cortado por um curso d'água. Aqui, mais uma vez, estava a marca da bicicleta, embora quase apagada pelos cascos de vacas. Depois disso, não havia mais sinal, mas a trilha ia direto para Ragged Shaw, o bosque que dava nos fundos do colégio. A bicicleta deve ter saído deste bosque. Holmes sentou-se numa pedra e apoiou o queixo nas mãos. Fumei dois cigarros antes que ele se movesse.

— Ora, ora — disse ele por fim. — É possível, claro, que um homem esperto tenha trocado os pneus de sua bicicleta para não deixar marcas conhecidas. O criminoso que for capaz de um raciocínio desses é o homem com o qual eu ficaria orgulhoso de trabalhar. Deixaremos esta questão em suspenso e voltaremos para o nosso brejo, pois há muita coisa para ser explorada.

Continuamos nossa pesquisa sistemática da borda da parte encharcada do pântano e logo nossa perseverança foi gloriosamente recompensada. Do outro lado da parte mais baixa do lodaçal havia uma trilha pantanosa. Holmes deu um grito de satisfação ao chegar mais perto. Uma impressão igual a uma fina tira de telégrafo passava bem no centro dela. Eram os pneus Palmer.

— Aqui está *Herr* Heidegger, com certeza! — exclamou Holmes, exultante. — Meu raciocínio parece ter sido correto, Watson.

— Dou-lhe meus parabéns.

— Mas ainda temos um longo caminho a percorrer. Ande com cuidado fora da trilha. Agora vamos seguir as marcas. Creio que não nos levarão muito longe.

Mas descobrimos, enquanto avançávamos, que esta parte do pântano é intercalada de partes macias e, embora perdêssemos com frequência a trilha de vista, sempre conseguíamos encontrá-la de novo.

— Está notando — disse Holmes — que o ciclista está agora aumentando o ritmo? Não há dúvida. Olhe esta marca, em que temos os dois pneus nítidos. Um está tão fundo quanto o outro. Isso só pode significar que o ciclista está jogando todo o peso sobre o guidom, como um homem faz quando está correndo. Por Deus! Ele caiu.

Havia um borrão largo e irregular cobrindo alguns metros da trilha. Então havia algumas pegadas, e o reaparecimento dos pneus.

— Uma derrapagem — sugeri.

Holmes segurou um galho esmagado de tojo em flor. Vi com horror que as flores amarelas estavam todas manchadas de vermelho. Na trilha, e também entre as urzes, havia manchas escuras de sangue coagulado.

— Mau! — disse Holmes. — Mau! Olhe bem, Watson! Nem uma passada desnecessária! O que vemos aqui? Ele caiu ferido, levantou-se, montou de novo e continuou. Mas não existem outras marcas. Gado nesta outra trilha. Não terá sido atingido por um touro? Impossível! Mas não vejo pegadas de mais ninguém. Devemos continuar, Watson. Certamente com manchas, além da trilha, para nos guiar, ele não pode nos escapar agora.

Nossa busca não foi muito longa. As marcas dos pneus começaram a fazer curvas fantásticas na trilha molhada e brilhante. De repente, ao olhar para diante, vi o brilho de metal por entre os tufos de tojo. De lá tiramos uma bicicleta, com pneus Palmer, um dos pedais amassado, e toda a parte dianteira horrivelmente lambuzada e babada de sangue. Do outro lado dos arbustos, aparecia um sapato. Demos a volta, e lá estava o infeliz ciclista. Era um homem alto, com uma barba grande e óculos, sem uma das lentes que devia ter caído. A causa de sua morte era um horrível golpe na cabeça, que partiu o crânio. O fato de ele ter conseguido continuar depois de receber um golpe assim revelava sua vitalidade e coragem. Estava de sapatos, mas sem meias, e seu casaco aberto mostrava uma camiseta de dormir por baixo. Era sem dúvida o professor alemão.

Holmes desvirou o corpo com cuidado e o examinou com muita atenção. Depois sentou-se pensativo por algum tempo, e eu podia ver pelas sobrancelhas franzidas que, na sua opinião, esta descoberta sinistra não fora um grande progresso na nossa investigação.

— É um pouco difícil saber o que fazer, Watson — disse por fim. — Minha disposição é no sentido de continuar esta investigação, pois já perdemos muito tempo e não podemos desperdiçar mais uma hora. Por outro lado, devemos informar a polícia a respeito da descoberta, e providenciar para que tomem conta do corpo deste pobre sujeito.

— Eu poderia levar um bilhete.

— Mas preciso da sua companhia e ajuda. Espere um momento! Tem alguém ali cortando turfa. Traga-o aqui, e ele guiará a polícia.

Trouxe o camponês e Holmes despachou o homem assustado com o bilhete para o dr. Huxtable.

— Agora, Watson — disse —, descobrimos duas pistas esta manhã. Uma é a bicicleta com os pneus Palmer, e vemos onde isto acabou. A outra é a bicicleta com o Dunlop remendado. Antes de iniciarmos esta investigação, vamos tentar entender o que sabemos *realmente*, para tirar o máximo disto e separar o essencial do acidental.

"Antes de tudo, quero lhe dizer que o garoto com certeza saiu por vontade própria. Ele desceu pela janela e foi embora, sozinho ou com mais alguém. Isto é certo."

Assenti.

— Bem, agora, voltemos ao infeliz professor alemão. O garoto estava completamente vestido quando fugiu. Portanto, já sabia o que ia fazer. Mas o alemão saiu sem as meias. Com certeza agiu às pressas.

— Sem dúvida.

— Por que saiu? Porque, da janela do seu quarto, viu a fuga do garoto; porque quis ir atrás dele e trazê-lo de volta. Pegou sua bicicleta, perseguiu o rapaz, e nessa perseguição encontrou a morte.

— Assim parece.

— Agora chego à parte decisiva do meu raciocínio. A atitude natural de um homem ao perseguir um garoto seria a de correr atrás dele. Ele saberia que conseguiria alcançá-lo. Mas o alemão não faz isso. Vai pegar sua bicicleta. Soube que era um ciclista excelente. Não faria isso, se não visse que o garoto tinha algum meio rápido de fuga.

— A outra bicicleta.

— Continuemos nossa reconstituição. Ele foi morto a sete quilômetros do colégio, não por uma bala, o que até mesmo um garoto poderia disparar, mas por um golpe violento, desferido por um braço vigoroso. O garoto, portanto, *teve* um companheiro na sua fuga. E foi uma fuga rápida, pois andaram sete quilômetros antes que um ótimo ciclista os alcançasse. E ainda pesquisamos o chão em volta do local da tragédia. O que encontramos? Alguns rastros de gado, nada mais. Dei uma grande volta por aí, e não existem trilhas a menos de cinquenta metros. Um outro ciclista poderia não ter tido nada com o assassinato, e lá também não havia pegadas humanas.

— Holmes! — exclamei —, isto é impossível!

— Admirável! — disse ele. — Uma observação esclarecedora. É impossível do modo como falei, entretanto posso, em algum aspecto, ter falado de modo equivocado. Pois você viu por si mesmo. Pode sugerir alguma falha?

— Ele não poderia ter fraturado o crânio numa queda?

— Num lodaçal, Watson?

— Estou desorientado.

— Tsc, tsc, já resolvemos problemas piores. Pelo menos temos muito material; se ao menos pudéssemos usá-lo. Venha então e, depois do Palmer, vamos ver o que o Dunlop com a parte remendada tem a nos oferecer.

Pegamos a trilha e a seguimos por algum tempo, mas o pântano logo se elevava numa curva longa cheia de tufos de urze, e deixamos o riacho para trás. Não se podia mais esperar ajuda alguma de trilhas. Do lugar onde vimos pela última vez o pneu Dunlop, podíamos ter ido também para Holdernesse Hall, cujas torres majestosas apareciam alguns quilômetros à nossa esquerda, ou para uma vila pequena e pardacenta que ficava à nossa frente, e indicava a posição da estrada principal de Chesterfield.

Quando nos aproximamos do hotel repugnante e miserável, com o símbolo de um galo de briga sobre a porta, Holmes deu um súbito gemido, e agarrou meu ombro para não cair. Tivera um desses estiramentos violentos que deixam um homem desamparado. Com dificuldade foi até a porta, onde um homem idoso e moreno estava acocorado, fumando um cachimbo preto de barro.

— Como vai, sr. Reuben Hayes? — perguntou Holmes.

— Quem são vocês e como descobriram tão depressa o meu nome? Disse o camponês com um brilho de desconfiança nos olhos espertos.

— Ora, ele está impresso na placa acima de sua cabeça. É fácil reconhecer um homem que é o dono da própria casa. Suponho que não tenha algo como uma carroça nos seus estábulos.

— Não, não tenho.

— Mal posso apoiar meu pé no chão.

— Não o ponha no chão.

— Mas não posso andar.

— Bem, então pule.

A atitude do sr. Reuben Hayes estava longe de ser amável, mas Holmes a encarou com um bom humor admirável.

— Olhe aqui, meu amigo — disse. — Isto é realmente um dilema muito desagradável para mim. Não vejo como continuar.

— Nem eu — disse o estalajadeiro mal-humorado.

— O assunto é muito importante. Eu lhe ofereceria uma libra pelo uso de uma bicicleta.

O homem prestou mais atenção.

— Aonde querem ir?

— Para Holdernesse Hall.

— Amigos do duque, suponho? — disse o proprietário, observando nossas roupas manchadas de lama com olhos irônicos.

Holmes sorriu, complacente.

— De qualquer maneira, ele ficará contente em nos ver.

— Por quê?

— Porque lhe trazemos notícias de seu filho desaparecido.

O estalajadeiro teve um sobressalto visível.

— O quê, vocês estão na pista dele?

— Ele foi visto em Liverpool. Esperam encontrá-lo a qualquer hora.

De novo uma mudança perceptível passou pelo rosto forte e barbado. Ele ficou amável de repente.

— Tenho menos motivos para desejar o bem do duque do que muitos homens — disse — porque uma vez fui o cocheiro-chefe, e ele me tratou de modo cruel. Foi ele quem me pôs na rua sem explicações, por causa da palavra de um negociante de milho mentiroso. Mas fico contente em saber que o jovem lorde foi visto em Liverpool, e vou ajudá-los a levar a notícia até o Hall.

— Obrigado — disse Holmes. — Vamos comer algo primeiro. Depois pode trazer a bicicleta.

— Eu não tenho uma bicicleta.

Holmes mostrou uma libra.

— Já lhe disse, homem, que não tenho. Deixarei que levem dois cavalos até o Hall.

— Bem, bem — disse Holmes —, falaremos sobre isso depois que tivermos comido alguma coisa.

Quando ficamos sozinhos na cozinha de paredes de pedras, foi espantoso como o tornozelo estirado se recuperou depressa. Já era quase noite e não havíamos comido nada desde a manhã, de modo que gastamos um bom tempo em nossa refeição. Holmes estava perdido em seus pensamentos e uma ou duas vezes foi até a janela e olhou para fora, sério. Ela dava para um pátio miserável. No canto mais afastado havia uma forja, onde um rapaz sujo estava trabalhando. Do outro lado ficavam os estábulos. Holmes estava sentado após uma dessas excursões, quando de repente pulou de sua cadeira com uma exclamação.

— Por Deus, Watson, creio que conseguimos! — gritou. — Sim, sim, deve ser isso. Watson, lembra-se de ter visto alguma trilha de vacas hoje?

— Sim, várias.

— Onde?

— Ora, por todo lado. No brejo, e também na trilha, e perto do lugar onde o pobre Heidegger morreu.

— Exato. Agora, Watson, quantas vacas você viu no campo?

— Não me lembro de ter visto nenhuma.

— É estranho, Watson, que víssemos rastros durante todo o nosso trajeto, mas nem uma vaca. Muito estranho, Watson, hein?

— Sim, é estranho.

— Agora, Watson, faça um esforço de memória. Pode ver aqueles rastros na trilha?

— Sim, posso.

— Recorda-se de que os rastros eram algumas vezes assim, Watson — dispôs algumas bolinhas de pão deste modo: : : : : :. E outras assim: : . : . : . : .. E ocasionalmente deste jeito: . · . · . · .. Consegue se lembrar disso?

— Não, não consigo.

— Mas eu posso. Posso jurar que é assim. Mas voltaremos lá para verificar isso. Como fui cego, não confirmando minha conclusão.

— E qual é a sua conclusão?

— Apenas que existe uma vaca notável que anda, trota e galopa. Por Deus! Watson, não foi nenhum cérebro de taberneiro do interior que imaginou um como esse. A costa parece estar livre, a não ser por aquele rapaz na forja. Vamos dar uma escapada e ver o que pudermos.

Havia dois cavalos maltratados no estábulo em ruínas. Holmes levantou a pata traseira de um deles e riu.

— Ferraduras velhas, mas ferrado recentemente; ferraduras velhas, mas cravos novos. Este caso promete ser um clássico. Vamos passar por fora.

O rapaz continuava seu trabalho sem ligar para nós. Notei os olhos de Holmes virarem-se para a esquerda e para a direita, por entre os restos de ferro e madeira que se espalhavam pelo chão. Mas, de repente escutamos passos atrás de nós, e lá estava o dono da hospedaria, o cenho franzido sobre os olhos selvagens, as feições contorcidas pela raiva. Segurava uma pequena bengala de cabo metálico, e avançou de modo tão ameaçador que me senti confortado por ter meu revólver no bolso.

— Seus espiões do inferno! — gritou o homem. — O que estão fazendo aí?

— Ora, sr. Reuben Hayes — disse Holmes friamente —, alguém poderia pensar que o senhor está com medo de que descubramos alguma coisa.

O homem controlou-se com um esforço violento, e sua boca cruel abriu-se num sorriso falso, que era mais ameaçador que o seu olhar carrancudo.

— Vocês podem descobrir tudo o que quiserem em minha oficina — disse. — Mas olhe aqui, senhor, não gosto de sujeitos que ficam bisbilhotando na minha casa sem minha permissão; portanto, quanto mais cedo pagarem sua conta e saírem daqui, mais agradecido eu ficaria.

— Tudo bem, sr. Hayes, não fizemos por mal — disse Holmes. — Estivemos dando uma olhada em seus cavalos, mas creio que irei a pé, afinal. Não é longe, eu acho.

— Não mais de três quilômetros até os portões do Hall. É pela estrada da esquerda. — Ficou nos observando com olhos sombrios até que saímos de sua propriedade.

Não fomos muito longe pela estrada, pois Holmes parou assim que a curva fez com que saíssemos do campo de visão daquele homem.

— Estivemos quentes naquela hospedaria, como dizem as crianças — comentou. — Parece que fica mais frio à medida que me afasto. Não, não, não posso deixar isso.

— Estou convencido — eu disse — de que esse Reuben Hayes sabe de tudo. Nunca vi um vilão tão óbvio.

— Oh! ele o impressionou tanto assim? Há os cavalos, a forja. Sim, é um lugar interessante, esse Galo de Briga. Acho que devemos dar uma outra olhada nele, de modo mais discreto.

Uma colina suave, longa, pontilhada de pedras calcárias, estendia-se atrás de nós. Havíamos saído da estrada e estávamos subindo a colina quando, ao olhar na direção de Holdernesse Hall, vi um ciclista pedalando rapidamente.

— Abaixe-se, Watson! — exclamou Holmes, batendo no meu ombro.

Mal havíamos sumido de vista quando o homem passou rapidamente por nós, na estrada. Por entre as nuvens de poeira, vislumbrei um rosto pálido e agitado, um rosto com o horror estampado em cada traço, a boca aberta, os olhos vidrados. Era como uma estranha caricatura do esperto James Wilder que víramos na noite anterior.

— O secretário do duque! — exclamou Holmes. — Venha Watson, vamos ver o que ele vai fazer.

Escalamos de pedra em pedra, até que minutos depois chegamos a um ponto do qual podíamos ver a porta da frente do hotel. A bicicleta de Wilder estava encostada na parede lateral. Ninguém se movia pela casa, nem conseguimos ver alguém nas janelas. Devagar o crepúsculo chegou, enquanto o sol mergulhava atrás das torres de Holdernesse Hall. Então, na escuridão, vimos as duas lanternas laterais acesas de uma carruagem no pátio do estábulo do hotel, e logo depois ouvimos o barulho de cascos chegando à estrada e partindo em grande velocidade na direção de Chesterfield.

— O que acha disso, Watson? — sussurrou Holmes.

— Parece uma fuga.

— Só havia um homem na carruagem, pelo que pude ver. Bem, certamente não era o sr. James Wilder, pois ele está ali, em frente à porta.

Um quadrado vermelho de luz se acendera na escuridão. No meio dele estava o vulto negro do secretário, a cabeça inclinada para a frente, espreitando a noite. Era evidente que esperava alguém. Por fim, passos na estrada, uma outra figura ficou visível por um instante contra a luz, a porta bateu e tudo ficou escuro novamente. Cinco minutos depois uma lâmpada foi acesa num quarto do primeiro andar.

— Parece ser uma categoria curiosa de fregueses essa do Galo de Briga — disse Holmes.

— O bar fica do outro lado.

— Exato. Estes são o que podemos chamar de convidados particulares. Agora, que diabo está o sr. James Wilder fazendo naquela espelunca a essa hora da noite, e quem é o sujeito que vem para encontrá-lo ali? Vamos, Watson, precisamos realmente nos arriscar e tentar investigar isto um pouco mais de perto.

Descemos juntos até a estrada e nos aproximamos silenciosamente da porta do hotel. A bicicleta ainda estava encostada na parede. Holmes acendeu um fósforo para examinar o pneu traseiro, e eu o ouvi rir baixinho quando a luz incidiu sobre um pneu Dunlop remendado. Bem acima de nós estava a janela iluminada.

— Preciso dar uma olhada lá, Watson. Se você inclinar as costas e se apoiar na parede, acho que conseguirei.

Logo depois, seus pés estavam nos meus ombros; porém mal chegou lá em cima e já estava embaixo de novo.

— Venha, meu amigo — disse —, nosso dia de trabalho foi bastante longo. Creio que já conseguimos tudo o que podíamos. É uma longa caminhada até o colégio, e quanto mais cedo começarmos, melhor.

Ele mal abriu a boca durante aquela caminhada cansativa através do campo, e não entramos no colégio quando chegamos lá, mas fomos para a estação de Mackleton, de onde ele enviou alguns telegramas. Tarde da noite eu o ouvi consolando o dr. Huxtable, prostrado pela tragédia da morte do seu professor, e mais tarde ainda entrou no meu quarto, tão alerta e vigoroso como estivera quando começamos naquela manhã.

— Está tudo indo bem, meu amigo — disse ele. — Prometo que antes de amanhã à noite teremos encontrado a solução do mistério.

Às 11 horas seguinte meu amigo e eu estávamos andando pela famosa alameda de teixos de Holdernesse Hall. Entramos pela magnífica porta elisabetana e fomos levados ao escritório de Sua Graça. Lá encontramos o sr. James Wilder, sério e cortês, mas com alguns vestígios daquele terror selvagem da noite ainda visíveis em seus olhos furtivos e na expressão crispada.

— Veio ver Sua Graça? Desculpe, mas o fato é que o duque não está lá muito bem. Ficou muito abalado com as notícias trágicas. Recebemos um telegrama do dr. Huxtable ontem à tarde, que nos informou da descoberta de vocês.

— Preciso ver o duque, sr. Wilder.

— Mas ele está no quarto dele.

— Então preciso ir ao quarto dele.

— Creio que ele está na cama.

— Vou vê-lo lá.

O jeito frio e implacável de Holmes mostrou ao secretário que era inútil discutir com ele.

— Muito bem, sr. Holmes, eu direi a ele que está aqui.

Depois de uma demora de uma hora, o grande nobre apareceu. Seu rosto estava mais cadavérico do que nunca, seus ombros estavam curvados e parecia ser um homem muito mais velho que na manhã anterior. Cumprimentou-nos com uma cortesia solene e sentou-se à sua escrivaninha, a barba vermelha caindo em ondas na mesa.

— E então, sr. Holmes? — disse.

Mas os olhos de meu amigo estavam fixos no secretário, que estava de pé atrás da cadeira do patrão.

— Creio, Sua Graça, que eu poderia falar mais francamente sem a presença do sr. Wilder.

O homem ficou pálido como um fantasma e lançou um olhar malévolo para Holmes.

— Se Sua Graça desejar...

— Sim, sim, seria melhor você ir. Agora, sr. Holmes, o que tem para dizer?

Meu amigo esperou até que a porta se fechasse atrás do secretário relutante.

— O fato, Sua Graça — disse —, é que o meu colega, dr. Watson, e eu temos a garantia do dr. Huxtable de que foi oferecida uma recompensa neste caso. Gostaria de ouvir a confirmação de seus próprios lábios.

— Certamente, sr. Holmes.

— Se fui informado corretamente, ela é de cinco mil libras para quem lhe disser onde está seu filho?

— Exatamente.

— E outras mil para quem disser o nome da pessoa ou pessoas que o mantêm preso?

— Exatamente.

— Neste último estão incluídos, sem dúvida, não somente aqueles que o levaram, mas também aqueles que conspiram para que ele continue na situação atual?

— Sim, sim — exclamou o duque, impaciente. — Se fizer bem o seu trabalho, sr. Sherlock Holmes, não terá motivo para reclamar de um tratamento mesquinho.

Meu amigo esfregou as mãos magras com uma expressão de avidez que me surpreendeu, pois conhecia seus hábitos frugais.

— Creio que vejo o talão de cheques de Sua Graça na mesa — ele disse. — Ficaria contente se fizesse um cheque de seis mil libras. Talvez fosse melhor cruzá-lo. O Capital and Counties Bank, filial da Oxford Street, é o meu agente.

Sua Graça sentou-se austera e rigidamente na sua cadeira e olhou de modo severo para meu amigo.

— Isto é uma brincadeira, sr. Holmes? Não é nem de longe um assunto para divertimento.

— De modo algum, Sua Graça. Nunca fui tão sério em minha vida.

— O que significa, então?

— Quero dizer que ganhei a recompensa. Sei onde está seu filho e conheço pelo menos alguns daqueles que o mantêm preso.

A barba do duque ficou mais agressivamente vermelha do que nunca contra sua face branca, pálida.

— Onde ele está? — gaguejou.

— Está, ou estava na noite passada, no hotel Galo de Briga, a cerca de três quilômetros dos seus portões.

O duque recostou-se na sua cadeira.

— E quem o senhor acusa?

A resposta de Sherlock Holmes foi estarrecedora. Deu rapidamente um passo à frente e tocou o duque no ombro.

— Eu acuso *o senhor* — disse. — E agora, Sua Graça, eu lhe peço aquele cheque.

Nunca me esquecerei do aspecto do duque ao pular e jogar as mãos como alguém que está afundando num abismo. Depois, com um extraordinário esforço de autocontrole aristocrático, sentou-se e afundou o rosto nas mãos. Passaram-se alguns minutos antes que falasse.

— O que é que sabe? — perguntou afinal, sem levantar a cabeça.

— Eu os vi juntos ontem à noite.

— Alguém mais sabe, além do seu amigo?

— Não falei com mais ninguém.

O duque pegou uma caneta com a mão trêmula e abriu o talão de cheques.

— Vou honrar minha palavra, sr. Holmes. Farei o seu cheque, por mais inconveniente que seja para mim, a informação que conseguiu. Quando o oferecimento foi feito pela primeira vez, mal sabia do rumo que os acontecimentos poderiam tomar. Mas o senhor e seu amigo são homens discretos, não, sr. Holmes?

— Mal posso compreendê-lo, Sua Graça.

— Devo esclarecer tudo, sr. Holmes. Se apenas os senhores sabem desse incidente, não há motivo para que isso vá mais longe. Creio que 12 mil libras é a soma que lhe devo, não é?

Mas Holmes sorriu e sacudiu a cabeça.

— Temo, Sua Graça, que as coisas talvez não possam ser resolvidas tão facilmente. A morte do professor do colégio tem de ser explicada.

— Mas James não sabia nada daquilo. Não pode responsabilizá-lo por isso. Foi trabalho desse valentão brutal que ele teve o azar de empregar.

— Tenho a opinião, Sua Graça, de que quando um homem se envolve num crime, é moralmente culpado de qualquer outro crime que venha a ocorrer em consequência do primeiro.

— Moralmente, sr. Holmes. Sem dúvida está certo. Mas provavelmente não aos olhos da lei. Um homem não pode ser condenado por um assassinato a que não esteve presente, e ao qual abomina e detesta tanto quanto o senhor. Assim que soube do fato, ele me fez uma confissão completa, de tanto remorso e horror que sentia. Não perdeu uma hora para despedir o assassino. Oh, sr. Holmes, o senhor tem de salvá-lo, tem de salvá-lo! Peço-lhe que o salve! — O duque abandonara um último esforço de autocontrole e estava andando de um lado para outro no quarto com o rosto transtornado e as mãos crispadas no ar. Finalmente controlou-se e sentou-se novamente à escrivaninha. — Aprecio sua conduta, por ter vindo aqui antes de falar com mais alguém — disse. — Pelo menos, podemos discutir como minimizar este escândalo terrível.

— Exato — disse Holmes. — Creio, Sua Graça, que isso só pode ser feito com absoluta franqueza entre nós. Estou disposto a ajudar Sua Graça com o máximo de minha habilidade, mas, para fazer isso, preciso entender todo o caso até o último detalhe. Percebi que as suas palavras se referiam ao sr. James Wilder, e que ele não é o assassino.

— Não, o assassino fugiu.

Sherlock Holmes sorriu discretamente.

— Sua Graça não deve ter ouvido praticamente nada sobre minha reputação, ou não imaginaria que seja tão fácil fugir de mim. O sr. Reuben Hayes foi preso em Chesterfield, com base na minha informação, às 23 horas da noite passada. Recebi um telegrama do chefe da polícia local antes de sair do colégio esta manhã.

O duque recostou-se em sua cadeira e olhou assombrado para o meu amigo.

— Parece ter poderes sobre-humanos — disse. — Então Reuben Hayes foi preso? Fico contente em ouvir isso, se não afetar o destino de James.

— Seu secretário?

— Não, senhor, meu filho.

Foi a vez de Holmes olhar espantado.

— Confesso que isso é inteiramente novo para mim, Sua Graça. Peço-lhe que seja mais explícito.

— Não esconderei nada do senhor. Concordo com o senhor que a franqueza absoluta, por mais dolorosa que seja para mim, é a melhor política nesta situação desesperada à qual a tolice e o zelo de James nos deixaram. Quando eu era mais jovem, sr. Holmes, amei com um amor que só ocorre uma vez na vida. Pedi a dama em casamento, mas ela recusou, alegando que essa união arruinaria minha carreira. Se ela tivesse vivido, eu com certeza nunca teria me casado com outra pessoa. Ela morreu e deixou esse filho único que, por ela, abriguei, e dei a ele carinho e cuidados. Não pude assumir a paternidade dele diante do mundo, mas lhe dei a melhor educação, e desde que se tornou adulto eu o mantenho perto de mim. Ele descobriu meu segredo, e presumiu desde então que tem direitos sobre mim e julgou-se com poder de provocar um escândalo que seria desastroso para mim. Sua presença tem relação com o desfecho infeliz do meu casamento. Acima de tudo, odiava meu jovem herdeiro legítimo desde o início, com um ódio persistente. Pode perguntar por que, nestas circunstâncias, ainda conservo James sob o meu teto. Respondo que foi porque posso ver o rosto de sua mãe no dele, e que em consideração a ela não há fim para o meu longo sofrimento. Todos os seus bonitos gestos também; não há um só gesto dele que não sugira nem me traga à lembrança. Não *pude* mandá-lo embora. Mas temia tanto que ele pudesse fazer mal a Arthur, isto é, lorde Saltire, que o despachei por segurança para o colégio do dr. Huxtable.

"James entrou em contato com esse sujeito, Hayes, porque ele era um arrendatário meu, e James agia como cobrador. O sujeito foi um patife desde o começo mas, de algum modo extraordinário, James ficou íntimo dele. Teve sempre uma queda por companhias de baixo nível. Quando James decidiu raptar lorde Saltire, foi dos serviços deste homem que se serviu. Lembra-se que escrevi a Arthur no último dia. Bem, James abriu a carta e incluiu uma nota pedindo a Arthur que o encontrasse num pequeno bosque chamado Ragged Shaw, que fica perto do colégio. Usou o nome da duquesa, e desse modo conseguiu que o rapaz viesse. Naquela noite James foi de bicicleta — estou lhe contando o que ele mesmo me confessou — e disse a Arthur, que encontrou no bosque, que a mãe dele queria vê-lo, que ela o estava esperando no campo e que se voltasse ao bosque à meia-noite encontraria um homem com um cavalo, que o levaria até ela. O pobre Arthur caiu na armadilha. Foi ao encontro marcado e topou com esse Hayes, que trazia um pônei. Arthur montou, e foram juntos. Parece — embora James só tenha sabido ontem — que eles foram perseguidos, que Hayes abateu seu perseguidor com sua bengala, e que o homem morreu devido aos ferimentos. Hayes levou Arthur para a sua hospedaria, o Galo de Briga, onde foi confinado num quarto do andar superior, aos cuidados da sra. Hayes, uma mulher bondosa, mas inteiramente dominada pelo marido violento.

"Bem, sr. Holmes, era esta a situação quando o vi pela primeira vez, dois dias atrás. Não tinha a menor ideia da verdade, tanto quanto o senhor. O senhor me perguntará qual foi o motivo que levou James a praticar tal ato. Respondo que havia muito de irracional e fanático no ódio que nutria por meu herdeiro. Do seu ponto de vista, ele próprio deveria ser o herdeiro de todas as minhas propriedades, e se ressentia profundamente das leis sociais que tornavam isto impossível. Ao mesmo tempo, tinha também uma razão definitiva. Estava ansioso para que eu rompesse o vínculo, e achava que tinha poder para isso. Queria fazer uma barganha comigo — devolver Arthur se eu rompesse o vínculo, e assim deixar-lhe os meus bens por meio de testamento. Ele sabia que eu não pediria de boa vontade a ajuda da polícia. Digo que ele iria me propor essa barganha; mas, na verdade, não fez isso, porque os acontecimentos se precipitaram e ele não teve tempo de pôr em prática os seus planos.

"O que arruinou todo este plano perverso foi a sua descoberta do corpo desse tal Heidegger. James ficou horrorizado com a notícia. Soubemos ontem, quando estávamos juntos neste escritório. O dr. Huxtable mandou um telegrama. James foi dominado por tanto remorso e agitação que as minhas suspeitas, que nunca estiveram inteiramente ausentes, transformaram-se no mesmo instante em certeza, e eu o acusei do ato. Fez uma confissão completa e voluntária. Depois me implorou que eu guardasse seu segredo por três dias, a fim de dar ao seu desventurado cúmplice uma chance de salvar a vida cheia de culpa. Concordei — como sempre — às suas súplicas e imediatamente James correu até o Galo de Briga para avisar Hayes e lhe proporcionar um meio de fuga. Não podia ir lá de dia sem provocar comentários, mas, assim que a noite caiu, fui correndo ver meu querido Arthur. Encontrei-o a salvo e bem, mas horrorizado pelo terrível ato que testemunhara. De acordo com minha promessa, e contra a minha vontade, consenti em deixá-lo lá por três dias, sob os cuidados da sra. Hayes, já que era evidente a impossibilidade de informar à polícia onde ele estava sem lhes dizer também quem era o assassino, e eu não conseguia imaginar como aquele assassino poderia ser punido sem arruinar o meu infeliz James. Pediu franqueza, sr. Holmes, e cumpri a palavra, pois agora contei-lhe tudo, sem apelar para rodeios ou subterfúgios. Use da mesma franqueza comigo."

— Eu o farei — disse Holmes. — Em primeiro lugar, Sua Graça, devo dizer-lhe que se colocou numa posição muito séria aos olhos da lei. O senhor foi conivente com um delito grave e ajudou a fuga de um assassino, pois não duvido que qualquer dinheiro levado por James Wilder para ajudar seu cúmplice na fuga veio do bolso de Sua Graça.

O duque se mexeu na cadeira.

— Esta é, realmente, uma questão muito grave. Ainda mais condenável, na minha opinião, Sua Graça, é a sua atitude em relação ao seu filho mais novo. O senhor o deixou nesse antro por três dias.

— Sob promessas solenes...

— O que são promessas para pessoas como essas? O senhor não tem garantias de que ele não será levado embora novamente. Em favor do seu filho mais velho culpado, expôs seu inocente filho mais novo a um perigo iminente e desnecessário. Foi uma atitude injustificável.

O orgulho do senhor de Holdernesse não estava acostumado a ser tão ferido em sua própria residência ducal. O sangue avermelhou a sua testa alta, mas sua consciência o fez ficar mudo.

— Eu o ajudarei, mas sob uma condição. Que chame o lacaio e deixe-me dar-lhe as ordens que quiser.

Sem uma palavra, o duque pressionou a campainha. Um criado entrou.

— Ficará feliz em saber — disse Holmes — que o seu jovem patrão foi encontrado. É desejo do duque que a carruagem vá imediatamente ao hotel Galo de Briga para trazer lorde Saltire para casa.

— Agora — disse Holmes, depois que o lacaio saiu alegre —, tendo assegurado o futuro, podemos ser mais clementes com o passado. Não estou em missão oficial, e não há motivo, desde que os fins da justiça sejam cumpridos, para revelar tudo o que sei. Quanto a Hayes, não digo nada. A forca o espera e não faria nada para salvá-lo. O que ele contará não posso saber, mas não tenho dúvida de que Sua Graça poderia fazê-lo entender que é do interesse dele ficar calado. Do ponto de vista da polícia, ele teria raptado o garoto com o objetivo de pedir um resgate. Se eles não descobrirem por si mesmos, não vejo motivo para que eu os ajude a ter uma visão mais ampla. Contudo, devo avisar Sua Graça que a permanência do sr. James Wilder em sua casa só pode resultar em infortúnio.

— Sei disso, sr. Holmes, e já está acertado que ele irá embora para sempre, e tentará fazer fortuna na Austrália.

— Nesse caso, Sua Graça, desde que o senhor mesmo percebeu que toda a infelicidade do seu casamento foi causada pela presença dele, sugeriria que fizesse as correções que pudesse em relação à duquesa, e que tentasse reatar as relações que foram interrompidas de modo tão inconveniente.

— Isso também já foi resolvido, sr. Holmes. Escrevi à duquesa esta manhã.

— Então — disse Holmes, levantando-se — creio que meu amigo e eu podemos nos congratular pelos vários resultados felizes de nossa visitinha ao norte. Há um outro ponto sobre o qual desejo um esclarecimento. Esse sujeito, Hayes, ferrara seus cavalos com ferraduras que imitavam pegadas de vacas. Foi com o sr. Wilder que aprendeu este ardil tão extraordinário?

O duque ficou pensativo por um instante, com uma expressão de surpresa no rosto. Depois abriu uma porta e nos levou até um aposento amplo, decorado como um museu. Foi até uma caixa de vidro num canto, e apontou para a inscrição.

"Estas ferraduras", lia-se, "foram desencavadas do fosso de Holdernesse Hall. São para o uso de cavalos, mas são moldadas embaixo com uma placa de aço, fendida, a fim de despistar perseguidores. Supõe-se que pertenceram a alguns dos barões saqueadores de Holdernesse, na Idade Média".

Holmes abriu a caixa e, umedecendo o dedo, passou-o pela ferradura. Uma fina camada de lama recente ficou em sua pele.

— Obrigado — disse, enquanto recolocava o vidro. — É a segunda coisa mais interessante que vi no norte.

— E a primeira?

Holmes dobrou seu cheque e o colocou com cuidado em seu caderno.

— Sou um homem pobre — disse, enquanto o acariciava e o jogava no fundo do seu bolso interno.

A AVENTURA DE BLACK PETER

Nunca vi meu amigo em tão boa forma, tanto mental quanto física, como no ano de 1895. Sua fama crescente atraíra uma imensa clientela, e eu seria acusado de indiscrição se me referisse à identidade de alguns dos ilustres clientes que passaram pela nossa humilde soleira na Baker Street. Mas Holmes, como todos os grandes artistas, vivia pelo amor à arte e, salvo no caso do duque de Holdernesse, raramente o vi pedir uma grande recompensa pelos seus inestimáveis serviços. Ele era tão indescritível — ou tão caprichoso — que frequentemente recusava sua ajuda ao poderoso e rico, quando o problema não o atraía, mas seria capaz de dedicar semanas da mais intensa concentração ao caso de algum cliente humilde que tivesse aquelas qualidades estranhas e dramáticas que apelavam para sua imaginação e desafiavam seu talento.

Nesse memorável ano de 1895, uma sucessão curiosa e incongruente de casos ocupara sua atenção, começando com a famosa investigação da morte súbita do cardeal Tosca — uma investigação realizada por ele segundo o desejo expresso de Sua Santidade, o papa — até a prisão de Wilson, o notório treinador de canários, que eliminou uma fonte de corrupção do extremo leste de Londres. Logo após estes dois casos famosos veio a tragédia de Woodman's Lee, e as circunstâncias misteriosas que cercaram a morte do capitão Peter Carey. Nenhum registro dos feitos do sr. Sherlock Holmes estaria completo se não incluísse um relato deste caso incomum.

Durante a primeira semana de julho, meu amigo se ausentava com tanta frequência e por tanto tempo que eu percebi que estava metido em alguma coisa. O fato de que vários homens de aparência rude aparecessem durante esse período perguntando pelo capitão Basil me fez compreender que Holmes estava trabalhando em algum lugar usando um dos seus numerosos disfarces e nomes com os quais ocultava sua identidade. Ele tinha pelo menos cinco pequenos refúgios em áreas diferentes de Londres, nos quais podia mudar de personalidade. Ele não me falou nada a respeito desse negócio, e eu não tinha o costume de forçar uma confidência. O primeiro sinal positivo que ele me deu do rumo que sua investigação estava tomando foi algo extraordinário. Holmes saíra antes do café da manhã e eu havia me sentado para tomar o meu quando ele entrou apressado na sala, com o chapéu na cabeça e uma lança enfiada como um guarda-chuva debaixo do braço.

— Meu Deus, Holmes! — exclamei. — Você não vai me dizer que estava andando aí por Londres com essa coisa.

— Fui até o açougue e voltei.

— O açougue?

— E voltei com muito apetite. Não se pode duvidar, meu caro Watson, do valor do exercício antes do café da manhã. Mas posso apostar que você não vai adivinhar que tipo de exercício eu fiz.

— Nem vou tentar.

Holmes deu uma risadinha enquanto se servia de café.

— Se você tivesse observado os fundos da loja de Allardyce, teria visto um porco morto pendurado em um gancho preso no teto, e um cavalheiro em mangas de camisa perfurando-o furiosamente com esta arma. Eu era essa pessoa vigorosa, e fiquei satisfeito por constatar que, sem usar a minha força, eu consigo trespassar o porco com um só golpe. Será que você gostaria de tentar?

— De jeito nenhum. Mas por que estava fazendo isso?

— Porque eu achava que tinha uma ligação indireta com o mistério de Woodman's Lee. Ah, Hopkins, recebi seu telegrama ontem à noite e estava esperando você. Entre e sente-se conosco.

Nosso visitante era um homem extremamente atento, de trinta anos, vestido com um discreto terno de *tweed*, mas que conservava a postura ereta de alguém acostumado a usar uniforme. Eu reconheci logo Stanley Hopkins, um jovem inspetor de polícia, em cujo futuro Holmes tinha grandes esperanças, enquanto ele, por sua vez, demonstrava a admiração e o respeito de um aluno pelos métodos científicos do famoso amador. O rosto de Hopkins estava com uma expressão sombria, e ele se sentou com um ar de profundo desânimo.

— Não, obrigado, senhor. Eu tomei café antes de vir para cá. Passei a noite na cidade, porque vim ontem para fazer um relato.

— E o que você tinha para relatar?

— Um fracasso, senhor, um fracasso completo.

— Não fez nenhum progresso?

— Nenhum.

— Meu Deus! Preciso examinar esse assunto.

— Gostaria que fizesse isso, sr. Holmes. É a minha primeira grande oportunidade, e eu não sei o que fazer. Pelo amor de Deus, venha me dar uma ajuda.

— Bem, bem, acontece que eu já li todos os depoimentos disponíveis, inclusive o relatório da investigação, com certo cuidado. Por falar nisso, o que acha daquela bolsa para tabaco encontrada no local do crime? Não há nenhuma pista ali?

Hopkins pareceu surpreso.

— A bolsa era do próprio homem. Suas iniciais estavam do lado de dentro. E era de pele de foca; e ele era um velho caçador de focas.

— Mas ele não tinha cachimbo.

— Não, senhor, não encontramos nenhum cachimbo. Na verdade, ele fumava muito pouco, e mesmo assim ele podia guardar um pouco de fumo para os seus amigos.

— Sem dúvida. Eu só mencionei isso porque, se eu estivesse lidando com o caso, usaria isso como ponto de partida da minha investigação. Mas o meu amigo, o dr. Watson, não sabe nada a respeito deste assunto, e não me faria mal nenhum ouvir novamente a sequência dos fatos. Faça um resumo dos pontos principais.

Stanley Hopkins tirou um pedaço de papel do bolso.

— Tenho aqui algumas datas que lhes mostrarão a carreira do homem morto, o capitão Peter Carey. Nasceu em 1845, cinquenta anos de idade. Era o mais ousado e bem-sucedido caçador de focas e baleias. Em 1883 comandou o pesqueiro a vapor *Sea Unicorn*, de Dundee. Fez então várias viagens sucessivas com êxito e no ano seguinte, 1884, se aposentou. Depois disso, viajou durante alguns anos e finalmente comprou uma pequena propriedade chamada Woodman's

Lee, perto de Forest Row, no Sussex. Viveu ali durante seis anos e lá morreu há uma semana.

"Havia alguns detalhes muito estranhos sobre o homem. Na sua vida comum, era um puritano convicto — um sujeito silencioso e sombrio. Ele morava com a esposa, sua filha de vinte anos e duas criadas. Estas duas eram trocadas constantemente, porque a situação nunca era muito animadora, e às vezes ficava insustentável. O homem estava permanentemente bêbado e, quando lhe subia à cabeça, era um perfeito demônio. Sabia-se que levava a esposa e a filha para fora de casa no meio da noite e as açoitava no parque até que a vila inteira fosse despertada pelos gritos delas.

"Uma vez ele foi intimado por causa de uma tentativa feroz de agressão contra o velho vigário, que fora visitá-lo para queixar-se de sua conduta. Em suma, sr. Holmes, teria de procurar muito para encontrar um homem mais perigoso que Peter Carey, e ouvi dizer que agia da mesma maneira quando comandava seu navio. Era conhecido pelo apelido de Black Peter, e recebeu o nome não só por causa de sua tez morena e a cor de sua barba imensa, mas também por suas extravagâncias que eram o terror de todos à sua volta. Não preciso dizer que era detestado e evitado por todos os vizinhos, e que não ouvi uma só palavra de pesar sobre seu fim terrível.

"Deve ter lido no relatório do inquérito sobre a cabine do homem, sr. Holmes, mas talvez seu amigo não saiba disso: ele mesmo construiu uma casinha de madeira — sempre a chamou de 'cabine' — a algumas centenas de metros de sua casa, e era ali que dormia todas as noites. Era uma cabana pequena de um único cômodo de cinco metros por três. Guardava a chave no bolso, fazia sua própria cama, ele mesmo a limpava e não permitia que outros pés atravessassem a soleira. Ela tem janelas pequenas de cada lado, cobertas por cortinas e que nunca são abertas. Uma dessas janelas dava para a estrada principal e quando havia luz ali à noite, as pessoas a apontavam para os outros e ficavam imaginando o que Black Peter estaria fazendo. Esta é a janela, sr. Holmes, que nos deu um dos poucos fragmentos de evidência que apareceram no inquérito.

"O senhor lembra que um pedreiro chamado Slater, que vinha a pé de Forest Row por volta de uma hora — dois dias antes do assassinato —, parou ao passar por perto e olhou para o quadrado de luz que ainda brilhava por entre as árvores. Ele jura que a sombra da cabeça de um homem de perfil era claramente visível na cortina, e que esta sombra com certeza não era a de Peter Carey, que ele conhecia bem. Era a de um homem com barba, mas essa barba era curta e eriçada para a frente de um modo diferente da do capitão. É o que ele diz, mas tinha ficado durante duas horas no bar e há uma certa distância entre a estrada e a janela. Além disso, isto se refere à segunda-feira e o crime foi cometido na quarta.

"Na terça, Peter Carey estava num de seus piores humores, inflamado pela bebida e tão selvagem quanto uma perigosa besta danada. Ficou perambulando pela casa e as mulheres corriam quando o ouviam chegar. Tarde da noite, foi para sua própria cabana. Por volta das duas horas, sua filha, que dormia com a janela aberta, ouviu um grito de pavor vindo daquela direção, mas não era raro ele rosnar e gritar quando estava bêbado, de modo que ela não tomou conhecimento. Ao se levantar às sete horas, uma das criadas notou que a porta da cabana estava aberta, mas era tão grande o terror que o homem inspirava que só ao meio-dia alguém se arriscaria a ir ver o que acontecera com ele. Espreitando pela porta aberta, tiveram uma visão que as fez vir correndo, com os rostos pálidos, para a vila. Em uma hora eu estava no local e já assumia o comando do caso.

"Ora, tenho nervos resistentes como sabe, sr. Holmes, mas dou-lhe minha palavra que senti um arrepio quando enfiei a cabeça dentro daquela casinha. Estava zumbindo como um harmônio com as moscas e varejeiras; o chão e as paredes pareciam um matadouro. Ele a chamava de cabine, e era uma cabine com certeza, pois a gente podia pensar que estava num barco. Havia um beliche de um lado, um baú de marinheiro, mapas e cartas marítimas, um retrato do *Sea Unicorn*, uma fila de diários de bordo numa prateleira, tudo exatamente como se esperaria que fosse a cabine de um capitão. E ali, no meio do quarto, estava o próprio homem — seu rosto crispado como uma alma perdida atormentada, e sua grande barba raiada voltada para cima em sua agonia. Um arpão de aço fora enfiado no seu peito largo e penetrara fundo na madeira da parede atrás dele. Ele estava pregado como um inseto num cartão. É claro que estava morto, e desde o instante em que dera o último grito de agonia.

"Conheço seus métodos, senhor, e os apliquei. Antes de permitir que qualquer coisa fosse mexida, examinei com o maior cuidado o chão do lado de fora e também o assoalho no quarto. Não havia pegadas."

— Quer dizer que não viu nenhuma?

— Garanto-lhe, senhor, que não havia nenhuma.

— Meu bom Hopkins, já investiguei muitos crimes, mas ainda não vi nenhum cometido por uma criatura voadora. Desde que o criminoso tenha duas pernas, tem de haver alguma marca, alguma esfoladura, alguma modificação insignificante que pode ser detectada por um pesquisador científico. É inacreditável que esse aposento salpicado de sangue não contivesse vestígios que pudessem nos ajudar. Contudo, percebi pelo inquérito que havia certos objetos que deixou de inspecionar?

O jovem inspetor encolheu-se ao ouvir os comentários irônicos do meu amigo.

— Fui um tolo em não chamá-lo naquela ocasião, sr. Holmes. Mas isso são águas passadas. Sim, havia vários objetos no quarto que exigiam atenção especial. Um era o arpão com que o crime foi cometido. Fora retirado de uma estante na parede. Dois outros permaneceram lá, e havia um lugar vago para o terceiro. No cabo estava gravado "*S.S. Sea Unicorn,* Dundee". Isto parece indicar que o crime foi cometido num momento de fúria e que o assassino pegou a primeira arma que encontrou à mão. O fato de o crime ter sido cometido às duas horas, e de Peter Carey ainda estar completamente vestido, sugere que ele tinha um encontro com o assassino, o que é confirmado pelo fato de que uma garrafa de rum e dois copos usados estavam em cima da mesa.

— Sim — disse Holmes —, creio que as duas deduções são admissíveis. Havia alguma outra bebida além do rum no quarto?

— Sim. Havia um cântaro contendo *brandy* e uísque na arca. Mas isto não é importante para nós, já que as garrafas estavam cheias e ainda não tinham sido usadas.

— Por tudo isso, a presença delas tem importância — disse Holmes. — Mas vamos ouvir algo mais sobre os objetos que lhe parecem ter alguma coisa a ver com o caso.

— Havia essa tabaqueira na mesa.

— Em que parte da mesa?

— Estava no centro. Era de couro ordinário de foca, o couro de cerdas curtas, com uma tira de couro para amarrar. Por dentro da aba estava gravado "P.C.". Havia meia onça de tabaco forte de navio lá dentro.

— Excelente! O que mais?

Stanley Hopkins tirou do bolso um caderninho de anotações forrado com um tecido grosso de lã. A parte externa estava enrugada e gasta, as folhas desbotadas. Na primeira página estavam escritas as iniciais "J.H.N." e a data "1883". Holmes o colocou na mesa e o examinou do seu jeito minucioso, enquanto Hopkins e eu olhávamos por cima dos ombros dele. Na segunda página estavam impressas as letras "C.P.R." e depois vinham várias páginas de números. Outro título era "Argentina", outro "Costa Rica" e outro "São Paulo", cada um com páginas de símbolos e números depois.

— O que acha disto? — perguntou Holmes.

— Parecem listas de ações da Bolsa de Valores. Pensei que "J.H.N." fossem as iniciais de um corretor e que "C.P.R." talvez fosse seu cliente.

— Tente Canadian Pacific Railway — disse Holmes.

Stanley Hopkins praguejou baixinho e bateu na coxa com a mão fechada.

— Que tolo eu fui! — exclamou. — É claro que é isso. Então "J.H.N." são as únicas iniciais que temos de descobrir. Já examinei as velhas listas da Bolsa de Valores e não consegui achar ninguém em 1883, na casa ou entre os outros corretores, cujas iniciais correspondessem a essas. Mesmo assim acho que esta pista é a mais importante que tenho. Talvez concorde, sr. Holmes, que há uma possibilidade de que estas iniciais sejam as da segunda pessoa que esteve presente; em outras palavras, do assassino. Também insisto que o aparecimento no caso de um documento relacionado com a grande quantidade de ações valiosas nos dá pela primeira vez alguma indicação de um motivo para este crime.

O rosto de Sherlock Holmes mostrava que ele fora apanhado de surpresa por este novo fato.

— Devo admitir os dois pontos — disse. — Confesso que este caderninho de anotações, que não apareceu no inquérito, modifica qualquer opinião que eu tenha formado. Eu havia elaborado uma teoria do crime na qual não encontro lugar para isto. Tentou procurar alguns dos títulos mencionados aqui?

— Estão sendo feitas investigações agora nos escritórios, mas receio que os registros completos destes acionistas sul-americanos estejam na América do Sul, e que sejam necessárias algumas semanas até que possamos rastrear as ações.

Holmes estivera examinando a capa do caderno com sua lente de aumento.

— Certamente existe aqui alguma descoloração — disse.

— Sim, senhor, é uma mancha de sangue. Eu lhe disse que peguei o livro do chão.

— A mancha de sangue estava em cima ou embaixo?

— No lado próximo às tábuas.

— O que prova, é claro, que o livro foi largado depois que o crime foi cometido.

— Exatamente, sr. Holmes. Observei esse detalhe e imaginei que foi largado pelo assassino na sua fuga apressada. Estava perto da porta.

— Suponho que nenhum destes títulos foi encontrado entre os bens do morto.

— Não, senhor.

— Tem algum motivo para suspeitar de roubo?

— Não, senhor. Nada parece ter sido tocado.

— Este com certeza é um caso muito interessante. Então havia uma faca, não?

— Uma faca de estojo, ainda na sua bainha. Estava aos pés do morto. A sra. Carey a identificou como sendo de propriedade do marido.

Holmes ficou pensando durante algum tempo.

— Bem — disse por fim —, acho que tenho de sair e dar uma olhada.

Stanley Hopkins deu um grito de alegria.

— Obrigado, senhor. Na verdade, tirará um peso da minha consciência.

Holmes balançou o dedo na direção do inspetor.

— Teria sido uma tarefa mais fácil uma semana atrás — disse. — Mas mesmo agora minha visita pode não ser totalmente infrutífera. Watson, se dispuser de tempo, ficaria muito grato pela sua companhia. Se chamar uma carruagem, Hopkins, estaremos prontos para partir para Forest Row em 15 minutos.

Saltando na pequena estação à margem da estrada, percorremos alguns quilômetros em meio aos restos espalhados de bosques, que haviam sido parte da grande floresta que por muito tempo manteve os saxões invasores a distância — a impenetrável *weald*,[6] por sessenta anos o baluarte da Inglaterra. Vastas porções dela foram desmatadas, porque este é o local das primeiras usinas siderúrgicas do país, e as árvores foram cortadas para fundir o minério. Agora os campos mais ricos do norte absorveram o ofício e nada, a não ser estes bosques devastados e grandes marcas na terra, mostra o trabalho do passado. Aqui, numa clareira sobre a encosta verdejante de uma colina, ficava uma casa de pedra, comprida e baixa, onde se chegava por um caminho tortuoso que passava pelos campos. Mais perto da estrada e cercada por arbustos em três lados, havia uma pequena cabana, uma janela e a porta se abrindo na nossa direção. Era o cenário do crime.

Stanley Hopkins nos levou primeiro para a casa, onde nos apresentou a uma mulher maltratada e de cabelos grisalhos, a viúva do homem assassinado, cujo rosto descarnado, com rugas profundas e uma expressão furtiva de terror no fundo dos olhos vermelhos revelava os anos de dureza e maus-tratos a que fora submetida. Com ela estava a filha, uma garota pálida e loura, cujos olhos tinham um brilho desafiador enquanto nos dizia que estava contente por seu pai estar morto, e que abençoava a mão que o matara. Era uma péssima família a que Black Peter Carey formara para si, e foi com alívio que nos encontramos de novo sob a luz do sol e andando por um caminho que fora trilhado pelos pés do morto.

A cabana era uma moradia das mais simples, paredes de madeira, teto de telhas de ardósia, uma janela ao lado da porta e uma outra nos fundos. Stanley Hopkins tirou a chave do bolso e a colocara na fechadura quando parou, com uma expressão atenta e surpresa no rosto.

— Alguém tentou forçá-la — disse.

[6] Região do sudeste da Inglaterra. (N.T.)

Não havia dúvida sobre isso. A madeira estava cortada, e os arranhões apareciam brancos na pintura, como se tivessem sido feitos naquele instante. Holmes estivera examinando a janela.

— Alguém tentou forçar isto também. Seja quem for, não conseguiu entrar. Deve ser um ladrão muito medíocre.

— Esta é uma coisa extraordinária — disse o inspetor. — Eu podia jurar que estas marcas não estavam aqui ontem à noite.

— Algum curioso da vila, talvez — sugeri.

— Bastante improvável. Poucos deles ousariam entrar nesta propriedade, muito menos forçar a entrada na cabine. O que acha disso, sr. Holmes?

— Acho que o acaso está sendo muito bom conosco.

— Quer dizer que a pessoa voltará?

— É muito provável. Ele veio esperando encontrar a porta aberta. Tentou entrar com a lâmina de um pequeno canivete. Não conseguiu. O que ele faria?

— Voltaria na noite seguinte com uma ferramenta mais útil.

— É o que eu diria. Será uma falha nossa se não estivermos aqui para recebê-lo. Enquanto isso, deixe-me ver o interior da cabine.

As marcas da tragédia tinham sido removidas, mas a mobília dentro do pequeno aposento ainda estava como na noite do crime. Durante duas horas, com a mais intensa concentração, Holmes examinou cada objeto, mas seu rosto mostrava que a busca não fora bem-sucedida. Apenas uma vez parou em sua investigação paciente.

— Tirou alguma coisa desta prateleira, Hopkins?

— Não, não tirei nada.

— Algo foi retirado. Há menos pó neste canto da prateleira do que em qualquer outro lugar. Deveria haver um livro neste lugar. Talvez fosse uma caixa. Bem, não posso fazer mais nada. Vamos andar por esses lindos bosques, Watson, e dedicar algumas horas aos pássaros e às flores. Encontraremos o senhor mais tarde, Hopkins, e vamos ver se podemos chegar mais perto desse cavalheiro que fez esta visita noturna.

Passava das 23 horas quando montamos nossa pequena emboscada. Hopkins preferia deixar a porta da cabana aberta, mas Holmes era de opinião que isto despertaria suspeitas no estranho. A fechadura era bastante simples e era preciso apenas uma lâmina forte para puxá-la. Holmes sugeriu também que deveríamos esperar não dentro da cabana, mas do lado de fora, entre os arbustos que cresciam perto da janela dos fundos. Assim teríamos condições de observar nosso homem se acendesse uma luz, e descobrir o objetivo de sua visita noturna clandestina.

Foi uma vigília longa e melancólica, e mesmo assim provocou um pouco da emoção que o caçador sente enquanto espreita perto do bebedouro, esperando a chegada da presa sedenta. Que criatura selvagem era aquela que nos apareceria da escuridão? Seria um feroz tigre do crime, que só poderia ser capturado se lutássemos contra garras e unhas, ou seria algum chacal esquivo, perigoso apenas para os fracos e desprotegidos?

Em absoluto silêncio nos agachamos entre os arbustos, esperando pelo que viesse. No início os passos de alguns aldeãos retardatários ou o som de vozes provenientes da vila aliviaram nossa vigília, mas uma a uma essas interrupções desapareceram ao longe e uma quietude absoluta nos envolveu, quebrada apenas pelo toque dos sinos da igreja distante, que indicava o avanço da noite, e pelo farfalhar de uma chuva fina caindo nas folhagens que nos cobriam.

Já passava de 2h30, e era a hora mais escura antes do raiar do dia, quando nos sobressaltamos com um clique baixo, mas agudo, vindo da direção do portão. Alguém tinha entrado pelo caminho. De novo houve um silêncio longo, e eu começara a pensar que fora um alarme falso quando ouvimos um passo furtivo do outro lado da cabana e logo depois um arranhão e um tinido metálico. O homem tentava forçar a porta. Desta vez sua habilidade era maior, ou sua ferramenta melhor, pois houve um súbito estalido e o rangido de dobradiças. Depois um fósforo foi aceso e logo em seguida a luz fraca de uma vela encheu o interior da cabana. Através da cortina fina nossos olhos estavam fixos na cena lá dentro.

O visitante noturno era um jovem magro e fraco, com um bigode preto que realçava a palidez mortal do rosto. Não tinha muito mais de vinte anos. Nunca vi nenhum ser humano que parecesse sentir medo tão lastimável, pois seus dentes estavam batendo visivelmente, e todos os seus membros tremiam. Vestia-se como um cavalheiro, com um colete Norfolk, um calção folgado e um chapéu de pano na cabeça. Ficamos observando enquanto ele olhava em volta com expressão assustada. Depois deixou o castiçal na mesa e desapareceu de nossa vista num dos cantos. Voltou com um livro grande, um dos diários de bordo que formavam uma fila na prateleira. Pôs o livro na mesa e virou rapidamente as folhas até que chegou ao que procurava. Então, com um gesto de raiva de suas mãos crispadas, fechou o livro, colocou-o de volta no canto e apagou a luz. Mal havia se virado para sair da cabana quando a mão de Hopkins agarrou o colarinho do sujeito, e ouvi seu arquejo alto de terror ao compreender que fora apanhado. A vela foi acesa de novo e lá estava nosso infeliz prisioneiro, tremendo e encolhido na mão do detetive. Ele se sentou na arca e olhou indefeso para cada um de nós.

— Agora, meu camarada — disse Stanley Hopkins —, quem é você, e o que quer aqui?

O homem endireitou-se e nos encarou com um esforço de autocontrole.

— São detetives, eu suponho? — disse. — Imaginam que estou ligado à morte do capitão Peter Carey. Eu lhes garanto que sou inocente.

— Veremos isso — disse Hopkins. — Antes de mais nada, qual é o seu nome?

— É John Hopley Neligan.

Vi Holmes e Hopkins trocarem um rápido olhar.

— O que está fazendo aqui?

— Posso falar confidencialmente?

— Não, claro que não.

— Por que eu lhe diria?

— Se não tiver resposta, pode ser pior para você no julgamento.

O jovem estremeceu.

— Bem, eu lhes direi — concordou. — Por que não? E ainda assim odeio pensar neste velho escândalo ganhando uma nova vida. Já ouviu falar de Dawson e Neligan?

Pude ver, pelo rosto de Hopkins, que ele nunca ouvira, mas Holmes ficou muito interessado.

— Quer dizer os banqueiros do West Country — disse. — Eles faliram, arruinaram metade das famílias do condado de Cornwall e Neligan desapareceu.

— Exatamente. Neligan era meu pai.

Finalmente estávamos conseguindo algo positivo e mesmo assim parecia haver uma enorme distância entre um banqueiro foragido e o capitão Peter Carey pregado à parede com um de seus próprios arpões. Todos nós ouvimos atentamente as palavras do rapaz.

— Meu pai foi o verdadeiro atingido. Dawson se aposentara. Eu tinha apenas dez anos de idade naquela época, mas era suficientemente crescido para sentir a vergonha e o horror de tudo aquilo. Sempre se disse que meu pai roubou todos os títulos e fugiu. Não é verdade. Ele acreditava que se lhe dessem tempo para vendê-los, tudo ficaria bem e todos os credores seriam pagos integralmente. Partiu em seu pequeno iate para a Noruega um pouco antes de ser expedido o seu mandado de prisão. Posso me lembrar da última noite, quando deu adeus à minha mãe. Ele nos deixou uma lista dos títulos que estava levando e jurou que voltaria com sua honra limpa, e que nenhum dos que confiaram nele iria sofrer. Bem, nunca mais se ouviu falar nele. Tanto ele como o iate sumiram completamente. Acreditávamos, minha mãe e eu, que os dois, com os títulos que levavam, estavam no fundo do mar. Mas tínhamos um amigo fiel, que é um homem de negócios, e foi ele quem descobriu pouco tempo atrás que alguns dos títulos que estavam com meu pai reapareceram no mercado de Londres. Vocês podem imaginar nossa surpresa. Passei meses procurando-os e por fim, depois de muitas dúvidas e dificuldades, descobri que o vendedor original fora o capitão Peter Carey, o dono desta cabana.

“Naturalmente fiz algumas investigações sobre o homem. Descobri que esteve no comando de uma baleeira que voltava dos mares do Ártico na mesma época em que meu pai atravessava para a Noruega. O outono daquele ano foi tempestuoso, e houve uma longa sucessão de ventos fortes ao sul. O iate de meu pai pode muito bem ter sido empurrado para o norte pelos ventos e lá ter sido encontrado pelo barco do capitão Peter Carey. Se foi assim, o que aconteceu com meu pai? De qualquer modo, se pudesse mostrar, pelo testemunho de Peter Carey, como estes títulos chegaram ao mercado, seria uma prova de que meu pai não os vendeu e que não visava ao lucro pessoal quando os levou.

“Vim para Sussex com a intenção de ver o capitão, mas foi nessa ocasião que ocorreu sua morte terrível. Li no inquérito uma descrição da cabine dele que dizia que velhos diários de bordo de sua embarcação eram conservados ali. Ocorreu-me que, se pudesse ver o que aconteceu no mês de agosto de 1883 a bordo do *Sea Unicorn*, poderia esclarecer o mistério do destino de meu pai. Na noite passada tentei chegar a esses diários, mas não consegui abrir a porta. Esta noite tentei de novo e consegui, mas descobri que as páginas relativas àquele mês haviam sido arrancadas do livro. Foi naquele momento que me vi prisioneiro em suas mãos."

— Isso é tudo? — perguntou Hopkins.

— Sim, isso é tudo. — Seus olhos se esquivaram quando falou.

— Não tem mais nada a nos dizer?

Ele hesitou.

— Não, não há nada.

— Não esteve aqui antes da noite passada?

— Não.

— Então, como explica *isso*? — exclamou Hopkins, enquanto mostrava o caderninho acusador, com as iniciais de nosso prisioneiro na primeira página e a mancha de sangue na capa.

O pobre rapaz desmoronou. Mergulhou o rosto nas mãos e tremia todo.

— Onde o conseguiu? — murmurou. — Não sabia. Pensei que o perdera no hotel.

— Isso é o suficiente — disse Hopkins com frieza. — O que quer que ainda tenha a dizer, o fará no tribunal. Virá comigo até a delegacia. Bem, sr. Holmes, estou muito agradecido ao senhor e ao seu amigo por terem vindo me ajudar. Sua presença acabou sendo desnecessária, e eu teria chegado a este final bem-sucedido sem o senhor, mas mesmo assim estou grato. Foram reservados quartos para vocês no Hotel Brambletye, de modo que podemos ir juntos até a vila.

— Bem, Watson, o que acha disso? — perguntou Holmes, na viagem de volta na manhã seguinte.

— Posso ver que não está satisfeito.

— Oh, sim, meu caro Watson, estou perfeitamente satisfeito. Ao mesmo tempo, os métodos de Stanley Hopkins não me inspiram confiança. Estou decepcionado com Stanley Hopkins. Eu esperava uma atuação melhor dele. Deve-se procurar sempre uma possível alternativa, e se precaver contra ela. É a primeira regra da investigação criminal.

— Qual é então a alternativa?

— A linha de investigação que eu mesmo venho seguindo. Pode não dar em nada. Não poderia dizer. Mas pelo menos eu a seguirei até o fim.

Várias cartas estavam esperando por Sherlock Holmes na Baker Street. Pegou uma delas, abriu-a e explodiu numa risada de regozijo triunfante.

— Excelente, Watson! A alternativa progride. Tem formulários de telegramas? Escreva algumas mensagens para mim: "Sumner, Agência de barcos, estrada Ratcliff. Mande três homens, para chegar amanhã de manhã. Basil." Este é o meu nome por aqueles lados. A outra é: "Inspetor Stanley Hopkins, 46, Lord Street, Brixton. Venha para o café da manhã amanhã às 9h30. Importante. Telegrafar se não puder. Sherlock Holmes." É, Watson, este caso infernal me prendeu por dez dias. Com isto eu o tirarei completamente da minha presença. Amanhã acredito que ouviremos falar nele pela última vez.

Exatamente na hora marcada o inspetor Stanley Hopkins apareceu e nos sentamos para tomar o ótimo café da manhã que a sra. Hudson preparara. O jovem detetive estava de bom humor por causa de seu êxito.

— Tem certeza de que sua solução é a correta? — perguntou Holmes.

— Não poderia imaginar um caso mais completo.

— Não me parece conclusivo.

— O senhor me espanta, sr. Holmes. O que mais alguém poderia querer?

— Sua explicação abrange todos os pontos?

— Sem dúvida alguma. Descobri que o jovem Neligan chegou ao Hotel Brambletye no mesmo dia do crime. Veio com o falso objetivo de jogar golfe. Seu quarto era no primeiro andar, e podia sair quando quisesse. Naquela noite foi ao Woodman's Lee, viu Peter Carey na cabana, discutiu com ele e o matou com o arpão. Depois, horrorizado com o que fizera, fugiu da cabana, deixando cair o caderno de anotações que levara para interrogar Peter Carey sobre os diferentes títulos. Deve ter observado que alguns deles estavam marcados com um ponto, e os outros, a grande maioria, não. Os que estão marcados foram encontrados no mercado de Londres, mas os outros, presumivelmente, ainda estavam com Carey, e o jovem Neligan, de acordo com seu próprio depoimento, estava ansioso para reavê-los a fim de fazer a coisa certa pelos credores de seu pai. Depois de sua fuga, ele não ousou se aproximar da cabana durante algum tempo, mas por fim obrigou-se a fazer isso para obter a informação de que precisava. Tudo isto não é simples e óbvio?

Holmes sorriu e balançou a cabeça.

— Parece haver um único senão, Hopkins: que isto é intrinsecamente impossível. Já tentou enfiar um arpão num corpo? Não? Tsc, tsc, meu caro, deve realmente prestar atenção nestes detalhes. Meu amigo Watson poderia contar-lhe que passei uma manhã inteira nesse exercício. Não é fácil, e requer um braço forte e experiente. Mas este golpe foi dado com tanta violência que a ponta da arma cravou-se profundamente na parede. Você imagina que esse jovem anêmico seria capaz de um ataque tão assustador? É ele o homem que bebeu rum e água com Peter Carey na calada da noite? Era dele o perfil visto na cortina duas noites antes? Não, não, Hopkins, é uma pessoa diferente e mais terrível a que devemos procurar.

O rosto do detetive ficava cada vez mais decepcionado enquanto Holmes falava. Suas esperanças e ambições iam por água abaixo. Mas não abandonaria sua posição sem luta.

— Não pode negar que Neligan estava presente naquela noite, sr. Holmes. O livro provará isso. Imagino que tenho provas suficientes para satisfazer a um júri, mesmo que o senhor esteja em condições de achar defeitos nelas. Além disso, sr. Holmes, pus a mão no *meu* homem. Quanto a esta pessoa terrível do senhor, onde está?

— Creio que está lá embaixo — disse Holmes com serenidade. — Acho, Watson, que seria bom pôr aquele revólver ao alcance da mão. — Levantou-se e deixou um pedaço de papel escrito na mesa. — Agora estamos prontos — disse.

Ouvimos uma conversa em vozes grosseiras do lado de fora, e agora a sra. Hudson abria a porta para dizer que havia três homens perguntando pelo capitão Basil.

— Deixe-os entrar um por um — disse Holmes.

O primeiro que entrou era um homem pequeno, um estupendo Ribston, com as bochechas rosadas e suíças de uma penugem branca. Holmes tirara uma carta do bolso.

— Qual é o nome? — perguntou.

— James Lancaster.

— Desculpe-me, Lancaster, mas o lugar está ocupado. Aqui está meio soberano pelo incômodo. Fique naquela sala e espere alguns minutos.

O segundo era um sujeito alto, magro, com cabelos escorridos e rosto pálido. Seu nome era Hugh Pattins. Também foi recusado, recebeu seu meio soberano e a ordem de esperar.

O terceiro candidato era um homem de aparência notável. Um rosto de buldogue feroz era emoldurado por uma mistura de cabelo e barba, e dois olhos escuros e atrevidos brilhavam por trás da cobertura das sobrancelhas cerradas e proeminentes. Cumprimentou-nos e ficou parado do jeito dos marinheiros, revirando o chapéu nas mãos.

— Seu nome? — perguntou Holmes.

— Patrick Cairns.

— Arpoador?

— Sim, senhor. Vinte e seis viagens.

— Dundee, suponho?

— Sim, senhor.

— E pronto para começar num barco de exploração?

— Sim, senhor.

— Qual o salário?

— Oito libras por mês.

— Poderia começar imediatamente?

— Assim que pegasse meu equipamento.

— Tem seus papéis?

— Sim, senhor. — Tirou um maço de papéis amarelados e gordurosos do bolso. Holmes deu uma olhada neles e os devolveu.

— Você é exatamente o homem que quero — disse. — O contrato está naquela mesa. Se assiná-lo, tudo estará resolvido.

O homem do mar cambaleou pela sala e pegou a caneta.

— Devo assinar aqui? — perguntou, curvando-se sobre a mesa.

Holmes debruçou-se sobre o ombro dele e passou as duas mãos pelo pescoço dele.

— Isto servirá — disse.

Ouvi um clique de aço e um rugido como o de um touro enfurecido. Logo depois Holmes e o marujo estavam rolando pelo chão. Era um homem de uma força tão grande que, mesmo com as algemas que Holmes agilmente colocara em seus pulsos, teria subjugado rapidamente o meu amigo se Hopkins e eu não tivéssemos corrido em sua ajuda. Somente quando pressionei a boca fria do meu revólver contra sua têmpora é que ele compreendeu que qualquer resistência seria inútil. Amarramos seus tornozelos com uma corda e nos levantamos ofegantes por causa da luta.

— Devo pedir desculpas, Hopkins — disse Sherlock Holmes. — Receio que os ovos mexidos estejam frios. Mas aproveitará melhor do resto de seu desjejum, considerando-se que levou o caso a uma conclusão triunfante.

Stanley Hopkins estava mudo de assombro.

— Não sei o que dizer, sr. Holmes — murmurou finalmente, com o rosto vermelho. — Parece que tenho feito papel de tolo desde o começo. Compreendo, agora, o que nunca devia ter esquecido, que eu sou o pupilo e o senhor, o mestre. Mesmo depois de ter visto o que fez, não sei como fez ou o que isso significa.

— Ora, ora — disse Holmes, bem-humorado. — Todos aprendemos por experiência, e a sua lição desta vez é que nunca deve perder de vista a alternativa. Estava tão concentrado no jovem Neligan que não conseguiu precisar em Patrick Cairns o verdadeiro assassino de Peter Carey.

A voz possante do marinheiro interrompeu nossa conversa.

— Olhe aqui, senhor — disse —, não reclamo de estar amarrado desta maneira, mas gostaria que chamassem as coisas pelos seus nomes corretos. Vocês dizem que eu assassinei Peter Carey, eu digo que *matei* Peter Carey, e aí está toda a diferença. Talvez não acreditem no que digo. Talvez pensem que estou lhes contando uma mentira.

— Em absoluto — disse Holmes. — Vamos ouvir o que tem a dizer.

— Vou contar logo, e, por Deus, cada palavra será verdadeira. Eu conhecia Black Peter, e quando ele puxou sua faca, espetei-o bem fundo com o arpão, pois sabia que era ele ou eu. Foi assim que ele morreu. Podem chamar isto de assassinato. De qualquer maneira, prefiro morrer com uma corda no pescoço do que com a faca de Black Peter no meu coração.

— Como chegou lá? — perguntou Holmes.

— Vou contar-lhe tudo desde o início. Apenas deixe-me sentar um pouco, para que possa falar mais facilmente. Foi em 1883 que aconteceu, em agosto daquele ano. Peter Carey era o comandante do *Sea Unicorn*, e eu era o segundo arpoador. Estávamos saindo de uma área de gelo a caminho de casa, com vento contrário e um temporal de uma semana no sul, quando encontramos uma pequena embarcação que fora empurrada para o norte pelo vento. Só havia um homem nela, um homem de terra firme. A tripulação pensou que ela iria afundar e partiu para a costa da Noruega num barco a remo. Acho que todos se afogaram. Bem, trouxemos esse homem para bordo, e ele e o capitão tiveram uma longa conversa na cabine. Toda sua bagagem, que trouxemos junto com ele, se resumia a uma caixa de metal. Pelo que sei, o nome do sujeito nunca foi mencionado, e na segunda noite desapareceu, como se nunca tivesse estado lá. Disseram que se jogara no mar, ou caíra nas águas turbulentas que atravessávamos. Somente um homem sabia o que acontecera com ele, eu, porque, com meus próprios olhos, vi o capitão amarrar os calcanhares dele e jogá-lo por cima da balaustrada no meio da noite escura, dois dias antes de avistarmos os faróis das Shetlands.

"Bem, guardei o que eu sabia para mim, e esperei para ver o que iria acontecer. Quando chegamos à Escócia, isso foi facilmente abafado, e ninguém fez perguntas. Um estranho morrera por acidente, e ninguém tinha nada o que perguntar. Pouco depois Peter Carey desistiu do mar, e passaram-se muitos anos até que eu descobrisse onde estava. Imaginei que ele havia feito aquilo para ficar com o que havia na caixa, e que poderia agora me pagar bem pelo meu silêncio.

"Descobri onde estava por intermédio de um marinheiro que o encontrara em Londres, e fui lá para arrancar dinheiro dele. Na primeira noite ele estava bem razoável, e pronto a me dar uma quantia que me permitisse largar o mar para sempre. Íamos acertar tudo dois dias mais tarde. Quando cheguei, encontrei-o quase totalmente bêbado e num péssimo humor. Sentamo-nos, bebemos e mentimos sobre os velhos tempos, mas quanto mais ele bebia, menos eu gostava de olhar para o rosto dele. Eu tinha visto aquele arpão na parede e pensei que poderia precisar dele antes de sair. Então, afinal, ele veio para cima de mim, praguejando e bufando, com o homicídio nos olhos e uma grande faca de mola na mão. Não teve tempo de tirá-la da bainha antes que eu o espetasse com o arpão. Deus! que grito ele deu! e seu rosto sempre aparece nos meus sonhos. Fiquei ali, com o sangue dele espirrando à minha volta, e esperei um pouco, mas tudo estava tranquilo, de modo que me acalmei de novo. Olhei em volta, e lá estava a caixa de metal na prateleira. De qualquer maneira, eu tinha tanto direito a ela quanto Peter Carey, de modo que eu a apanhei e saí da cabana. Como um tolo, deixei minha tabaqueira na mesa.

"Agora vou lhes contar a parte mais interessante de toda a história. Mal havia saído da cabana quando escutei alguém se aproximando, e me escondi entre os arbustos. Um homem chegou sorrateiramente, entrou na casinha, deu um grito como se tivesse visto um fantasma, e se afastou o mais depressa que pôde, até que o perdi de vista. Quem ele era ou o que queria não posso dizer. De minha parte, andei mais de dez quilômetros, peguei um trem em Tunbridge Wells e assim cheguei a Londres, sem saber de mais nada.

"Ora, quando fui examinar a caixa, descobri que não havia nenhum dinheiro ali, apenas papéis que eu não ousaria vender. Perdera minha influência sobre Black Peter e fiquei abandonado em Londres sem um xelim. Só restou o meu ofício. Vi estes anúncios sobre arpoadores, e altos salários, fui até a companhia de navegação e me mandaram aqui. Isto é tudo o que sei, e repito que se matei Black Peter, a lei deveria me agradecer, pois poupei a eles o custo de uma corda de cânhamo."

— Um relato muito claro — disse Holmes, levantando-se e acendendo o cachimbo. — Acho, Hopkins, que você não deveria perder tempo em levar seu prisioneiro para um lugar mais seguro. Esta sala não é própria para uma cela, e o sr. Patrick Cairns ocupa um espaço muito grande no nosso tapete.

— Sr. Holmes — disse Hopkins —, não sei como expressar minha gratidão. Mesmo agora não entendo como chegou a esse resultado.

— Simplesmente tendo a boa sorte de seguir a pista certa desde o início. É possível que, se soubesse deste caderninho de anotações, tivesse ido por outro caminho, como você fez. Mas tudo que ouvi apontava numa só direção. A força espantosa, a habilidade no uso do arpão, o rum com água, a tabaqueira de pele de foca com um tabaco ordinário, tudo isso apontava para um marujo que tivesse sido pescador de baleias. Estava convencido de que as iniciais "P.C." na tabaqueira eram uma coincidência, e não as de Peter Carey, já que ele fumava raramente, e nenhum cachimbo foi encontrado na cabine. Lembre-se de que perguntei se tinham encontrado uísque e *brandy* lá. Você disse que sim. Quantos homens de terra firme iriam beber rum quando podiam ter outras bebidas? Sim, eu tinha certeza de que era um marinheiro.

— E como o encontrou?

— Meu caro senhor, o problema ficara bem simples. Se era um homem do mar, só poderia ser alguém que tivesse estado com ele no *Sea Unicorn*. Pelo que sei, não viajou em nenhum outro barco. Passei três dias telegrafando para Dundee, e no fim desse prazo, tinha os nomes da tripulação do *Sea Unicorn* em 1883. Quando encontrei Patrick Cairns entre os arpoadores, minha pesquisa estava chegando ao final. Deduzi que o homem provavelmente estava em Londres, e que queria sair do país por algum tempo. Portanto passei alguns dias no East End, organizei uma expedição ao Ártico, apresentei condições bastante tentadoras para arpoadores que iriam trabalhar para o capitão Basil... e fiquei esperando para ver o resultado!

— Maravilhoso! — exclamou Hopkins. — Maravilhoso!

— Deve conseguir a libertação do jovem Neligan o mais depressa possível — disse Holmes. — Acho que você deve a ele algumas desculpas. A caixa de metal deve ser devolvida a ele, mas, é claro, os títulos que Peter Carey vendeu estão perdidos para sempre. Lá está o cabriolé, Hopkins, e pode levar o seu homem. Se precisar de mim para o julgamento, meu endereço e o de Watson será em algum lugar da Noruega, mandarei os detalhes depois.

A AVENTURA DE CHARLES AUGUSTUS MILVERTON

JÁ SE PASSARAM ANOS DESDE QUE OS INCIDENTES DE QUE FALO aconteceram, e mesmo assim é com hesitação que me refiro a eles. Durante muito tempo, mesmo com a máxima discrição e reticência, teria sido impossível divulgar os fatos, mas agora a principal pessoa envolvida está fora do alcance da lei dos homens, e com algumas supressões a história pode ser contada de uma maneira que não prejudique ninguém. Conta uma experiência absolutamente única na carreira do sr. Sherlock Holmes e na minha própria. O leitor me desculpará se eu oculto a data ou qualquer outro fato pelo qual possa identificar a verdadeira ocorrência.

Tínhamos saído para uma das nossas caminhadas vespertinas, Holmes e eu, e voltamos mais ou menos às 18 horas de uma noite fria e nevoenta de inverno. Quando Holmes acendeu a lâmpada, vimos um cartão na mesa. Ele olhou para o cartão e depois, com uma exclamação de desgosto, atirou-o no chão. Eu o apanhei e li:

CHARLES AUGUSTUS MILVERTON
Appledore Towers, Hampstead
Agente

— Quem é ele? — perguntei.

— O pior homem de Londres — respondeu Holmes, sentando-se e esticando as pernas diante do fogo. — Tem alguma coisa atrás do cartão?

Virei-o.

— "Estarei aí às 18h30. C.A.M." — li.

— Hum! Está para chegar. Você sente um arrepio, uma sensação de aversão, Watson, quando está diante das serpentes do zoológico, e vê as criaturas escorregadias, venenosas e deslizantes, com seus olhos de morte e a expressão perversa e achatada? Bem, é esta a impressão que Milverton me dá. Tive de lidar com cinquenta assassinos em minha carreira, mas nem o pior deles me inspirou tanta repulsa quanto a que eu tenho por esse sujeito. E mesmo assim não posso evitar de fazer negócios com ele, na verdade, ele está aqui a convite meu.

— Mas quem é ele?

— Eu lhe direi, Watson. É o rei dos chantagistas. Que os céus protejam o homem, e ainda mais a mulher, cujo segredo e reputação caírem em poder de Milverton! Com um rosto sorridente e um coração de pedra, ele pressionará e pressionará até extrair tudo deles. O sujeito é um gênio à sua maneira e teria se destacado em algum ofício mais interessante. Seu método é o seguinte: ele deixa que se saiba que pode pagar quantias elevadas por cartas que comprometem pessoas ricas e de posição. Recebe estas coisas não só de criados e empregadas, mas frequentemente de rufiões elegantes, que ganharam a confiança e a afeição de mulheres de boa-fé. Ele não lida com mãos avarentas. Por acaso sei que pagou setecentas libras a um lacaio por um bilhete de duas linhas, cujo resultado foi a ruína de uma família nobre. Tudo que está no mercado vai para Milverton, e há centenas de pessoas nesta cidade grande que empalidecem ao ouvir seu nome. Ninguém sabe onde suas garras cairão, pois é muito rico e muito esperto para agir sem pensar. Ele é capaz de guardar sua carta durante anos até jogá-la no momento em que estará valendo mais. Eu disse que era o pior homem de Londres, e lhe perguntaria como alguém poderia comparar o valentão, que com o sangue quente agride sua parceira, com este homem, que, metodicamente e por prazer, tortura a alma e atormenta os nervos, para aumentar a sua fortuna já grande?

Poucas vezes eu ouvira meu amigo falar com uma emoção tão intensa.

— Mas certamente — eu disse — o sujeito deve estar ao alcance da lei?

— Tecnicamente, sem dúvida, mas na prática não. O que lucraria uma mulher, por exemplo, em colocá-lo na prisão por alguns meses se a própria ruína dela virá logo depois? Suas vítimas não ousam reagir. Se algum dia chantagear uma pessoa inocente, aí podemos pegá-lo, mas ele é esperto como o próprio Diabo. Não, não, precisamos encontrar outros meios de lutar contra ele.

— E por que ele está aqui?

— Porque uma cliente ilustre colocou seu caso penoso em minhas mãos. É *lady* Eva Blackwell, a debutante mais bonita da última temporada. Vai se casar daqui a duas semanas com o conde de Dovercourt. Esse demônio tem várias cartas imprudentes, imprudentes, Watson, nada pior, que foram escritas a um jovem pobre do campo. Isso bastaria para romper o compromisso. Milverton mandará as cartas ao conde, a menos que uma grande soma lhe seja paga. Fui incumbido de me encontrar com ele e fazer o melhor acordo que puder.

Naquele instante houve um barulho e um estardalhaço na rua. Olhando para baixo, vi uma parelha e uma carruagem majestosas, as lanternas brilhantes iluminando as acetinadas ancas dos nobres cavalos castanhos. Um lacaio abriu a porta, e desceu um homem baixo e forte, com um casacão de astracã felpudo. Um minuto depois ele estava em nossa sala.

Charles Augustus Milverton era um homem de uns cinquenta anos, com uma cabeça grande e intelectual, um rosto redondo, gordo e liso, um perpétuo sorriso gélido, e dois vivos olhos verdes que brilhavam por detrás dos óculos largos com aro de ouro. Havia alguma coisa da benevolência do sr. Pickwick em sua aparência, prejudicada apenas pela falsidade do sorriso fixo e pelo brilho cruel dos olhos vivos e penetrantes. Sua voz era macia e suave como sua fisionomia, enquanto avançava com a mão pequena e gorda estendida, murmurando seu pesar por não nos ter encontrado em sua visita anterior. Holmes ignorou a mão estendida e olhou para ele com um rosto de pedra. O sorriso de Milverton se ampliou, ele encolheu os ombros, tirou o casacão e o colocou com a maior tranquilidade sobre as costas da cadeira. Então sentou-se.

— Este cavalheiro? — ele disse, fazendo um sinal na minha direção. — Ele é discreto? É direito?

— O dr. Watson é meu amigo e parceiro.

— Muito bom, sr. Holmes. Foi apenas no interesse de sua cliente que perguntei. O assunto é tão delicado...

— O dr. Watson já está a par.

— Então podemos tratar do negócio. O senhor diz que está agindo em nome de *lady* Eva. Ela lhe deu poderes para aceitar minhas condições?

— Quais são elas?

— Sete mil libras.

— E a alternativa?

— Meu caro senhor, é doloroso para mim falar nisso, mas se o dinheiro não for pago no dia 14, com certeza não haverá casamento no dia 18. — Seu sorriso insuportável estava mais complacente do que nunca.

Holmes pensou por um instante.

— O senhor me parece — disse, por fim — considerar as coisas como certas. É claro que conheço o conteúdo dessas cartas. Minha cliente com certeza fará o que eu lhe aconselhar. Eu lhe direi para contar ao seu futuro marido a história toda e confiar em sua generosidade.

Milverton deu uma risadinha.

— O senhor evidentemente não conhece o conde — disse.

Pela expressão desconcertada no rosto de Holmes eu podia ver que não.

— Qual é o mal que há nessas cartas? — perguntou.

— Elas são entusiasmadas, muito entusiasmadas — respondeu Milverton. — A dama era uma correspondente encantadora. Mas asseguro-lhe que o conde de Dovercourt não as apreciaria. Mas desde que pense o contrário, deixaremos como quer. É puramente uma questão de negócios. Se acha que é melhor para sua cliente que estas cartas sejam colocadas nas mãos do conde, então seria, de fato, uma tolice pagar uma soma de dinheiro tão grande para reavê-las. — Levantou-se e pegou seu casaco de astracã.

Holmes estava pálido de raiva e mortificação.

— Espere um pouco — disse. — O senhor está indo muito rápido. Nós com certeza faremos tudo para evitar um escândalo num assunto tão delicado.

Milverton voltou a se sentar em sua cadeira.

— Tinha certeza de que veria tudo por esse ângulo — disse, satisfeito.

— Ao mesmo tempo — Holmes continuou — *lady* Eva não é uma mulher rica. Asseguro-lhe que duas mil libras seriam um baque em suas reservas e que a soma que pede está inteiramente fora de suas possibilidades. Portanto, peço-lhe que modere sua exigência, e que devolva as cartas pelo preço que mencionei, que é, eu lhe garanto, o máximo que pode conseguir.

O sorriso de Milverton alargou-se e seus olhos piscaram de um jeito engraçado.

— Sei que é verdade o que diz a respeito dos recursos da dama — disse. — Mesmo assim deve admitir que a ocasião do casamento dela é o momento adequado para seus amigos e parentes fazerem um pequeno esforço em seu benefício. Eles poderão hesitar na escolha de um presente de casamento conveniente. Posso garantir a eles que este pequeno maço de cartas daria mais alegria do que todos os candelabros e manteigueiras de Londres.

— É impossível — disse Holmes.

— Pobre de mim, pobre de mim, que infelicidade! — exclamou Milverton, pegando um grosso livro de bolso. — Não posso deixar de pensar que as damas são imprudentes em não fazer um esforço. Olhe isto! — Pegou um bilhetinho com um brasão no envelope. — Isto pertence a... bem, talvez não seja justo dizer o nome até amanhã de manhã. Mas aí estará nas mãos do marido dela. E tudo porque não vai obter uma quantia desprezível que poderia conseguir se vendesse seus diamantes. É uma pena! Agora, lembra-se do repentino fim do casamento entre a *honourable* srta. Miles e o coronel Dorking? Apenas dois dias antes do casamento, havia um parágrafo no *Morning Post* dizendo que estava tudo acabado. E por quê? É quase inacreditável, mas a soma ridícula de duas mil libras teria resolvido toda a questão. Não é lamentável? E aqui eu o encontro, um homem sensato, hesitando em relação às condições quando o futuro e a honra de sua cliente estão em jogo. O senhor me surpreende, sr. Holmes.

— O que digo é verdade — respondeu Holmes. — O dinheiro não poderá ser conseguido. Com certeza é melhor para o senhor pegar a soma substancial que lhe ofereço do que arruinar a vida de uma mulher, algo que não lhe daria nenhum lucro?

— Aí o senhor comete um erro, sr. Holmes. Uma revelação me beneficiaria muito de modo indireto. Tenho oito ou dez casos semelhantes amadurecendo. Se circulasse entre eles que eu fizera de *lady*

Eva um exemplo cruel, eu iria encontrá-los muito mais propensos à razão. Percebe o meu ponto de vista?

Holmes pulou da cadeira.

— Fique atrás dele, Watson! Não o deixe sair! Agora, senhor, mostre-nos o conteúdo desse caderno.

Milverton deslizara rapidamente para o canto da sala e ficou com as costas contra a parede.

— Sr. Holmes, sr. Holmes — disse, abrindo o casacão e exibindo a coronha de um revólver grande, que se projetava de dentro do bolso inteiro. — Esperava que fizesse algo original. Isto vem sendo feito tão frequentemente, e o que tem trazido de bom? Asseguro-lhe que estou armado até os dentes, e perfeitamente preparado para usar minhas armas, sabendo que a lei me apoiará. Além disso, sua suposição de que eu traria as cartas aqui num caderninho é totalmente equivocada. Eu não faria algo tão tolo. E agora, cavalheiros, tenho uma ou duas entrevistas esta noite e é um longo caminho até Hampstead.

Adiantou-se, pegou o casaco, pôs a mão no revólver e virou-se para a porta. Peguei uma cadeira, mas Holmes balançou a cabeça, e a coloquei no chão de novo. Com uma curvatura, um sorriso e uma piscadela, Milverton saiu da sala, e alguns minutos depois ouvimos a porta da carruagem bater e o barulho das rodas ao se afastarem.

Holmes sentou-se imóvel diante do fogo, as mãos enfiadas nos bolsos da calça, o queixo afundado no peito, os olhos fixos nas brasas incandescentes. Durante meia hora ficou silencioso e imóvel. Depois, com a atitude de um homem que tomou uma decisão, levantou-se e foi para o seu quarto. Pouco depois, um jovem operário, descontraído com um cavanhaque e uma bengala, acendeu seu cachimbo de barro no lampião antes de descer para a rua.

— Estarei de volta daqui a algum tempo, Watson — disse, e desapareceu na noite. Compreendi que começara sua campanha contra Charles Augustus Milverton, mas nem sonhava com o estranho rumo que aquela campanha iria tomar.

Durante alguns dias Holmes entrou e saiu em horas diferentes nesses trajes, mas, fora a observação de que passava o tempo em Hampstead, e que esse tempo não era desperdiçado, não sabia nada do que ele estava fazendo. Mas, finalmente, numa noite tempestuosa, violenta, quando o vento assobiava e batia contra as janelas, voltou de sua última expedição, e depois de tirar o disfarce, sentou-se diante do fogo e riu com vontade, do seu jeito íntimo e silencioso.

— Você me chamaria de um homem casadouro, Watson?

— Claro que não.

— Você se interessaria em saber que estou noivo.

— Meu caro amigo! Eu o congrat...

— Da empregada de Milverton.

— Meu Deus, Holmes!

— Eu queria informações, Watson.

— Tem certeza de que não foi longe demais?

— Era um passo extremamente necessário. Sou um bombeiro com um negócio em expansão, de nome Escott. Tenho passeado e conversado com ela todas as noites. Por Deus, essas conversas! Mas consegui tudo o que queria. Conheço a casa de Milverton como a palma de minha mão.

— Mas e a garota, Holmes?

Ele encolheu os ombros.

— Não se pode evitar isso, meu caro Watson. Deve-se jogar as cartas da melhor maneira possível quando um prêmio desses está na mesa. Entretanto, alegro-me em dizer que tenho um rival detestado, que com certeza me mataria assim que lhe virasse as costas. Que noite esplêndida temos!

— Gosta desse tempo?

— Serve ao meu objetivo, Watson, pretendo assaltar a casa de Milverton esta noite.

Fiquei sem ar e minha pele gelou ao ouvir essas palavras, murmuradas lentamente num tom de resolução. Assim como um raio na noite mostra num instante todos os detalhes de uma paisagem selvagem, eu vi na mesma hora todas as possíveis consequências de uma ação deste tipo — a detenção, a captura, a carreira honrada terminando num fracasso irreparável em desgraça, meu amigo ficando à mercê do odioso Milverton.

— Pelo amor de Deus, Holmes, pense no que está fazendo! — exclamei.

— Meu caro amigo, já fiz todas as análises. Nunca sou precipitado em meus atos nem escolheria um caminho tão radical, e, na verdade, tão perigoso se algum outro fosse possível. Vamos encarar o assunto justa e claramente. Suponho que vai admitir que esta ação seja moralmente justificável, embora tecnicamente criminosa. Assaltar a casa dele não é mais que pegar à força aquele caderninho; ação que você estava preparado para me ajudar.

Remoí aquilo em minha cabeça.

— Sim — eu disse —, é moralmente justificável já que o nosso objetivo é pegar apenas os objetos que estão sendo usados com um objetivo ilegal.

— Exato. Já que é moralmente justificável, tenho de considerar apenas a questão do risco pessoal. Com certeza um cavalheiro não pode se preocupar muito com isso, quando uma dama precisa desesperadamente da ajuda dele, certo?

— Estará numa posição duvidosa.

— Ora, isto faz parte do risco. Não há nenhuma outra maneira possível de recuperar essas cartas. A infeliz dama não tem o dinheiro, e não há ninguém entre os seus parentes em quem possa confiar. Amanhã é o último dia do prazo e, a menos que consigamos essas cartas hoje, esse vilão cumprirá a sua palavra e causará a ruína dela. Portanto, devo abandonar minha cliente à sua sorte ou devo jogar esta última cartada. Aqui entre nós, Watson, é um duelo esportivo entre esse sujeito, Milverton, e eu. Ele tem, como viu, todas as chances, mas meu amor-próprio e minha reputação me obrigam a lutar até o fim.

— Bem, não gosto disso, mas suponho que deva ser assim — eu disse. — Quando começamos?

— Você não virá.

— Então você não irá — eu disse. — Dou-lhe minha palavra de honra, e nunca deixei de cumpri-la na vida, que irei até a delegacia e contarei tudo, a menos que me deixe participar desta aventura com você.

— Não pode me ajudar.

— Como sabe disso? Não pode adivinhar o que vai acontecer. De qualquer modo minha decisão está tomada. Outras pessoas além de você têm amor-próprio, e mesmo reputações.

Holmes parecera irritado, mas seu cenho se desanuviou e ele me deu um tapinha no ombro.

— Bem, bem, meu caro amigo, que seja assim. Dividimos este aposento durante muitos anos, e seria divertido se terminássemos dividindo a mesma cela. Sabe, Watson, não me importo de confessar a você que sempre achei que eu daria um criminoso bastante eficiente. Esta é a chance da minha vida nesse sentido. Olhe aqui! — Tirou um pequeno estojo de couro de uma gaveta e, abrindo-o, exibiu vários instrumentos brilhantes. — Este é um moderno conjunto de primeira classe para assaltos, com um pé de cabra niquelado, cortador de vidro com ponta de diamante, chaves-mestras, e todos os aperfeiçoamentos que a marcha da civilização exige. Aqui também está a minha lanterna. Tudo está em ordem. Você tem um par de sapatos silenciosos?

— Tenho tênis com sola de borracha.

— Excelente! E uma máscara?

— Posso fazer duas de seda preta.

— Vejo que tem uma inclinação forte e natural para este tipo de coisa. Muito bem, você faz as máscaras. Vamos fazer uma refeição fria antes de começar. Agora são 21h30. Às 23 horas iremos até Church Row. É uma caminhada de 15 minutos de lá até Appledore Towers. Estaremos trabalhando antes de meia-noite. Milverton tem o sono pesado, e se recolhe às 22h30 em ponto. Com alguma sorte, estaremos de volta mais ou menos às duas horas, com as cartas de *lady* Eva em meu bolso.

Holmes e eu vestimos nossos trajes a rigor, para darmos a impressão de estar voltando do teatro. Na Oxford Street pegamos um cabriolé e nos dirigimos a um endereço em Hampstead. Lá pagamos a viagem e, com os nossos pesados casacos abotoados, pois fazia um frio cortante e o vento parecia passar por dentro de nós, caminhamos pela beira da estrada.

— É um assunto que requer tratamento delicado — disse Holmes. — Estes documentos estão num cofre no gabinete do sujeito, e esse gabinete é vizinho ao quarto dele. Por outro lado, como todos esses homens baixos e atarracados que prosperam, é um dorminhoco pletórico. Agatha, a minha noiva, diz que, entre os criados, há a piada de que é impossível acordar o patrão. Tem um secretário que é dedicado aos interesses dele, e nunca sai do gabinete durante o dia. Por isso é que estamos indo à noite. Tem um monstro de cachorro que vagueia pelo jardim. Encontrei-me tarde com Agatha nas duas últimas noites, e ela tranca a fera para que eu possa passar. Esta é a casa, o chefão está em seu próprio território. Pelo portão, agora à direita, entre os louros. Devemos colocar nossas máscaras aqui, eu acho. Veja, não há luz em nenhuma das janelas, e tudo está correndo esplendidamente.

Com nossas máscaras de seda preta, que nos transformava em duas das figuras mais agressivas de Londres, fomos até a casa silenciosa e sombria. Uma espécie de varanda coberta se estendia de um lado da casa, com várias janelas e duas portas.

— Aquele é o quarto dele — sussurrou Holmes. — Esta porta dá direto dentro do gabinete. É a melhor para nós, mas está trancada e aferrolhada, e faríamos barulho demais tentando entrar. Venha por aqui. Há uma estufa que dá para a sala de visitas.

O lugar estava trancado, mas Holmes removeu um círculo de vidro e girou a chave por dentro. Logo depois fechou a porta atrás de nós e passamos a ser delinquentes aos olhos da lei. O ar quente e denso da estufa e as fragrâncias ricas e sufocantes de plantas exóticas nos chegaram à garganta. Holmes pegou minha mão no escuro e me conduziu rapidamente por canteiros de arbustos que roçavam nossas faces. Ele tinha poderes notáveis, cultivados com cuidado, de ver na escuridão. Ainda segurando minha mão, abriu uma porta, e percebi vagamente que entráramos numa sala grande na qual haviam fumado um charuto pouco tempo antes. Continuou seu caminho por entre a mobília, abriu outra porta e a fechou atrás de nós. Estendendo a mão, senti vários casacos que estavam pendurados em uma parede, e compreendi que estava num corredor. Passamos por ele, e Holmes abriu suavemente uma porta do lado direito. Alguma coisa passou correndo por nós e meu coração foi até a boca, mas sorri quando percebi que era o gato. Uma lareira estava acesa nesta outra sala, de novo o ar estava pesado com a fumaça de tabaco. Holmes entrou nas pontas dos pés, esperou que o seguisse, e então fechou delicadamente a porta. Estávamos no gabinete de Milverton, e um reposteiro ao fundo indicava a entrada para o quarto dele.

Era um bom fogo, e a sala estava iluminada por ele. Perto da porta vi o brilho de um interruptor elétrico, mas era desnecessário, mesmo se fosse seguro, ligá-lo. De um lado da lareira havia uma cortina pesada que encobria a janela saliente que víramos de fora. De outro lado havia uma porta que dava na varanda. Uma mesa ficava no centro, com uma cadeira giratória de couro vermelho brilhante. Em frente havia uma larga estante, com um busto de mármore de Palas-Atena em cima. No canto, entre a estante e a parede, ficava um cofre alto e verde, a luz do fogo se refletindo nos puxadores de metal polido na parte da frente. Holmes aproximou-se e olhou. Depois foi até a porta do quarto e parou com a cabeça inclinada, ouvindo atentamente. Nenhum som vinha de dentro. Enquanto isso, me ocorreu que seria melhor assegurar nossa retirada pela outra porta; então a examinei. Para meu espanto, não estava trancada nem aferrolhada. Toquei o braço de Holmes e ele virou o rosto mascarado naquela direção. Vi que estremeceu, e estava evidentemente tão surpreso quanto eu.

— Não gosto disso — sussurrou, com os lábios bem perto do meu ouvido. — Não consigo entender. De qualquer modo, não temos tempo a perder.

— Posso fazer algo?

— Sim, fique perto da porta. Se ouvir alguém vindo, tranque-a por dentro e poderemos sair como entramos. Se vierem pelo outro caminho, podemos passar pela porta se nosso trabalho estiver terminado, ou nos escondermos atrás dessas cortinas da janela. Entendeu?

Balancei a cabeça e fiquei ao lado da porta. Meu medo inicial passara, e agora ficava excitado com um sabor mais picante do que experimentara quando éramos os defensores da lei em vez de seus desafiantes. O nobre objetivo de nossa missão, a consciência de que era altruísta e cavalheiresca, o caráter infame do nosso adversário, tudo ampliava o interesse esportivo da aventura. Longe de sentir culpa, alegrava-me e exultava com nossos perigos. Com admiração, via Holmes desenrolar seu estojo de instrumentos e escolher sua ferramenta com a calma e a meticulosidade científica de um cirurgião que faz uma operação delicada. Sabia que a abertura de cofres era um *hobby* particular seu, e compreendia a satisfação que lhe dava enfrentar aquele monstro verde e dourado, o dragão que tinha em seu estômago a reputação de várias damas decentes. Arregaçando os punhos de sua casaca — colocara seu sobretudo numa cadeira —, Holmes tirou duas furadeiras, um pé de cabra e várias chaves-mestras. Fiquei na porta do centro, prestando atenção em cada uma das outras, pronto para qualquer emergência, embora, na verdade, meus planos fossem um tanto vagos a respeito do que deveria fazer se fôssemos interrompidos. Por meia hora, Holmes trabalhou com energia concentrada, deixando uma ferramenta, pegando outra, manuseando-as com a força e a delicadeza de um mecânico treinado. Finalmente ouvi um clique, a grande porta verde se abriu e dentro vi de relance vários maços de papéis, cada um selado, amarrado e identificado. Holmes tirou um, mas era difícil ler com o fogo bruxuleante, e pegou sua pequenina lanterna, pois seria muito perigoso, com Milverton no quarto ao lado, acender a lâmpada elétrica. De repente o vi parar, escutar atentamente e, logo depois, ele fechou a porta do cofre, pegou o sobretudo, jogou as ferramentas dentro dos bolsos e correu para trás da cortina, mandando-me fazer o mesmo.

Só quando me escondi foi que ouvi o que alarmara os seus sentidos aguçados. Havia um barulho em algum lugar dentro da casa. Uma porta bateu um pouco distante. Então um murmúrio confuso, surdo, se transformou nas passadas pesadas e ritmadas que se aproximavam com rapidez. Estavam no corredor. Pararam diante da porta da sala. A porta se abriu. Houve um barulho áspero quando se acendeu a luz elétrica. A porta se fechou de novo, e o bafo pungente de um charuto forte chegou às nossas narinas. Depois os passos continuaram para trás e para a frente, para trás e para a frente, a poucos metros de nós. Por fim ouvimos o estalido de uma cadeira, e os passos cessaram. Então uma chave estalou na fechadura, e ouvi o farfalhar de papéis.

Até aqui não ousara olhar para fora, mas agora afastei delicadamente a divisão das cortinas à minha frente e olhei pela abertura. Pela pressão do ombro de Holmes contra o meu, sabia que também estava observando. Bem à nossa frente, e quase ao nosso alcance, estavam as costas largas de Milverton. Era evidente que calculáramos mal os movimentos dele, que nunca estivera em seu quarto, e sim sentado em alguma sala para fumar ou jogar bilhar, na ala mais afastada da casa, cujas janelas não tínhamos visto. Sua cabeça grande e grisalha, com a parte calva brilhante, era visível bem à nossa frente. Ele estava recostado na cadeira de couro vermelho, as pernas esticadas, um charuto comprido preto pendurado no canto da boca. Vestia um casaco semimilitar, cor de sangue, com o colarinho de veludo preto. Segurava um documento legal extenso, que lia com displicência, enquanto soprava círculos de fumaça de tabaco. Sua pose tranquila e sua atitude confortável não indicavam que sairia logo.

Senti a mão de Holmes segurar a minha e me dar um aperto confortador, como se dissesse que a situação estava sob controle, e que ele permanecia calmo. Não tinha certeza se ele vira o que parecia óbvio de minha posição, isto é, que a porta do cofre não estava bem fechada, e que Milverton poderia a qualquer momento ver isso. Por conta própria decidi que, se estivesse certo, pela fixação do seu olhar, de que ele havia percebido, eu pularia imediatamente para fora, jogaria meu sobretudo sobre a cabeça dele, o amarraria, e deixaria o resto com Holmes. Mas Milverton não olhou. Estava indolentemente concentrado nos papéis em sua mão, páginas e páginas foram viradas enquanto ele seguia a argumentação do advogado. Pelo menos, pensei, quando acabar de ler o documento e de fumar o charuto, irá para o quarto. Mas antes que tivesse chegado ao final dos dois, houve um fato extraordinário que mudou nossos pensamentos para outro canal.

Várias vezes eu observara que Milverton olhava para o relógio, e uma vez chegou a levantar-se e sentara-se de novo com um gesto de impaciência. Mas a ideia de que ele pudesse ter um encontro numa hora tão estranha nunca me ocorreu até que um som fraco chegou aos meus ouvidos, vindo da varanda. Milverton largou seus papéis e sentou-se rígido na cadeira. O som se repetiu, e então houve uma batida delicada na porta. Milverton levantou-se e abriu.

— Ora — disse secamente —, está quase meia hora atrasada.

Então era esta a explicação para a porta destrancada e a vigília noturna de Milverton. Ouvi o leve farfalhar de um vestido de mulher. Eu havia fechado a abertura entre as cortinas quando o rosto de Milverton se virara na nossa direção, mas agora me arriscava com muito cuidado a abri-la de novo. Ele voltara ao seu assento, o charuto ainda se projetando do canto da boca num ângulo insolente. Diante dele, bem sob o foco de luz, estava uma mulher morena, alta e esbelta, um véu sobre o rosto, um manto ao redor do queixo. Sua respiração era rápida e ofegante, e cada centímetro de sua figura flexível tremia sob forte emoção.

— Bem — disse Milverton —, fez-me perder uma boa noite de repouso, minha querida. Espero que prove que valeu a pena. Não podia vir em nenhuma outra hora, hein?

A mulher meneou a cabeça.

— Ora, se não podia, não podia. Se a condessa é uma patroa difícil, você tem agora sua chance de se vingar dela. Valha-me Deus, por que está tremendo? Está tudo bem. Controle-se. Agora, vamos aos negócios. — Tirou um caderninho de anotações da gaveta da escrivaninha. — Você diz que tem cinco cartas que comprometem a condessa D'Albert. Quer vendê-las. Eu quero comprá-las. Até aqui, tudo bem. Só falta acertar o preço. Gostaria de examinar as cartas, é claro. Se elas forem realmente bons exemplares... Meu Deus, é você?

A mulher, sem uma palavra, levantara o véu e deixara cair o manto do queixo. Era um rosto bem definido, moreno e bonito que encarava Milverton — um rosto com um nariz longo e curvo, sobrancelhas cerradas e escuras, olhos cintilantes e uma boca firme com lábios finos e um sorriso perigoso.

— Sou eu — ela disse —, a mulher cuja vida você arruinou.

Milverton sorriu, mas o medo vibrou em sua voz.

— Você era tão obstinada — disse. — Por que me levou a tais extremos? Asseguro-lhe que não machucaria uma mosca por vontade própria, mas todo homem tem seu negócio, e o que eu podia fazer? Fiz um preço acessível às suas posses. Você não pagou.

— Então mandou as cartas ao meu marido e ele, o homem mais nobre que já existiu, um homem com quem nunca mereci casar, partiu seu coração valoroso e morreu. Lembra-se de que noite passada, quando vim por aquela porta, eu lhe pedi e implorei sua misericórdia, e você riu na minha cara como está tentando rir agora, só que seu coração covarde não impede que seus lábios fiquem tremendo. Sim, nunca pensou em me ver aqui de novo, mas foi aquela noite que me ensinou como poderia encontrar-me com você cara a cara, e sozinhos. Bem, Charles Milverton, o que tem a dizer?

— Não pense que pode me intimidar — disse ele, erguendo-se. — Tenho apenas que levantar a voz e poderia chamar meus criados, e você seria presa. Mas darei um desconto pela sua raiva natural. Saia imediatamente por onde veio e não direi mais nada.

A mulher continuou parada com a mão enfiada no decote e o mesmo sorriso sinistro em seus lábios delicados.

— Não arruinará mais vidas como arruinou a minha. Não torturará mais corações como torturou o meu. Livrarei o mundo de uma coisa venenosa. Tome isto, seu cachorro... e isto!... e isto!... e isto!

Tirara um pequeno revólver brilhante e esvaziou cartucho após cartucho no corpo de Milverton, o cano a menos de sessenta centímetros da camisa dele. Ele se curvou e depois caiu sobre a mesa, tossindo furiosamente e se debatendo em meio aos papéis. Depois ficou de pé, recebeu outro tiro e rolou no chão. — Você me pegou! — exclamou, e ficou imóvel. A mulher olhou para ele com atenção e enfiou o salto do sapato no rosto virado para cima. Olhou de novo, mas não havia nenhum som ou movimento. Ouvi um barulho áspero, o ar da noite soprou dentro da sala aquecida e a vingadora foi embora.

Nenhuma interferência de nossa parte poderia ter salvo o homem desta sina, mas quando a mulher descarregou bala após bala no corpo trêmulo de Milverton, estive a ponto de sair, e senti o aperto frio e forte de Holmes no meu pulso. Compreendi todo o argumento daquela pressão firme que me conteve — não era assunto nosso, a justiça alcançara um vilão, que tínhamos nossos próprios deveres e objetivos, que não deveríamos perder de vista. Mas a mulher tinha acabado de sair correndo da sala quando Holmes, com passos rápidos e silenciosos, chegou à outra porta. Girou a chave na fechadura. No mesmo instante ouvimos vozes na casa e o som de passos apressados. Os tiros de revólver tinham acordado todos na casa. Com absoluta frieza, Holmes deslizou até o cofre, encheu os braços com maços de cartas e os jogou no fogo. Fez isso outra vez e outra vez, até que o cofre ficasse vazio. Alguém mexeu na maçaneta e bateu do lado de fora da porta. Holmes olhou em volta com rapidez. A carta que havia sido a mensageira da morte para Milverton estava na mesa, salpicada com o sangue dele. Holmes atirou-a entre os papéis em chamas. Depois tirou a chave da porta externa, passou comigo por ela e a trancou por fora.

— Por aqui, Watson — disse —, podemos escalar o muro do jardim nesta direção.

Eu não podia acreditar que um alarme se espalhasse tão rapidamente. Olhando para trás, a enorme casa parecia uma única luz. A porta da frente estava aberta e pessoas corriam pelo caminho. O jardim inteiro estava cheio de gente, e um sujeito deu um grito quando saímos da varanda e corremos a toda. Holmes parecia conhecer perfeitamente o terreno, e avançou depressa por entre uma plantação de arbustos, eu colado nele, e nosso perseguidor mais próximo bem atrás de nós. Um muro de quase dois metros de altura barrava o nosso caminho, mas ele pulou para o topo, e daí para o outro lado. Ao fazer o mesmo, senti a mão do homem atrás de mim agarrar meu tornozelo, mas me livrei e pulei sobre uma crista coberta de musgo. Caí de cara entre alguns arbustos, mas Holmes me pôs de pé num instante, e juntos corremos pela grande extensão do campo de Hampstead. Tínhamos corrido quase três quilômetros, eu suponho, até que Holmes finalmente parou e ficou escutando atentamente. Atrás de nós tudo era silêncio absoluto. Despistáramos nossos perseguidores e estávamos seguros.

Tínhamos tomado nosso café da manhã e estávamos fumando nosso cachimbo matutino, no dia seguinte à incrível experiência que relatei, quando o sr. Lestrade, da Scotland Yard, muito solene, foi conduzido até a nossa modesta sala de estar.

— Bom dia, sr. Holmes — disse —, bom dia. Posso lhe perguntar se está muito ocupado agora?

— Não tão ocupado que não possa escutá-lo.

— Pensei que, talvez, se não tiver nada especial no momento, pudesse nos ajudar num caso extraordinário ocorrido a noite passada em Hampstead.

— Pobre de mim! — disse Holmes. — O que foi?

— Um assassinato; o assassinato mais dramático e incrível. Sei o quanto se interessa por essas coisas, e consideraria um grande favor se fosse a Appledore Towers e nos ajudasse com o seu conselho. Não é um crime comum. Estávamos de olho nesse sr. Milverton já há algum tempo, e cá entre nós, era meio vilão. Sabe-se que tinha em seu poder papéis que usava para fazer chantagens. Todos esses papéis foram queimados pelos assassinos. Nenhum objeto de valor foi levado, e é provável que os criminosos fossem homens de boa posição, cujo único objetivo seria o de evitar um escândalo público.

— Criminosos? — perguntou Holmes. — Plural?

— Sim, eram dois. Quase foram apanhados em flagrante. Temos as pegadas deles, a descrição deles, aposto dez contra um como os encontraremos. O primeiro era um sujeito muito veloz, mas o segundo foi pego pelo ajudante de jardineiro, e só conseguiu fugir após uma luta. Era um homem de altura média e forte, maxilar quadrado, pescoço grosso, bigode e uma máscara sobre os olhos.

— É muito vago — disse Sherlock Holmes. — Ora, poderia ser a descrição de Watson!

— É verdade — disse o inspetor, confuso. — Poderia ser a descrição de Watson.

— Bem, receio não poder ajudá-lo, Lestrade — disse Holmes. — O fato é que conhecia esse sujeito, Milverton, eu o considerava um dos homens mais perigosos de Londres, e acho que em certos crimes a lei não pode intervir e, portanto, até certo ponto, justificam uma vingança particular. Não, não adianta discutir. Já me decidi. Minhas simpatias estão mais com os criminosos do que com a vítima, e não pegarei este caso.

Holmes não me dissera uma só palavra sobre a tragédia que testemunhamos, mas notei a manhã inteira que estava muito pensativo, e me deu a impressão, pelos seus olhos vagos e o jeito abstraído, de um homem que se esforça para relembrar algo. Estávamos no meio do nosso almoço quando ele se levantou de repente.

— Por Deus, Watson, descobri! — exclamou. — Pegue seu chapéu! Venha comigo!

Correu o mais depressa que pôde pela Baker Street e ao longo da Oxford Street, até quase chegarmos ao Regent Circus. Ali, do lado esquerdo, há uma vitrine cheia de retratos das celebridades e beldades do dia. Os olhos de Holmes se fixaram em um deles, e, seguindo seu olhar, vi o retrato de uma dama régia e majestosa, em trajes da Corte, com uma grande tiara de diamantes sobre a nobre cabeça. Olhei para o nariz curvo e delicado, para as sobrancelhas bem delineadas, a boca reta e o pequenino queixo resoluto. Então prendi a respiração ao ler o venerável título do grande nobre e homem de estado de quem ela fora esposa. Meus olhos encontraram-se com os de Holmes, que pôs o dedo nos lábios enquanto nos afastávamos da vitrine.

A AVENTURA DOS SEIS NAPOLEÕES

Não era raro que o sr. Lestrade, da Scotland Yard, aparecesse para nos visitar à noite, e Sherlock Holmes gostava dessas visitas, pois lhe permitiam saber tudo o que acontecia na chefatura de polícia. Em troca das notícias que Lestrade trazia, Holmes estava sempre disposto a ouvir com atenção os detalhes de algum caso em que o detetive estivesse envolvido e, ocasionalmente, era capaz, sem qualquer interferência ativa, de dar uma ideia ou sugestão extraída de sua vasta experiência e do seu conhecimento.

Nesta noite em particular, Lestrade falara do tempo e dos jornais. Depois ficou em silêncio, pensativo, dando baforadas no seu charuto. Holmes olhou atentamente para ele.

— Algo notável no momento? — perguntou.

— Oh, não, sr. Holmes, nada muito especial.

— Então me fale sobre isso.

Lestrade sorriu.

— Bem, sr. Holmes, é inútil negar que há algo em minha mente. Mas é um negócio tão absurdo que hesitei em incomodá-lo com isso. Por outro lado, embora seja banal, é sem dúvida interessante, e sei que gosta de tudo que seja fora do comum. Mas, na minha opinião, fica mais na linha do dr. Watson do que na nossa.

— Doença? — disse eu.

— Loucura, ou algo assim. E uma loucura estranha, também. Não imaginava que existisse alguém nos dias de hoje que tivesse tanto ódio de Napoleão I a ponto de quebrar toda estátua dele que vê.

Holmes afundou-se na cadeira.

— Não é minha especialidade — disse.

— Exato. Foi o que eu disse. Mas quando o homem pratica um roubo a fim de quebrar as imagens que não são dele, isto o afasta do doutor e o aproxima do policial.

Holmes endireitou-se na cadeira novamente.

— Roubo! Isto é mais interessante. Conte-me os detalhes.

Lestrade pegou seu caderno de anotações e refrescou a memória em suas páginas.

— O primeiro caso relatado ocorreu há quatro dias — disse ele. — Foi na loja de Morse Hudson, que tem um estabelecimento para a venda de pinturas e esculturas na Kennington Road. O assistente havia saído da parte da frente da loja por um instante quando ouviu o barulho de alguma coisa se quebrando. Correu até lá e encontrou um busto de gesso de Napoleão, que estava junto com várias outras obras de arte no balcão, totalmente espatifado. Correu para a rua, mas, embora muitos passantes dissessem ter visto um homem saindo apressado da loja, não conseguiu ver ninguém nem descobriu meios de identificar o patife. Parecia ser um desses atos absurdos de vandalismo que ocorrem de tempos em tempos, e foi isso que ele informou a um guarda na mesma hora. A peça de gesso não valia mais do que alguns xelins, e o caso todo parecia uma infantilidade para merecer uma investigação especial.

"Mas o segundo caso foi mais grave e também mais estranho. Ocorreu na noite passada.

"Na Kennington Road, e a algumas centenas de metros da loja de Morse Hudson, mora um conhecido médico chamado dr. Barnicot, que tem uma grande clientela no lado sul do Tâmisa. Sua residência e principal consultório ficam na Kennington Road, mas tem um setor de cirurgia e farmácia na Lower Brixton Road, a três quilômetros de lá. Este dr. Barnicot é um entusiástico admirador de Napoleão, e a sua casa é cheia de livros, pinturas e relíquias do imperador francês. Há pouco tempo ele comprou de Morse Hudson duas cópias em gesso da famosa cabeça de Napoleão feita pelo escultor francês Devine. Colocou uma delas no saguão da casa, na Kennington Road, e a outra no consolo da lareira do setor de cirurgia, em Lower Brixton. Bem, quando o dr. Barnicot chegou esta manhã, ficou surpreso ao descobrir que sua casa fora assaltada durante a noite, mas que nada tinha sido levado a não ser a cabeça de gesso do saguão. Ela fora levada para fora e esmigalhada selvagemente contra o muro do jardim, junto ao qual foram encontrados fragmentos espalhados."

Holmes esfregou as mãos.

— Isto com certeza é uma novidade — disse.

— Imaginei que gostaria. Mas ainda não cheguei ao final. O dr. Barnicot tinha de estar na sua sala de operações ao meio-dia, e o senhor pode imaginar o seu espanto quando, ao chegar lá, descobriu que a janela fora aberta durante a noite, e que os pedaços quebrados do segundo busto estavam espalhados por todo o aposento. Foi esmigalhado em pedacinhos bem no lugar onde ficava. Em nenhum dos casos havia qualquer vestígio que nos pudesse dar uma pista do criminoso ou lunático que fizera esses estragos. Agora, sr. Holmes, o senhor tem os fatos.

— Eles são estranhos, para não dizer grotescos — disse Holmes. — Posso perguntar se os dois bustos esmagados nos aposentos do dr. Barnicot eram cópias exatas do que foi destruído na loja de Morse Hudson?

— Foram tirados do mesmo molde.

— Este fato vai contra a teoria de que o homem que os quebra está influenciado por algum ódio generalizado contra Napoleão. Se levarmos em conta as centenas de estatuetas do grande imperador que devem existir em Londres, seria demais supor a coincidência de que um iconoclasta aleatório começaria, por acaso, por três exemplares do mesmo busto.

— Bem, penso como o senhor — disse Lestrade. — Por outro lado, este Morse Hudson é o fornecedor de bustos daquela parte de Londres, e estes três eram os únicos que tinham estado na sua loja durante anos. De modo que, embora, como diz, existam centenas de estatuetas em Londres, é muito provável que estas três fossem as únicas naquele distrito. Portanto, um fanático local começaria com eles. O que acha, dr. Watson?

— Não há limites para a monomania — respondi. — Existe a condição que os psicólogos franceses modernos chamaram de *idée fixe*, que pode ser insignificante num caráter, e acompanhada de completa sanidade em todos os outros aspectos. Um homem que tenha lido profundamente sobre Napoleão, ou que possivelmente tenha algum mal hereditário de família por causa da grande guerra, poderia perfeitamente criar uma *idée fixe* e sob sua influência ser capaz de atos fantásticos.

— Isto não serve, meu caro Watson — disse Holmes, balançando a cabeça —, pois nenhuma dimensão da *idée fixe* daria condições ao nosso interessante monomaníaco de descobrir onde estavam esses tais bustos.

— Bem, como *você* explica isso?

— Não tento explicar. Apenas observaria que há um certo método nos procedimentos excêntricos do cavalheiro. Por exemplo, no saguão do dr. Barnicot, onde qualquer ruído poderia acordar a família, o busto foi levado para fora antes de ser quebrado, ao passo que no setor de cirurgia, onde havia menos perigo de alarme, foi esmagado no lugar onde estava. O caso parece ridiculamente banal, e mesmo assim não ouso chamar nada de trivial quando me lembro de que alguns dos meus casos mais clássicos tiveram um início nada promissor. Lembre-se, Watson, como o horrível caso da família Abernetty me chamou a atenção primeiro pelo sulco que a salsa fizera na manteiga num dia quente. Portanto não posso sorrir ante seus três bustos quebrados, Lestrade, e ficarei muito grato a você se me informar de qualquer fato novo nesta série tão estranha de acontecimentos.

O fato que meu amigo esperava veio de uma forma mais rápida e infinitamente mais trágica do que ele podia ter imaginado. Ainda estava me vestindo em meu quarto, na manhã seguinte, quando ouvi uma batida na porta e Holmes entrou com um telegrama na mão. Leu-o em voz alta:

Venha imediatamente, 131 rua Pitt, Kensington.

Lestrade

— Então, o que é? — perguntei.

— Não sei, pode ser qualquer coisa. Mas suspeito que é a continuação da história das estatuetas. Nesse caso o nosso amigo, o destruidor de imagens, começou suas operações numa outra parte de Londres. Há café na mesa, Watson, e tenho um cabriolé esperando na porta.

Em meia hora chegávamos à rua Pitt, um lugarzinho atrasado e tranquilo bem ao lado de uma das mais agitadas correntes da vida de

Londres. O número 131 era um de uma fila de residências, caixotes horizontais, respeitáveis e nada românticas. Quando nos aproximamos, vimos a cerca em frente à casa tomada por um grupo curioso. Holmes assobiou.

— Por Deus! É homicídio premeditado, no mínimo. Nada menos do que isso atrairia o garoto de recados de Londres. Há um ato de violência indicado nos ombros curvos e no pescoço esticado daquele sujeito. O que é isso, Watson? Os degraus do alto estão lavados e os outros, secos. Muitas pegadas, de qualquer maneira! Ora, ora, lá está Lestrade na janela da frente, e logo saberemos de tudo.

O policial nos recebeu com uma expressão bastante grave e nos conduziu a uma sala de estar, onde um senhor idoso, muito inquieto e agitado, vestido com um roupão de flanela, andava de um lado para outro. Foi-nos apresentado como o dono da casa, sr. Horace Harker, do *Sindicato Central da Imprensa*.

— É o caso do busto de Napoleão de novo — disse Lestrade. — Parecia interessado ontem à noite, sr. Holmes, então pensei que gostaria de estar presente agora que o caso assumiu um aspecto muito mais grave.

— O que aconteceu então?

— Um assassinato. Sr. Harker, poderia contar a estes cavalheiros exatamente o que ocorreu?

O homem de roupão virou-se para nós com uma expressão melancólica.

— É algo extraordinário — disse — que a vida inteira eu tenha conseguido notícias de outras pessoas, e agora que uma verdadeira notícia surge por minha causa estou tão confuso e atordoado que não consigo juntar duas palavras. Se tivesse vindo aqui como jornalista, teria me entrevistado e publicado duas colunas em todos os jornais vespertinos. Mas agora estou espalhando cópias valiosas, contando minha história repetidas vezes para uma multidão de pessoas diferentes, e eu mesmo não posso fazer uso disso. Mas ouvi seu nome, sr. Sherlock Holmes, e se puder ao menos explicar este assunto estranho, me sentirei recompensado pelo trabalho de lhe contar a história.

Holmes sentou-se e escutou.

— Tudo parece girar em torno daquele busto de Napoleão que comprei para esta sala há cerca de quatro meses. Eu o comprei barato no Harding Brothers, ao lado da estação de High Street. Grande parte do meu trabalho jornalístico é feito à noite, e frequentemente escrevo até de madrugada. Foi assim hoje. Estava sentado em meu refúgio, que fica nos fundos do alto da casa, por volta das três horas, quando ouvi alguns sons lá embaixo. Fiquei prestando atenção, mas não se repetiram, e concluí que vinham de fora. Então, de repente, cinco minutos depois, ouvi um grito horrível, o som mais pavoroso, sr. Holmes, que jamais ouvi. Fiquei paralisado de horror durante um ou dois minutos, peguei o atiçador e desci. Quando entrei nesta sala, encontrei a janela da frente escancarada e logo notei que o busto desaparecera do consolo da lareira. Por que um ladrão levaria uma coisa dessas está além da minha compreensão, pois era apenas uma peça de gesso e sem qualquer valor.

"Pode ver por si mesmo que qualquer pessoa que saísse por aquela janela aberta poderia alcançar os degraus da frente com uma longa caminhada. Era evidente que o ladrão fizera isto; portanto, dei a volta e abri a porta. Saindo na escuridão, quase caí em cima de um homem morto, que estava ali no chão. Voltei correndo para procurar uma luz, e lá estava o pobre sujeito, um grande talho na garganta e todo o local inundado de sangue. Estava de costas, os joelhos para cima e a boca horrivelmente aberta. Eu o verei sempre nos meus sonhos. Só tive tempo de soprar meu apito de polícia, e então devo ter desmaiado, porque não vi mais nada até que encontrei um policial em pé ao meu lado no saguão."

— Bem, quem era o assassinado? — perguntou Holmes.

— Não há nada que indique quem ele era — disse Lestrade. — Verá o corpo no necrotério, mas não fizemos nada com ele até agora. É um homem alto, bronzeado, muito forte, não mais de trinta anos. Está vestido pobremente e mesmo assim não parece ser um operário. Uma faca de mola com cabo de chifre estava na poça de sangue ao lado dele. Se foi a arma usada no crime ou se pertencia ao morto, não sei. Não havia nome algum em suas roupas e nada nos bolsos, exceto uma maçã, alguns cordões, um mapa de Londres de um xelim e uma fotografia. Aqui está.

Fora tirada evidentemente pelo instantâneo de uma câmera pequena. Mostrava um homem simiesco, vivo, anguloso, com as sobrancelhas grossas e uma projeção muito peculiar da parte inferior do rosto, como o focinho de um babuíno.

— E o que aconteceu com o busto? — perguntou Holmes, depois de um exame atento do retrato.

— Tivemos notícias dele pouco antes de vocês chegarem. Foi encontrado no jardim da frente de uma casa vazia na estrada Campden House. Estava quebrado em pedaços. Estou indo vê-lo agora. Quer vir comigo?

— Claro. Preciso apenas dar uma olhada por aí. — Examinou o tapete e a janela. — O sujeito tinha pernas muito compridas ou era muito ágil — disse. — Com uma área embaixo, não seria nenhuma façanha alcançar aquele parapeito da janela e abri-la. Voltar seria relativamente simples. Virá conosco ver os restos de seu busto, sr. Harker?

O desconsolado jornalista sentara-se à escrivaninha.

— Devo sentar e fazer alguma coisa com isto — disse —, embora não tenha dúvida de que as primeiras edições dos jornais da noite já tenham saído repletas de detalhes. É como a minha sorte! Lembram-se de quando o pavilhão caiu, em Doncaster? Bem, eu era o único jornalista ali, e meu jornal foi o único que não teve um relato sobre aquilo, porque eu estava abalado demais para escrevê-lo. E agora estarei muito atrasado, com um assassinato cometido na minha própria soleira.

Ao sairmos da sala, ouvimos sua caneta escrever, chiando sobre o papel.

O local onde os fragmentos do busto foram encontrados ficava a umas centenas de metros dali. Pela primeira vez víamos a imagem do grande imperador, que parecia instigar um ódio tão destrutivo e frenético na mente do desconhecido. Estava estilhaçada em pedaços espalhados sobre a grama. Holmes pegou vários deles e os examinou com cuidado. Eu estava convencido, pelo seu rosto atento e sua atitude determinada, de que finalmente tinha uma pista.

— Então? — perguntou Lestrade.

Holmes encolheu os ombros.

— Ainda temos um longo caminho a seguir — disse. — E ainda assim... e ainda assim... bem, temos alguns fatos sugestivos sobre os quais trabalhar. A posse deste busto insignificante era mais valiosa, aos olhos desse estranho criminoso, do que uma vida humana. Este é um ponto. Depois há o fato singular de que não o quebrou dentro da casa, ou bem perto fora dela, se quebrar fosse seu único objetivo.

— Ficou assustado e se afobou ao se encontrar com o outro sujeito. Mal sabia o que estava fazendo.

— Bem, isto é muito provável. Mas gostaria de chamar sua atenção para a posição desta casa, em cujo jardim o busto foi destruído.

Lestrade olhou para ele.

— Era uma casa vazia, de modo que ele sabia que não seria perturbado no jardim.

— Sim, mas há uma outra casa vazia mais acima na rua pela qual ele deve ter passado antes de vir até esta. Por que não o quebrou lá, já que é evidente que cada metro que carregasse a imagem aumentaria o risco de alguém encontrá-lo?

— Desisto — disse Lestrade.

Holmes apontou para a luz da rua sobre nossas cabeças.

— Ele podia ver o que fazia aqui, e não podia lá. Foi este o motivo.

— Por Deus! É verdade — disse o detetive. — Agora que penso nisso, o busto do dr. Barnicot não foi quebrado muito longe de sua lâmpada vermelha. Bem, sr. Holmes, que faremos com este fato?

— Lembrá-lo, registrá-lo. Podemos encontrar alguma coisa mais tarde que se relacionará com isto. Que providências propõe que tomemos agora, Lestrade?

— A maneira mais prática de descobrirmos isso, na minha opinião, é identificar o morto. Não deve ser difícil. Quando tivermos descoberto quem ele é e quem são seus parceiros, teremos um bom começo para saber o que ele estava fazendo na rua Pitt na noite passada, e quem foi que o encontrou e o matou na soleira da porta do sr. Horace Harker. Não acha?

— Sem dúvida; e mesmo assim não é o modo pelo qual eu conduziria o caso.

— O que faria, então?

— Oh, não deve deixar que eu o influencie de maneira alguma. Sugiro que continue em sua própria linha e eu na minha. Depois poderemos comparar resultados, e cada um complementará o outro.

— Muito bem — disse Lestrade.

— Se estiver voltando para a rua Pitt, deve ver o sr. Horace Harker. Diga-lhe que já tenho uma opinião e que é certo que um perigoso lunático homicida, com devaneios napoleônicos, esteve na casa dele ontem à noite. Será útil para o artigo dele.

Lestrade encarou-o.

— Não acredita seriamente nisso?

Holmes sorriu.

— Não? Bem, talvez não. Mas estou certo de que isso interessará ao sr. Horace Harker e aos assinantes do *Sindicato Central de Imprensa*. Agora, Watson, creio que teremos um dia de trabalho longo e bem complexo. Eu agradeceria, Lestrade, se pudesse nos encontrar na Baker Street às 18 horas. Até lá, eu gostaria de ficar com esta fotografia, encontrada no bolso do morto. É possível que eu tenha de pedir a sua companhia e ajuda para uma pequena expedição que farei esta noite, se minha cadeia de raciocínio estiver correta. Até lá, adeus e boa sorte!

Sherlock Holmes e eu fomos juntos para a High Street, onde paramos na loja Harding Brothers, na qual o busto fora adquirido. Um jovem assistente informou-nos que o sr. Harding estaria ausente até a tarde, e que ele próprio era um novato e não podia nos dar nenhuma informação. O rosto de Holmes mostrava seu desapontamento e irritação.

— Ora, ora, não podemos esperar obter tudo o que queremos, Watson — disse por fim. — Voltaremos à tarde, já que o sr. Harding não chegara antes disso. Estou, como sem dúvida já deve ter suspeitado, tentando rastrear esses bustos até sua origem, para descobrir se há algo especial que possa explicar seu destino estranho. Vamos procurar o sr. Morse Hudson, da Kennington Road, e ver se ele pode esclarecer alguma coisa sobre o problema.

Uma caminhada de uma hora nos levou ao estabelecimento do negociante de imagens. Era um homem baixo, atarracado, com rosto vermelho e maneiras irritadiças.

— Sim, senhor, no meu balcão, senhor — disse. — Para que pagamos impostos e taxas eu não sei, quando qualquer valentão pode entrar e quebrar nossas mercadorias. Sim, senhor, fui eu quem vendeu ao dr. Barnicot suas duas estatuetas. Vergonhoso, senhor! Uma conspiração niilista, é o que penso disto. Ninguém, a não ser um anarquista, sairia por aí quebrando estatuetas. Republicanos vermelhos, é como os chamo. De quem consegui as estatuetas? Não vejo o que tem a ver com isso. Bem, se quer realmente saber, comprei-as de Gelder & Co., na Church Street, em Stepney. É uma firma bastante conhecida no ramo e está nele há vinte anos. Quantos eu tinha? Três, dois mais um são três, dois do dr. Barnicot e um esmigalhado à luz do dia em meu próprio balcão. Se eu conheço esta fotografia? Não, não conheço. Sim, conheço. Ora, é Beppo. Era uma espécie de pau-para--toda-obra italiano, que se tornou útil na loja. Podia esculpir um pouco, e dourar e fazer trabalhos avulsos. O sujeito foi embora na semana passada e não soube mais nada a respeito dele desde então. Não, não sei de onde veio ou para onde foi. Não tinha nada contra ele enquanto esteve aqui. Foi embora dois dias antes de o busto ser esmagado.

— Bem, isto é tudo o que poderíamos esperar de Morse Hudson — disse Holmes quando saímos da loja. Temos esse Beppo como um fator comum, ambos em Kennington e em Kensington, portanto vale uma ida de 15 quilômetros. Agora, Watson, vamos até Gelder & Co., de Stepney, a causa e origem dos bustos. Ficarei surpreso se não conseguirmos alguma ajuda ali.

Numa rápida sucessão passamos pela periferia da Londres da moda, a Londres dos hotéis, Londres teatral, Londres literária, Londres comercial e, finalmente, Londres marítima, até que chegamos a uma cidade à beira do rio, com cem mil almas, onde os cortiços se sufocam com os detritos da Europa. Aqui, numa grande via pública, outrora moradia dos mercadores ricos da cidade, encontramos os trabalhos de escultura que procurávamos. Do lado de fora havia um pátio grande cheio de obras de pedra monumentais. Dentro, um amplo aposento no qual cinquenta operários esculpiam ou modelavam. O gerente, um alemão grande e louro, nos recebeu civilizadamente e deu respostas claras às perguntas de Holmes. Uma olhada em seus livros mostrou que centenas de peças foram moldadas da cópia de mármore da cabeça de Napoleão de Devine, mas que as três que foram mandadas para Morse Hudson há um ano ou mais eram a metade de um lote de seis, e as outras três foram enviadas para Harding Brothers, de Kensington. Não havia razão para que aquelas seis fossem diferentes das outras peças. Não podia sugerir nenhuma causa possível para que alguém quisesse destruí-las — na verdade, ele riu da ideia. O preço total delas era de seis xelins, mas o revendedor poderia conseguir 12 ou mais. A peça foi tirada em dois moldes, um de cada lado da face, e depois estes dois perfis de gesso de Paris foram unidos para fazer o busto completo. O trabalho era feito em geral por italianos, na sala em que estávamos. Quando ficavam prontos, os bustos eram colocados numa mesa no corredor para secar, e depois eram guardados. Isto era tudo o que podia nos dizer.

Mas a exibição da fotografia teve um efeito notável no gerente. Seu rosto ficou vermelho de raiva, e seu cenho se franziu sobre os olhos teutônicos azuis.

— Ah, o patife! — exclamou. — Sim, na verdade eu o conheço muito bem. Este sempre foi um estabelecimento respeitável, e na única vez que tivemos a polícia aqui foi por causa desse sujeito. Foi há mais de um ano. Ele esfaqueou outro italiano na rua, e depois veio para o trabalho com a polícia nos calcanhares, e foi preso aqui. Beppo era seu nome; seu segundo nome eu nunca soube. Bem mereço o castigo por empregar um homem com um rosto desse. Mas era um bom trabalhador, um dos melhores.

— Quanto tempo ele ficou preso?

— O homem sobreviveu e ele saiu em um ano. Não tenho dúvida de que está livre agora, mas não teve a coragem de aparecer por aqui. Temos um primo dele aqui e creio que pode lhe dizer onde ele está.

— Não, não! — exclamou Holmes —, nem uma palavra ao primo, nem uma palavra, eu lhe peço. O assunto é muito importante, e quanto mais me aprofundo nele, mais importante parece ficar. Quando se referiu em seu livro à venda das peças, observei que a data era 3 de junho do ano passado. Poderia me dar a data em que Beppo foi preso?

— Posso lhe dizer pela lista de pagamento — respondeu o gerente. — Sim — continuou, depois de virar algumas páginas —, seu último pagamento foi no dia vinte de maio.

— Obrigado — disse Holmes. — Não creio que precise abusar mais do seu tempo e da sua paciência. — Com uma última palavra de advertência de que ele não devia falar mais nada a respeito das nossas pesquisas, saímos de lá para prosseguir em nossa missão.

A tarde já estava bem adiantada quando conseguimos comer um lanche rápido num restaurante. Um anúncio de jornal na entrada dizia "Violência em Kensington. Assassinato por um Louco" e o conteúdo mostrava que o sr. Horace Harker tivera afinal seu artigo publicado. Duas colunas estavam ocupadas com um relato sensacional e floreado de todo o incidente. Holmes o apoiou no galheteiro e leu enquanto comia. Uma ou duas vezes ele deu uma risadinha.

— Está tudo certo, Watson — disse. — Ouça isto:

É bom saber que não há diferença de opinião a respeito deste caso, já que o sr. Lestrade, um dos membros mais experientes da polícia, e o sr. Sherlock Holmes, o conhecido perito consultor, chegaram à conclusão de que a grotesca série de incidentes, que terminou de maneira tão trágica, foi motivada por loucura e não por crime premeditado. A única explicação para esses fatos é a aberração mental.

— A imprensa, Watson, é uma instituição extremamente valiosa, se a gente souber como usá-la. E agora, se já acabou, voltaremos a Kensington e veremos o que o gerente do Harding Brothers tem a dizer sobre o assunto.

O fundador daquele grande empório provou ser um homenzinho agitado e enrugado, muito esperto e rápido, calvo e com uma língua ágil.

— Sim, senhor, já li sobre o relato nos jornais da noite. O sr. Horace Harker é cliente nosso. Nós lhe fornecemos os bustos alguns meses atrás. Encomendamos três bustos daquele tipo à Gelder & Co., de Stepney. Foram todos vendidos. Para quem? Oh, creio que consultando nosso livro de vendas posso lhe dizer facilmente. Sim, temos registros aqui. Uma para o sr. Harker, vê, e uma para o sr. Josiah Brown, de Laburnum Lodge, Laburnum Vale, Chiswick, e uma para o sr. Sandeford, da estrada Lower Grove, Reading. Não, nunca vi o rosto que me mostra nessa fotografia. Dificilmente o esqueceria, não é, pois nunca vi ninguém mais feio. Se temos italianos empregados? Sim, senhor, temos vários entre nossos operários e limpadores. Eles poderiam dar uma olhada neste livro de vendas se quisessem. Não há nenhum motivo para vigiar aquele livro. Bem, bem, é um negócio muito estranho, e espero que me informem se algo aparecer em suas investigações.

Holmes tomara muitas notas durante o depoimento do sr. Harding, e pude ver que estava plenamente satisfeito com o rumo que o caso estava tomando. Mas não fez nenhum comentário, exceto que, se não corrêssemos, chegaríamos atrasados para o nosso encontro com Lestrade. De fato, quando chegamos à Baker Street, o detetive já estava lá, e o encontramos andando de um lado para outro numa impaciência febril. O ar de importância mostrava que seu dia não fora em vão.

— E então? — perguntou. — Qual foi a sorte, sr. Holmes?

— Tivemos um dia muito ocupado e não inteiramente perdido — explicou meu amigo. — Estivemos com os varejistas e os fabricantes. Posso reconstituir a história de cada busto desde o início.

— Os bustos! — exclamou Lestrade. — Ora, ora, o senhor tem seus próprios métodos, sr. Sherlock Holmes, e não serei eu a falar uma palavra contra eles, mas acho que tive um dia de trabalho melhor que o seu. Identifiquei o morto.

— Não diga.

— E descobri a causa do crime.

— Esplêndido.

— Temos um inspetor especialista em Safron Hill e na parte italiana. Bem, este morto tinha uma espécie de emblema católico no pescoço, e isto, junto com sua cor, me fizeram pensar que era do sul. O inspetor o reconheceu assim que pôs os olhos nele. Seu nome é Pietro Venucci, de Nápoles, e é um dos maiores cortadores de gargantas de Londres. É ligado à Máfia, que, como sabe, é uma sociedade política secreta, impondo suas decisões por meio de assassinatos. Agora, veja como o caso começa a se esclarecer. O outro sujeito possivelmente também é italiano e membro da Máfia. De algum modo desobedeceu as regras. Pietro é posto na sua trilha. Provavelmente a fotografia que encontramos em seu bolso é a do próprio homem, para que ele não esfaqueasse a pessoa errada. Ele persegue o sujeito, vê quando ele entra numa casa, espera por ele do lado de fora e na luta recebe seu próprio ferimento mortal. O que acha disso, sr. Sherlock Holmes?

Holmes bateu palmas em aprovação.

— Excelente, Lestrade, excelente! — exclamou. — Mas não entendi como explica a destruição dos bustos.

— Os bustos! Não pode nunca deixar de pensar nestes bustos. Afinal, isso não é nada; furto de pouca monta, seis meses no máximo. É o assassinato que estamos realmente investigando, e lhe digo que estou juntando todos os fios em minhas mãos.

— E a próxima etapa?

— É muito simples. Irei com o inspetor Hill até a parte italiana para descobrir o homem que está naquela fotografia, e o prenderei sob a acusação de assassinato. Quer vir conosco?

— Acho que não. Imagino que podemos atingir nosso objetivo de uma maneira mais simples. Não posso dizer ao certo, porque tudo depende, bem, tudo depende de um fator que está completamente fora de nosso controle. Mas tenho grandes esperanças, na verdade, a relação é exatamente de dois para um, se vier conosco esta noite, de poder ajudá-lo a pegar o sujeito.

— Na parte italiana?

— Não, creio que Chiswick é o endereço onde temos mais probabilidade de encontrá-lo. Se vier comigo esta noite a Chiswick, Lestrade, prometo ir com você à parte italiana amanhã, e o atraso não causará nenhum prejuízo. E agora, acho que algumas horas de sono nos fariam bem, pois não pretendo sair antes das 23 horas e é pouco provável que voltemos antes de o dia amanhecer. Jantará conosco, Lestrade, e depois poderá se acomodar no sofá até a hora de partirmos. Enquanto isso, Watson, agradeceria se chamasse um mensageiro, porque tenho uma carta para mandar e é importante que seja despachada imediatamente.

Holmes passou a noite pesquisando nos arquivos dos velhos jornais, que entulhavam um dos nossos quartos de badulaques. Quando finalmente desceu, foi com uma expressão de triunfo nos olhos, mas não nos revelou nada sobre os resultados de sua pesquisa. De minha parte, seguira passo a passo os métodos pelos quais ele reconstituíra os vários meandros deste complexo e, embora ainda não conseguisse perceber aonde chegaríamos, entendi claramente que Holmes esperava que esse criminoso grotesco fizesse uma tentativa de atacar os dois bustos remanescentes, um dos quais, eu me lembrava, estava em Chiswick. Sem dúvida o objetivo de nossa viagem era pegá-lo em flagrante, e não podia deixar de admirar a esperteza com que meu amigo inserira uma pista falsa no jornal, para dar ao sujeito a ideia de que poderia continuar impunemente o seu projeto. Não me surpreendi quando Holmes sugeriu que eu levasse o meu revólver. Ele mesmo pegara seu chicote de caça, que era sua arma favorita.

Uma carruagem estava na porta às 23 horas, e nela nos dirigimos para um lugar do outro lado da ponte Hammersmith, onde o cocheiro recebeu ordem para esperar. Uma caminhada curta nos levou a uma rua escondida, ladeada de casas agradáveis, cada uma com seu próprio terreno. Sob a luz de um poste lemos "Vila Laburnum" na coluna do portão de uma delas. Os ocupantes, evidentemente, haviam se recolhido para dormir, pois tudo estava escuro, exceto por uma luzinha sobre a porta principal, que fazia um círculo impreciso no caminho do jardim. A cerca de madeira que separava o terreno da rua projetava uma densa sombra negra no lado de dentro, e era ali que estávamos agachados.

— Receio que tenhamos uma espera longa — sussurrou Holmes. — Podemos agradecer às estrelas por não estar chovendo. Não creio que possamos nos arriscar nem mesmo a fumar para passar o tempo. Entretanto, aposto dois contra um como conseguiremos alguma coisa como recompensa pelo nosso trabalho.

Mas nossa vigília acabou não sendo tão longa quanto Holmes imaginara, e terminou de modo bastante repentino e singular. Num instante, sem o menor ruído para nos prevenir de sua chegada, o portão do jardim se abriu e um vulto escuro, rápido e ágil como um macaco, correu pelo caminho do jardim. Nós o vimos passar ligeiro pela luz lançada de cima da porta e desaparecer na sombra negra da casa. Houve uma pausa longa, durante a qual prendemos a respiração, e então um leve som de coisa quebrada nos chegou aos ouvidos. A janela estava sendo aberta. O barulho cessou e de novo houve um longo silêncio. O sujeito estava andando pela casa. Vimos o brilho repentino de uma lanterna dentro da sala. O que ele procurava evidentemente não estava lá, porque vimos novamente a luz através de outra persiana, e depois por outra.

— Vamos até a janela aberta. Nós o apanharemos quando saltar para fora — sussurrou Lestrade.

Mas antes que nos movêssemos, o homem surgiu de novo. Quando ele saiu e ficou na parte iluminada, vimos que carregava alguma coisa branca sob o braço. Olhou atentamente em volta. O silêncio da rua deserta o tranquilizou. Virando as costas para nós, pôs no chão sua carga, e logo depois ouvimos o som de uma batida áspera, seguida de um barulho de objetos batendo. O homem estava tão concentrado no que fazia que não ouviu nossos passos quando corremos pela grama. Com um pulo de tigre Holmes estava em suas costas, e um instante depois Lestrade e eu o seguramos pelos pulsos, e as algemas foram colocadas. Ao virá-lo em nossa direção, vi um rosto hediondo e pálido, com uma expressão furiosa e contorcida, e eu sabia que era realmente o homem da fotografia que havíamos procurado.

Mas não era ao nosso prisioneiro que Holmes dava atenção. Agachado na soleira da porta, dedicava-se a um exame cuidadoso do que o homem trouxera da casa. Era um busto de Napoleão, igual ao que víramos pela manhã, e fora quebrado em fragmentos semelhantes. Com cuidado, Holmes levou cada pedaço para a luz, mas eles não se diferenciavam em nada de qualquer outro pedaço espatifado de gesso. Acabara de fazer seu exame quando a luz do saguão se acendeu, a porta se abriu e o dono da casa, uma figura jovial, gorducha, de calça e camisa, apareceu.

— Sr. Josiah Brown, suponho? — perguntou Holmes.

— Sim, senhor; e o senhor, sem dúvida, é o sr. Sherlock Holmes? Recebi o bilhete que mandou pelo mensageiro, e fiz exatamente como me disse. Trancamos cada porta por dentro e esperamos pelos acontecimentos. Bem, estou contente por ver que pegaram o patife. Espero, cavalheiros, que entrem e tomem um lanche.

Mas Lestrade estava ansioso para levar o homem para um local seguro; de modo que em poucos minutos nossa carruagem foi chamada e estávamos todos os quatro indo para Londres. Nosso prisioneiro não dizia uma palavra, mas nos observava com seus olhos embaciados, e uma vez, quando minha mão parecia estar ao seu alcance, tentou mordê-la como um lobo faminto. Ficamos na delegacia o suficiente para descobrir que uma revista em suas roupas não revelou nada a não ser uns poucos xelins e uma longa faca de bainha, cujo cabo tinha muitos vestígios de sangue recente.

— Está tudo certo — disse Lestrade quando saíamos. — Hill conhece toda essa gente e dará um nome a ele. O senhor descobrirá que minha teoria sobre a Máfia será correta. Mas tenho certeza de que lhe devo muitos agradecimentos, sr. Holmes, pela eficiência com que deitou as mãos nele. Ainda não estou entendendo tudo.

— Receio que seja uma hora um pouco tardia para explicações — disse Holmes. — Além disso, existem um ou dois detalhes que ainda não estão completos, e este é um daqueles casos em que é melhor ir até o fim. Se vier aos meus aposentos mais uma vez amanhã às 18 horas, acho que poderei lhe mostrar que mesmo agora você ainda não captou o significado completo deste negócio, que apresenta algumas características que o tornam absolutamente original na história do crime. Se eu chegar a permitir que escreva a história de mais alguns de meus probleminhas, Watson, posso prever que encherá suas páginas com o relato da aventura singular dos bustos napoleônicos.

Quando nos encontramos novamente na noite seguinte, Lestrade tinha muitas informações relacionadas com o nosso prisioneiro. Seu nome, parece, era Beppo, sobrenome desconhecido. Era um vagabundo conhecido na colônia italiana. Já fora um hábil escultor e levava uma vida honesta, mas passou a trilhar os caminhos do mal e já estivera preso duas vezes — uma por furto, e outra, como já sabíamos, por esfaquear um conterrâneo. Sabia falar inglês perfeitamente. Seus motivos para destruir os bustos ainda eram desconhecidos, e ele se recusava a responder a qualquer pergunta sobre o assunto, mas a polícia descobriu que estes mesmos bustos poderiam muito bem ter sido feitos por suas próprias mãos, já que estava envolvido nesse tipo de trabalho no estabelecimento de Gelder & Co. Holmes ouviu com atenção cortês todas essas informações, muitas das quais já eram do nosso conhecimento, mas eu, que o conhecia tão bem, podia ver que seus pensamentos estavam em outro lugar, e percebi uma mistura de agitação e expectativa por baixo da máscara que adotara. Por fim, endireitou-se na cadeira e seus olhos brilharam. Alguém tocara a campainha. Um instante depois ouvimos passos na escada, e um homem idoso, de rosto vermelho e suíças grisalhas, entrou apressado. Na mão direita carregava uma antiga mala de viagem, que pôs na mesa.

— O sr. Sherlock Holmes está aqui?

Meu amigo inclinou-se e sorriu.

— Sr. Sandeford, de Reading, suponho? — disse.

— Sim, senhor, receio estar um pouco atrasado, mas os trens estavam horríveis. Escreveu para mim sobre um busto que está em meu poder.

— Exatamente.

— Tenho sua carta aqui. Diz: “Desejo possuir uma cópia do Napoleão de Devine, e estou disposto a pagar dez libras pelo que está com o senhor.” Está correto?

— Perfeitamente.

— Fiquei muito surpreso com sua carta, pois não posso imaginar como soube que eu possuía esse objeto.

— É claro que deve ter ficado surpreso, mas a explicação é muito simples. O sr. Harding, de Harding Brothers, contou-me que lhe vendeu a última cópia, e me deu seu endereço.

— Oh, então foi assim? Ele lhe disse quanto paguei por ela?

— Não, não disse.

— Bem, sou um homem próspero, embora não muito rico. Dei apenas 15 xelins pelo busto, e acho que deveria saber disso antes de eu lhe tomar dez libras.

— Estou certo de que seu escrúpulo faz a sua honra, sr. Sandeford. Mas eu disse o preço e pretendo pagá-lo.

— Bem, é muito bonito de sua parte, sr. Holmes. Trouxe o busto comigo, como me pediu. Aqui está! — abriu a mala e afinal vimos colocado em nossa mesa um exemplar inteiro daquele busto que já víramos mais de uma vez em fragmentos.

Holmes pegou um papel no bolso e pôs uma nota de dez libras na mesa.

— Gostaria que fizesse a gentileza de assinar aquele papel, sr. Sandeford, na presença destas testemunhas. É apenas para dizer que transfere para mim qualquer possível direito que já tenha tido sobre o busto. Sou um homem metódico, como vê, e nunca se sabe o rumo que os acontecimentos podem tomar depois. Obrigado, sr. Sandeford; aqui está seu dinheiro, e lhe desejo uma boa noite.

Quando nosso visitante desapareceu, os movimentos de Sherlock Holmes atraíram nossa atenção. Começou por tirar um pano branco limpo de um armário, colocando-o na mesa. Depois depositou o busto recém-adquirido no centro do pano. Finalmente, pegou seu chicote e deu uma chicotada no Napoleão bem no alto da cabeça. A peça se despedaçou e Holmes curvou-se ansiosamente sobre os fragmentos espalhados. Logo depois, com um grito de triunfo, pegou um pedaço, no qual estava grudado um objeto redondo e escuro, como uma ameixa num pudim.

— Cavalheiros — exclamou —, deixem-me apresentá-los à famosa pérola negra dos Bórgias.

Lestrade e eu ficamos em silêncio por um instante, e, então, num impulso espontâneo, começamos a bater palmas, como num momento culminante de uma peça bem elaborada. Um rubor se espalhou pela face pálida de Holmes, e ele se curvou para nós — como um mestre dramaturgo que recebe a homenagem de sua plateia. Era nessas ocasiões que ele deixava por um instante de ser uma máquina de raciocínio e traía sua paixão humana por admiração e aplauso. A mesma natureza singularmente orgulhosa e reservada que se afastava com desdém da notoriedade pública era capaz de ir às suas profundezas pela admiração e pelo elogio espontâneos de um amigo.

— Sim, cavalheiros — disse —, é a pérola mais famosa no mundo atualmente, e tive a sorte de, pela cadeia de raciocínio indutivo, segui-la desde o quarto do príncipe de Colonna, no Hotel Dacre, onde foi perdida, até o interior disto, o último dos seis bustos de Napoleão que foram feitos por Gelder & Co., de Stepney. Deve se lembrar, Lestrade, da sensação causada pelo desaparecimento dessa joia valiosa, e das tentativas inúteis da polícia de Londres para recuperá-la. Eu mesmo fui consultado, mas não consegui ajudar a esclarecer o caso. As suspeitas recaíram sobre a empregada da princesa, que era italiana e tinha um irmão em Londres, mas não conseguimos encontrar nenhuma ligação entre eles. O nome dessa empregada era Lucretia Venucci, e não tenho dúvida de que esse Pietro que foi assassinado duas noites atrás era o irmão dela. Estive vendo as datas nos velhos arquivos do jornal, e descobri que o desaparecimento da pérola ocorreu exatamente dois dias antes da prisão de Beppo por algum crime de violência; um fato que aconteceu na fábrica de Gelder & Co., exatamente quando esses bustos estavam sendo feitos. Agora vocês veem claramente a sequência de fatos, embora vejam, é claro, numa ordem inversa da que se apresentaram a mim. Beppo estava de posse da pérola. Deve tê-la roubado de Pietro, deve ter sido cúmplice dele, o intermediário entre Pietro e sua irmã. Não nos importa qual dessas é a solução correta.

"O principal é que ele *tinha* a pérola, e naquele momento, quando ela estava com ele, foi perseguido pela polícia. Correu para a fábrica em que trabalhava e sabia que tinha apenas alguns minutos para esconder aquele objeto imensamente valioso, que, do contrário, seria encontrada com ele quando fosse alcançado. Seis peças de gesso estavam secando no corredor. Uma delas ainda estava mole. Num instante Beppo, um escultor habilidoso, fez um pequeno buraco no gesso mole, colocou a pérola, e com alguns toques cobriu a abertura novamente. Era um ótimo esconderijo. Possivelmente ninguém iria descobri-lo. Mas Beppo foi condenado a um ano de prisão, e nesse período os seis bustos se espalharam por Londres. Ele não podia saber qual continha o seu tesouro. Só quebrando-os é que poderia ver. Mesmo se os sacudisse, não adiantaria nada, pois como o gesso estava mole, era possível que a pérola aderisse a ele — como, de fato, aconteceu. Beppo não se desesperou, e conduziu sua pesquisa com bastante engenho e perseverança. Por intermédio de um primo que trabalha na Gelder, descobriu as firmas que compraram os bustos. Conseguiu emprego com Morse Hudson, e assim achou três deles. A pérola não estava lá. Depois, com a ajuda de algum empregado italiano, conseguiu descobrir para onde os outros três bustos tinham ido. O primeiro estava com Harker. Ali ele foi seguido por seu cúmplice, que o responsabilizou pela perda da pérola e foi apunhalado na luta que se seguiu."

— Se era um cúmplice, por que carregaria a fotografia dele? — perguntei.

— Como um meio de localizá-lo, se quisesse saber dele por intermédio de uma terceira pessoa. Essa era a razão óbvia. Bem, depois do assassinato, calculei que Beppo provavelmente iria acelerar e não retardar seus movimentos. Ficaria com receio de que a polícia descobrisse seu segredo, e então apressou-se antes que eles pudessem chegar à sua frente. É claro que eu não podia afirmar que ele não encontrara a pérola no busto de Harker. Eu nem mesmo tinha certeza de que era a pérola, mas era evidente para mim que ele procurava alguma coisa, já que passou com o busto por outras casas para quebrá-lo num jardim que tinha um poste. Como o busto de Harker era um de três, suas chances eram exatamente como lhes disse: dois contra um para a pérola estar lá dentro. Então faltavam dois bustos, e era óbvio que ele iria primeiro para o busto de Londres. Avisei os moradores da casa, para evitar uma segunda tragédia, e fomos até lá, com os melhores resultados. Nessa ocasião, é claro, eu tinha certeza de que era a pérola dos Bórgias aquilo que estávamos procurando. O nome do homem assassinado ligava um fato ao outro. Só restava um busto, o de Reading, e a pérola tinha de estar lá. Eu o comprei do dono na presença de vocês; e aqui está.

Ficamos em silêncio por um instante.

— Bem — disse Lestrade —, já o vi lidar com muitos casos, sr. Holmes, mas nunca vi um tão primoroso como este. Não temos ciúmes do senhor na Scotland Yard. Não, estamos muito orgulhosos do senhor, e se for lá amanhã, não haverá um único homem, do inspetor mais antigo ao guarda mais novo, que não ficará contente em lhe apertar as mãos.

— Obrigado! — disse Holmes. — Obrigado! — e quando se virou, tive a impressão de que estava mais comovido pelas suaves emoções humanas do que jamais o vira. Logo depois, ele voltava a ser o pensador frio e prático de sempre. — Guarde a pérola no cofre, Watson — disse — e tire os papéis do caso de falsificação da Conk-Singleton. Adeus, Lestrade. Se esbarrar em algum probleminha, ficarei feliz se puder lhe dar uma ou duas pistas para a solução.

A AVENTURA DOS TRÊS ESTUDANTES

Foi no ano de 1895 que uma combinação de fatos, que não preciso mencionar, fez com que Sherlock Holmes e eu passássemos algumas semanas numa de nossas grandes cidades universitárias, e foi durante esse período que a pequena mas instrutiva aventura que estou prestes a relatar nos aconteceu. É óbvio que qualquer detalhe que ajudasse o leitor a identificar exatamente o colégio ou o criminoso seria imprudente e ofensivo. Um escândalo tão doloroso deve poder ser esquecido. Mas, com a devida discrição, o incidente pode ser descrito, já que serve para ilustrar algumas daquelas qualidades pelas quais meu amigo era notável. Tentarei, no meu relato, evitar termos que sirvam para limitar os acontecimentos a um lugar específico, ou dar uma pista sobre as pessoas envolvidas.

Estávamos morando naquela época em aposentos mobiliados perto de uma biblioteca onde Sherlock Holmes fazia algumas pesquisas trabalhosas em antigos documentos ingleses — pesquisas que levaram a resultados tão chocantes que podem até ser objeto de uma de minhas futuras narrativas. Assim estávamos, quando numa noite recebemos a visita de um conhecido, o sr. Hilton Soames, tutor e professor do Colégio de St. Luke. O sr. Soames era um homem alto e magro, de temperamento nervoso e excitável. Sempre soube que ele era irrequieto, mas nessa ocasião em particular estava numa agitação tão incontrolável que era evidente que algo incomum ocorrera.

— Espero, sr. Holmes, que possa dispor de algumas horas de seu valioso tempo. Tivemos um incidente muito doloroso em St. Luke, e na verdade, não fosse pelo feliz acaso de sua presença na cidade, eu não saberia o que fazer.

— Estou muito ocupado agora, e não quero ser perturbado — respondeu meu amigo. — Preferiria que pedisse a ajuda da polícia.

— Não, não, meu caro senhor; isso é totalmente impossível. Quando a lei é chamada, não se pode voltar atrás, e este é um daqueles casos em que, pela boa reputação do colégio, é essencial evitar um escândalo. Sua discrição é tão conhecida quanto seus talentos; o senhor é o único homem no mundo que pode me ajudar. Eu lhe imploro, sr. Holmes, que faça o que puder.

O estado de espírito do meu amigo não havia melhorado desde que fora privado da atmosfera familiar da Baker Street. Sem seus cadernos de anotações, seus produtos químicos e sua desorganização doméstica, era um homem desagradável. Encolheu os ombros numa concordância rude, enquanto nosso visitante despejava sua história com palavras apressadas e uma gesticulação agitada.

— Devo lhe explicar, sr. Holmes, que amanhã é o primeiro dia do exame para a Bolsa de Estudos Fortescue. Sou um dos examinadores. Minha matéria é o grego, e o primeiro teste consiste num grande trecho de tradução grega que o candidato nunca viu. Este trecho é impresso no papel da prova e naturalmente seria uma imensa vantagem se o candidato pudesse prepará-lo antes. Por esse motivo tomamos muito cuidado para que o papel seja mantido em segredo.

“Hoje, por volta das 15 horas, as provas do exame chegaram dos impressores. O exercício consiste em meio capítulo de Tucídides. Eu tinha de lê-lo com cuidado, para que o teste estivesse absolutamente correto. Às 16h30 minha tarefa ainda não estava concluída. Mas eu havia prometido tomar chá no aposento de um amigo, de modo que deixei a prova sobre a minha escrivaninha. Fiquei ausente por mais de uma hora.

“O senhor sabe, sr. Holmes, que as portas do nosso colégio são duplas — por dentro uma folha verde e por fora uma pesada de carvalho. Ao me aproximar da porta de fora, fiquei surpreso ao ver uma chave nela. Por um momento pensei que deixara minha própria chave ali, mas, sentindo-a no meu bolso, achei que estava tudo bem. A única duplicata que existia, pelo que sabia, era a que pertencia ao meu criado, Bannister — um homem que cuida de meu aposento há dez anos, e cuja honestidade está absolutamente acima de suspeita. Descobri que a chave era de fato dele, que ele entrara no meu quarto para saber se eu queria chá, e que a deixara por descuido na porta quando saiu. Sua entrada no meu quarto deve ter ocorrido poucos minutos após eu ter saído. O esquecimento da chave não teria importância em qualquer outra ocasião, mas nesse dia provocou as consequências mais deploráveis.

"No instante em que olhei para a mesa, percebi que alguém mexera nos papéis. A prova tinha três folhas longas. Eu as deixara todas juntas. Mas encontrei uma no chão, outra na mesinha perto da janela, e a terceira estava onde a deixara."

Holmes mexeu-se pela primeira vez.

— A primeira página no chão, a segunda na janela, a terceira onde o senhor a deixara — disse.

— Exato, sr. Holmes. O senhor me surpreende. Como pode saber disso?

— Por favor, continue seu relato.

— Por um instante imaginei que Bannister tomara a liberdade imperdoável de examinar meus papéis. Mas ele negou isso com a maior honestidade, e estou convencido de que falava a verdade. A alternativa era a de que alguém que passava viu a chave na porta, soube que eu havia saído e entrou para ver os papéis. Uma grande soma de dinheiro está em jogo, pois a bolsa de estudos é muito valiosa e um homem inescrupuloso poderia muito bem se arriscar a fim de obter uma vantagem sobre seus colegas.

"Bannister ficou muito transtornado com o incidente. Quase desmaiou quando descobriu que os papéis, sem dúvida, tinham sido remexidos. Dei-lhe um pouco de *brandy* e o deixei prostrado numa cadeira, enquanto examinava cuidadosamente o quarto. Logo vi que o intruso havia deixado outros vestígios de sua presença além dos papéis amarrotados. Na mesa, perto da janela, havia várias lascas de um lápis que fora apontado. Um pedaço quebrado de ponta estava ali também. Evidentemente, o patife copiou o papel com muita pressa, quebrou a ponta de seu lápis, e teve de fazer uma ponta nova nele."

— Excelente! — disse Holmes, que estava recobrando seu bom humor à medida que sua atenção no caso aumentava. — A sorte está sendo sua amiga.

— Isto não é tudo. Tenho uma nova escrivaninha com uma ótima superfície em couro vermelho. Posso jurar, e Bannister também, que era lisa e sem manchas. Agora descobri um corte bem visível com cerca de sete centímetros de comprimento; não um simples arranhão, mas realmente um corte. Não apenas isso, mas na mesa encontrei uma pequena bola de pasta ou argila preta, com partículas de algo parecido com pó de serra. Estou certo de que essas marcas foram deixadas pelo homem que mexeu nos papéis. Não havia pegadas e nenhum outro indício para identificá-lo. Não sabia o que fazer quando de repente lembrei-me de que o senhor estava na cidade, e vim direto para pôr o assunto em suas mãos. Ajude-me, sr. Holmes. Veja o meu dilema. Tenho de encontrar o homem ou então o exame será adiado até que sejam preparados novos testes, e como isto não pode ser feito sem explicação, haverá um escândalo abominável, que lançará uma mancha não apenas na faculdade, mas também na universidade. Acima de tudo, quero resolver o assunto calma e discretamente.

— Ficarei feliz em examinar e dar-lhe o conselho que puder — disse Holmes, levantando-se e colocando seu sobretudo. — O caso não é inteiramente destituído de interesse. Alguém o visitou em seu quarto depois que recebeu os papéis?

— Sim, o jovem Daulat Ras, um estudante indiano, que mora no mesmo andar, entrou para perguntar alguns detalhes do exame.

— Foi por isso que ele entrou?

— Sim.

— E os papéis estavam na sua mesa?

— Creio que estavam enrolados.

— Mas podiam ser reconhecidos como provas?

— Possivelmente.

— Ninguém mais entrou no seu quarto?

— Não.

— Alguém mais sabia que essas provas estariam lá?

— Ninguém, a não ser o impressor.

— E esse homem, Bannister, sabia?

— Não, com certeza não. Ninguém sabia.

— Onde está Bannister agora?

— Estava muito mal, pobre rapaz. Deixei-o prostrado na cadeira. Estava com muita pressa para vir falar com o senhor.

— Deixou sua porta aberta?

— Tranquei os papéis antes.

— Então tudo se resume nisto, sr. Soames: que, a menos que o estudante indiano tenha reconhecido o maço como sendo as provas, o homem que as copiou encontrou-as por acaso, sem saber que estavam ali.

— Assim me parece.

Holmes deu um sorriso enigmático.

— Bem — disse —, vamos em frente. Não é um dos seus casos, Watson; mental, não físico. Está bem, venha, se quiser. Agora, sr. Soames, às suas ordens!

A sala de estar de nosso cliente se abria, por uma comprida janela baixa, de rótula, para o antigo pátio interno, coberto de líquens, da velha faculdade. Uma porta gótica, em arco, dava para uma escadaria de pedras gastas. No primeiro andar ficava a sala do tutor. Acima ficavam três estudantes, um em cada andar. Já estava escurecendo quando chegamos ao local do nosso problema. Holmes parou e olhou atentamente para a janela. Depois se aproximou, e, ficando na ponta dos pés com o pescoço espichado, olhou para dentro do quarto.

— Ele deve ter entrado pela porta. Não há passagem, a não ser a vidraça — disse o nosso guia.

— Pobre de mim! — disse Holmes, e sorriu de um modo estranho quando olhou para o nosso companheiro. — Bem, se não há nada que possamos extrair daqui, é melhor entrarmos.

O professor destrancou a porta externa e nos levou até seu quarto. Ficamos na entrada enquanto Holmes examinava o tapete.

— Acho que não existem marcas aqui — disse. — Dificilmente poderíamos esperar encontrar alguma num dia tão seco. Parece que seu criado se recuperou. Deixou-o numa cadeira, disse. Que cadeira?

— Perto da janela, ali.

— Sei. Perto desta pequena mesa. Podem entrar agora. Já terminei de examinar o tapete. Vamos pegar a mesinha primeiro. E claro, o que aconteceu está muito claro. O homem entrou e tirou os papéis, folha por folha, da mesa central. Colocou-os na mesa da janela, porque de lá poderia ver se o senhor viesse pelo campo, e fugir.

— Na verdade, não poderia — disse Soames — porque entrei pela porta lateral.

— Ah, isso é ótimo! Bem, de qualquer modo, era essa a ideia dele. Deixe-me ver as três folhas. Nenhuma impressão digital, nenhuma!

Bem, ele pegou esta primeira e a copiou. Quanto tempo levaria para fazer isso, usando toda limitação possível? Quinze minutos, não menos. Depois a deixou cair e pegou a seguinte. Estava no meio desta quando seu retorno o obrigou a uma retirada muito apressada; muito apressada, pois não teve tempo de pôr novamente no lugar os papéis que poderiam revelar que estivera ali. Não ouviu passos apressados na escada ao entrar pela porta externa?

— Não, não posso dizer que ouvi.

— Bem, ele escreveu tão furiosamente que quebrou o lápis, e teve, como observam, de apontá-lo de novo. Isto é interessante, Watson. O lápis não era desses comuns. Era maior que o tamanho comum, com a ponta macia, a cor externa era azul-escuro, o nome do fabricante estava impresso em letras prateadas, e o pedaço remanescente tem apenas cerca de três centímetros de comprimento. Procure um lápis assim, sr. Soames, e terá o seu homem. Quando eu acrescentar que ele tem uma faca larga e muito afiada, terá uma ajuda adicional.

O sr. Soames ficou meio atordoado com esta enxurrada de informações.

— Posso compreender os outros pontos — disse —, mas, realmente, nesta questão do comprimento...

Holmes pegou um pequeno fragmento com as letras NN e um espaço claro de madeira depois deles.

— Vê?

— Não, acho que mesmo agora...

— Watson, sempre cometi uma injustiça com você. Existem outros. O que poderia ser este NN? Está no final de uma palavra. O senhor sabe que Johann Faber é o mais famoso nome de fabricante. Não está claro que o que foi deixado do lápis é o que termina o Johann? — Aproximou a mesinha da luz elétrica. — Eu achava que se o papel no qual ele escreveu fosse fino, poderia ter ficado alguma marca nesta face polida. Não, não vejo nada. Não creio que haja algo mais para ser visto aqui. Agora, a mesa central. Esta bolinha é, presumo, a massa pastosa e preta de que me falou. Vejo que é quase piramidal na forma e escavada. Como diz, parece haver grãos de pó de serra nela. Ah, isto é muito interessante. E o corte, um rasgão mesmo, pelo que vejo. Começa com um fino arranhão e termina num buraco fundo. Estou muito grato ao senhor por chamar minha atenção para este caso, sr. Soames. Para onde dá aquela porta?

— Para o meu quarto.

— Já esteve lá desde sua aventura?

— Não, saí diretamente para procurar o senhor.

— Gostaria de dar uma olhada. Que quarto antigo e elegante! Talvez o senhor pudesse fazer a gentileza de esperar um minuto, até que eu tenha examinado o assoalho. Não, não vejo nada. E a cortina? Pendura suas roupas atrás dela. Se alguém fosse obrigado a se esconder neste quarto, o faria ali, já que a cama e o armário são muito baixos. Ninguém aqui, suponho?

Quando Holmes abriu a cortina, senti, por uma certa rigidez e a cautela de seus movimentos, que estava preparado para uma emergência. Na verdade, a cortina aberta não revelou nada, a não ser três ou quatro peças de vestuário penduradas em uma fila de cabides. Holmes virou-se e inclinou-se de repente para o chão.

— Oh! O que é isto? — perguntou ele.

Era uma pequena pirâmide de uma substância preta parecida com betume, exatamente como aquela que estava na mesa do escritório. Holmes examinou-a na palma da mão perto da lâmpada.

— Nosso visitante parece ter deixado vestígios no seu quarto, assim como na sala de estar, sr. Soames.

— O que ele poderia querer ali?

— Creio estar suficientemente claro. O senhor voltou por um caminho inesperado e ele não o percebeu até que já estava bem perto da porta. O que poderia fazer? Recolheu tudo o que poderia traí-lo e correu para o seu quarto para se esconder.

— Meu Deus, sr. Holmes, quer dizer que durante todo o tempo em que estive falando com Bannister neste aposento tínhamos o homem prisioneiro sem que ao menos soubéssemos disso?

— É o que acho.

— Certamente há outra alternativa, sr. Holmes. Não sei se já observou a janela do meu quarto.

— Com rótula, molduras de chumbo, três janelas separadas, uma delas girando em gonzos, suficientemente larga para permitir a entrada de um homem.

— Exato. E dá para um ângulo do pátio em que é parcialmente invisível. O homem deve ter feito sua entrada por aqui, deixando marcas ao passar pelo quarto, e finalmente, encontrando a porta aberta, escapou por ali.

Holmes sacudiu a cabeça com impaciência.

— Sejamos práticos — disse. — Entendi que disse que há três estudantes que usam esta escada, e que habitualmente passam pela sua porta?

— Sim.

— E todos eles estão inscritos para esse exame?

— Sim.

— Tem algum motivo para suspeitar de um mais do que dos outros?

Soames hesitou.

— É uma questão muito delicada — disse. — Não gosto de lançar suspeitas quando não existem provas.

— Vamos ouvir as suspeitas. Procurarei as provas.

— Eu lhe darei uma ideia então, em poucas palavras, do caráter dos três homens que moram nesses quartos. O mais novo deles é Gilchrist, um ótimo aluno e atleta, joga no time de rúgbi e no de críquete pela faculdade, e ganhou o primeiro prêmio na corrida de obstáculos e no salto em distância. É um rapaz humano, bom. Seu pai era o famoso *sir* Jabez Gilchrist, que se arruinou no turfe. Meu aluno ficou muito pobre, mas é persistente e trabalhador. Ele se sairá bem.

“No segundo andar mora Daulat Ras, o indiano. É um rapaz quieto, introvertido, como a maioria dos indianos. Vai bem nos estudos, exceto no grego, que é sua matéria mais fraca. É metódico e calmo.

“O terceiro andar pertence a Miles McLaren. É um aluno brilhante quando quer estudar — um dos intelectos mais brilhantes da universidade; mas é dispersivo, desobediente e sem princípios. Quase foi expulso por causa de um escândalo de cartas no primeiro ano. Ficou vadiando todo este período, e deve estar muito preocupado com esse exame.”

— Então é dele que o senhor suspeita?

— Não ousaria ir tão longe. Mas, dos três, é talvez o menos improvável.

— Certo. Agora, sr. Soames, vamos ver o seu criado, Bannister.

Era um sujeito pequeno, pálido, grisalho, sem barba, de uns cinquenta anos. Ainda sofria com a súbita perturbação na calma rotina de sua vida. Seu rosto redondo tremia de nervosismo e seus dedos não conseguiam ficar parados.

— Estamos investigando este assunto triste, Bannister — disse seu patrão.

— Sim, senhor.

— Soube — disse Holmes — que deixou sua chave na porta.

— Sim, senhor.

— Não é muito estranho que tenha feito isto justamente no dia em que aqueles papéis estavam lá dentro?

— Foi muito azar, senhor. Mas já fiz isso outras vezes.

— Quando entrou no aposento?

— Eram cerca de 16h30. É a hora do chá do sr. Soames.

— Quanto tempo ficou lá?

— Quando vi que ele não estava, saí logo.

— Olhou estes papéis na mesa?

— Não, senhor, decerto que não.

— Como foi que deixou a chave na porta?

— Estava com a bandeja de chá nas mãos. Pensei em voltar para buscar a chave. Depois esqueci.

— A porta externa tem um fecho de mola?

— Não, senhor.

— Então estava aberta o tempo todo?

— Sim, senhor.

— Qualquer um que estivesse no quarto poderia sair?

— Sim, senhor.

— Quando o sr. Soames voltou e o chamou, o senhor estava muito perturbado?

— Sim, senhor. Nunca aconteceu uma coisa dessas nos muitos anos em que estou aqui. Quase desmaiei, senhor.

— Entendo. Onde estava quando começou a passar mal?

— Onde eu estava, senhor? Ora, aqui, perto da porta.

— Isso é estranho, porque se sentou naquela cadeira perto do outro canto. Por que passou direto por estas outras cadeiras?

— Não sei, senhor, não me importava onde sentasse.

— Não creio realmente que tivesse muita consciência disso, sr. Holmes. Parecia muito mal, bem pálido.

— Ficou aqui quando seu patrão saiu?

— Apenas por um minuto ou dois. Depois tranquei a porta e fui para o meu quarto.

— De quem suspeita?

— Oh, não me arriscaria a dizer, senhor. Não creio que haja algum cavalheiro nesta universidade capaz de uma atitude dessas. Não, senhor, não acredito nisso.

— Obrigado, já basta — disse Holmes. — Oh, mais uma coisa. Não mencionou a nenhum dos três cavalheiros a que serve que sumiu alguma coisa?

— Não, senhor, nem uma palavra.

— Não viu nenhum deles?

— Não, senhor.

— Muito bem. Agora, sr. Soames, vamos dar um passeio por esse pátio, se quiser.

Três quadrados amarelos de luz brilhavam acima de nós.

— Seus três passarinhos estão nos ninhos — disse Holmes, olhando para cima. — Oh! O que é aquilo? Um deles parece estar inquieto.

Era o indiano, cuja silhueta negra apareceu de repente na persiana. Andava rapidamente de um lado para outro no quarto.

— Gostaria de dar uma olhadinha em cada um deles — disse Holmes. — É possível?

— Não há dificuldade — respondeu Soames. — Esta ala de quartos é a mais antiga da faculdade, e não é raro que visitantes passem por ela. Venham, e eu os conduzirei pessoalmente.

— Sem nomes, por favor! — disse Holmes, ao batermos na porta de Gilchrist. Um rapaz alto, magro, de cabelos louros, a abriu, e pediu que entrássemos, quando percebeu nossa intenção. Dentro havia algumas peças de arquitetura medieval realmente curiosas. Holmes se encantou tanto com uma delas que insistiu em desenhá-la em seu caderninho de anotações, quebrou a ponta de seu lápis, teve de pedir um emprestado ao nosso anfitrião, e por fim também uma faca para apontar o seu próprio. O mesmo estranho incidente ocorreu nos aposentos do indiano, um sujeito baixo, silencioso, nariz em gancho, que nos olhava com desconfiança, e ficou evidentemente alegre quando os estudos arquitetônicos de Holmes chegaram ao fim. Não percebi que em ambos os casos Holmes conseguira a pista que procurava. Somente no terceiro a nossa visita foi um malogro. A porta externa não se abriu quando batemos, e nada mais substancial do que uma torrente de palavras grosseiras veio lá de dentro. "Não me interessa quem vocês sejam. Podem ir para o inferno!", rugiu a voz encolerizada. "Amanhã é o exame, e não serei ultrapassado por ninguém."

— Um rapaz rude — disse nosso guia, enrubescendo de raiva quando voltávamos pela escada. — É claro que não percebeu que era eu quem estava batendo à porta, mas mesmo assim sua conduta foi muito descortês e, nas atuais circunstâncias, muito suspeita.

A resposta de Holmes foi curiosa.

— Pode me dizer a sua altura exata? — perguntou.

— Na verdade, sr. Holmes, não posso garantir isso. É mais alto que o indiano, não tanto quanto Gilchrist. Suponho que tenha mais ou menos 1,80 metro de altura.

— Isto é muito importante — disse Holmes. — E agora, sr. Soames, desejo-lhe uma boa noite.

Nosso guia exclamou em voz alta, surpreso e desapontado.

— Meu Deus, sr. Holmes, certamente não vai me deixar assim de repente! Parece não compreender a situação. Amanhã é o exame. Tenho de tomar uma atitude definitiva esta noite. Não posso permitir que seja realizado se um dos papéis foi copiado. A situação deve ser resolvida.

— Deve deixar como está. Voltarei amanhã cedo e resolverei a questão. É possível que até lá eu esteja em condição de indicar alguma linha de ação. Enquanto isso, não mude nada; nada.

— Muito bem, sr. Holmes.

— Pode ficar tranquilo. Certamente encontraremos uma maneira de sair desta dificuldade. Levarei a argila preta comigo, e também as pontas de lápis. Adeus.

Quando saímos na escuridão do pátio, olhamos de novo para as janelas. O indiano ainda andava pelo quarto. Os outros estavam invisíveis.

— Bem, Watson, o que acha disto? — perguntou Holmes quando chegamos à rua principal. — Quase um jogo de salão, uma espécie de brincadeira com três cartas, não? Lá estão seus três homens. Tem de ser um deles. Escolha. Qual é o seu?

— O sujeito da boca suja no último andar. É o que tem as piores notas. Mas o indiano é um rapaz ardiloso, também. Por que estaria andando pelo quarto o tempo todo?

— Não há nada demais nisso. Muitos homens fazem isso quando tentam decorar alguma coisa.

— Ele nos olhava de um modo estranho.

— E você também faria a mesma coisa se um bando de estranhos aparecesse quando estivesse se preparando para um exame no dia seguinte e cada momento fosse valioso. Não, não vejo nada de estranho nisso. Os lápis também, e facas, tudo satisfatório. Mas aquele sujeito *realmente* me intriga.

— Quem?

— Ora, Bannister, o criado. Qual é a jogada dele nesta história?

— Pareceu-me um homem perfeitamente honesto.

— Também tive essa impressão. Esta é a parte intrigante. Por que um homem perfeitamente honesto... Ora, ora, aqui está uma grande papelaria. Devemos começar por ali.

Havia apenas quatro papelarias ao todo, na cidade, e em cada uma Holmes apresentou suas pontas de lápis e pediu uma duplicata. Todos concordaram que era um tamanho incomum de lápis e que raramente era guardado em estoque. Meu amigo não pareceu deprimido por esse fracasso, mas deu de ombros, numa resignação meio cômica.

— Mal, meu caro Watson. Esta, a melhor e única pista definitiva, deu em nada. Mas, na verdade, tenho poucas dúvidas de que possamos construir uma prova suficiente sem ela. Por Deus! meu caro amigo, são quase 21 horas, e a senhoria falou algo sobre ervilhas às 19h30. Assim como seu eterno tabaco, Watson, e sua irregularidade às refeições, espero que os abandone, e que eu compartilhe dessa sua derrocada, mas não antes de termos resolvido o problema do tutor nervoso, do criado descuidado e dos três estudantes empreendedores.

Holmes não fez nenhuma outra alusão ao assunto naquele dia, embora ficasse sentado, perdido em pensamentos por muito tempo após o nosso jantar atrasado. Às oito, entrou em meu quarto quando eu estava acabando de me vestir.

— Bem, Watson — disse —, é hora de irmos a St. Luke. Pode ficar sem o café da manhã?

— Com certeza.

— Soames ficará numa agitação terrível até que possamos lhe dizer algo de positivo.

— Tem algo de concreto para dizer a ele?

— Creio que sim.

— Chegou a uma conclusão?

— Sim, meu caro Watson, resolvi o mistério.

— Mas que nova prova você conseguiu?

— Ahá! Não foi à toa que saí da cama no horário inconveniente das seis horas. Tive duas horas de trabalho duro e percorri pelo menos sete quilômetros com algo para mostrar depois disso. Olhe só!

Mostrou a mão. Na palma havia três pequenas pirâmides de argila preta pastosa.

— Mas, Holmes, você só tinha duas ontem.

— E mais uma esta manhã. É razoável afirmar que do lugar de onde veio a nº 3 vieram também as de nºs 1 e 2. Não é, Watson? Bem, vamos logo acabar com a aflição do nosso amigo Soames.

O infeliz tutor estava num estado de lamentável agitação quando o encontramos em seus aposentos. Poucas horas depois começaria o exame, e ele ainda estava no dilema entre tornar públicos os fatos ou permitir que o culpado competisse pela valiosa bolsa de estudos. Mal podia ficar parado, tão grande era a sua agitação mental, e correu para Holmes com as duas mãos ansiosamente estendidas.

— Graças aos céus que veio! Temia que tivesse desistido, em desespero. O que devo fazer? O exame deve ser realizado?

— Sim, deixe que seja feito, sem dúvida.

— Mas, e o patife?

— Ele não competirá.

— Sabem quem é?

— Creio que sim. Se esse assunto não se tornar público, devemos nos atribuir certos poderes e nos transformar em uma pequena corte marcial particular. Você aí, por favor, Soames! Watson, você aqui! Ficarei na poltrona no centro. Acho que agora estamos suficientemente imponentes para atemorizar uma mente culpada. Por gentileza, toque a campainha!

Bannister entrou e estacou com evidente surpresa e medo ante o nosso aspecto judicial.

— Por favor, feche a porta — disse Holmes. — Agora, Bannister, por favor, conte-nos a verdade sobre o incidente de ontem.

O homem ficou branco até a raiz dos cabelos.

— Eu lhe disse tudo, senhor.

— Nada para acrescentar?

— Nada, senhor.

— Bem, então devo fazer algumas sugestões ao senhor. Quando se sentou naquela cadeira ontem, foi para esconder algum objeto que estaria neste aposento?

O rosto de Bannister estava lívido.

— Não, senhor, claro que não.

— É apenas uma sugestão — disse Holmes com suavidade. — Eu admito francamente que não tenho como prová-lo. Mas me parece muito possível que, no momento em que o sr. Soames estava de costas, você tenha libertado o homem que estava escondido naquele quarto.

Bannister passou a língua nos lábios secos.

— Não havia nenhum homem, senhor.

— Ah, é uma pena, Bannister. Até agora pode ter falado a verdade, mas agora sei que mentiu.

O rosto do homem mostrou uma expressão de desafio mal-humorado.

— Não havia nenhum homem, senhor.

— Ora, ora, Bannister!

— Não, senhor, não havia ninguém.

— Nesse caso, não pode nos dar mais nenhuma informação. Poderia, por favor, permanecer no aposento? Fique ali, perto da porta do quarto. Agora, Soames, vou lhe pedir a gentileza de ir ao quarto do jovem Gilchrist, e pedir-lhe para vir até o seu.

Logo depois o tutor voltou trazendo o estudante. Era um belo tipo de homem, alto, esbelto e ágil, com andar elástico e um rosto agradável e franco. Seus olhos azuis encararam cada um de nós e por fim fixaram-se, com uma expressão de grande susto, em Bannister, no canto mais afastado.

— Por favor, feche a porta — disse Holmes. — Agora, sr. Gilchrist, estamos a sós aqui, e mais ninguém precisa saber do que se passou entre nós. Podemos perfeitamente ser francos. Queremos saber, sr. Gilchrist, como o senhor, um homem honrado, veio a cometer um ato como o de ontem?

O infeliz jovem deu um passo para atrás e lançou um olhar a Bannister, um olhar cheio de horror e reprovação.

— Não, não, sr. Gilchrist, eu não disse nem uma palavra, nem uma palavra! — exclamou o criado.

— Não, mas o fez agora — disse Holmes. — Agora, senhor, deve perceber que, depois das palavras de Bannister, sua situação é crítica, e sua única chance é uma confissão franca.

Por um momento, Gilchrist, com as mãos postas, tentou controlar seu tremor. Depois ficou de joelhos ao lado da mesa e, cobrindo o rosto com as mãos, explodiu numa torrente de soluços convulsivos.

— Ora, ora — disse Holmes suavemente —, errar é humano, e pelo menos ninguém pode acusá-lo de ter sido um criminoso insensível. Talvez fosse mais fácil para você se eu contasse ao sr. Soames o que aconteceu, e você poderia me corrigir se eu estiver errado. Posso fazer isso? Bem, não se preocupe em responder. Ouça, e verá que não lhe farei nenhuma injustiça.

"Desde o momento, sr. Soames, em que me disse que ninguém, nem mesmo Bannister, poderia ter contado que os papéis estavam em seu escritório, o caso começou a tomar uma forma definida em minha mente. O impressor, é claro, pode ser descartado. Ele poderia examinar os papéis em sua própria gráfica. Do indiano também não desconfiei. Se as provas estivessem num maço, ele provavelmente não poderia saber o que eram. Por outro lado, parecia uma coincidência incrível que um homem ousasse entrar no aposento, e que por acaso fosse no dia exato em que os papéis estavam na mesa. O homem que entrou sabia que os papéis estavam ali. Como foi que soube?

"Quando me aproximei de seu escritório, examinei a janela. O senhor me advertiu, supondo que eu estivesse pensando na possibilidade de que alguém, à luz do dia, sob as vistas de todas aquelas salas em frente, tivesse forçado a entrada por ali. Essa ideia era absurda. Eu estava medindo a altura que um homem precisaria ter para ver, ao passar, que papéis estavam na mesa central. Tenho 1,80 metro de altura, e consegui fazer isso com esforço. Ninguém mais baixo teria possibilidade. Agora vê que tinha razão em pensar que, se um de seus três estudantes fosse um homem de altura incomum, ele seria o observador mais provável.

"Entrei e lhe fiz confidências a respeito das sugestões sobre a mesinha do canto. Da mesa central não pude deduzir nada, até que, na sua descrição de Gilchrist, o senhor mencionou que ele era um atleta de salto em distância. Então a coisa toda ficou clara para mim num instante, e só precisei de algumas provas para confirmar, que obtive rapidamente.

"O que ocorreu foi isto: este rapaz passara a tarde na pista de atletismo, onde esteve praticando saltos. Voltou carregando seus tênis para saltos, que têm, como sabe, várias travas pontudas. Ao passar por sua janela, viu, por causa de sua grande estatura, essas provas na mesa, e imaginou o que seriam. Não teria ocorrido nada de mal se ele, ao passar por sua porta, não tivesse notado a chave que fora esquecida pelo descuido do criado. Um súbito impulso o impeliu a entrar e ver se eram realmente as provas. Não era uma expedição perigosa, porque podia dizer simplesmente que entrara para fazer uma pergunta.

"Bem, quando viu que eram de fato as provas, foi impelido pela tentação. Colocou seus tênis na mesa. O que foi que pôs naquela cadeira perto da janela?"

— Luvas — disse o jovem.

Holmes olhou de modo triunfante para Bannister.

— Deixou as luvas na cadeira e pegou as provas, folha por folha, para copiá-las. Pensou que o tutor iria voltar pelo portão principal, e que poderia vê-lo. Como sabemos, ele voltou pelo portão lateral. De repente o ouviu perto da porta. Não havia escapatória possível. Esqueceu as luvas, mas pegou os tênis e correu para dentro do quarto. Note que o arranhão na mesa é superficial de um lado, mas profundo na direção da porta do quarto. Só isso é suficiente para nos mostrar que o tênis foi puxado naquela direção, e que o culpado se refugiou lá. A terra que estava em volta da trava foi deixada na mesa, e uma segunda amostra amoleceu e caiu no quarto. Posso acrescentar que fui à pista de atletismo esta manhã, vi que a argila preta pegajosa é usada na pista de saltos, e levei uma amostra dela, juntamente com um pouco do pó de serra ou casca fina que se joga sobre ela para evitar que o atleta escorregue. Falei a verdade, sr. Gilchrist?

O estudante estava em pé.

— Sim, senhor, é verdade — disse.

— Meu Deus! Não tem mais nada a dizer? — exclamou Soames.

— Sim, senhor, tenho, mas o choque desta revelação vergonhosa me desnorteou. Tenho aqui uma carta, sr. Soames, que escrevi para o senhor de madrugada, no meio de uma noite sem sossego. Foi antes de saber que minha falta fora descoberta. Aqui está, senhor. Verá que disse "Decidi não prestar esse exame. Ofereceram-me um cargo na polícia da Rodésia, e vou partir para a África do Sul imediatamente".

— Estou realmente contente por ouvir que você não pretendia tirar proveito de sua vantagem injusta — disse Soames. — Mas por que mudou de ideia?

Gilchrist apontou para Bannister.

— Ali está o homem que me colocou no caminho certo — disse.

— Vejamos agora, Bannister — disse Holmes. — Deve estar claro para você, pelo que eu falei, que só você poderia ter deixado este jovem sair, já que ficou no escritório, e deve ter trancado a porta quando saiu. Quanto à fuga dele pela janela, era inacreditável. Pode esclarecer este último detalhe do mistério e nos dizer o motivo desse seu ato?

— Seria muito simples, senhor, se soubesse, mas, com toda a sua esperteza, era impossível que pudesse saber. Houve um tempo, senhor, em que fui mordomo do velho *sir* Jabez Gilchrist, o pai deste jovem cavalheiro. Quando ficou arruinado, vim para a faculdade como criado, mas nunca me esqueci de meu antigo patrão só porque ele estava em má situação. Cuidei de seu filho o máximo que pude, em nome dos velhos tempos. Bem, senhor, quando entrei neste quarto ontem, quando o alarme foi dado, a primeira coisa que vi foram as luvas de couro do sr. Gilchrist em cima daquela cadeira. Conhecia bem aquelas luvas e compreendi sua mensagem. Se o sr. Soames as visse, tudo estaria acabado. Voei para aquela cadeira, e nada me tirou de lá até que o sr. Soames correu para ir procurá-lo. Então saiu o pobre patrãozinho, com quem eu brincara, pulando nos meus joelhos, e confessou tudo para mim. Não seria natural, senhor, que o salvasse, e também não seria natural que eu tentasse falar com ele da mesma maneira que seu pai o faria, e o fizesse compreender que não poderia se beneficiar de um ato desses? Pode me condenar, senhor?

— Não, realmente — disse Holmes com veemência, levantando-se. — Bem, Soames, creio que esclarecemos seu probleminha, e nosso café da manhã nos espera em casa. Venha, Watson! Quanto a você, rapaz, acredito que um futuro brilhante o espera na Rodésia. Uma vez você se rebaixou. Vamos ver no futuro, a que altura pode chegar.

A AVENTURA DO PINCENÊ DOURADO

Quando olho para os três grandes volumes manuscritos que contêm nosso trabalho no ano de 1894, confesso que é difícil para mim, em meio a material tão vasto, selecionar os casos mais interessantes e, ao mesmo tempo, mais adequados para demonstrar os talentos especiais que fizeram a fama do meu amigo. Ao virar as páginas, vejo as anotações sobre a história repulsiva da vela vermelha e a morte terrível de Crosby, o banqueiro. Aqui também encontro um relato da tragédia de Addleton, e o estranho conteúdo do antigo túmulo inglês. O famoso caso da sucessão de Smith-Mortimer também ocorreu neste período, assim como a perseguição e a prisão de Huret, o assassino do *boulevard* — façanha que rendeu a Holmes uma carta de agradecimentos assinada pelo presidente da França e a Ordem da Legião de Honra. Cada um desses poderia ser uma narrativa, mas, no todo, acho que nenhum deles reúne tantos detalhes singulares de interesse quanto o episódio de Yoxley Old Place, que inclui não somente a morte lamentável do jovem Willoughby Smith, mas também os acontecimentos subsequentes que lançaram uma curiosa luz sobre as causas do crime.

Era uma noite violenta de tempestade, no fim de novembro. Holmes e eu ficáramos sentados em silêncio durante toda a noite, ele ocupado com uma lente poderosa, decifrando os remanescentes da inscrição original de um palimpsesto, eu mergulhado num tratado recente sobre cirurgia. Lá fora o vento soprava na Baker Street, enquanto a chuva batia com força nas janelas. Era estranho ali, no centro da cidade, com 15 quilômetros de obras feitas pelo homem de cada lado, sentir o punho de ferro da natureza, e estar consciente de que, para a imensa força dos elementos, Londres inteira não era mais do que os montículos de terra que pontilham os campos. Fui até a janela e olhei para a rua deserta. As luzes ocasionais brilhavam ao longo da rua lamacenta e no pavimento reluzente. Uma única carruagem ia espalhando água no seu caminho, saindo do final da Oxford Street.

— Bem, Watson, é bom que não tenhamos de sair esta noite — disse Holmes, pondo de lado a lente e enrolando o palimpsesto. — Já fiz o suficiente por hoje. É muito trabalho para os olhos. Na minha opinião, não há nada mais excitante do que os relatos de Abbey da segunda metade do século XV. Ei, ei! O que é isso?

Em meio ao zumbido do vento, ouvimos as batidas das patas de um cavalo, e o ruído de uma roda raspando no meio-fio. A carruagem que eu vira parou diante da nossa porta.

— O que ele pode querer? — perguntei, quando um homem saltou.

— Querer? Ele quer a nós. E nós, meu pobre Watson, queremos sobretudos, cachecóis, galochas e toda a ajuda que o homem já inventou para enfrentar o clima. Espere um pouco! A carruagem está indo embora! Ainda há esperança. Ele teria mandado esperar se quisesse que nós o acompanhássemos. Corra lá embaixo, Watson, meu caro amigo, e abra a porta, pois o bom sujeito já ficou muito tempo na soleira.

Quando a luz do saguão caiu sobre o nosso visitante noturno, não tive dificuldade em reconhecê-lo. Era o jovem Stanley Hopkins, um detetive promissor, por cuja carreira Holmes várias vezes demonstrara muito interesse.

— Ele está? — perguntou com ansiedade.

— Venha, meu caro — disse a voz de Holmes lá de cima. — Espero que não tenha nenhum plano para nós numa noite como esta.

O detetive subiu as escadas e a luz brilhou em sua reluzente capa de chuva. Ajudei-o a tirá-la, enquanto Holmes fazia uma labareda da tora na lareira.

— Agora, meu caro Hopkins, aproxime-se e aqueça seus dedos — disse. — Aqui está um charuto, e o doutor tem uma receita de água quente e limão que é um ótimo remédio numa noite igual a esta. Deve ser algo muito importante que o trouxe aqui nesta ventania.

— Realmente, sr. Holmes. Tive uma tarde atribulada, juro. Viu alguma coisa sobre o caso Yoxley nas últimas edições dos jornais?

— Não vi hoje nada mais recente do que o século XV.

— Bem, foi só um parágrafo e estava todo errado, de modo que não perdeu nada. Bem, eu não perdi tempo. Foi em Kent, a dez quilômetros de Chatham e a quatro da linha férrea. Telegrafaram-me às 15h15, cheguei a Yoxley Old Place às 17 horas, iniciei as investigações, voltei a Charing Cross pelo último trem e vim direto, de carruagem, falar com o senhor.

— O que significa que não tem ideias muito claras sobre seu caso?

— Significa que não tenho a menor ideia a respeito dele. Até onde posso perceber, é o negócio mais complicado que já tive e, mesmo assim, à primeira vista parece tão simples que ninguém poderia se enganar. Não há um motivo, sr. Holmes. É isto o que me preocupa, não consigo achar um motivo. Aqui está um homem morto, não se pode negar isso, mas, pelo que vejo, não há nenhum motivo para que alguém quisesse lhe fazer mal.

Holmes acendeu um charuto e recostou-se em sua cadeira.

— Vamos ouvir essa história — disse.

— Tenho os fatos bem claros — disse Stanley Hopkins. — Tudo o que quero agora é saber o que significam. A história, tanto quanto sei, é a seguinte. Alguns anos atrás esta casa no campo, Yoxley Old Place, foi comprada por um velho, que deu o nome de professor Coram. Era um inválido, que ficava na cama metade do tempo, e na outra metade andava mancando pela casa com uma bengala ou era empurrado ao ar livre pelo jardineiro, numa cadeira de rodas. Era muito querido pelos poucos vizinhos que o visitavam, e tinha ali a fama de ser um homem muito instruído. Sua casa tinha uma velha governanta, sra. Marker, e uma empregada, Susan Tarlton. Estas estavam com ele desde sua chegada, e pareciam ser mulheres de caráter excelente. O professor está escrevendo um livro erudito, e achou necessário, há cerca de um ano, contratar um secretário. Os dois primeiros que tentou não deram certo, mas o terceiro, o sr. Willoughby Smith, um jovem que acabara de sair da universidade, parece que era exatamente o que seu empregador queria. Seu trabalho consistia em escrever todas as manhãs o que o professor ditava, e geralmente passava a noite procurando referências e trechos que se relacionavam com o trabalho do dia seguinte. Esse Willoughby Smith não tinha nada que o desabonasse, nem no tempo de garoto, em Uppingham, nem como estudante em

Cambridge. Vi suas recomendações e todas diziam que ele era um sujeito decente, tranquilo e trabalhador, sem nenhum ponto fraco. E mesmo assim este foi o cara que encontrou a morte esta manhã, no escritório do professor, em circunstâncias que só apontam para um assassinato.

O vento rugia e batia nas janelas. Holmes e eu chegamos mais perto do fogo enquanto o jovem inspetor, lentamente e ponto por ponto, desenrolava sua narrativa estranha.

— Se procurassem por toda a Inglaterra — disse —, suponho que não encontrariam uma casa mais independente e livre de influências externas. Podiam se passar semanas inteiras sem que nenhum deles atravessasse o portão do jardim. O professor mergulhava em seu trabalho e não existia para mais nada. O jovem Smith não conhecia ninguém nas vizinhanças e vivia exatamente como o seu patrão. As duas mulheres não tinham nada que as tirasse da casa. Mortimer, o jardineiro, que conduz a cadeira de rodas, é um pensionista do Exército, um ex-combatente da guerra da Crimeia, de excelente caráter. Não mora na casa, mas num chalé de três quartos, no fundo do jardim. Estas são as únicas pessoas que o senhor encontraria nos terrenos de Yoxley Old Place. Ao mesmo tempo, o portão do jardim fica a cem metros da estrada principal, que vai de Londres a Chatham. Ele se abre com um trinco, e não há nada que impeça qualquer um de entrar.

"Agora vou lhes contar o depoimento de Susan Tarlton, a única pessoa que pôde dizer algo de concreto sobre o assunto. Era de manhã, entre 11 horas e meio-dia. Ela estava naquele momento pendurando umas cortinas no quarto da frente, no segundo andar. O professor Coram ainda estava na cama, pois quando o tempo está ruim, ele raramente se levanta antes do meio-dia. A governanta estava ocupada com algum trabalho nos fundos da casa. Willoughby Smith estivera em seu quarto, que ele usa como sala de estar, mas a empregada o ouviu passar naquele momento pelo corredor e descer para o escritório, logo abaixo dela. Não o viu, mas disse que não podia confundir seus passos firmes e rápidos. Não ouviu a porta do escritório se fechar, mas aproximadamente um minuto depois ela ouviu um grito horrível no aposento do primeiro andar. Era um grito selvagem e rouco, tão estranho e pouco natural que tanto poderia ter vindo de um homem como de uma mulher. No mesmo instante houve um baque pesado, que fez estremecer a velha casa, e depois tudo ficou em silêncio. A empregada ficou petrificada por um momento, e depois, recobrando a coragem, correu para baixo. A porta do escritório estava fechada e ela a abriu. Dentro, o sr. Willoughby Smith estava esticado no chão. No início não viu nenhum ferimento, mas ao tentar levantá-lo, viu que havia sangue escorrendo da parte de trás do pescoço. Estava perfurado por um ferimento pequeno mas muito profundo, que cortou a artéria carótida. O instrumento que causara o ferimento estava no tapete ao lado dele. Era uma dessas facas de lacre que se encontram em escrivaninhas antigas, com cabo de marfim e lâmina fixa. Fazia parte das peças da própria mesa do professor.

"Primeiro a criada pensou que o jovem Smith já estivesse morto, mas ao despejar um pouco de água da garrafa em sua testa, ele abriu os olhos por um instante. 'O professor', ele murmurou, 'foi ela'. A empregada está pronta a jurar que foram estas as palavras exatas. Ele tentou desesperadamente dizer mais alguma coisa e ergueu no ar a mão direita. E então caiu morto.

"Enquanto isso, a governanta também chegara ao local, mas tarde demais para escutar as palavras do jovem agonizante. Deixando Susan com o corpo, correu até o quarto do professor. Ele estava sentado na cama, horrivelmente agitado, pois ouvira o suficiente para se convencer de que algo terrível tinha acontecido. A sra. Marker pode jurar que o professor ainda estava de pijama, e que de fato era impossível para ele se vestir sem a ajuda de Mortimer, que tinha ordem de vir ao meio-dia. O professor afirma que ouviu o grito distante, mas que não sabe de mais nada. Não pode dar nenhuma explicação a respeito das últimas palavras do jovem. 'O professor... foi ela', mas pensa que foram causadas por um delírio. Acredita que Willoughby Smith não tinha nem mesmo um inimigo no mundo, não pode imaginar nenhum motivo para o crime. Sua primeira providência foi mandar Mortimer, o jardineiro, procurar a polícia local. Pouco depois o policial-chefe chegou. Nada foi tocado antes que eu chegasse lá, e foram dadas ordens rigorosas para que ninguém andasse pelos caminhos que levam até a casa. Era uma oportunidade esplêndida de pôr em prática suas teorias, sr. Sherlock Holmes. Não é preciso mais nada."

— Exceto o sr. Sherlock Holmes — disse o meu amigo, com um sorriso um tanto amargo. — Fale a este respeito. O que acha disto tudo?

— Devo pedir-lhe primeiro, sr. Holmes, para olhar este esboço da casa, que dará uma ideia geral da localização do escritório do professor e de vários detalhes do caso. Isto o ajudará a acompanhar minha investigação.

Desdobrou o desenho, que reproduzo aqui, e o colocou sobre os joelhos de Holmes. Levantei-me e, ficando atrás de Holmes, examinei-o por sobre os ombros dele.

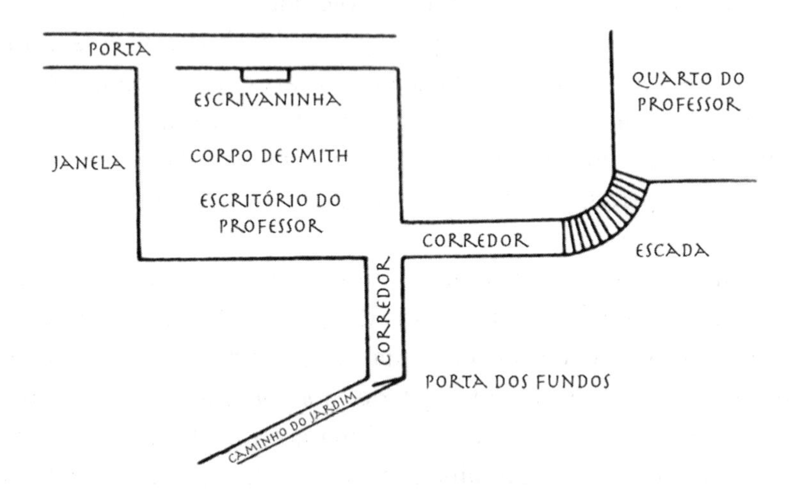

— É muito primário, é claro, e só mostra os pontos que me parecem essenciais. O resto o senhor verá pessoalmente depois. Agora, antes de tudo, supondo que o assassino entrou na casa, como ele ou ela fez isso? Sem dúvida pelo caminho do jardim e pela porta dos fundos, que dá acesso direto ao escritório. Qualquer outro caminho seria muito complicado. A fuga também deve ter sido feita por este trajeto porque, das duas outras saídas do aposento, uma estava bloqueada por Susan quando ela desceu correndo as escadas e a outra leva diretamente ao quarto do professor. Portanto, concentrei minha atenção imediatamente no caminho do jardim, que estava encharcado pela chuva recente e com certeza mostraria qualquer pegada.

“Meu exame me mostrou que estava lidando com um criminoso prudente e experiente. Nenhuma pegada foi encontrada no caminho. Mas não havia dúvida de que alguém passara pela faixa de grama que margeia o caminho, e que fez isso para evitar deixar uma pista. Não consegui achar nada que fosse uma impressão nítida, mas a grama estava amassada e sem dúvida alguém havia passado. Só poderia ter sido o assassino, já que nem o jardineiro nem qualquer outra pessoa estivera ali de manhã, e a chuva só começara durante a noite.”

— Um momento — disse Holmes. — Para onde vai este caminho?

— Para a estrada.

— Quanto tem de comprimento?

— Cem metros ou mais.

— No ponto em que o caminho passa pelo portão, você pode com certeza seguir a trilha?

— Infelizmente, o caminho ali é calçado.

— Bem, e na própria estrada?

— Não, ela está um atoleiro.

— Tsc, tsc! Bem, então essas pegadas na grama estavam indo ou vindo?

— Era impossível dizer. Não havia um contorno definido.

— Um pé grande ou pequeno?

— Não consegui distinguir.

Holmes deu uma exclamação de impaciência.

— Tem chovido forte e soprado um furacão desde então — disse. — Será muito mais difícil decifrar agora isso do que aquele palimpsesto. Bem, não se pode fazer mais nada. O que você fez, Hopkins, após ter certeza de que não tinha certeza de nada?

— Tenho certeza de muita coisa, sr. Holmes. Sabia que alguém entrara na casa clandestinamente. Em seguida examinei o corredor. É forrado com esteiras de coqueiro e não tinha marca de espécie alguma. Isto me levou ao escritório. É um aposento com poucos móveis. A peça principal é uma grande escrivaninha com um armário fixo. Esta secretária consiste numa coluna dupla de armários, com uma pequena estante central entre eles. As gavetas estavam abertas, o armário trancado. Parece que as gavetas ficavam sempre abertas, e nada de valor era guardado nelas. Havia alguns papéis importantes no armário, mas sem sinal de que tivessem sido tocados, e o professor garante que não estava faltando nada. É certo que nenhum roubo foi cometido.

"Chego agora ao corpo do jovem. Foi encontrado perto do móvel, e logo à esquerda dele, como está marcado no esboço. A estocada foi dada no lado direito do pescoço e de trás para a frente, portanto é quase impossível que fosse autoinfligida."

— A menos que ele tivesse caído sobre a faca — disse Holmes.

— Exato. A ideia passou pela minha cabeça. Mas encontramos a faca a uma certa distância do corpo, de modo que isso parece impossível. Além disso, é claro, temos as próprias palavras do moribundo. E, por fim, há esta prova muito importante que foi encontrada na mão direita fechada do morto.

Stanley Hopkins tirou do bolso um pequeno embrulho de papel. Abriu-o e revelou um pincenê dourado, com duas pontas de cordão de seda preta penduradas na ponta.

— Willoughby Smith tinha uma ótima visão — continuou. — Não há dúvida de que isto foi tirado do rosto ou da pessoa do assassino.

Sherlock Holmes pegou o pincenê e o examinou com a maior atenção e interesse. Colocou-o em seu próprio nariz. Tentando ler com ele, foi até a janela e olhou para a rua ainda com ele, examinou-o detalhadamente sob a luz do abajur e, finalmente, com uma risadinha, sentou-se à mesa e escreveu algumas linhas num pedaço de papel, que jogou para Stanley Hopkins.

— É o máximo que posso fazer por você — disse. — Pode ser útil.

O espantado detetive leu a nota em voz alta. Dizia:

Procura-se uma mulher de boas maneiras, vestida como uma dama. Tem um nariz notavelmente proeminente, com olhos bem juntos. Tem uma testa franzida, uma expressão de curiosidade, e provavelmente ombros caídos. Há indícios de que recorreu a um oculista pelo menos duas vezes durante os últimos meses. Como seus óculos têm um grau muito forte, e como os oculistas não são muito numerosos, não será difícil descobri-la.

Holmes sorriu ante o assombro de Hopkins, que deve ter se refletido em sua expressão.

— Decerto minhas deduções são a própria simplicidade — disse. — Seria difícil enumerar os objetos que oferecem um campo melhor para deduções quanto um par de óculos, especialmente um tão notável quanto este. Que pertencem a uma mulher eu deduzo pela sua delicadeza, e também, é claro, pelas últimas palavras do moribundo. Quanto a ser uma pessoa refinada e bem-vestida, é por serem os óculos, como percebe, feitos de ouro maciço, e é inconcebível que alguém que tenha óculos assim fosse desleixado em outros aspectos. Descobrirá que os prendedores são muito largos para o seu nariz, mostrando que o nariz da dama era muito grande na base. Este tipo de nariz é geralmente pequeno e grosso, mas há um número suficiente de exceções para que seja dogmático ou que insista nesse ponto em minha descrição. Meu próprio rosto é estreito, e mesmo assim não consigo colocar meus olhos no centro desses óculos, nem perto do centro. Portanto, os olhos desta dama são bem próximos dos lados do nariz. Perceberá, Watson, que os óculos são côncavos e de um grau incomum. A dama cuja visão sempre foi tão limitada durante toda a vida por certo tem as características físicas de uma visão assim, que são percebidas na testa, nas sobrancelhas e nos ombros.

— Sim — eu disse —, posso entender cada um de seus argumentos. Mas confesso que não consigo imaginar como chegou às duas visitas ao oculista.

Holmes pegou os óculos.

— Verá — disse — que os prendedores estão cobertos com finos pedaços de cortiça para suavizar a pressão no nariz. Um deles está desbotado e um pouco gasto, mas o outro é novo. Evidentemente um caiu e foi recolocado. Diria que o mais antigo deles não está ali mais que alguns meses. Eles são exatamente iguais, de modo que deduzi que a dama voltou ao mesmo estabelecimento na segunda vez.

— Meu Deus, é maravilhoso! — exclamou Hopkins, num êxtase de admiração. — E pensar que tive todas essas evidências nas mãos e nunca soube disso! Mas eu pretendia percorrer todos os oculistas de Londres.

— É claro que vai. Enquanto isso, tem mais alguma coisa para nos contar sobre o caso?

— Nada, sr. Holmes. Creio que agora o senhor sabe tanto quanto eu, talvez mais. Andamos investigando para saber se algum estranho foi visto nas estradas do campo ou na estação ferroviária. Não ouvimos falar de ninguém. O que me incomoda é a completa falta de motivo para o crime. Ninguém consegue sugerir nem uma ideia de motivo para ele.

— Ah! aí não estou em condição de ajudá-lo. Mas suponho que quer a nossa presença lá amanhã.

— Se não for pedir demais, sr. Holmes. Há um trem de Charing Cross para Chatham às seis horas, e estaremos em Yoxley Old Place entre oito e nove horas.

— Então iremos nele. Seu caso com certeza tem alguns aspectos muito interessantes, e gostaria de examiná-lo. Bem, já é quase uma hora, e seria melhor dormirmos algumas horas. Creio que pode se ajeitar muito bem no sofá em frente ao fogo. Acenderei minha lâmpada a álcool, e lhe darei uma xícara de café antes de sairmos.

A tempestade havia desaparecido no dia seguinte, mas a manhã estava fria quando começamos nossa viagem. Vimos o frio sol de inverno aparecer por sobre os pântanos do Tâmisa e os trechos longos e sombrios do rio, que sempre associarei à nossa perseguição ao homem da ilha Andama do início de nossa carreira. Após uma viagem longa e cansativa, chegamos a uma pequena estação que ficava a alguns quilômetros de Chatham. Enquanto atrelavam um cavalo numa charrete na estalagem local, tomamos um rápido café da manhã, de modo que estávamos prontos para o caso quando finalmente chegamos em Yoxley Old Place. Um policial veio ao nosso encontro no jardim.

— Bem, Wilson, alguma novidade?

— Não, senhor... nada.

— Nenhuma informação sobre algum estranho?

— Não, senhor. Lá na estação eles têm certeza de que nenhum estranho chegou ou saiu ontem.

— Fizeram pesquisas nos hotéis e pensões?

— Sim, senhor; não há ninguém que possa nos ajudar.

— Bem, é apenas uma curta caminhada até Chatham. Qualquer um pode ficar lá ou tomar o trem sem ser visto. Este é o caminho do jardim de que lhe falei, sr. Holmes. Dou-lhe minha palavra de que não havia nenhuma marca aqui ontem.

— De que lado estavam as marcas na grama?

— Deste lado, senhor. Esta estreita faixa de grama entre o caminho e o canteiro de flores. Não vejo as marcas agora, mas elas eram visíveis ontem.

— Sim, sim, alguém passou por aqui — disse Holmes, inclinando-se sobre a faixa de grama. — Nossa dama deve ter dado seus passos com cuidado, já que em um lado ela teria deixado pegadas no caminho, e em outro, uma trilha ainda mais nítida no canteiro fofo.

— Sim, senhor, ela deve ter mantido a calma.

Vi uma expressão atenta passar no rosto de Holmes.

— Disse que ela deve ter voltado por este caminho?

— Sim, senhor, não há outro.

— Nesta faixa de grama?

— Certamente, sr. Holmes.

— Hum! Foi uma atitude bem estranha... bem estranha. Mas acho que já esgotamos tudo aqui no caminho. Vamos adiante. Este portão do jardim costuma ficar aberto, suponho? Então nosso visitante tinha apenas de entrar. A ideia de assassinato não estava em sua mente, do contrário teria trazido alguma arma em vez de pegar aquela faca na escrivaninha. Avançou por este corredor sem deixar nenhum vestígio nestas esteiras de coqueiro. Depois chegou ao escritório. Quanto tempo ficou ali? Não temos meios de saber.

— Não mais que alguns minutos, senhor. Esqueci de lhe dizer que a sra. Marker, a governanta, esteve aqui fazendo a limpeza pouco tempo antes, cerca de 15 minutos, diz ela.

— Bem, isto nos dá um limite. Nossa dama entra neste cômodo, e o que faz? Vai até a escrivaninha. Para quê? Não por causa de alguma coisa nas gavetas. Se houvesse ali algo de valor para ela, certamente estaria trancado. Não, era alguma coisa no armário de madeira. Ei, o que é este arranhão na sua superfície? Acenda um fósforo, Watson. Por que não me falou disto, Hopkins?

A marca que estava examinando começava na parte de bronze no lado direito da fechadura e se estendia por cerca de oito centímetros, onde arranhara o verniz da superfície.

— Eu o notei, sr. Holmes, mas sempre existem arranhões ao redor de uma fechadura.

— Este é recente, bem recente. Veja como o bronze brilha no lugar onde foi arranhado. Um arranhão mais antigo teria a mesma cor da superfície. Observe com a minha lente. Ali está o verniz, também, como terra de cada lado de um sulco. A sra. Marker está aí?

Uma mulher idosa, de fisionomia triste, entrou no escritório.

— Tirou o pó desta secretária ontem de manhã?

— Sim, senhor.

— Notou este arranhão?

— Não senhor, não notei.

— Tenho certeza de que não, pois um espanador teria removido estas lascas de verniz. Quem tem a chave deste armário?

— O professor a guarda na corrente de seu relógio de bolso.

— É uma chave simples?

— Não, senhor, é uma chave do tipo Chubb.

— Muito bem, sra. Marker, pode ir. Agora estamos fazendo algum progresso. Nossa dama entra no quarto, vai até o armário, e o abre, ou, pelo menos, tenta. Enquanto está concentrada nisso, o jovem Willoughby Smith entra no aposento. Na sua pressa para tirar a chave, faz este arranhão na porta. Ele a vê, e ela pega o objeto mais próximo, que por acaso era aquela faca, e o ataca para dominá-lo. O golpe é fatal. Ele cai e ela foge, com ou sem o objeto que viera buscar. Susan, a empregada, está aqui? Alguém poderia ter saído por aquela porta depois que você ouviu o grito, Susan?

— Não, senhor, é impossível. Antes de descer as escadas, não vi ninguém no corredor. Além disso, a porta não foi aberta, do contrário eu teria escutado.

— Isto determina a saída. Então não há dúvida de que a dama saiu por onde entrou. Soube que este outro corredor dá apenas para o quarto do professor. Há alguma saída por ali?

— Não, senhor.

— Iremos por ele e tomaremos o depoimento do professor. Ei, Hopkins! isto é muito importante, muito importante mesmo. O corredor do professor também é forrado com esteiras de coqueiro.

— Bem, senhor, o que tem isto?

— Não vê nenhuma ligação com o caso? Bem, bem, não vou insistir nisso. Sem dúvida estou enganado. Mesmo assim me parece sugestivo. Venha comigo e me apresente.

Atravessamos o corredor, que era do mesmo comprimento do que dava no jardim. No final havia um pequeno lance de escada que terminava numa porta. Nosso guia bateu e depois fez-nos entrar no quarto do professor.

Era um aposento muito grande, cercado de grande quantidade de livros que transbordavam das prateleiras e estavam empilhados nos cantos, ou por todo lado, em caixas. A cama ficava no centro do quarto, e nela, recostado em travesseiros, estava o dono da casa. Raras vezes vi uma pessoa tão estranha. Era um rosto fino e descarnado o que estava virado para nós, com olhos escuros penetrantes que brilhavam em buracos fundos sob as sobrancelhas cerradas e salientes. Os cabelos e a barba eram brancos, mas esta era curiosamente mesclada de amarelo ao redor da boca. Um cigarro queimava em meio ao emaranhado de cabelos brancos, e o ar do quarto estava fétido por causa do acúmulo da fumaça de tabaco. Ao esticar a mão para Holmes, percebi que ela também estava amarelada de nicotina.

— É um fumante, sr. Holmes? — perguntou, falando um inglês caprichado, com um curioso sotaque afetado. — Por favor, pegue um cigarro. E o senhor? Posso recomendá-los, pois são preparados especialmente por Ionides, de Alexandria. Ele me manda mil de cada vez, e sinto dizer que preciso encomendar um novo suprimento a cada quinzena. Mau, senhor, muito mau, mas um velho tem poucos prazeres. O fumo e o meu trabalho, é tudo o que me resta.

Holmes acendera um cigarro e dava rápidas olhadas por todo o quarto.

— Fumo e meu trabalho, mas agora apenas fumo — exclamou o velho. — Ai de mim! Que interrupção fatal! Quem poderia prever catástrofe tão terrível? Um jovem tão estimado! Eu lhe garanto que, após um treinamento de alguns meses, ele era um assistente admirável. O que acha do caso, sr. Holmes?

— Ainda não tirei uma conclusão.

— Ficarei agradecido ao senhor se puder lançar alguma luz onde tudo é tão misterioso para nós. Para um pobre estudioso e inválido como eu, um golpe desse é paralisante. Parece que perdi a faculdade de pensar. Mas o senhor é um homem de ação; é um homem de casos. É parte da rotina diária de sua vida. Pode conservar seu equilíbrio em qualquer emergência. Temos sorte, de fato, em tê-lo do nosso lado.

Holmes andava de um lado para outro no quarto enquanto o professor falava. Observei que fumava com uma rapidez extraordinária.

Era evidente que compartilhava com nosso anfitrião o gosto pelos cigarros alexandrinos novos.

— Sim, senhor, é um golpe esmagador — disse o velho. — É o meu *magnum opus*, a pilha de papéis na mesa do outro lado. É a minha análise dos documentos encontrados nos mosteiros coptas da Síria e do Egito, um trabalho que penetrará fundo nas bases da religião revelada. Com minha saúde debilitada, não sei se algum dia poderei terminá-lo, agora que fiquei sem meu assistente. Meu Deus! Ora, sr. Holmes, o senhor é um fumante ainda mais rápido do que eu.

Holmes sorriu.

— Sou um conhecedor — disse, pegando outro cigarro da caixa, o quarto, e acendendo-o na ponta daquele que havia terminado. — Não o incomodarei com nenhuma inquirição demorada, professor Coram, já que eu soube que estava na cama na hora do crime e não podia saber coisa alguma sobre ele. Gostaria de perguntar apenas isso: o que pensa que o pobre rapaz quis dizer com suas últimas palavras: "O professor... foi ela"?

O professor meneou a cabeça.

— Susan é uma garota do interior — disse — e o senhor sabe da incrível estupidez dessa gente. Creio que o pobre rapaz murmurou algumas palavras incoerentes, delirantes, e que ela as transformou nesta mensagem sem sentido.

— Sei. O senhor não tem alguma explicação própria para a tragédia?

— Possivelmente um acidente, possivelmente, apenas entre nós, um suicídio. Os jovens têm seus problemas secretos, algum caso de amor, talvez, do qual nunca soubemos. É uma suposição mais provável do que assassinato.

— Mas, e o pincenê?

— Ah! Sou apenas um estudioso, um homem de sonhos. Não posso explicar as coisas práticas da vida. Mas, mesmo assim, sabemos, meu amigo, que os desafios de amor podem assumir formas estranhas. De qualquer modo, pegue outro cigarro. É um prazer ver alguém apreciá-los tanto. Um leque, uma luva, óculos; quem sabe que objetos podem ser carregados como prenda ou tesouros, quando um homem põe fim à sua vida? Este cavalheiro fala de pegadas na grama, mas, afinal, é fácil nos enganarmos num detalhe deste tipo. Quanto à faca, pode muito bem ter sido jogada longe do infeliz quando ele caiu. É possível que eu esteja falando como uma criança, mas a mim parece que Willoughby Smith foi ao encontro do seu destino por suas próprias mãos.

Holmes parecia impressionado pela teoria assim apresentada e continuou a andar de um lado para outro durante algum tempo, perdido em pensamentos e consumindo cigarro após cigarro.

— Diga-me, professor Coram — falou por fim —, o que há no armário da escrivaninha?

— Nada que atraísse um ladrão. Papéis de família, cartas de minha pobre esposa, diplomas de universidades que me homenagearam. Aqui está a chave. Pode ver por si mesmo.

Holmes pegou a chave e a olhou por um momento, depois a devolveu.

— Não, não creio que me ajudaria — disse. — Eu preferiria ir tranquilamente até o jardim e refletir sobre o caso. Existe algo a ser dito sobre a teoria de suicídio que me apresentou. Devemos nos desculpar por perturbá-lo, professor Coram, e prometo que não o incomodaremos mais até depois do almoço. Às 14 horas voltaremos, e lhe informaremos sobre qualquer coisa que possa ter ocorrido nesse intervalo.

Holmes estava estranhamente distraído e ficou andando no caminho do jardim durante algum tempo em silêncio.

— Tem alguma pista? — perguntei, afinal.

— Depende daqueles cigarros que fumei — disse. — É possível que eu esteja redondamente enganado. Os cigarros me dirão.

— Meu caro Holmes — exclamei — como diabo...

— Ora, ora, verá por si mesmo. Se não, nenhum mal será cometido. É claro que sempre teremos a pista do oculista para seguir, mas pego um atalho sempre que posso. Ah! aqui está a bondosa sra. Marker! Vamos ver se temos cinco minutos de conversa proveitosa com ela.

Acho que já observei antes que Holmes tinha, quando queria, um jeito especialmente insinuante com as mulheres, que conseguia ganhar rapidamente a confiança delas. Na metade do tempo que ele havia mencionado, despertou a boa vontade da governanta e estava conversando com ela como se a conhecesse há anos.

— Sim, sr. Holmes, é como o senhor diz. Ele de fato fuma algo terrível. O dia inteiro e às vezes a noite inteira, senhor. Tenho visto aquele quarto de manhã... bem, senhor, pensaria que era o nevoeiro de Londres. O jovem sr. Smith também fumava, mas não tanto quanto o professor. Sua saúde... bem, não sei se é melhor ou pior fumar.

— Ah! — disse Holmes. — Mas faz perder o apetite.

— Bem, não sei nada sobre isso, senhor.

— Suponho que o professor quase não come nada.

— Bem, é variável. Direi isso por ele.

— Aposto como ele não tomou café hoje de manhã e não almoçará depois de todos aqueles cigarros que o vi consumir.

— Bem, o senhor estava lá fora, ao que parece, porque ele tomou um café da manhã reforçado hoje. Não me lembro de tê-lo visto comer tanto, e ele pediu um bom prato de costeletas para o almoço. Eu mesma estou surpresa, pois desde que entrei naquele escritório ontem e vi o jovem sr. Smith caído lá no chão, não consigo nem olhar para comida. Bem, há de tudo neste mundo, e o professor não perdeu o apetite.

Ficamos a manhã inteira perambulando pelo jardim. Stanley Hopkins tinha ido até a vila para investigar alguns rumores de uma mulher estranha que fora vista por algumas crianças na estrada de Chatham na manhã anterior. Quanto ao meu amigo, toda a sua energia habitual parecia tê-lo abandonado. Nunca o vira lidar com um caso de maneira tão indiferente. Nem mesmo as novidades trazidas por Hopkins, de que encontrara crianças, e que elas sem sombra de dúvida tinham visto uma mulher que correspondia exatamente à descrição de Holmes, e usando óculos ou pincenê, conseguiram despertar algum sinal de interesse maior. Ficou mais atento quando Susan, que nos esperava para o almoço, soltou a informação de que achava que o sr. Smith saíra para dar uma caminhada ontem de manhã, e que só voltou meia hora antes de ocorrer a tragédia. Eu não conseguia ver nenhuma ligação com o caso, mas percebi que Holmes o encaixava no quadro que formara em sua mente. De repente, pulou da cadeira e olhou para o relógio.

— Duas horas, cavalheiros — disse. — Temos de subir para nos encontrar com nosso amigo, o professor.

O velho acabara de almoçar, e seu prato vazio demonstrava o bom apetite que sua governanta lhe atribuíra. Era, de fato, uma figura esquisita ao virar para nós sua cabeleira branca e os olhos brilhantes. O eterno cigarro pendurado na boca. Estava vestido e sentado numa poltrona perto da lareira.

— Bem, sr. Holmes, já esclareceu o mistério? — Ele empurrou a grande caixa de cigarros que estava em cima da mesa na direção do meu amigo. Holmes esticou a mão ao mesmo tempo, e os dois derrubaram a caixa. Por um minuto ou dois, todos nós ficamos de joelhos catando cigarros nos lugares mais impossíveis. Quando nos levantamos de novo, notei que os olhos de Holmes brilhavam e suas faces estavam coloridas. Somente numa crise é que eu vira esses sinais de batalha no ar.

— Sim — disse —, eu o esclareci.

Stanley Hopkins e eu o encaramos, espantados. Algo parecido com escárnio surgiu no rosto magro do velho professor.

— Verdade! No jardim?

— Não, aqui.

— Aqui! Quando?

— Neste momento.

— Com certeza está brincando, sr. Sherlock Holmes. Obriga-me a dizer-lhe que este é um assunto sério demais para ser tratado dessa maneira.

— Imaginei e testei cada elo de minha cadeia, professor Coram, e estou certo de que faz sentido. Quais são os seus motivos, ou que papel exatamente o senhor desempenha neste estranho negócio, ainda não posso dizer. Dentro de alguns minutos provavelmente ouvirei de seus próprios lábios. Enquanto isso, reconstituirei o passado para ajudá-lo, pois o senhor pode saber qual a informação de que ainda preciso.

"Uma dama entrou ontem em seu escritório. Veio com a intenção de pegar certos documentos que estavam no móvel da sua escrivaninha. Ela trouxe sua própria chave. Tive a oportunidade de examinar a sua, e não encontrei a ligeira descoloração que o arranhão feito no verniz teria provocado. O senhor, portanto, não era um cúmplice, e ela veio sem o seu conhecimento, segundo tudo indica, para roubá-lo."

O professor soprou uma nuvem de seus lábios.

— Isto é muito interessante e instrutivo — disse. — Não tem mais nada a acrescentar? Com certeza, sabendo tanto sobre essa dama, pode dizer também o que foi feito dela.

— Tentarei fazer isso. Em primeiro lugar, ela foi apanhada por seu secretário, e o atacou para escapar. Estou inclinado a considerar esta catástrofe um acidente infeliz, porque estou convencido de que a dama não tinha intenção de provocar um ferimento tão grave. Um assassino não vem desarmado. Horrorizada com o que havia feito, fugiu rapidamente do local da tragédia. Infelizmente para ela, perdera seu pincenê durante a luta, e, como era muito míope, ficava realmente indefesa sem ele. Fugiu por um corredor, que pensava ser aquele por onde tinha vindo, ambos eram forrados de esteiras de coqueiro, e só quando era tarde demais percebeu ter entrado no corredor errado, e que sua retaguarda estava bloqueada. O que podia fazer? Não podia voltar. Não podia ficar parada onde estava. Tinha de continuar. Continuou. Subiu uma escada, abriu uma porta e viu-se no seu quarto.

O velho sentou-se boquiaberto, encarando Holmes com selvageria. Surpresa e medo estampavam-se em sua expressão. Depois, com esforço, deu de ombros e explodiu num riso falso.

— Está tudo muito bem, sr. Holmes — disse. — Mas há uma pequena falha nesta sua esplêndida teoria. Eu estava no quarto, e não saí durante o dia inteiro.

— Estou sabendo disso, professor Coram.

— E quer dizer que eu poderia ficar deitado naquela cama e não perceber que uma mulher entrara no meu quarto?

— Nunca disse isso. O senhor *estava* ciente disso. Falou com ela. Reconheceu-a. Ajudou-a a fugir.

Novamente o professor explodiu num riso nervoso. Levantara-se, e seus olhos brilhavam como brasas.

— Está louco! — exclamou. — Está falando de modo insano. Ajudei-a a fugir? Onde ela está agora?

— Está ali — disse Holmes, e apontou para um armário alto no canto do quarto.

Vi o velho jogar os braços para o alto, uma convulsão terrível passou por seu rosto feroz, e ele caiu na cadeira. No mesmo instante, o armário para o qual Holmes apontara se abriu, girando sobre os gonzos, e uma mulher saiu rapidamente para o quarto.

— O senhor está certo! — ela gritou, num estranho sotaque estrangeiro. — Está certo! Eu estou aqui.

Estava marrom de poeira, e coberta com as teias de aranha das paredes de seu esconderijo. Seu rosto também estava manchado de sujeira, mas, mesmo sem isso, não poderia ter sido bonita, pois tinha exatamente as características físicas que Holmes adivinhara, com o acréscimo de um queixo comprido e obstinado. Por causa de sua cegueira natural e com a mudança da escuridão para a claridade, ela ficou parada como se estivesse aturdida, piscando e tentando ver onde estávamos e quem éramos. E mesmo assim, apesar de todas essas desvantagens, havia certa nobreza em sua postura — uma graça no queixo arrogante e na cabeça erguida, que inspirava certo respeito e admiração.

Stanley Hopkins pôs a mão no braço dela e a intimou como sua prisioneira, mas ela o afastou com delicadeza, e ainda assim com uma dignidade irresistível que provocava obediência. O velho recostou-se em sua cadeira com o rosto trêmulo e a encarou com olhos melancólicos.

— Sim, senhor, sou sua prisioneira — ela disse. — De onde estava eu pude ouvir tudo e sei que conhecem a verdade. Confesso tudo. Fui eu quem matou o rapaz. Mas o senhor está certo, o senhor que disse ter sido um acidente. Nem sabia que era uma faca o que eu tinha apanhado porque no meu desespero peguei qualquer coisa da mesa e o ataquei para que me deixasse ir embora. É a verdade o que estou dizendo.

— Madame — disse Holmes —, tenho certeza de que é a verdade. Temo que a senhora não esteja passando bem.

Ela estava com uma cor horrível, ainda mais pálida sob as manchas de poeira escuras em seu rosto. Sentou-se de um lado da cama; depois se reanimou.

— Tenho pouco tempo aqui — disse —, mas gostaria que soubessem de toda a verdade. Sou a esposa deste homem. Ele não é inglês. É russo. Não direi seu nome.

Pela primeira vez o velho se manifestou.

— Deus a abençoe, Anna! — exclamou. — Deus a abençoe!

Ela lançou um olhar de profundo desdém na direção dele.

— Por que se apega tanto a essa sua vida miserável, Sergius? — disse. — Fez mal a muitos e nenhum bem a ninguém, nem mesmo a você. Mas não serei eu que farei arrebentar esta corda frágil antes que Deus o permita. Já tenho muito peso em minha alma desde que cruzei a soleira desta casa maldita. Mas eu preciso falar, ou será tarde demais.

"Já disse, cavalheiros, que sou a esposa deste homem. Ele tinha cinquenta anos e eu era uma garota boba de vinte quando nos casamos. Foi numa cidade da Rússia, uma universidade, não direi o nome do lugar."

— Deus a abençoe, Anna! — murmurou o velho de novo.

— Éramos reformistas, revolucionários, niilistas, o senhor entende. Ele, eu e muitos outros. Então vieram tempos de dificuldades, um delegado de polícia foi morto, muitos foram presos, queriam provas, e para salvar a própria vida e ganhar uma grande recompensa, meu marido traiu sua própria esposa e seus companheiros. Sim, fomos todos presos por causa da confissão dele. Alguns de nós foram para a forca e outros, para a Sibéria. Eu estava entre estes últimos, mas minha pena não era perpétua. Meu marido veio para a Inglaterra com seus ganhos ilícitos e viveu em paz desde então, tendo consciência de que, se a irmandade soubesse onde ele estava, não demoraria nem uma semana para fazer justiça.

O velho esticou uma mão trêmula e pegou um cigarro.

— Estou em suas mãos, Anna — disse. — Sempre foi muito boa para mim.

— Ainda não contei o tamanho da sua infâmia — disse ela. — Entre nossos companheiros da Ordem, havia um que era meu melhor amigo. Era nobre, generoso, bondoso... tudo o que meu marido não era. Odiava violência. Éramos todos culpados, se isto era culpa, mas ele não o era. Sempre nos escrevia tentando nos dissuadir dessa causa. Estas cartas o teriam salvado. Meu diário também, no qual, dia após dia, contara meus sentimentos em relação a ele e a opinião de cada um de nós. Meu marido encontrou e guardou tudo, o diário e as cartas. Escondeu-os e tentou por todos os meios tirar a vida do rapaz. Não conseguiu, mas Alexis foi mandado preso para a Sibéria, onde agora, neste momento, trabalha numa mina de sal. Pense nisso, seu vilão, seu vilão!... agora, agora, neste exato momento, Alexis, um nome que você não merece pronunciar, trabalha e vive como um escravo, e ainda assim tenho sua vida em minhas mãos e o deixarei ir.

— Sempre foi uma mulher nobre, Anna — disse o velho, soltando uma baforada de seu cigarro.

Ela havia se levantado, mas sentou-se de novo com um pequeno grito de dor.

— Preciso terminar — disse. — Quando minha pena acabou, saí à procura do diário e das cartas, que, se fossem enviados ao governo russo, ajudariam na libertação de meu amigo. Sabia que meu marido viera para a Inglaterra. Após meses de procura descobri onde estava. Sabia que ainda possuía o diário, pois quando estava na Sibéria, certa vez recebi uma carta dele, censurando-me e citando alguns trechos de suas páginas. Mas estava certa de que, com sua natureza vingativa, nunca me entregaria essas coisas espontaneamente. Deveria consegui-lo por mim mesma. Com este objetivo contratei um agente de uma firma de detetives particulares, que entrou na casa de meu marido como secretário; foi o seu segundo secretário, Sergius, o que o deixou tão apressadamente. Ele descobriu que os papéis eram guardados na estante, e conseguiu um molde da chave. Não podia ir mais longe. Forneceu-me um mapa da casa e me disse que de manhã o escritório ficava sempre vazio, pois o secretário estava ocupado aqui em cima. Então, finalmente, criei coragem e vim para pegar os papéis pessoalmente. Consegui, mas a que preço!

"Tinha acabado de apanhar os papéis e estava trancando o armário quando o rapaz me pegou. Já o tinha visto naquela manhã. Ele me encontrou na estrada e eu perguntei a ele onde morava o professor Coram, sem saber que ele era seu empregado."

— Exato! Exato! — disse Holmes. — O secretário voltou e contou ao seu patrão a respeito da mulher que encontrara. Então, em seu último suspiro, tentou mandar uma mensagem: que era ela... aquela com quem acabara de falar.

— O senhor precisa me deixar terminar — disse a mulher, numa voz imperativa, e o seu rosto se contraiu como se estivesse com dor. — Quando ele caiu, corri para fora do aposento, escolhi a porta errada e me encontrei no quarto de meu marido. Disse-me para desistir. Mostrei-lhe que, se fizesse aquilo, sua vida estava em minhas mãos. Se me entregasse à justiça, eu o denunciaria à irmandade. Não que eu estivesse pensando em mim mesma, mas é que desejava cumprir meu objetivo. Ele sabia que eu faria o que disse, que seu próprio destino estava envolvido com o meu. Por este motivo, e por nenhum outro, ele me escondeu. Jogou-me naquele esconderijo escuro, uma relíquia dos velhos tempos, que só ele conhecia. Fazia suas refeições no próprio quarto, para poder me dar parte de sua comida. Concordamos que quando a polícia saísse da casa, eu fugiria durante a noite e não voltaria mais. Mas de algum modo o senhor descobriu nossos planos. — Tirou de dentro de seu vestido um pequeno pacote. — Estas são minhas últimas palavras — disse —; aqui está o pacote que salvará Alexis. Confio-o à sua honra e ao seu amor à justiça. Pegue-o! O senhor o entregará à embaixada russa. Agora, já cumpri meu dever, e...

— Segurem-na! — gritou Holmes. Correu até o outro lado do quarto e tirou um pequeno frasco da mão dela.

— Tarde demais! — disse ela, deitando-se na cama. — Tarde demais! Tomei o veneno antes de sair de meu esconderijo. Minha cabeça está rodando! Estou indo! Peço-lhe, senhor, que se lembre do pacote.

— Um caso simples, e mesmo assim, em certos aspectos, muito instrutivo — observou Holmes, na viagem de volta para a cidade. — Dependia desde o começo do pincenê. Mas sem a sorte de o moribundo tê-lo agarrado, não sei se conseguiríamos ter chegado à solução. Estava claro para mim, pelo grau das lentes, que o seu usuário ficaria muito cego e desamparado sem eles. Quando me pediu para acreditar que ele havia andado por uma estreita faixa de grama sem dar um único passo em falso, notei, como deve se lembrar, que seria um desempenho digno de nota. Em minha mente o defini como um desempenho impossível, a não ser no caso improvável de que tivesse um segundo par de óculos. Assim, fui obrigado a considerar seriamente a hipótese de que ela havia permanecido na casa. Ao perceber a semelhança entre os dois corredores, ficou claro que ela poderia facilmente cometer esse erro, e, neste caso, era evidente que devia ter entrado no quarto do professor. Portanto, eu estava atento para qualquer coisa que confirmasse essa suposição, e examinei o quarto detalhadamente, buscando algo que se assemelhasse a um esconderijo. O tapete parecia inteiriço e firmemente preso, portanto desisti da ideia da existência de um alçapão. Poderia muito bem haver uma saída por trás dos livros. Como sabe, esses acessos são comuns nas velhas bibliotecas. Observei que os livros estavam empilhados no chão em todos os outros lugares, mas aquele armário foi deixado livre. Esta, então, deveria ser a porta. Não consegui ver marca que me guiasse, mas o tapete estava desbotado, o que merecia uma investigação. Daí fumei uma grande quantidade daqueles excelentes cigarros, e joguei as cinzas por todo o espaço diante daquele armário suspeito. Era um truque simples, mas extremamente eficaz. Depois desci e verifiquei, em sua presença, Watson, sem você perceber a intenção de minhas perguntas, que o consumo de comida do professor aumentara, como alguém esperaria, se estivesse alimentando uma segunda pessoa. Depois voltamos ao quarto, quando, derrubando a caixa de cigarros, obtive uma ótima visão do chão, e pude ver bem claramente, pelos traços deixados nas cinzas de cigarro, que o prisioneiro, em nossa ausência, tinha saído de seu esconderijo. Bem, Hopkins, aqui estamos em Charing Cross, e eu o congratulo por ter levado seu caso a uma conclusão bem-sucedida. Está indo para a chefatura, sem dúvida. Acho, Watson, que você e eu iremos juntos à embaixada russa.

A AVENTURA DO "THREE-QUARTER" DESAPARECIDO

Estávamos acostumados a receber telegramas estranhos na Baker Street, mas lembro-me especialmente de um que chegou numa melancólica manhã de fevereiro, há sete ou oito anos, e deixou Holmes intrigado durante uns 15 minutos. Estava endereçado a ele, e dizia o seguinte:

Por favor, espere-me. Terrível infortúnio.
Three-quarter direito desaparecido, indispensável amanhã.

Overton

— Carimbo postal de Strand e despachado às 22h36 — disse Holmes, lendo-o e relendo-o. — O sr. Overton estava evidentemente bastante excitado quando o mandou e, em consequência, um tanto incoerente. Bem, acho que ele estará aqui depois que eu tiver dado uma olhada no *Times*, e então saberemos de tudo. Até mesmo o problema mais insignificante seria bem-vindo nestes dias monótonos.

De fato as coisas tinham estado meio paradas conosco, e eu aprendera a temer esses períodos de inatividade, pois sabia por experiência que o cérebro do meu companheiro era tão anormalmente ativo que era perigoso deixá-lo sem material com que pudesse trabalhar. Durante anos eu o afastei gradativamente das drogas, que certa vez chegaram a ameaçar sua notável carreira. Agora eu sabia que em condições normais ele não procurava estímulo artificial, mas tinha consciência de que o demônio não estava morto, apenas dormia, e sabia que era um sono leve e o despertar ficava muito próximo quando, em períodos de ociosidade, observava a tensão no rosto austero de Holmes e a melancolia de seus olhos parados e inescrutáveis. Portanto, abençoei esse sr. Overton, quem quer que fosse, já que viera, com sua mensagem enigmática, interromper a perigosa calma que traria mais perigo ao meu amigo do que todas as borrascas de sua vida tempestuosa.

Como esperáramos, o telegrama foi logo seguido de seu remetente, e o cartão do sr. Cyril Overton, Trinity College, Cambridge, anunciou a chegada de um rapaz enorme, 16 *stone*[7] de ossos e músculos sólidos, que ocupou a moldura da porta com seus ombros largos, e olhou para nós com o rosto agradável crispado de ansiedade.

— Sr. Sherlock Holmes?

Meu amigo inclinou-se.

— Estive na Scotland Yard, sr. Holmes. Conversei com o inspetor Stanley Hopkins. Aconselhou-me a procurá-lo. Disse que o caso, pelo que lhe parecia, estava mais em sua linha do que na da polícia oficial.

— Por favor, sente-se e me fale do assunto.

— É terrível, sr. Holmes, simplesmente terrível! Não sei como meus cabelos não estão grisalhos. Godfrey Staunton, já ouviu falar dele, não? É simplesmente o pivô do nosso time. Gostaria de perder dois e ter Godfrey na minha linha de *three-quarter*. Quando está passando, arremessando ou driblando, não há ninguém que se compare a ele; e então, ele sumiu, e pode destruir todos nós. O que devo fazer? É o que lhe pergunto, sr. Holmes. Há o Moorhouse, primeiro reserva, mas ele é treinado para ser zagueiro, e sempre penetra pela direita no *scrum*, em vez de ficar fora, ao longo da linha lateral. É um ótimo *place-kick*, é verdade, mas não tem nenhum bom senso, e não consegue disparar de jeito algum. Ora, Morton ou Johnson, os volantes de Oxford, poderiam driblá-lo. Stevenson é bastante rápido, mas não poderia chutar da linha 25, e um *three-quarter* que não consegue pegar a bola no ar não merece um lugar no time. Não, sr. Holmes, estamos derrotados, a menos que me ajude a encontrar Godfrey Staunton.

Meu amigo ouvira com divertida surpresa este longo relato, despejado com extraordinário vigor e convicção, cada ponto sendo acompanhado do tapinha de uma mão forte sobre o joelho do narrador. Quando nosso visitante se calou, Holmes estendeu a mão e pegou a

[7] Stone — medida de peso equivalente a 6,35 quilos. (N.T.)

letra "S" de seu livro de citações. Pela primeira vez procurou em vão naquela mina de informações variadas.

— Existe um Arthur H. Staunton, o jovem ferreiro em ascensão — disse — e havia Henry Staunton, a quem ajudei a enforcar, mas Godfrey Staunton é um nome novo para mim.

Foi a vez de o nosso visitante parecer surpreso.

— Ora, sr. Holmes, pensei que soubesse das coisas — disse. — Suponho, então, que se nunca ouviu falar de Godfrey Staunton, não conhece também Cyril Overton?

Holmes concordou, bem-humorado.

— Ora! — exclamou o atleta. — Eu fui o primeiro reserva da Inglaterra contra Nova Gales do Sul, e dirigi o time da universidade durante este ano inteiro. Mas isso não é nada! Não pensei que houvesse uma única alma na Inglaterra que não conhecesse Godfrey Staunton, o craque *three-quarter*, em Cambridge, Blackheath e de cinco Internacionais. Meu Deus! sr. Holmes, onde *tem* vivido?

Holmes sorriu diante do assombro ingênuo do jovem gigante.

— O senhor vive num mundo diferente do meu, sr. Overton, mais cândido e saudável. Minhas ramificações se estenderam a muitos setores da sociedade, mas nunca, fico feliz em dizer, ao esporte amador, que é a melhor coisa da Inglaterra, e a mais sólida. Contudo, sua visita inesperada esta manhã mostra-me que, mesmo nesse mundo de ar puro e belos jogos, pode haver trabalho para mim. Portanto, agora, meu caro senhor, peço-lhe que se sente e me conte, devagar e com calma, exatamente o que aconteceu, e como deseja que o ajude.

O rosto do jovem Overton adquiriu o aspecto enfastiado do homem que está mais acostumado a usar seus músculos do que suas faculdades mentais; mas por etapas, com muitas repetições e partes obscuras que omitirei nesta narrativa, colocou diante de nós a sua história.

— Foi assim, sr. Holmes. Como já disse, sou o técnico do time de rúgbi da universidade de Cambridge, e Godfrey Staunton é o meu melhor homem. Amanhã jogaremos contra Oxford. Ontem, fomos todos para lá, e nos instalamos no hotel particular de Bentley. Às 22 horas dei uma volta e cuidei para que todos os rapazes fossem para a cama, pois acredito em treinamento rigoroso e muito sono para manter um time em forma. Troquei uma palavra ou duas com Godfrey antes que ele entrasse. Ele me pareceu pálido e aborrecido. Perguntei-lhe qual era o problema. Disse-me que estava bem, apenas com um pouco de dor de cabeça. Desejei-lhe boa-noite e o deixei. Meia hora depois, o porteiro contou-me que um sujeito mal-encarado, com uma barba, apareceu com um bilhete para Godfrey. Ele não tinha se deitado, e o bilhete foi levado ao seu quarto. Godfrey o leu e caiu em uma cadeira como se tivesse levado uma machadada. O porteiro ficou tão apavorado que ia me chamar, mas Godfrey o impediu, tomou um gole de água, e se recompôs. Depois desceu, disse algumas palavras ao homem que esperava no saguão, e os dois saíram juntos. A última vez que o porteiro os viu, estavam quase correndo pela rua, na direção de Strand. Esta manhã o quarto de Godfrey estava vazio, sua cama não estava desarrumada e suas coisas foram encontradas do mesmo jeito que tinham sido vistas no dia anterior. Saíra rapidamente com esse estranho e desde então não se ouviu mais nada sobre ele. Não creio que volte. Godfrey era um esportista até a medula dos ossos, e não teria interrompido seus treinamentos e deixado seu treinador se não fosse por um motivo muito forte para ele. Não, sinto que ele foi embora para sempre e nunca mais o veremos de novo.

Sherlock Holmes ouviu com a mais profunda atenção esta narrativa singular.

— O que fez então? — perguntou.

— Telegrafei para Cambridge para saber se tinham alguma notícia dele por lá. Ninguém o viu.

— Ele poderia ter voltado para Cambridge?

— Sim, há um trem que sai às 23h15.

— Mas, pelo que soube, ele não o tomou?

— Não, não foi visto lá.

— O que fez depois?

— Telegrafei a lorde Mount-James.

— Por que a lorde Mount-James?

— Godfrey é órfão, e lorde Mount-James é seu parente mais próximo; seu tio, eu acho.

— Certo. Isto lança uma luz nova sobre o caso. Lorde Mount--James é um dos homens mais ricos da Inglaterra.

— Foi o que ouvi Godfrey dizer.

— E seu amigo era muito ligado a ele?

— Sim, era o herdeiro dele, e o velho está quase com oitenta anos, e doente, também. Dizem que podia passar giz no seu taco de bilhar com os nós dos dedos. Nunca deu a Godfrey um xelim em sua vida, pois é um completo miserável, mas tudo virá para ele, com certeza.

— Conhece lorde Mount-James?

— Não.

— Que motivo teria seu amigo para ir procurá-lo?

— Bem, alguma coisa o estava preocupando na noite anterior, e se tivesse relação com dinheiro, é possível que fosse procurar o parente mais próximo, que tinha tanto, embora, pelo que tenho ouvido, não teria muita possibilidade de consegui-lo. Godfrey não gostava muito do velho. Não iria se pudesse evitar.

— Ora, ora, logo poderemos verificar isso. Se seu amigo foi procurar seu parente, lorde Mount-James, você então tem de explicar a visita desse sujeito mal-encarado tão tarde da noite, e a agitação que sua chegada provocou.

Cyril Overton pôs as mãos na cabeça.

— Não tenho a menor ideia — disse.

— Bem, tenho o dia vago, e gostaria de examinar o caso — disse Holmes. — Devo recomendar-lhe com veemência que faça seus preparativos para o jogo sem nenhuma referência a este jovem cavalheiro. Deve ter sido, como diz, uma necessidade imperiosa que o fez partir dessa maneira, e a mesma necessidade talvez o conserve lá. Vamos juntos até o hotel para ver se o porteiro pode acrescentar alguma informação nova sobre o assunto.

Sherlock Holmes era um mestre na arte de obter a confiança de uma testemunha humilde, e logo, na privacidade do quarto abandonado de Godfrey Staunton, extraiu dele tudo o que tinha para contar. O visitante da noite anterior não era um cavalheiro, nem um operário. Era simplesmente o que o porteiro descreveu como "um sujeito de aparência comum", cinquenta anos, barba grisalha, rosto pálido, vestido com discrição. Parecia agitado. O porteiro notou que suas mãos tremiam quando lhe entregou o bilhete. Godfrey Staunton meteu o bilhete no bolso. Staunton não apertou a mão do homem no saguão. Trocaram algumas frases, das quais ele só distinguiu uma única palavra: "tempo". Então correram para fora do jeito já descrito. Eram 22h30 pelo relógio do saguão.

— Deixe-me ver — disse Holmes, sentando-se na cama de Staunton. — É o porteiro diurno, não?

— Sim, senhor, deixo meu trabalho às 23 horas.

— O porteiro noturno não viu nada, suponho?

— Não, senhor, um grupo de teatro chegou tarde. Ninguém mais.

— Esteve trabalhando o dia todo ontem?

— Sim, senhor.

— Levou alguma mensagem ao sr. Staunton?

— Sim, senhor, um telegrama.

— Ah! Isto é interessante. A que horas foi isso?

— Por volta das 18 horas.

— Onde estava o sr. Staunton quando a recebeu?

— Aqui no seu quarto.

— O senhor estava presente quando ele a abriu?

— Sim, senhor, esperei para ver se havia alguma resposta.

— Bem, havia?

— Sim, senhor, ele escreveu uma resposta.

— Foi o senhor quem a levou?

— Não, ele a levou pessoalmente.

— Mas escreveu-a em sua presença?

— Sim, senhor. Eu estava parado aqui na porta, e ele com as costas voltadas para aquela mesa. Quando acabou de escrever, ele disse: "Tudo bem, porteiro, eu mesmo a entregarei."

— Com que ele a escreveu?

— Com uma caneta, senhor.

— O formulário de telegrama era um desses na mesa?

— Sim, senhor, era o que estava em cima.

Holmes levantou-se. Pegando os formulários, levou-os para perto da janela e examinou com cuidado o que estava por cima.

— É uma pena que não tenha escrito a lápis — disse, devolvendo-os e encolhendo os ombros em sinal de desapontamento. — Como sem dúvida deve ter observado com frequência, Watson, a impressão geralmente passa através do papel; um fato que já dissolveu vários casamentos felizes. Entretanto, não achei nenhuma marca aqui. Mas percebi com satisfação que ele escreveu com uma pena de ponta grossa e não duvido que encontraremos algumas impressões nesta folha de mata-borrão. Ah, com certeza são estas!

Tirou uma folha do bloco e nos mostrou o seguinte hieróglifo:

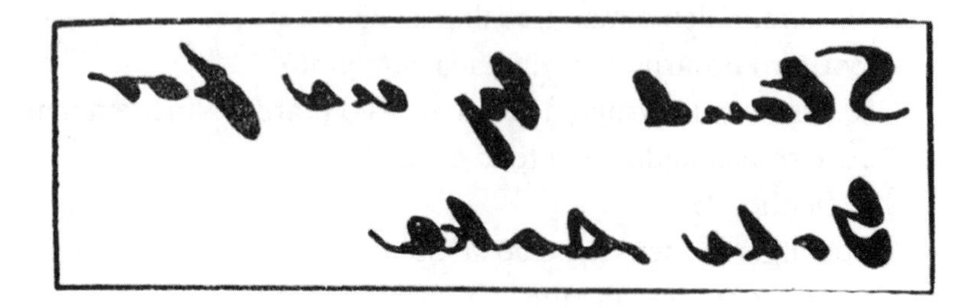

Cyril Overton ficou muito excitado.

— Leve-a para perto do espelho! — exclamou.

— Isto é desnecessário — disse Holmes. — O papel é fino, e o verso nos mostrará a mensagem. Aqui está. — Ele a virou e lemos:

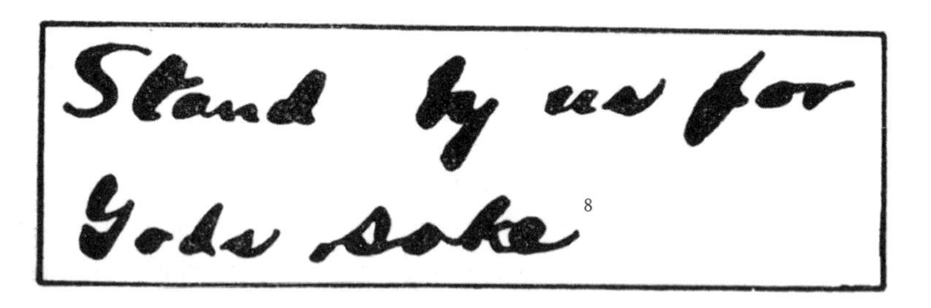

[8]

— Então este é o final do telegrama que Godfrey Staunton despachou poucas horas antes de seu desaparecimento. Existem pelo menos seis palavras da mensagem que nos escaparam; mas o que permaneceu, "Fique conosco pelo amor de Deus!", prova que este jovem via um perigo imenso que se aproximava e do qual alguém poderia protegê-lo. "Conosco", lembre-se! Outra pessoa estava envolvida. Quem, a não ser o homem de rosto pálido e barba grisalha, parecia estar tão nervoso? E quem era a terceira força a quem pedia ajuda contra um perigo ameaçador? Nossa investigação já fica mais concentrada nisso.

[8] ***Stand by us for Gods sake*** — Fique conosco, pelo amor de Deus.

— Temos apenas de descobrir para quem era endereçado o telegrama — sugeri.

— Exato, meu caro Watson. Sua reflexão, embora profunda, já havia passado pela minha mente. Mas creio que já notou que, se for a uma agência de correio e pedir para ver o canhoto da mensagem de uma outra pessoa, haverá certa má vontade por parte dos funcionários para atendê-lo. Há muita burocracia nesses assuntos. Mas acho que, com um pouco de delicadeza e finura, o objetivo pode ser alcançado. Enquanto isso, gostaria de, na sua presença, sr. Overton, dar uma olhada nestes papéis que foram deixados em cima da mesa.

Havia várias cartas, contas e cadernos de anotações, que Holmes folheou e examinou com dedos velozes e nervosos, e olhos penetrantes, dardejantes.

— Nada aqui — disse, por fim. — A propósito, suponho que seu amigo era um rapaz muito saudável... nada errado com ele?

— Tem saúde de ferro.

— Já o viu doente alguma vez?

— Nem por um dia. Certa vez teve uma tosse seca, e outra deslocou a rótula, mas isso não foi nada.

— Talvez ele não fosse tão forte quanto você supõe. Talvez tenha tido algum problema secreto. Com sua permissão, guardarei um ou dois desses papéis no bolso, para o caso de terem relação com nossa investigação futura.

— Um momento, um momento! — exclamou uma voz impertinente. Olhamos e nos deparamos com um homenzinho idoso e estranho, sacudindo-se e contorcendo-se à porta. Vestia-se de preto desbotado, com um chapéu de abas largas e uma gravata branca folgada; o efeito geral era o de um vigário do campo ou acompanhante de enterros contratado por um dono de casa funerária. Mas, apesar de sua aparência andrajosa e até mesmo ridícula, sua voz tinha um timbre áspero, e sua atitude, uma intensidade que exigia atenção.

— Quem é o senhor, e com que direito mexe nos papéis desse cavalheiro? — perguntou.

— Sou um detetive particular, e estou tentando explicar o desaparecimento dele.

— Ah é, é? E quem o chamou, hein?

— Este cavalheiro, amigo do sr. Staunton, me foi enviado pela Scotland Yard.

— E quem é o senhor?

— Sou Cyril Overton.

— Então foi você quem me mandou um telegrama. Meu nome é lorde Mount-James. Vim tão rápido quanto era possível pelo ônibus de Bayswater. Quer dizer que contratou um detetive?

— Sim, senhor.

— E está preparado para cobrir os gastos?

— Não tenho dúvida, senhor, que o meu amigo Godfrey, quando o encontrarmos, poderá fazer isso.

— E se nunca for encontrado, hein? Responda-me!

— Nesse caso, sem dúvida, sua família...

— Nada disso, senhor! — gritou o homenzinho. — Não me peça nem um pêni, nem um pêni! Entenda isso, sr. detetive! Sou toda a família que esse rapaz tem, e lhe digo que não sou o responsável. Se ele tem perspectivas futuras é porque nunca esbanjei dinheiro, e não pretendo começar a fazer isso agora. Quanto àqueles papéis com os quais tomou tantas liberdades, devo lhe dizer que, no caso de haver algo de valor entre eles, o senhor será intimado a fazer um relatório sobre o uso que fará deles.

— Muito bem, senhor — disse Sherlock Holmes. — Posso lhe perguntar, nesse meio-tempo, se tem alguma teoria própria para o desaparecimento do rapaz?

— Não, senhor, não tenho. Ele é suficientemente grande e adulto para cuidar de si mesmo, e se é tão bobo a ponto de se perder, eu me recuso totalmente a aceitar a responsabilidade de procurá-lo.

— Entendo sua posição — disse Holmes, com um brilho malicioso nos olhos. — Talvez não compreenda muito a minha. Parece que Godfrey Staunton era um homem muito pobre. Se foi raptado, não deve ter sido por algo que possuía. A fama de sua riqueza já se espalhou, lorde Mount-James, e é bem possível que um bando de ladrões tenha sequestrado seu sobrinho para conseguir dele algumas informações sobre sua casa, seus hábitos e seu tesouro.

O rosto do nosso pequeno e desagradável visitante ficou branco como sua gravata.

— Céus, senhor, que ideia! Nunca imaginei tal infâmia! Quantos patifes desumanos existem no mundo! Mas Godfrey é um bom rapaz, um rapaz leal. Nada o faria trair seu velho tio. Mandarei toda a prataria para o banco esta noite. Enquanto isso, não poupe esforços, sr. detetive! Imploro-lhe que não deixe pedra sobre pedra para trazê-lo de volta em segurança. Quanto ao dinheiro, bem, até cinco ou dez libras, pode sempre contar comigo.

Mesmo com essa disposição de espírito atenuada, o nobre miserável não pôde nos dar nenhuma informação que nos ajudasse, pois sabia pouco da vida particular do sobrinho. Nossa única pista consistia no telegrama truncado, e com uma cópia dele na mão Holmes tentou encontrar um segundo elo para sua cadeia. Havia se desembaraçado de lorde Mount-James, e Overton fora conversar com os outros membros do time sobre a desgraça que se abatera sobre eles.

Havia um posto telegráfico a pouca distância do hotel. Paramos do lado de fora.

— Vale a pena tentar, Watson — disse Holmes. — É claro que com uma autorização poderíamos obrigá-los a nos mostrar os canhotos, mas ainda não chegamos nesse estágio. Não creio que se lembrem de rostos num lugar tão movimentado. Vamos arriscar.

— Desculpe incomodá-la — ele disse, com seu jeito brando, para a jovem que estava atrás do gradil —, há algum engano em relação a um telegrama que mandei ontem. Não recebi nenhuma resposta, e receio que devo ter esquecido de pôr meu nome no final. Pode me dizer se foi isso?

A jovem folheou um maço de canhotos.

— A que horas foi isso? — perguntou.

— Pouco depois das 18 horas.

— Para quem ele era?

Holmes pôs o dedo nos lábios e deu uma olhada para mim.

— As suas últimas palavras eram “Pelo amor de Deus” — ele sussurrou de modo confidencial —, estou muito ansioso por não receber nenhuma resposta.

A jovem separou um dos formulários.

— É este. Não tem nome — disse ela, deixando-o no balcão.

— Então, claro, é por isso que não recebi nenhuma resposta — disse Holmes. — Meu Deus, como fui estúpido! Bom dia, senhorita, e muito obrigado por me tranquilizar. — Ele deu uma risadinha e esfregou as mãos quando chegamos à rua de novo.

— E então? — perguntei.

— Estamos progredindo, meu caro Watson, estamos progredindo. Tinha sete diferentes esquemas para conseguir dar uma olhada naquele telegrama, mas dificilmente podia esperar ter sucesso na primeira tentativa.

— E o que conseguiu?

— Um ponto de partida para a nossa investigação. — Chamou uma carruagem. — King's Cross Station — disse.

— Faremos uma viagem, então?

— Sim, acho que devemos ir a Cambridge juntos. Todos os indícios apontam nessa direção.

— Diga-me — perguntei, enquanto passávamos pela Gray's Inn Road —, já tem alguma suspeita quanto à causa do desaparecimento? De todos os que já tivemos, não me lembro de outro cujos motivos fossem tão misteriosos. Com certeza não imagina que possa ter sido raptado para fornecer informações sobre seu tio rico.

— Confesso, meu caro Watson, que isso não me parece uma explicação muito provável. Mas impressionou-me por ser a que mais interessou àquele velho e desagradável.

— Foi o que aconteceu; mas quais são suas alternativas?

— Poderia mencionar várias. Deve admitir que é curioso e sugestivo que este incidente tenha ocorrido na véspera desse jogo importante, e tenha envolvido o único homem cuja presença parece essencial ao sucesso do time. Pode ser, é claro, uma coincidência, mas é interessante. O esporte amador não tem apostas, mas uma grande quantidade de apostas externas ocorre entre o público, e é possível que seja lucrativo para alguém pegar um atleta, assim como um bandido do turfe faz com um cavalo de corrida. Aí está uma explicação. A segunda mais óbvia é que este rapaz realmente é o herdeiro de uma grande propriedade e, por mais modestas que sejam suas posses agora, não é impossível que tenha sido tramado um complô para sequestrá-lo e pedir um resgate.

— Essas teorias não levam em conta o telegrama.

— É verdade, Watson. O telegrama permanece ainda como a única coisa concreta que temos, e não devemos permitir que nossa atenção se desvie dele. É para esclarecer o objetivo deste telegrama que estamos agora a caminho de Cambridge. O rumo da nossa investigação está indefinido no momento, mas ficarei muito surpreso se antes do anoitecer não tivermos resolvido o caso, ou feito um progresso considerável.

Já estava escuro quando chegamos à velha cidade universitária. Holmes tomou uma carruagem de aluguel na estação e mandou que nos levasse à casa do dr. Leslie Armstrong. Poucos minutos depois, parávamos diante de uma mansão na rua mais movimentada. Entramos e, após uma longa espera, fomos levados ao consultório, onde encontramos o doutor sentado à sua mesa.

O meu grau de afastamento de minha profissão era demonstrado pelo fato de que eu nunca tinha ouvido falar de Leslie Armstrong. Agora sei que ele não é apenas um dos diretores da escola de medicina da universidade, mas também um pensador famoso na Europa em mais de um ramo da ciência. Mas mesmo sem conhecer seu histórico brilhante, ninguém deixaria de se impressionar só de olhar para o homem, o rosto quadrado, maciço, os olhos melancólicos sob as sobrancelhas cerradas, e o molde granítico do maxilar inflexível. Um homem de caráter sólido, com a mente alerta, severo, austero, controlado, formidável — foi assim que vi o dr. Leslie Armstrong. Segurou o cartão do meu amigo, e nos olhou com uma expressão não muito contente em suas feições duras.

— Já ouvi falar no seu nome, sr. Sherlock Holmes, e sei qual é a sua profissão, uma das quais não aprovo de jeito nenhum.

— Nisso, doutor, o senhor está de acordo com todos os criminosos do país — disse meu amigo, tranquilamente.

— Na medida em que seus esforços têm por objetivo a supressão do crime, senhor, devem ter o apoio de todos os membros sensatos da comunidade, embora não duvide que a máquina oficial seja mais do que suficiente para esta finalidade. Onde seu ofício está mais sujeito a críticas quando se intromete nos segredos particulares das pessoas, quando revolve assuntos de família que ficam melhor escondidos, e quando incidentalmente desperdiça o tempo de homens que são mais ocupados que o senhor. Agora, por exemplo, eu deveria estar escrevendo um tratado em vez de conversar com o senhor.

— Sem dúvida, doutor; mesmo assim a conversa pode ser mais importante que o tratado. Incidentalmente, posso lhe dizer que estamos fazendo o inverso daquilo que o senhor, com justiça, critica; estamos tentando evitar algo como exposição pública de assuntos privados, o que necessariamente acontece, quando o caso está nas mãos da polícia. Pode olhar-me simplesmente como um pioneiro irregular, que vai à frente das forças regulares do país. Vim para lhe perguntar sobre o sr. Godfrey Staunton.

— O que tem ele?

— O senhor o conhece, não?

— É meu amigo íntimo.

— Sabe que ele está desaparecido?

— Ah, não diga! — Não houve nenhuma mudança de expressão nas feições rudes do doutor.

— Saiu do seu hotel na noite passada; não foi visto desde então.

— Sem dúvida ele voltará.

— Amanhã é o jogo de rúgbi da universidade.

— Não tenho simpatia por esses jogos infantis. O destino do rapaz me interessa profundamente, pois o conheço e gosto dele. O jogo de futebol não está dentro de meus horizontes de modo algum.

— Peço sua simpatia, então, pela minha investigação a respeito do destino do sr. Godfrey Staunton. Sabe onde ele está?

— Claro que não.

— Não o viu desde ontem?

— Não, não o vi.

— O sr. Staunton era um homem saudável?

— Perfeitamente.

— Já o viu doente alguma vez?

— Nunca.

Holmes atirou uma folha de papel diante dos olhos do doutor.

— Então talvez explique este recibo de uma conta de 13 guinéus, paga por Godfrey Staunton no mês passado ao dr. Leslie Armstrong, de Cambridge. Tirei-a do meio dos papéis que estavam na mesa dele.

O doutor ficou vermelho de raiva.

— Não creio que haja qualquer motivo para dar-lhe uma explicação, sr. Holmes.

Holmes recolocou a conta em seu caderninho de anotações.

— Se prefere uma explicação em público, ela virá mais cedo ou mais tarde — disse. — Já lhe disse que posso abafar o que os outros poderiam publicar, e o senhor seria mais sensato se confiasse em mim.

— Não sei nada sobre isso.

— Teve notícias do sr. Staunton de Londres?

— Certamente que não.

— Meu Deus, meu Deus; o correio de novo! — Holmes suspirou, entediado. — Um telegrama muito urgente foi despachado para o senhor de Londres por Godfrey Staunton, às 18h15 de ontem; um telegrama que está sem dúvida associado ao desaparecimento dele, e mesmo assim não ouviu falar dele. Isto é bastante condenável. Com certeza irei à delegacia daqui e registrarei uma queixa.

O dr. Leslie Armstrong pulou da sua cadeira, e seu rosto sombrio estava crispado de fúria.

— Pedirei que saia de minha casa, senhor — disse. — Pode dizer ao seu patrão, lorde Mount-James, que não quero ter nada a ver com ele ou com seus agentes. Não, senhor, nem mais uma palavra! — Tocou a campainha furiosamente. — John, mostre a saída a esses cavalheiros! — Um mordomo pomposo levou-nos rapidamente até a porta, e nos vimos na rua. Holmes começou a rir.

— O dr. Leslie Armstrong com certeza é um homem de energia e caráter — disse. — Ainda não vi um homem que, se dirigisse seus talentos para isso, fosse mais adequado para preencher a lacuna deixada pelo ilustre Moriarty. E agora, meu pobre Watson, aqui estamos nós, abandonados e sem amigos nesta cidade nada hospitaleira, que não podemos deixar sem abandonar nosso caso. Este pequeno hotel bem em frente à casa de Armstrong é especialmente conveniente para as nossas necessidades. Se pedir um quarto de frente e comprar o que for necessário para a noite, terei tempo de fazer algumas investigações.

Mas essas poucas investigações acabaram demorando mais do que Holmes imaginara, porque ele só voltou ao hotel quase 21 horas. Estava pálido e desanimado, empoeirado, exausto e com fome. Uma sopa fria estava posta na mesa, e quando suas necessidades foram satisfeitas e seu cachimbo foi aceso, sentiu-se pronto para adotar aquela visão meio cômica e totalmente filosófica que lhe era natural quando seus casos iam mal. O som das rodas de uma carruagem o fez se levantar e olhar pela janela. Uma carruagem e um par de cavalos pardos, sob a luz do lampião a gás, pararam diante da porta do doutor.

— Ficou fora durante três horas — disse Holmes —, saiu às 18h30 e agora está de volta. Isto dá um raio de uns 15 quilômetros, e ele faz isso uma, e ocasionalmente, duas vezes por dia.

— Coisa não muito incomum para um médico no exercício da profissão.

— Mas Armstrong não é um médico praticante. É um professor e consultor, mas não liga para a clínica geral, que o distrai de seu trabalho literário. Então, por que faz estas viagens longas, que devem ser muito cansativas para ele, e quem é que visita?

— Seu cocheiro...

— Meu caro Watson, duvida de que foi a ele que perguntei primeiro? Não sei se a causa foi sua própria depravação, ou o estímulo de seu patrão, mas ele foi suficientemente rude para lançar o cão contra mim. Mas nem o cão nem o homem gostaram de minha bengala, e a incursão não deu em nada. As relações foram cortadas depois disso, e outras perguntas ficaram fora de questão. Tudo o que consegui eu soube por um nativo amigável no pátio deste hotel. Foi ele quem me falou dos hábitos do doutor e de suas viagens diárias. Nesse instante, para confirmar suas palavras, a carruagem chegou à porta.

— Não podia segui-la?

— Excelente, Watson! Você está brilhante esta noite. De fato a ideia passou pela minha cabeça. Existe, como deve ter notado, uma loja de bicicletas ao lado do nosso hotel. Corri até lá, aluguei uma bicicleta, e estava pronto para partir antes que a carruagem estivesse fora de minha vista. Rapidamente a alcancei, e então, mantendo a discreta distância de mais ou menos cem metros, acompanhei suas luzes até estarmos quase fora da cidade. Percorremos um longo trecho na estrada do campo, quando um incidente um pouco mortificante ocorreu. A carruagem parou, o doutor saltou, caminhou com rapidez até o lugar onde eu também havia parado, me disse de uma maneira bem irônica que temia que a estrada fosse muito estreita, e que desejava que sua carruagem não impedisse a passagem de minha bicicleta. Nada teria sido mais admirável do que esta maneira de colocar as coisas. Passei imediatamente pela carruagem, e, continuando na estrada principal, pedalei por alguns quilômetros, depois parei num lugar conveniente para ver se a carruagem passaria. Mas não havia sinal dela, ficando evidente, portanto, que tinha entrado em uma das várias estradas secundárias que eu havia notado. Pedalei de volta, mas de novo não vi sinal da carruagem, e agora, como percebe, ela voltou depois de mim. É claro que no início eu não tinha nenhum motivo particular para ligar essas viagens ao desaparecimento de Godfrey Staunton, e estava apenas disposto a investigá-las com a justificativa de que tudo que se relaciona com o dr. Armstrong nos interessa no momento, mas agora que descobri que vigia atentamente qualquer pessoa que possa segui-lo nestas excursões, o caso passa a ser mais importante, e não ficarei satisfeito até que o tenha esclarecido.

— Podemos segui-lo amanhã.

— Podemos? Não é tão fácil quanto pensa. Não está familiarizado com o cenário dos campos de Cambridge, está? Não são adequados para alguém se esconder. Todas estas terras pelas quais passei esta noite são tão planas e limpas como a palma de sua mão, e o homem que estamos seguindo não é nenhum bobo, como demonstrou claramente esta noite. Telegrafei a Overton, para que nos informe sobre qualquer novo acontecimento em Londres neste endereço, e enquanto isso, só podemos concentrar nossa atenção no dr. Armstrong, cujo nome a prestativa jovem do correio permitiu-me ler no canhoto da mensagem urgente de Staunton. Ele sabe onde está o rapaz, quanto a isso eu juro, e se ele sabe, então deve ser culpa nossa se não conseguimos saber também. Por enquanto devemos admitir que o truque singular está sob seu comando, e como sabe, Watson, não é meu costume deixar o jogo nesta situação.

Mesmo assim o dia seguinte não nos aproximou da solução do mistério. Um bilhete foi enviado após o café da manhã, e Holmes o passou para mim com um sorriso. Dizia:

Senhor:

Posso lhe assegurar que está perdendo tempo em seguir meus movimentos. Tenho, como descobriu na noite passada, uma janela na parte de trás de minha carruagem, se quer um passeio de trinta quilômetros que o levará de volta ao ponto de partida, precisa apenas me seguir. Enquanto isso, posso informá-lo que me espionar não ajudará de modo algum o sr. Godfrey Staunton, e estou convencido de que o melhor que pode fazer por aquele cavalheiro seria voltar imediatamente para Londres e dizer ao seu patrão que é incapaz de encontrá-lo. Seu tempo em Cambridge certamente será desperdiçado.

Cordialmente,

Leslie Armstrong

— Um antagonista declarado e honesto é esse doutor — disse Holmes. — Bem, ele excita minha curiosidade, preciso realmente saber o que acontece antes de deixá-lo.

— A carruagem está na porta dele agora — eu disse. — Lá está ele entrando nela. Vi que ele olhou para nossa janela ao fazer isso. Acha que devo tentar minha sorte com a bicicleta?

— Não, não, meu caro Watson! Com todo o respeito pela sua argúcia, não creio que seja um adversário para o ilustre doutor. Acho possível chegar ao nosso objetivo por meio de algumas explorações independentes que farei. Devo deixá-lo com seus próprios afazeres, pois o aparecimento de *dois* estranhos perguntadores numa cidadezinha sonolenta desperta mais mexericos do que eu gostaria. Sem dúvida vai descobrir algumas paisagens para entretê-lo nesta cidade venerável, e espero trazer um relato mais favorável antes do anoitecer.

Entretanto, uma vez mais meu amigo estava destinado a ficar desapontado. Voltou à noite, cansado e sem êxito.

— Tive um dia infrutífero, Watson. Sabendo a direção em que o doutor costuma ir, passei o dia visitando todas as cidadezinhas daquele lado de Cambridge, comparando informações com taberneiros e outros estabelecimentos em que se sabe das notícias locais. Percorri um bom pedaço. Chesterton, Histon, Waterbeach e Oakington foram explorados, e cada um deles foi decepcionante. O aparecimento diário de uma carruagem e uma parelha dificilmente deixaria de ser notado naquelas paragens sonolentas. O doutor marcou um ponto de novo. Há algum telegrama para mim?

— Sim, eu o abri. Aqui está:

Pergunte por Pompey a Jeremy Dixon,

Trinity College

— Não entendi.

— Oh, está bem claro. É do nosso amigo Overton, e é em resposta a uma pergunta minha. Mandarei um bilhete ao sr. Jeremy Dixon, e então não tenho dúvida de que nossa sorte vai mudar. Falando nisso, há alguma notícia sobre o jogo?

— Sim, o jornal vespertino local fez um excelente relato em sua última edição. O Oxford ganhou por um gol e dois *tries*. A última frase da descrição diz:

> *A derrota dos Light Blues pode ser inteiramente atribuída à lamentável ausência do craque internacional Godfrey Staunton, que foi sentida em todos os momentos do jogo. A falta de entrosamento entre a linha de* three-quarter *e sua fragilidade tanto no ataque como na defesa mais do que neutralizou os esforços de um time sólido e diligente.*

— Então as previsões do nosso amigo Overton estavam corretas — disse Holmes. — Pessoalmente estou de acordo com o dr. Armstrong, futebol não está no meu horizonte. Vou cedo para a cama hoje, porque estou prevendo que amanhã pode ser um dia cheio.

Fiquei horrorizado quando vi Holmes na manhã seguinte, pois estava sentado diante do fogo segurando sua fina seringa hipodérmica. Associei aquele instrumento à única fraqueza de sua natureza, e temi o pior quando a vi cintilando em sua mão. Ele riu ao ver minha expressão de aflição e a deixou na mesa.

— Não, não, meu caro amigo, não há motivo para alarme. Nesta ocasião não é um instrumento do mal, mas será a chave que desvendará nosso mistério. Nesta seringa deposito todas as minhas esperanças. Acabei de voltar de uma pequena expedição de reconhecimento, e tudo está favorável. Tome um bom café da manhã, Watson, pois pretendo ficar na pista do dr. Armstrong hoje, e quando estiver nela não vou parar para descansar ou comer até chegar à sua toca.

— Nesse caso — eu disse — seria melhor levar conosco nosso desjejum, pois ele está saindo cedo. Sua carruagem já está esperando.

— Não se preocupe. Deixe-o ir. Ele seria mais esperto se tomasse um caminho por onde eu não o pudesse seguir. Quando você tiver terminado, desça comigo e eu o apresentarei a um detetive que é um grande especialista no trabalho que temos pela frente.

Quando descemos, segui Holmes até o estábulo, onde abriu a porta de uma espécie de jaula e libertou um cachorro malhado, atarracado, de orelhas caídas, algo entre um *beagle* e um cão de caça.

— Deixe-me apresentá-lo a Pompey — disse. — Pompey é o orgulho dos farejadores locais; não muito veloz, como sua constituição mostrará, mas um cão seguro numa pista. Bem, Pompey, você pode não ser veloz, mas acho que será rápido demais para uma dupla de cavalheiros de meia-idade de Londres, de modo que tomarei a liberdade de atar esta tira de couro em sua coleira. Agora, garoto, venha e mostre o que pode fazer. — Levou-o até o portão da casa do doutor. O cão farejou por um instante, e depois, com uivo agudo de excitação, correu pela rua, puxando a tira de couro, em seu esforço para andar mais depressa. Em meia hora estávamos fora da cidade, correndo por uma estrada do campo.

— O que fez, Holmes? — perguntei.

— Um ardil batido e venerável, mas útil nesta ocasião. Fui até o pátio do doutor esta manhã e esvaziei minha seringa cheia de erva-doce na roda traseira. Um farejador seguirá a erva-doce daqui até a China, e nosso amigo, Armstrong, teria que atravessar um rio para tirar Pompey de sua pista. Oh, o patife esperto! Foi assim que me despistou naquela noite.

O cachorro saiu de repente da estrada principal e entrou numa pastagem. Meio quilômetro adiante havia outra estrada larga, e a trilha virava para a direita, em direção à cidade que acabáramos de deixar. A estrada fazia uma curva para o sul da cidade e continuava no sentido oposto ao daquele de onde partimos.

— Este *détour* foi inteiramente para nosso benefício, então? — disse Holmes. — Não admira que minhas perguntas aos habitantes dos lugarejos não tenham dado em nada. O doutor com certeza jogou com vontade, e gostaria de saber o motivo de um disfarce tão elaborado. Esta deve ser a vila de Trumpington, à nossa direita. E, por Deus! Aí está a carruagem fazendo aquela curva. Rápido, Watson, rápido, ou estamos perdidos!

Pulou um portão para dentro de um campo, puxando o relutante Pompey atrás dele. Mal nos escondêramos atrás de uma sebe quando a carruagem passou. Vi o dr. Armstrong lá dentro, os ombros curvados, a cabeça escondida nas mãos, a própria imagem da angústia. Eu podia perceber pela expressão grave do meu amigo que ele também tinha visto.

— Temo que haja algum fim sombrio para a nossa busca — disse.
— Não levará muito tempo até sabermos. Venha, Pompey! Ah, é o chalé no campo!

Não havia dúvida de que tínhamos chegado ao fim da nossa jornada. Pompey corria e uivava impacientemente do lado de fora do portão, onde as marcas das rodas da carruagem ainda eram visíveis. Uma trilha ia até a entrada do chalé isolado. Holmes amarrou o cão na sebe e corremos para lá. Meu amigo bateu na portinha rústica duas vezes sem obter resposta. Ainda assim o chalé não estava vazio, pois um som baixo chegava aos nossos ouvidos — uma espécie de murmúrio de aflição e desespero que era indescritivelmente melancólico. Holmes parou, indeciso, então olhou para a estrada que acabara de atravessar. Uma carruagem estava chegando, e ele reconheceu aqueles cavalos pardos.

— Por Deus, o doutor está voltando! — exclamou Holmes. — Isso esclarece tudo. Estamos prestes a ver o que significa, antes que ele chegue.

Abriu a porta e entramos no saguão. O murmúrio soava alto em nossos ouvidos até que se tornou um longo e profundo lamento de angústia. Vinha lá de cima. Holmes subiu correndo, e eu o segui. Empurrou uma porta meio fechada, e nós dois paramos estarrecidos diante do que vimos.

Uma mulher, jovem e bonita, estava morta na cama. Seu rosto calmo, com os olhos azuis opacos bem abertos, olhava para cima, por entre uma grande confusão de cabelos dourados. Aos pés da cama, meio sentado, meio ajoelhado, o rosto coberto pelas roupas, estava um rapaz, cujo corpo sacudia-se violentamente com seus soluços. Estava tão mergulhado em sua grande dor que não olhou para cima, até que a mão de Holmes pousou em seu ombro.

— É o sr. Godfrey Staunton?

— Sim, sim, sou eu, mas vocês estão muito atrasados. Ela está morta.

O homem estava tão atordoado que não conseguimos convencê-lo de que não éramos médicos mandados em seu auxílio. Holmes tentava dizer algumas palavras de consolo e explicar o alarme que seu súbito desaparecimento provocou nos amigos dele quando ouvimos passos na escada, e surgiu à porta o rosto maciço e austero do dr. Armstrong.

— Então, cavalheiros — disse —, chegaram ao seu destino e com certeza escolheram um momento particularmente delicado para sua intromissão. Não brigaria na presença da morte, mas lhes asseguro que se eu fosse mais moço, sua conduta monstruosa não ficaria impune.

— Desculpe-me, dr. Armstrong, creio que há um mal-entendido — disse meu amigo, com dignidade. — Se quiser descer conosco, acho que cada um de nós poderá esclarecer ao outro alguma coisa sobre este caso infeliz.

Um minuto depois, nós e o médico carrancudo estávamos na sala de estar, no andar de baixo.

— E então, senhor? — ele perguntou.

— Gostaria que compreendesse, em primeiro lugar, que não estou contratado por lorde Mount-James, e que minhas simpatias nesse assunto são inteiramente contra o nobre. Quando um homem desaparece, é meu dever descobrir seu paradeiro, mas, depois de fazer isso, o caso termina no que me diz respeito, e desde que não haja nada de criminoso, fico muito mais ansioso para evitar escândalos públicos do que para lhes dar publicidade. Se, como imagino, não há nenhuma infração da lei neste caso, pode confiar totalmente na minha discrição e na minha cooperação para manter os fatos longe dos jornais.

O dr. Armstrong deu um passo rápido à frente e apertou a mão de Holmes.

— O senhor é um bom sujeito — disse. — Julguei-o mal. Graças aos céus o meu escrúpulo em deixar o pobre Staunton sozinho nessa situação me fez voltar e, assim, conhecer o senhor. Sabendo tanto quanto o senhor sabe, a situação pode ser explicada muito facilmente. Um ano atrás, Godfrey Staunton hospedou-se em Londres por algum tempo, e apaixonou-se pela filha da senhoria, com quem se casou. Era tão boa quanto bonita, e tão inteligente quanto boa. Nenhum homem se envergonharia de uma esposa assim. Mas Godfrey era o herdeiro desse velho nobre rabugento, e estava certo de que a notícia de seu casamento seria o fim de sua herança. Eu conhecia bem o rapaz, e o amava por suas excelentes qualidades. Fiz tudo o que pude para ajudá-lo a manter as coisas em ordem. Fizemos o possível para ocultar o fato de todos, pois quando um rumor desses corre por aí, não demora muito para que todos fiquem sabendo. Graças a este chalé isolado e à sua própria discrição, Godfrey foi bem-sucedido até agora. Ninguém conhecia o segredo deles, a não ser eu e um excelente criado, que no momento foi a Trumpington buscar ajuda. Mas, por fim, houve um golpe terrível, sob a forma de uma perigosa doença de sua esposa. Era uma tuberculose pulmonar do tipo mais virulento. O pobre garoto ficou quase louco de dor, e mesmo assim tinha de ir a Londres para aquele jogo, pois não podia deixar de jogar sem explicações que revelariam seu segredo. Tentei consolá-lo com o telegrama, e ele me mandou um em resposta, implorando-me para fazer tudo o que pudesse. Este era o telegrama que o senhor parece ter visto, de uma maneira inexplicável. Não contei a ele sobre a urgência da situação, pois sabia que não poderia fazer nada aqui, mas contei a verdade para o pai da moça e ele, muito injustificadamente, a comunicou a Godfrey. O resultado é que ele veio direto para cá num estado de quase delírio, e tem ficado nesse mesmo estado, ajoelhado aos pés da cama dela, até que esta manhã a morte pôs um fim aos sofrimentos dela. Isto é tudo, sr. Holmes, e tenho certeza de que posso confiar na sua discrição e na do seu amigo.

Holmes apertou a mão do médico.

— Venha, Watson — ele disse, e saímos daquela casa de luto para a pálida luz do sol de um dia de inverno.

A AVENTURA DE ABBEY GRANGE

Foi numa manhã gelada, depois de uma noite de frio cortante, no final do inverno de 1897, que fui acordado por uma batida em meu ombro. Era Holmes. A vela em sua mão iluminava seu rosto ansioso e ele me revelou num olhar que havia algo errado.

— Venha, Watson, venha! — exclamou. — O jogo está em andamento. Nem uma palavra! Vista-se e venha!

Dez minutos depois estávamos num cabriolé, passando pelas ruas silenciosas a caminho da estação de Charing Cross. Os primeiros e fracos raios do sol de inverno começavam a aparecer, e podíamos ver vagamente as silhuetas ocasionais de algum operário madrugador ao passar por nós, borrado e indistinto no opalescente nevoeiro de Londres. Holmes aconchegou-se em seu casaco grosso, e eu fiquei contente por fazer a mesma coisa, porque o ar estava muito gelado, e nenhum de nós havia quebrado o jejum.

Só depois de ter tomado um pouco de chá quente na estação e ocupado nossos lugares no trem de Kent, ficamos suficientemente dispostos, ele para falar e eu para ouvir. Holmes tirou um bilhete do bolso e o leu em voz alta:

Abbey Grange, Marsham, Kent,
3h30

Meu caro sr. Holmes:

Estaria muito agradecido por sua ajuda imediata no que promete ser um caso bastante notável. É algo da sua especialidade. A não ser pelo fato de liberar a dama, cuidarei para que tudo seja mantido exatamente como en-

contrei, mas imploro-lhe que não perca um instante, pois é difícil manter sir Eustace lá.

Cordialmente,

Stanley Hopkins

— Hopkins já me chamou sete vezes, e em cada ocasião seus apelos foram inteiramente justificados — disse Holmes. — Aposto como cada um dos casos dele já foi para a sua coleção, e devo admitir, Watson, que você tem uma certa capacidade de seleção, que compensa muita coisa que eu deploro em suas narrativas. Seu hábito desastroso de olhar para tudo sob o ponto de vista de uma história e não de um exercício científico arruinou o que poderia ter sido uma série de demonstrações instrutivas e até mesmo clássicas. Você omite um trabalho da maior fineza e delicadeza, a fim de se estender em detalhes sensacionais que podem excitar, mas provavelmente não podem instruir o leitor.

— Por que você mesmo não os escreve? — perguntei com azedume.

— Escreverei, meu caro Watson, escreverei. No momento, como sabe, estou muito ocupado, mas pretendo dedicar meus últimos anos à preparação de um livro que irá enfocar toda a arte da investigação em um volume. Nossa pesquisa atual parece ser um caso de assassinato.

— Acha então que *sir* Eustace está morto?

— Eu diria isso. A caligrafia de Hopkins revela muita agitação, e ele não é um homem emotivo. Sim, creio que houve violência, e que o corpo foi deixado para nossa inspeção. Um mero suicídio não faria com que ele me chamasse. Quanto à liberação da dama, parece que estava trancada em seu quarto durante a tragédia. Estamos lidando com a alta sociedade, Watson, papel crepitante, monograma "E.B.", brasão de armas, endereço pitoresco. Creio que o amigo Hopkins vai se manter à altura de sua reputação, e que teremos uma manhã interessante. O crime foi cometido ontem, antes da meia-noite.

— Como pode afirmar?

— Pela verificação dos trens, e calculando os horários. A polícia local tinha de ser chamada, eles tinham de se comunicar com a Scotland Yard, Hopkins tinha de sair, e ele, por sua vez, teve de me chamar.

Tudo isto ocupa uma noite de trabalho. Bem, aqui estamos na estação Chiselhurst, e logo tiraremos nossas dúvidas.

Uma viagem de alguns quilômetros por caminhos estreitos do campo nos levou até o portão de um parque, que foi aberto por um velho porteiro, cuja face crispada refletia algum grande desastre. A avenida atravessava um parque imponente, entre filas de velhos olmos, e terminava numa casa grande e baixa, com colunas na frente, em estilo paladiano. A ala central, evidentemente, era muito antiga e coberta de musgo, mas as grandes janelas mostravam que tinham sido feitas reformas recentes, e uma ala da casa parecia ser inteiramente nova. A figura jovem e o rosto atento e ansioso do inspetor Stanley Hopkins nos esperavam na porta aberta.

— Estou grato por ter vindo, sr. Holmes. E o senhor também, dr. Watson. Mas, na verdade, se pudesse voltar no tempo, não os teria incomodado, pois desde que a dama voltou a si, relatou o caso de maneira tão clara que não nos restou muita coisa a fazer. Lembra-se daquela gangue de assaltantes de Lewisham?

— Qual, os três Randalls?

— Exatamente; o pai e dois irmãos. É trabalho deles. Não tenho dúvida. Fizeram um trabalho em Sydenham há 15 dias, foram vistos e descritos. Muito frios para fazer outro tão depressa e tão perto, mas foram eles, sem a menor dúvida. É caso para enforcamento desta vez.

— Então *sir* Eustace está morto?

— Sim, sua cabeça foi golpeada com seu próprio atiçador de lareira.

— *Sir* Eustace Brackenstall, disse-me o motorista.

— Exato, um dos homens mais ricos de Kent. *Lady* Brackenstall se encontra na sala de estar. Pobre senhora, passou por uma experiência terrível. Parecia quase morta, quando a vi pela primeira vez. Acho que é melhor vocês irem até lá para ouvir o seu relato dos fatos. Depois examinaremos juntos a sala de jantar.

Lady Brackenstall não era uma pessoa comum. Raras vezes vi uma figura tão graciosa, uma presença tão feminina e um rosto mais bonito. Era loura, cabelos dourados, olhos azuis e sem dúvida teria a compleição perfeita que combina essas cores, não fossem os acontecimentos recentes que a deixaram abatida e tensa. Seus sofrimentos eram tão físicos como mentais, porque sobre um dos olhos aparecia uma horrível inchação roxa, que sua criada, uma mulher alta e austera, molhava o tempo todo com vinagre e água. A dama estava deitada, exausta, num sofá, mas seu olhar rápido e observador, quando entramos no aposento, e a expressão atenta de suas feições bonitas mostravam que nem seu juízo nem sua coragem tinham sido abalados por sua terrível experiência. Vestia um roupão folgado azul e prata, mas um vestido de noite preto, bordado com vidrilhos, estava a seu lado no sofá.

— Já lhe contei tudo o que aconteceu, sr. Hopkins — disse ela, cansada. — O senhor não poderia repeti-lo por mim? Bem, se acha necessário, direi a estes cavalheiros o que ocorreu. Eles já estiveram na sala de jantar?

— Achei que seria melhor que ouvissem primeiro a história contada pela senhora.

— Ficarei satisfeita quando conseguirem solucionar as coisas. É horrível para mim pensar nele ainda estendido lá. — Ela estremeceu e enterrou o rosto nas mãos. Ao fazer isso, as mangas do roupão largo deslizaram, deixando à mostra seus antebraços. Holmes soltou uma exclamação.

— A senhora tem outros ferimentos, madame! O que é isso? — Duas marcas bem vermelhas apareciam num dos braços brancos e roliços. Ela o cobriu rapidamente.

— Não é nada. Não tem nenhuma ligação com este negócio horrendo desta noite. Se o senhor e seu amigo se sentarem, eu lhes contarei tudo o que puder.

"Sou a esposa de *sir* Eustace Brackenstall. Estive casada durante um ano, mais ou menos. Acho que não adianta tentar esconder que nosso casamento não era feliz. Receio que todos os nossos vizinhos lhe digam isso, mesmo que eu tentasse negar. Talvez a culpa em parte fosse minha. Fui educada na atmosfera mais livre e menos convencional do sul da Austrália, e esta vida inglesa, com suas formalidades e sua rigidez, não é adequada para mim. Mas o motivo principal está no fato, conhecido de todos, de que *sir* Eustace era um bêbado inveterado. Estar com um homem assim durante uma hora é desagradável. Pode imaginar o que significa, para uma mulher sensível e decidida, estar presa a ele noite e dia? É um sacrilégio, um crime, uma infâmia dizer que um casamento assim é obrigatório. Digo que estas suas leis monstruosas atrairão uma maldição sobre a terra. Deus não permitirá que essa perversidade continue."

Por um momento ela se sentou, ruborizada, e seus olhos brilhavam abaixo da terrível marca na sobrancelha. Depois a mão forte e suave da criada austera acomodou sua cabeça na almofada, e o ódio selvagem transformou-se num soluço impetuoso. Por fim continuou:

— Eu lhes contarei sobre a noite passada. Talvez os senhores saibam que nesta casa todos os criados dormem na ala nova. Este bloco central inclui os aposentos principais, com a cozinha nos fundos e nosso quarto em cima. Minha criada, Theresa, dorme no quarto acima do meu. Não há mais ninguém, e nenhum som poderia alertar aqueles que estão na ala mais distante. Os ladrões deviam saber disso, ou não teriam agido do modo como fizeram.

"*Sir* Eustace foi para o quarto por volta de 22h30. Os criados já tinham se retirado para seus aposentos. Apenas minha empregada estava de pé, e permanecia em seu quarto no alto da casa até que eu precisasse de seus serviços. Fiquei sentada neste quarto até depois das 23 horas, entretida com um livro. Então dei uma volta para ver se tudo estava em ordem antes de subir. Era meu costume fazer isso pessoalmente, pois, como já expliquei, nem sempre era possível confiar em *sir* Eustace. Entrei na cozinha, na copa, na sala de armas, sala de bilhar, sala de visitas, e, finalmente, na sala de jantar. Ao me aproximar da janela, coberta com cortinas grossas, senti de repente o vento soprar no meu rosto, e percebi que estava aberta. Puxei a cortina para o lado e me vi cara a cara com um homem idoso de ombros largos, que acabara de entrar na sala. A janela é grande, do tipo porta-janela, que na verdade é uma porta que dá para o jardim. Estava segurando a vela do quarto acesa e, com sua luz, vi atrás do homem dois outros, prestes a entrar. Dei um passo para trás, mas o sujeito me alcançou num instante. Segurou-me primeiro pelo pulso e depois pela garganta. Abri a boca para gritar, mas ele me deu um golpe violento com o punho no olho e me derrubou no chão. Devo ter ficado inconsciente por alguns minutos porque, quando voltei a mim, descobri que haviam cortado a corda da campainha, e me amarrado bem firme à cadeira de carvalho que fica na cabeceira da mesa de jantar. Estava tão firmemente atada que não podia me mover, e um lenço em minha boca me impedia de emitir qualquer som. Foi nesse instante que meu marido entrou na sala. Evidentemente ouvira algum som suspeito e veio preparado para a cena que encontrou. Estava vestido com uma camisa de dormir e calças, com seu porrete favorito, de ameixeira brava, na mão. Arremeteu contra os assaltantes, mas um outro — era o velho — abaixou-se, pegou o atiçador da lareira e deu--lhe uma pancada horrível ao passar por ele. Caiu com um gemido e não se moveu mais. Desmaiei de novo, mas deve ter sido também por apenas alguns minutos, durante os quais estive insensível. Quando abri os olhos, descobri que haviam recolhido a prataria do aparador e bebido uma garrafa de vinho que ficava lá. Cada um deles tinha uma garrafa na mão. Já lhes disse, creio, que um era idoso, com uma barba, e os outros jovens, calvos. Devem ser o pai e seus dois filhos. Conversaram entre eles, sussurrando. Depois se aproximaram e se certificaram de que eu estava bem presa. Finalmente, foram embora, fechando a janela atrás deles. Quase 15 minutos depois consegui arrancar o lenço da boca. Quando fiz isso, meus gritos atraíram a criada. Os outros criados foram logo avisados e enviados para chamar a polícia local, que na mesma hora informou Londres. Isto é realmente tudo o que posso lhes contar, cavalheiros, e espero que não seja necessário repetir essa história tão dolorosa mais uma vez."

— Alguma pergunta, sr. Holmes? — disse Hopkins.

— Não vou impor mais nenhum sacrifício à paciência e ao tempo de *lady* Brackenstall — disse Holmes. — Antes de ir para a sala de jantar, gostaria de ouvir sua experiência. — Olhou para a criada.

— Eu vi os homens antes de eles entrarem na casa — disse. — Quando estava sentada à janela do meu quarto, vi três homens à luz do luar, perto do portão da casa do porteiro, mas não pensei em nada naquele momento. Mais de uma hora depois ouvi minha patroa gritar e corri para baixo, para encontrá-la, pobre cordeirinho, exatamente como ela diz, e ele no chão, com sangue e miolos espalhados pelo quarto. Era o suficiente para deixar uma mulher fora de si, amarrada ali, e seu próprio vestido manchado, mas nunca lhe faltou coragem, desde que era a srta. Mary Fraser, de Adelaide, e *lady* Brackenstall, de Abbey Grange, de fato não aprendeu novos caminhos. Já a interrogaram por muito tempo, cavalheiros, e agora ela vai para seu próprio quarto, com sua velha Theresa, para ter o descanso de que tanto precisa.

Com delicadeza maternal, a mulher magra colocou o braço ao redor de sua patroa e a conduziu para fora do aposento.

— Esteve com ela a vida inteira — disse Hopkins. — Cuidou dela quando bebê, e veio para a Inglaterra quando saíram da Austrália pela primeira vez, há 18 meses. O nome dela é Theresa Wright, e é do tipo de criada que não se encontra mais hoje em dia. Por aqui, sr. Holmes, por favor!

O interesse profundo desaparecera do rosto expressivo de Holmes, e eu sabia que, junto com o mistério, todo o encanto do caso havia sumido. Ainda faltava efetuar uma prisão, mas o que eram esses patifes vulgares para que ele sujasse suas mãos com eles? Um especialista impenetrável e culto que descobre ter sido chamado para um caso de sarampo experimentaria um pouco da irritação que eu lia nos olhos do meu amigo. Ainda assim a cena na sala de jantar de Abbey Grange era suficientemente estranha para atrair sua atenção e reacender seu interesse, que minguava.

Era um aposento amplo e alto, com um teto de carvalho esculpido, com painéis também de carvalho, e uma ótima coleção de cabeças de cervos e armas antigas nas paredes. Ao fundo estava a porta-janela da qual já ouvíramos falar. Três janelas menores no lado direito enchiam o aposento com o frio sol de inverno. À esquerda havia uma lareira larga e funda, com um consolo de carvalho maciço. Ao lado da lareira estava uma pesada cadeira de carvalho, com braços e barras transversais na parte debaixo. De um lado e de outro da peça de madeira trabalhada e vazada havia uma corda avermelhada, amarrada em cada lado da madeira cruzada embaixo. Quando a dama foi libertada, a corda tinha sido tirada dela, mas os nós que foram feitos ainda estavam lá. Estes detalhes só chamaram nossa atenção depois, pois nossos pensamentos estavam totalmente concentrados no terrível objeto que jazia sobre o tapete de pele de tigre diante da lareira.

Era o corpo de um homem alto, de boa compleição, cerca de quarenta anos de idade. Estava deitado de costas, o rosto para cima, com os dentes brancos brilhando por entre a barba curta e preta. Suas duas mãos fechadas erguiam-se acima da cabeça e um porrete pesado estava ao seu lado. Suas feições morenas, bonitas e aquilinas estavam contorcidas num espasmo de ódio vingativo, que deu ao seu rosto de morto uma terrível expressão demoníaca. Estivera obviamente em sua cama quando o alarme fora dado, pois vestia um camisolão ridículo, bordado, e seus pés descalços projetavam-se das calças. Sua cabeça estava terrivelmente machucada, e toda a sala era testemunha da ferocidade do golpe que o abatera. Ao seu lado achava-se o pesado atiçador, entortado pelo golpe. Holmes examinou o objeto e a indescritível destruição que causara.

— Deve ser um homem forte, esse velho Randall — notou.

— Sim — disse Hopkins. — Tenho alguns registros do sujeito, e ele é um indivíduo desordeiro.

— Você não deverá ter dificuldades para pegá-lo.

— Nem um pouco. Estivemos procurando por ele, e há indícios de que fugiu para os Estados Unidos. Agora que sabemos que a gangue está aqui, não vejo como eles possam escapar. Já espalhamos a notícia em todos os portos, e uma recompensa será oferecida antes do anoitecer. O que me intriga é terem feito algo tão louco, sabendo que a dama poderia descrevê-los e que não deixaríamos de reconhecer a descrição.

— Exato. Era de se esperar que tivessem silenciado *lady* Brackenstall também.

— Talvez não tenham percebido — sugeri — que ela se recobrara do desmaio.

— É provável. Se ela parecia sem sentidos, não lhe tirariam a vida. E quanto a este pobre sujeito, Hopkins? Ouvi algumas histórias estranhas sobre ele.

— Era um homem de bom coração quando estava sóbrio, mas um perfeito demônio quando estava bêbado, ou mesmo meio bêbado, pois raras vezes o ficava inteiramente. O diabo parecia encarnar nele nessas ocasiões, e ele era capaz de tudo. Pelo que ouvi, apesar de sua riqueza e do título, quase veio parar na polícia uma ou duas vezes. Houve um escândalo por ter embebido um cão em petróleo e ateado fogo no animal; o cão de sua esposa, para piorar as coisas, e só foi contido com dificuldade. Depois jogou uma garrafa na criada, Theresa Wright; houve uma confusão a respeito disso. Em resumo, e aqui entre nós, será uma casa mais alegre sem ele. O que está olhando agora?

Holmes estava ajoelhado, examinando com grande atenção os nós na corda vermelha com que a mulher fora amarrada. Depois, observou cuidadosamente a ponta cortada e esfiapada no lugar em que havia sido partida quando o ladrão a puxou para baixo.

— Quando isto foi puxado, a campainha da cozinha deve ter tocado bem alto — observou.

— Ninguém podia ouvi-la. A cozinha fica bem nos fundos da casa.

— Como é que o ladrão poderia saber que ninguém a ouviria? Como ousou puxar a corda da campainha de uma maneira tão imprudente?

— Exato, sr. Holmes, exato. Tocou na pergunta que fiz a mim mesmo várias vezes. Não há dúvida de que esse sujeito conhecia a casa e seus hábitos. Devia saber perfeitamente bem que todos os criados estariam em suas camas àquela hora, relativamente cedo, e que ninguém ouviria a campainha tocar na cozinha. Portanto, devia estar em contato com um dos criados. Isto é evidente. Mas são oito criados e todos de ótimo caráter.

— Se outros fatores são iguais — disse Holmes —, suspeitaríamos daquela em cuja cabeça o patrão jogou uma garrafa. Mesmo assim, isso significaria trair a patroa a quem essa mulher parece tão dedicada. Ora, ora, isto é o de menos, e quando pegar Randall, provavelmente não encontrará dificuldades para agarrar seus cúmplices. A história da dama parece ser confirmada, se é que precisa de confirmação, por todos os detalhes que vemos diante de nós. — Foi até a porta-janela e a abriu. — Não há marcas aqui, mas o chão está duro como ferro, e ninguém esperaria que houvesse marcas. Vejo que as velas do consolo foram acesas.

— Sim, foi com a luz delas, e com a da vela do quarto da dama, que os ladrões enxergaram o caminho dentro da casa.

— E o que eles levaram?

— Bem, não levaram muita coisa, apenas meia dúzia de objetos de prata do aparador. *Lady* Brackenstall acha que eles próprios estavam tão perturbados com a morte de *sir* Eustace que não saquearam a casa, como normalmente teriam feito.

— Sem dúvida isso é verdade, e mesmo assim beberam vinho, eu acho.

— Para relaxar os nervos.

— Exatamente. Estes três copos no aparador não foram tocados, suponho?

— Sim, e a garrafa está como a deixaram.

— Vamos dar uma olhada nela. Ora, ora! O que é isso?

Os três copos estavam juntos, todos eles com marcas de vinho, e um deles contendo resíduos da película que se forma na superfície do vinho velho. A garrafa estava perto deles, com 2/3 de bebida, e ao seu lado havia uma rolha comprida e muito manchada. Sua aparência e a poeira sobre a garrafa mostravam que não era de vinho comum que os assassinos gostavam.

O comportamento de Holmes tinha mudado. Sua expressão indiferente desaparecera, e eu via novamente um brilho de interesse em seus olhos penetrantes e fundos. Levantou a rolha e examinou-a atentamente.

— Como a tiraram? — perguntou.

Hopkins apontou para uma gaveta meio aberta. Dentro havia toalhas de mesa e um grande saca-rolhas.

— *Lady* Brackenstall disse que o saca-rolhas foi usado?

— Não, lembre-se de que ela estava sem sentidos no momento em que a garrafa foi aberta.

— Exato. Para falar a verdade, o saca-rolhas *não* foi usado. Esta garrafa foi aberta com um saca-rolhas de bolso, provavelmente de um canivete, que não tinha mais do que uns quatro centímetros de comprimento. Se examinar o alto da rolha, vai observar que o saca-rolhas foi colocado três vezes antes de extraí-la. Ela jamais foi trespassada. Este saca-rolhas comprido a teria trespassado e extraído com um único puxão. Quando agarrar esse sujeito, vai descobrir que ele tem um desses canivetes múltiplos em seu poder.

— Excelente! — disse Hopkins.

— Mas essas garrafas me intrigam, confesso. *Lady* Brackenstall *viu* realmente os três homens bebendo, não?

— Sim, ela foi clara nesse ponto.

— Então isso é o final. O que há mais para ser dito? E ainda assim, deve admitir que os três copos são notáveis, Hopkins. O quê? Não vê nada de notável? Ora, ora, deixe estar. Talvez, quando um homem tem conhecimento e poderes especiais como os meus, isso o estimula a procurar uma explicação complexa quando uma mais simples está ao seu alcance. É claro que pode ser simples casualidade, quanto às garrafas. Bem, bom dia, Hopkins, não creio que possa ser útil a você, e parece que seu caso é muito claro. Avise-me quando Randall for preso, e sobre outras novidades que possam ocorrer. Acredito que logo teremos de congratulá-lo por uma conclusão bem-sucedida. Venha, Watson, acho que podemos nos dedicar a coisas mais proveitosas em casa.

Durante nossa viagem de volta eu podia ver pelo rosto de Holmes que ele estava muito intrigado com algo que observara. De vez em quando, com esforço, conseguia afastar a impressão e conversar como se o caso estivesse claro, mas depois as dúvidas lhe voltavam, e suas sobrancelhas carregadas e olhos absortos mostravam que seus pensamentos iam de novo para a grande sala de jantar de Abbey Grange, na qual esta tragédia noturna ocorrera. Por fim, num impulso repentino, quando nosso trem estava saindo de uma estação suburbana, ele pulou para a plataforma e me puxou para fora atrás dele.

— Desculpe-me, meu caro amigo — disse ele enquanto olhávamos os últimos vagões do nosso trem desaparecendo numa curva —, sinto fazer de você a vítima do que pode parecer um mero capricho, mas por minha vida, Watson, eu simplesmente *não posso* deixar o caso nessa situação. Todos os meus instintos protestam contra isso. Está errado, está tudo errado, juro que está errado. E ainda assim a história da dama estava completa, a confirmação da criada foi suficiente, o detalhe era preciso. O que tenho para contestar isso? Três copos de vinho, isso é tudo. Mas se eu não tivesse dado as coisas como certas, se tivesse conferido tudo com o cuidado que deveria ter demonstrado, teríamos abordado o caso *de novo*, e se não tivesse nenhuma história estereotipada para torcer minhas ideias, será que eu não teria descoberto algo mais definido com o qual pudesse continuar? É claro que teria. Sente-se neste banco, Watson, até que chegue um trem para Chiselhurst, e permita-me mostrar-lhe o indício, implorando-lhe primeiro que tire da cabeça a ideia de que tudo o que a criada ou sua patroa disseram tem necessariamente de ser verdade. A personalidade encantadora da dama não deve desvirtuar nosso julgamento.

"Com certeza existem detalhes na história dela que, se olharmos com sangue-frio, despertarão nossa suspeita. Esses ladrões tiveram um ganho considerável em Sydenham 15 dias atrás. Algo sobre eles e suas fisionomias apareceu nos jornais, e naturalmente seriam lembrados por qualquer um que desejasse uma história em que ladrões imaginários tomassem parte. Para falar a verdade, assaltantes que fizeram um bom ganho em seu negócio, em geral, ficam contentes em apenas desfrutar seu lucro em paz sem embarcar num outro empreendimento perigoso. Além disso, não é comum ladrões agirem tão cedo, não é comum golpearem uma dama para evitar que ela grite, já que qualquer um imaginaria que este é o caminho certo para fazê-la gritar, é incomum cometerem assassinato quando o seu número é suficiente para subjugar um homem, é incomum contentarem-se com uma pilhagem limitada quando havia muito mais ao seu alcance, e por fim, diria que foi muito estranho homens desse tipo deixarem uma garrafa meio vazia. Todos estes fatos pouco comuns não o impressionam, Watson?"

— O efeito cumulativo deles com certeza é considerável, e mesmo assim cada um deles separadamente é bastante possível. A coisa mais extraordinária de todas, ao que me parece, é que a mulher estivesse amarrada à cadeira.

— Bem, não estou muito convencido disso, Watson, pois é evidente que deveriam tê-la matado ou então a amarrado de modo que não pudesse dar um alarme imediato da fuga deles. Mas de qualquer modo mostrei que há um certo elemento de improbabilidade na história da dama, não é? E agora, além de tudo isso, vem o incidente com os copos de vinho.

— O que têm os copos de vinho?

— Pode vê-los de memória?

— Vejo-os claramente.

— Disseram-nos que três homens beberam neles. Isto lhe parece provável?

— Por que não? Havia vinho em cada copo.

— Exato. Mas só havia borra em um deles. Deve ter notado o fato. O que isto lhe sugere?

— O último copo enchido tinha mais probabilidade de conter a borra.

— Nada disso. A garrafa estava cheia de borra e é inconcebível que os dois primeiros copos estivessem puros e o terceiro com muita borra. Há duas explicações possíveis, e apenas duas. Uma é que depois de ter sido enchido o segundo copo, a garrafa foi violentamente agitada, e assim o terceiro recebeu a borra. Isto não parece provável. Não, não, estou convencido de que estou certo.

— Então, o que supõe?

— Que apenas dois copos foram usados, e que os restos de ambos foram despejados no terceiro, para dar a falsa impressão de que três pessoas estiveram lá. Desse modo, toda a borra ficaria no último copo, não? Sim, estou convencido de que é isso. Mas se eu tiver encontrado a explicação verdadeira deste pequeno fenômeno, então num instante o caso passa do lugar-comum para o extraordinário, pois só pode significar que *lady* Brackenstall e sua criada mentiram deliberadamente, que não se deve acreditar em nenhuma palavra da história delas, que têm algum motivo muito forte para encobrir o verdadeiro criminoso, e que devemos imaginar o caso por nossa conta, sem qualquer ajuda delas. Esta é a missão que temos pela frente, e aqui, Watson, está o trem de Sydenham.

O pessoal de Abbey Grange ficou muito surpreso com a nossa volta, mas Sherlock Holmes, descobrindo que Stanley Hopkins saíra para informar à chefatura, apossou-se da sala de jantar, trancou a porta por dentro e dedicou-se, durante duas horas, a uma daquelas investigações minuciosas e trabalhosas que formam a base sólida sobre a qual suas brilhantes deduções se apoiam. Sentado num canto como um estudante interessado que observa a demonstração do professor, acompanhei cada passo daquela pesquisa memorável. A porta-janela, o tapete, a cadeira, a corda — cada um deles foi examinado com cuidado e devidamente analisado. O corpo do infeliz baronete havia sido removido, e tudo o mais permanecia como víramos pela manhã. Finalmente, para meu assombro, Holmes subiu no maciço consolo da lareira. Muito acima de sua cabeça estavam pendurados alguns centímetros da corda vermelha que ainda estavam atados ao fio. Durante muito tempo ficou olhando para ela, e depois, numa tentativa de chegar mais perto, apoiou o joelho numa prateleira de madeira na parede. Isto fez com que sua mão ficasse a poucos centímetros do pedaço partido da corda, mas não precisava tanto, pois era a própria prateleira que parecia atrair sua atenção. Por fim, pulou para o chão com uma exclamação de contentamento.

— Está tudo bem, Watson — disse. — Temos nosso caso, um dos mais memoráveis da nossa coleção. Mas, meu Deus, como fui estúpido, e quase cometi o grande erro da minha vida! Agora, acho que, com alguns elos que faltam, minha cadeia está quase completa.

— Descobriu os seus homens?

— Homem, Watson, homem. Apenas um, mas uma pessoa terrível. Forte como um leão; veja pelo golpe que amassou aquele atiçador! Quase 1,90m de altura, ágil como um esquilo, hábil com os dedos e, finalmente, com uma incrível presença de espírito, pois toda essa história engenhosa é um plano seu. Sim, Watson, deparamo-nos com um trabalho de um indivíduo notável. E mesmo assim, com aquela corda da campainha, ele nos forneceu uma pista que não nos deixa dúvida alguma.

— Onde estava a pista?

— Bem, se puxasse uma corda de campainha, Watson, onde esperaria que ela se rompesse? Com certeza no ponto em que está atada ao fio. Por que arrebentaria oito centímetros antes do lugar, como aconteceu?

— Porque está puída ali?

— Exatamente. Esta ponta, que podemos examinar, está puída. Ele foi suficientemente esperto para fazer isso com seu canivete. Mas a outra ponta não está. Não poderia observar daqui, mas se estivesse sobre o consolo da lareira, veria que está cortada sem qualquer marca de desgaste. Pode-se reconstituir o que aconteceu. O homem precisava da corda. Não a puxaria por temer dar o alarme tocando a campainha. O que faz? Pula para o consolo da lareira, não a alcança, põe o joelho na prateleira, verá a marca na poeira, e então pega o canivete para lançar-se sobre a corda. Não consegui alcançar o lugar por uma diferença de pelo menos sete centímetros, e daí eu deduzo que ele é pelo menos sete centímetros mais alto do que eu. Olhe para aquela marca no assento da cadeira de carvalho! O que é isso?

— Sangue.

— Sem dúvida é sangue. Só isto põe a história da dama fora de cogitação. Se ela estava sentada na cadeira quando o crime foi cometido, como apareceu esta marca? Não, não, ela foi colocada na cadeira *depois* da morte do marido. Aposto como o vestido negro mostra uma marca semelhante a esta. Ainda não encontramos nosso Waterloo, Watson, mas esta é nossa Marengo, porque começa em derrota e acaba em vitória. Agora gostaria de trocar algumas palavras com a enfermeira, Theresa. Devemos ser cautelosos por enquanto, se quisermos obter a informação de que precisamos.

Era uma pessoa interessante, esta austera enfermeira australiana — taciturna, desconfiada, indelicada; demorou algum tempo para que as maneiras agradáveis de Holmes e a franca aceitação de tudo o que ela dizia a abrandassem, fazendo-a exibir uma amabilidade correspondente. Não tentou esconder seu ódio pelo patrão falecido.

— Sim, senhor, é verdade que jogou a garrafa em mim. Ouvi quando ele xingou minha patroa, e eu lhe disse que ele não ousaria falar assim se o irmão dela estivesse lá. Foi então que ele jogou a garrafa em mim. Teria atirado uma dúzia se tivesse, mas deixou minha moça bonita em paz. Sempre a tratou mal, e ela era orgulhosa demais para reclamar. Nunca me contará tudo o que ele fez a ela. Nunca me falou daquelas marcas no braço que o senhor viu esta manhã, mas sei muito bem que resultaram de um golpe com um alfinete de chapéu. O demônio fingido, Deus me perdoe por falar assim dele, agora que está morto! Mas era um demônio, se algum já andou pela Terra. Era todo doçura quando o conhecemos, há apenas 18 meses, e nós duas sentimos como se fossem 18 anos. Ela acabara de chegar a Londres. Sim, era sua primeira viagem, nunca tinha se afastado de casa antes. Conquistou-a com seu título, seu dinheiro e suas falsas maneiras de Londres. Se ela cometeu um erro, já pagou por ele se alguma mulher o fez. Em que mês nós o conhecemos? Bem, digo-lhe que foi logo depois que chegamos. Desembarcamos em junho, foi em julho. Casaram-se em janeiro do ano passado. Sim, ela está na sala de estar novamente, e não tenho dúvida de que o atenderá, mas o senhor não deve exigir muito dela, porque já aguentou mais do que podia.

Lady Brackenstall estava recostada no mesmo sofá, mas parecia mais animada do que antes. A criada entrou conosco, e começou novamente a tratar do ferimento na sobrancelha de sua patroa.

— Espero — disse a dama — que não tenha vindo para me interrogar de novo.

— Não — respondeu Holmes na sua voz mais suave —, não vou perturbá-la desnecessariamente, *lady* Brackenstall, e tudo que quero é tornar as coisas mais fáceis para a senhora, pois estou convencido de que é uma mulher que já passou por muitas provações. Se me tratar como um amigo e confiar em mim, verá que corresponderei à sua confiança.

— O que quer que eu faça?

— Que me conte a verdade.

— Sr. Holmes!

— Não, não, *lady* Brackenstall; é inútil. Deve ter ouvido falar da minha modesta reputação. Aposto tudo no fato de que sua história é pura invenção.

A patroa e a criada olharam para Holmes com rostos pálidos e olhos amedrontados.

— O senhor é um sujeito insolente! — exclamou Theresa. — Está querendo dizer que minha patroa contou uma mentira?

Holmes levantou-se da cadeira.

— Não tem nada para me contar?

— Já lhe contei tudo.

— Pense mais uma vez, *lady* Brackenstall. Não é melhor ser franca?

Por um instante seu rosto bonito mostrou hesitação. Depois algum novo pensamento o fez fechar-se como uma máscara.

— Já lhe disse tudo o que sabia.

Holmes pegou o chapéu e encolheu os ombros.

— Desculpe-me — disse, e sem dizer mais nada saímos do aposento e da casa. Havia um lago no parque, e meu amigo se encaminhou para lá. Estava todo congelado, mas um único buraco foi deixado para a cordialidade de um cisne solitário. Holmes olhou para ele e passou pelo portão da casa. Ali escreveu um bilhete para Stanley Hopkins e o deixou com o porteiro.

— Pode ser um tiro no alvo ou um erro, mas estamos fazendo algo por nosso amigo Hopkins, apenas para justificar esta segunda visita — disse. — Ainda não lhe confiarei tudo. Creio que nosso próximo local de operações será a agência de navegação da linha Adelaide-Southampton, que fica ao final de Pall Mall, se me lembro bem. Existe uma segunda linha de navios que ligam o sul da Austrália à Inglaterra, mas procuraremos primeiro a maior.

O cartão de Holmes, mandado ao gerente, garantiu uma atenção imediata, e ele não demorou a obter a informação de que precisava. Em junho de 1895, apenas um de seus navios chegou ao porto de origem. Era o *Rock of Gibraltar*, seu maior e melhor vapor. Uma olhada na lista de passageiros mostrou que a srta. Fraser, de Adelaide, e sua criada viajaram nele. O navio estava agora em algum lugar ao sul do Canal de Suez, a caminho da Austrália. Seus oficiais eram os mesmos de 1895, com uma exceção. O primeiro oficial, sr. Jack Crocker, foi promovido a capitão e iria assumir o comando do seu novo navio, o *Bass Rock*, que ia partir de Southampton dentro de dois dias. Morava em Sydenham mas devia vir aquela manhã para receber instruções, se quiséssemos esperar por ele.

Não, o sr. Holmes não desejava falar com ele, mas gostaria de saber mais sobre seus antecedentes e seu caráter.

Sua ficha era magnífica. Não havia um só oficial na esquadra que se comparasse a ele. Quanto ao seu caráter, era confiável no trabalho, mas um sujeito violento e desesperado quando estava fora do *deck* de seu navio — cabeça quente, irritável, mas leal, honesto e de bom coração. Essa era a essência da informação com a qual Holmes deixou o escritório da companhia Adelaide-Southampton. Depois foi até a Scotland Yard, mas, em vez de entrar, ficou sentado na carruagem com o cenho franzido, perdido em pensamentos. Por fim, foi até o posto telegráfico de Charing Cross, mandou uma mensagem, e, finalmente, voltamos mais uma vez à Baker Street.

— Não, não podia fazer isso, Watson — disse, quando entramos nos nossos aposentos. — Depois que o mandado fosse expedido, nada neste mundo o salvaria. Uma ou duas vezes em minha carreira senti que causei mais prejuízo real com minha descoberta do criminoso do que ele jamais provocou com seu crime. Aprendi a prudência agora, prefiro fazer brincadeiras com a justiça da Inglaterra do que com minha própria consciência. Vamos saber um pouco mais antes de agirmos.

Antes do anoitecer, recebemos a visita de Stanley Hopkins. As coisas não estavam andando bem para ele.

— Acredito que o senhor é um mágico, sr. Holmes. Algumas vezes chego a pensar que o senhor tem poderes que não são humanos. Agora, como diabos pôde saber que a prataria roubada estava no fundo daquele lago?

— Eu não sabia.

— Mas me aconselhou a examiná-lo.

— Conseguiu, então?

— Sim, consegui.

— Estou contente por tê-lo ajudado.

— Mas não me ajudou. Tornou o caso ainda mais difícil. Que espécie de ladrões são esses que roubam prataria e a jogam no lago mais próximo?

— Foi com certeza um comportamento bastante excêntrico. Apenas desenvolvi a ideia de que se a prataria foi levada por pessoas que não a queriam, que só a levaram para disfarçar, como de fato aconteceu, ficariam ansiosos para se livrar dela.

— Mas por que tal ideia passou pela sua cabeça?

— Bom, pensei que isso era possível. Quando saíram pela porta-janela, lá estava o lago com um pequeno e tentador buraco no gelo, bem diante dos seus narizes. Poderia haver um esconderijo melhor?

— Ah, um esconderijo... isso é melhor! — exclamou Stanley Hopkins. — Sim, sim, vejo tudo agora! Era cedo, havia gente nas ruas, ficaram com medo de serem vistos com a prataria, de modo que afundaram os objetos no lago, pretendendo voltar para apanhar tudo quando não houvesse risco. Excelente, sr. Holmes, isto é melhor do que sua ideia de disfarce.

— Talvez, você tem uma teoria admirável. Não tenho dúvida de que minhas próprias ideias são bem absurdas, mas deve admitir que acabaram descobrindo a prata.

— Sim, senhor, sim. Tudo obra sua. Mas tive um péssimo contratempo.

— Um contratempo?

— Sim, sr. Holmes. A gangue de Randall foi presa em Nova York esta manhã.

— Meu Deus, Hopkins! Isto com certeza derruba sua teoria de que eles cometeram um assassinato em Kent na noite passada.

— É desastroso, sr. Holmes, absolutamente desastroso. Mas existem outras gangues de três elementos além dos Randall, ou deve ser alguma nova gangue da qual a polícia nunca ouviu falar.

— Talvez, é perfeitamente possível. O quê! Está indo embora?

— Sim, sr. Holmes, não poderei descansar enquanto não chegar ao fundo desse negócio. Não tem nenhuma pista para me dar?

— Já lhe dei uma.

— Qual?

— Ora, eu sugeri um disfarce.

— Mas por quê, sr. Holmes, por quê?

— Ah, essa é a questão, é claro. Mas recomendo que pense na ideia. Provavelmente vai descobrir que há alguma coisa nela. Não vai ficar para jantar? Bem, adeus, e informe-nos sobre o andamento do caso.

O jantar havia terminado e a mesa já fora tirada quando Holmes voltou a tocar no assunto. Acendera seu cachimbo, e os pés metidos em chinelos estavam próximos ao agradável calor da lareira. De repente olhou para seu relógio.

— Espero novidades, Watson.

— Quando?

— Agora, dentro de poucos minutos. Aposto como pensou que agi mal com Stanley Hopkins agora há pouco.

— Confio em seu julgamento.

— Uma resposta muito sensata, Watson. Deve encarar isto deste modo: o que eu sei não é oficial, o que ele sabe é oficial. Tenho direito a um julgamento pessoal, mas ele não. Ele deve revelar tudo, ou será um traidor do seu serviço. Num caso duvidoso, eu não o deixaria em situação constrangedora, de modo que guardo minhas informações até que eu tenha uma ideia mais clara do assunto.

— Mas quando será isso?

— Já está na hora. Você agora vai presenciar a última cena de um drama pequeno e notável.

Houve um ruído na escada, e nossa porta foi aberta para deixar entrar o exemplar masculino mais bonito que já passara por ela. Era um jovem muito alto, bigode dourado, olhos azuis, com uma pele que deve ter sido bronzeada pelo sol tropical, e um passo elástico que demonstrava ser o corpo enorme tão ágil quanto forte. Fechou a porta e ficou parado com as mãos fechadas e a respiração ofegante, mostrando uma certa emoção contida.

— Sente-se, capitão Crocker. Recebeu meu telegrama?

Nosso visitante afundou-se numa poltrona, mirando-nos com um olhar de curiosidade.

— Recebi seu telegrama e vim no horário que me pediu. Ouvi dizer que foi até o escritório. Não havia jeito de evitá-lo. Vou ouvir o pior. O que vai fazer comigo? Prender-me? Fale, homem! Não pode ficar sentado aí e brincar comigo como um gato com um rato.

— Dê-lhe um charuto — disse Holmes. — Morda-o, capitão Crocker, e não deixe seus nervos se descontrolarem. Eu não estaria sentado aqui fumando com o senhor se achasse que era um criminoso comum, pode estar certo disto. Seja franco comigo e podemos fazer algo de bom. Brinque comigo e eu o destruirei.

— O que quer que eu faça?

— Que me faça um relato *verdadeiro* de tudo que aconteceu em Abbey Grange na noite passada; um relato verdadeiro, lembro-lhe, sem acrescentar nem omitir nada. Já sei tanta coisa que se você se afastar um centímetro do correto, soprarei este apito de polícia da minha janela e o caso escapará de minhas mãos para sempre.

O marinheiro pensou um pouco. Depois bateu na perna com sua grande mão bronzeada.

— Vou arriscar — exclamou. — Acredito que o senhor seja um homem leal e de palavra, e vou contar-lhe a história toda. Mas antes vou dizer uma coisa. No que me toca, não me arrependo de nada e não tenho medo de nada; faria tudo outra vez e ficaria orgulhoso. Mas é a dama, Mary, Mary Fraser, porque eu jamais a chamarei por nome maldito.

"Quando penso que a estou envolvendo em problemas, eu, que daria a minha vida apenas para vê-la sorrir, fico arrasado. Ainda assim — ainda assim — o que mais poderia ser feito? Eu lhes contarei minha história, cavalheiros, e então vou lhes perguntar, de homem para homem, o que mais poderia ter feito?

"Devo retroceder um pouco. O senhor parece saber de tudo, portanto suponho que saiba que a conheci quando era uma passageira e eu primeiro oficial do *Rock of Gibraltar*. Desde o primeiro dia, foi a única mulher para mim. Cada dia daquela viagem eu a amava mais e desde então tenho me ajoelhado na calada da noite e beijado o convés daquele navio porque sabia que seus pés amados tinham caminhado por ele. Nunca teve um compromisso comigo. Tratava-me melhor do que qualquer mulher já tratara um homem. Não tenho queixas a fazer. Tudo era amor de minha parte e companheirismo e amizade da parte dela. Quando nos separamos, ela era uma mulher livre, mas eu nunca poderia ser um homem livre de novo.

"Quando voltei do mar na vez seguinte, soube do casamento dela. Ora, por que não poderia se casar com quem quisesse? Título e dinheiro — quem poderia lidar com isso melhor do que ela? Nascera para tudo o que é bonito e luxuoso. Não fiquei magoado com seu casamento. Não fui tão egoísta a esse ponto. Apenas fiquei contente pela boa sorte que atravessou seu caminho, e que ela não tivesse ido atrás de um marujo sem dinheiro. Foi assim que amei Mary Fraser.

"Bem, nunca pensei que iria vê-la novamente, mas na última viagem fui promovido, e o novo navio ainda não havia sido lançado ao mar, de modo que tive de esperar por alguns meses com meu pessoal em Sydenham. Um dia, no campo, encontrei Theresa Wright, sua velha criada, que me contou tudo sobre ela, sobre ele, sobre todas as coisas. Digo-lhes, cavalheiros, aquilo quase me deixou maluco. Esse cão bêbado ousou levantar a mão para ela, cujos sapatos ele não merecia lamber! Encontrei-me de novo com Theresa. Depois encontrei-me com a própria Mary — e mais uma vez. Então deixamos de nos encontrar. Mas outro dia eu soube que minha viagem iria começar dentro de uma semana, e decidi vê-la mais uma vez antes de partir. Theresa sempre foi minha amiga, porque amava Mary e odiava aquele vilão quase tanto quanto eu. Foi ela que me falou sobre os hábitos da casa. Mary costumava ficar sentada lendo em seu quarto, no andar térreo. Aproximei-me silenciosamente naquela noite e bati na janela. A princípio ela não quis abrir, mas eu sabia que agora ela me amava e não podia deixar que eu ficasse ali fora naquela noite gelada. Ela sussurrou-me para dar a volta até a grande janela da frente, e a encontrei aberta, de modo a me deixar entrar na sala de jantar. Novamente ouvi de seus próprios lábios coisas que fizeram meu sangue ferver, e de novo amaldiçoei esse bruto que maltratava a mulher que eu amava. Bem, cavalheiros, estava com ela perto da janela, na maior inocência, Deus é meu juiz, quando ele entrou como um louco na sala, chamou-a do nome mais ofensivo que se pode usar para uma mulher, e a espancou no rosto com a bengala que tinha na mão. Eu havia agarrado o atiçador e foi uma luta justa entre nós dois. Veja aqui, no meu braço, onde foi o primeiro golpe. Então foi a minha vez, e o ataquei como se fosse uma abóbora podre. Acha que me arrependo? Não! Era a vida dele ou a minha, mas muito mais que isso, era a vida dele ou a dela, pois como podia deixá-la em poder desse louco? Foi assim que o matei. Fiz mal? Bem, então o que cada um dos senhores teria feito, se estivesse em minha situação?

"Ela gritou quando ele a golpeou, e isso atraiu a velha Theresa, que estava no quarto de cima. Havia uma garrafa de vinho na prateleira, eu a abri e despejei um pouco entre os lábios de Mary, pois estava quase morta pelo choque. Depois eu mesmo tomei um gole. Theresa estava fria como gelo, e foi seu o plano, tanto quanto meu. Devíamos fazer parecer que ladrões tinham feito aquilo. Theresa ficou repetindo a nossa história para a patroa enquanto eu subia e cortava a corda da campainha. Depois a amarrei na cadeira e desgastei a ponta da corda para parecer natural, pois poderiam se perguntar por que diabos um ladrão teria subido lá para cortá-la. Então peguei alguns pratos e jarros de prata, para dar a ideia de roubo, e as deixei ali, com ordens de darem o alarme 15 minutos depois da minha saída. Joguei os objetos de prata no lago e fui para Sydenham, sentindo que pelo menos uma vez na vida eu fizera realmente um bom trabalho noturno. E esta é a verdade, toda a verdade, sr. Holmes, mesmo que custe o meu pescoço."

Holmes ficou fumando durante algum tempo em silêncio. Depois atravessou a sala e apertou a mão do nosso visitante.

— Isto é o que eu penso — disse. — Sei que cada palavra é verdadeira, porque você não disse praticamente nenhuma palavra que eu não soubesse. Só um acrobata ou um marinheiro poderiam alcançar a corda da campainha do lugar da prateleira, e só um marinheiro poderia ter dado os nós com que a corda foi amarrada na cadeira. A dama só teve contato com marinheiros uma vez, e foi na viagem dela, e era alguém de sua classe, já que tentava tanto protegê-lo, mostrando assim que o amava. Vê como foi fácil para mim pôr as mãos em você, depois que comecei a seguir a trilha certa.

— Pensei que a polícia nunca iria perceber nossa artimanha.

— E a polícia ainda não o fez, nem irá, na minha opinião. Agora, olhe aqui, capitão Crocker, este é um assunto muito sério, embora eu esteja inclinado a admitir que agiu instigado pela maior provocação a que um homem pode ser submetido. Não tenho certeza de que na defesa de sua própria vida sua ação não será considerada legítima. Contudo, é um júri britânico que vai decidir. Enquanto isso tenho tanta simpatia por você que, se preferir desaparecer nas próximas 24 horas, prometo-lhe que ninguém o impedirá.

— E então tudo será divulgado?

— Com certeza será divulgado.

O marinheiro ficou vermelho de raiva.

— Que espécie de proposta é esta para se fazer a um homem? Conheço o suficiente da lei para saber que Mary seria arrolada como cúmplice. Acha que eu a deixaria sozinha para enfrentar a polícia, enquanto eu fugia? Não, senhor, deixe que façam o pior comigo, mas, pelo amor de Deus, sr. Holmes, descubra alguma maneira de deixar minha pobre Mary longe dos tribunais.

Holmes, pela segunda vez, apertou a mão do marinheiro.

— Eu estava apenas testando o senhor, e falou a verdade o tempo todo. Bem, é uma grande responsabilidade que assumo, mas já dei a Hopkins uma pista excelente, e se ele próprio não souber se aproveitar disto, não posso fazer mais nada. Olhe aqui, capitão Crocker, faremos isso em conformidade com a lei. Você é o prisioneiro. Watson, você é um júri britânico, e jamais conheci um homem mais apropriado para representar um. Sou o juiz. Agora, cavalheiro do júri, já ouviu o depoimento. Declara o prisioneiro culpado ou inocente?

— Inocente, meu senhor — eu disse.

— *Vox populi, vox Dei*. Está absolvido, capitão Crocker. Desde que a lei não descubra outra vítima, está livre de mim. Volte com esta dama em um ano e deixe o futuro de ambos justificar a sentença que proferimos esta noite!

A AVENTURA DA SEGUNDA MANCHA

Eu pretendia que a "Aventura de Abbey Grange" fosse a última das proezas do meu amigo, sr. Sherlock Holmes, que eu iria relatar ao público. Esta minha decisão não era devida à falta de material, já que tenho anotações de centenas de casos aos quais nunca fiz inferência, nem foi causada pela diminuição do interesse por parte de meus leitores pela personalidade singular e os métodos únicos deste homem notável. O verdadeiro motivo está na relutância que o sr. Holmes demonstrou em relação à publicação constante de suas experiências. Enquanto estava atuando em sua profissão, os registros de seus sucessos tinham algum valor prático para ele, mas desde que saiu definitivamente de Londres e se dedica ao estudo e à criação de abelhas em Sussex Downs, passou a detestar a fama, e me pediu categoricamente que seus desejos a esse respeito fossem estritamente observados. Foi só quando fiz um apelo é que obtive a promessa de que "A aventura da segunda mancha" poderia ser publicada no momento oportuno, convencendo-o de que era bastante apropriado que esta longa série de episódios culminasse no caso internacional mais importante para o qual já fora chamado, que por fim consegui o seu consentimento para que um relato do incidente cuidadosamente guardado em segredo fosse afinal divulgado para o público. Se, ao contar a história, eu parecer um tanto vago em certos detalhes, o público rapidamente entenderá que há um ótimo motivo para minha reticência.

Portanto, foi num ano, e mesmo numa década, que devem permanecer indeterminados, que numa manhã de terça-feira, no outono, encontramos dois visitantes de fama europeia entre as paredes dos nossos modestos aposentos da Baker Street. O primeiro, austero, nariz protuberante, olhos de águia e aspecto dominador, não era outro senão o ilustre lorde Bellinger, duas vezes primeiro-ministro da Inglaterra. O outro, moreno, de traços nítidos, elegante, quase ainda na meia-idade, e dotado de beleza de corpo e alma, era o *right honourable* Trelawney Hope, secretário dos Assuntos Europeus, e o estadista mais destacado do país. Sentaram-se lado a lado no sofá cheio de papéis, e era fácil ver pelos rostos cansados e ansiosos que um assunto da maior importância os trouxera até ali. As mãos magras e cheias de veias azuladas do primeiro-ministro agarravam o cabo de marfim de seu guarda-chuva, e seu rosto ossudo e austero olhava sombriamente de Holmes para mim. O secretário dos Assuntos Europeus cofiava nervosamente o bigode e brincava com o fecho da corrente do relógio.

— Quando descobri minha perda, sr. Holmes, às oito horas, informei logo o primeiro-ministro. Foi por sugestão dele que viemos procurar o senhor.

— Informaram a polícia?

— Não, senhor — disse o primeiro-ministro, no seu conhecido estilo rápido e decidido. — Não fizemos isso, nem é possível fazer. Informar a polícia seria, em última análise, um meio de divulgar para o público. É exatamente isso que desejamos evitar em particular.

— E por quê, senhor?

— Porque o documento em questão é tão importante que a sua publicação poderia muito facilmente, quase posso dizer provavelmente, causar complicações na Europa no mesmo instante. Não seria exagero dizer que a paz ou a guerra dependem desse documento. Talvez não o recuperemos mais, a não ser que a sua recuperação seja feita com o máximo segredo, pois tudo o que desejam aqueles que o levaram é que seu conteúdo seja do conhecimento de todos.

— Entendo. Agora, sr. Trelawney Hope, ficaria muito agradecido se me contasse exatamente em que circunstâncias o documento desapareceu.

— Isso pode ser feito em muito poucas palavras, sr. Holmes. A carta, pois era uma carta de uma potência estrangeira, foi recebida seis dias atrás. Sua importância era tão grande que nunca a deixei em meu cofre, mas eu a levava todas as noites para minha casa, em Whitehall Terrace, guardando-a no meu quarto, trancada numa caixa de correspondência. Estava lá na noite passada. Disto tenho certeza.

Eu abri a caixa enquanto me vestia para jantar e vi o documento ali dentro. Esta manhã ele havia sumido. A caixa de correspondência ficara ao lado do copo sobre meu toucador a noite inteira. Tenho sono leve, e minha esposa também. Nós dois estamos dispostos a jurar que ninguém poderia ter entrado no quarto durante a noite. Ainda assim, repito que o papel sumiu.

— A que horas o senhor jantou?

— Às 19h30.

— Isto foi quanto tempo antes de ir para a cama?

— Minha esposa tinha ido ao teatro. Esperei por ela. Eram 23h30 quando fomos para o nosso quarto.

— Então durante quatro horas a caixa de correspondência ficou sem vigilância?

— Ninguém tem permissão para entrar naquele aposento a não ser a faxineira pela manhã, e meu criado de quarto, ou a criada de minha esposa, durante o resto do dia. São todos criados fiéis que estão conosco há algum tempo. Além disso, nenhum deles poderia saber que havia algo mais valioso do que os papéis comuns do departamento naquela caixa de correspondência.

— Quem sabia da existência daquela carta?

— Ninguém na casa.

— Certamente sua esposa sabia.

— Não, senhor. Não comentei nada com minha mulher até que perdi o papel esta manhã.

O primeiro-ministro balançou a cabeça em sinal de aprovação.

— Já conheço há muito tempo, senhor, o seu senso de dever público — disse ele. — Estou convencido de que, no caso de um segredo desta importância, ele se sobreporia aos mais íntimos laços domésticos.

O secretário se inclinou.

— Não me faz mais do que justiça, senhor. Até esta manhã nunca disse uma só palavra à minha esposa sobre o assunto.

— Ela poderia ter adivinhado?

— Não, sr. Holmes, não poderia; nem qualquer outra pessoa.

— Já perdeu algum documento antes?

— Não, senhor.

— Quem mais na Inglaterra sabia da existência dessa carta?

— Todos os membros do gabinete foram informados a respeito dela ontem, mas o compromisso de segredo que cerca todas as reuniões do gabinete foi reforçado pela advertência solene do primeiro-ministro. Meu Deus, pensar que em poucas horas eu mesmo o perderia! — Seu belo rosto estava retorcido num espasmo de desespero, e suas mãos puxavam os cabelos. Por um momento tivemos um vislumbre de um homem natural, impulsivo, ardente e bastante sensível. Mas logo a máscara aristocrática foi recolocada, e a voz suave retornou. — Além dos membros do gabinete, existem dois, possivelmente três funcionários do ministério que sabiam da carta. Ninguém mais na Inglaterra, sr. Holmes, eu lhe garanto.

— Mas, e fora?

— Acredito que ninguém fora da Inglaterra a viu, a não ser o homem que a escreveu. Estou convencido de que seus ministros... que os canais oficiais normais não foram utilizados.

Holmes refletiu durante algum tempo.

— Agora, senhor, devo lhe perguntar mais detalhadamente o que é este documento, e por que seu desaparecimento teria consequências tão graves?

Os dois homens do governo trocaram um rápido olhar e as sobrancelhas cerradas do primeiro-ministro se franziram.

— Sr. Holmes, o envelope é comprido, fino, com uma cor azul clara. Tem um selo de lacre vermelho impresso com um leão agachado. Está endereçado, numa caligrafia grande e vigorosa, para o...

— Receio, senhor — disse Holmes —, que, por mais interessantes e mesmo essenciais que esses detalhes possam ser, minha investigação deve ir às raízes das coisas. O que *era* a carta?

— Isso é um segredo de estado da maior importância, e receio não poder contar-lhe, nem penso que isso seja necessário. Se com a ajuda dos poderes que diz possuir o senhor conseguir achar esse envelope que descrevi, terá prestado um bom serviço ao seu país, e receberá a recompensa que pudermos conceder.

Sherlock Holmes levantou-se com um sorriso.

— Os senhores são dois dos homens mais ocupados do país — disse —, e da minha maneira modesta também tenho muitos compromissos. Sinto muito não poder ajudá-los neste assunto, e qualquer continuação desta entrevista seria uma perda de tempo.

O primeiro-ministro levantou-se num pulo com aquele brilho forte e intenso nos olhos profundos diante dos quais um gabinete havia se atemorizado.

— Não estou acostumado, senhor — começou, mas controlou sua raiva e voltou a sentar-se. Durante um minuto ou mais ficamos em silêncio. Então o velho estadista encolheu os ombros.

— Devemos aceitar suas condições, sr. Holmes. Sem dúvida está certo, e é insensato esperar que aja sem confiarmos inteiramente no senhor.

— Concordo com o senhor — disse o jovem.

— Então lhe contarei, confiando em sua honra e na de seu colega, dr. Watson. Apelarei também para seu patriotismo, pois não posso imaginar maior desgraça para o país do que a divulgação desse caso.

— Pode confiar plenamente em nós.

— A carta, então, vem de um certo potentado estrangeiro que foi incomodado por alguns recentes acontecimentos coloniais deste país. Foi escrita apressadamente e sob sua própria responsabilidade. Investigações mostraram que seus ministros não sabem de nada sobre isso. Ao mesmo tempo, está redigida de uma maneira tão imprópria e certas frases nela têm um caráter tão provocador, que sua publicação resultaria, sem dúvida, no mais perigoso estado de exaltação neste país. Haveria tamanha agitação, senhor, que eu não hesitaria em dizer que menos de uma semana depois da publicação daquela carta este país estaria envolvido numa grande guerra.

Holmes escreveu um nome numa folha de papel e o entregou ao primeiro-ministro.

— Exatamente. Foi ele. E é esta carta, esta carta que pode muito bem significar o gasto de milhões e o desperdício de centenas de milhares de vidas humanas, que foi perdida desta maneira inexplicável.

— Comunicou ao remetente?

— Sim, senhor, enviamos um telegrama em código.

— Talvez ele deseje a publicação da carta.

— Não, senhor, temos fortes motivos para acreditar que ele já compreende que agiu de maneira indiscreta e precipitada. Seria um golpe maior para ele e para seu país do que para nós, se essa carta for divulgada.

— Se é assim, a quem interessa que essa carta seja divulgada? Por que alguém desejaria roubá-la ou publicá-la?

— Aí, sr. Holmes, o senhor entra nas áreas da alta política internacional. Mas se considerar a situação europeia, não terá dificuldades em perceber o motivo. A Europa inteira é um campo armado. Existem duas ligas que fazem um equilíbrio justo do poderio militar. A Grã-Bretanha mantém a balança. Se entrasse em guerra contra uma confederação, isso garantiria a supremacia da outra, quer entrassem quer não na guerra. Percebeu?

— Muito claramente. Então interessa aos inimigos desse potentado possuir e publicar essa carta, a fim de provocar um rompimento de relações entre o país dele e o nosso?

— Sim, senhor.

— E para quem esse documento seria enviado se caísse nas mãos de um inimigo?

— Para qualquer uma das grandes chancelarias da Europa. Está provavelmente indo nessa direção agora, tão depressa quanto um vapor pode levá-la.

O sr. Trelawney Hope deixou a cabeça cair sobre o peito e gemeu alto. O primeiro-ministro pôs a mão delicadamente em seu ombro.

— Foi um azar seu, meu caro amigo. Ninguém pode culpá-lo. Não foi negligente com nenhuma precaução. Agora, sr. Holmes, sabe de todos os fatos. Que atitude o senhor recomenda?

Holmes balançou a cabeça com pesar.

— O senhor acredita que, a menos que esse documento seja recuperado, haverá guerra?

— Acho que é muito provável.

— Então, senhor, prepare-se para a guerra.

— Esta é uma declaração penosa, sr. Holmes.

— Considere os fatos, senhor. É inconcebível que tenha sido levada depois das 23h30, pois disse-me que o sr. Hope e a esposa estavam no quarto desde essa hora até o momento em que o desaparecimento foi notado. Então, foi retirada ontem à noite, entre 19h30 e 23h30, provavelmente mais perto do primeiro horário, já que, seja quem for que a tenha apanhado, evidentemente sabia que estava ali e naturalmente a pegaria o mais cedo possível. Agora, senhor, se um documento desta importância fosse levado àquela hora, onde poderia estar neste momento? Ninguém tem motivo para retê-lo. Foi transferido com rapidez para os que precisam dele. Qual a possibilidade que temos agora de apanhá-lo ou mesmo de localizá-lo? Está fora de nosso alcance.

O primeiro-ministro levantou-se do sofá.

— O que diz é perfeitamente lógico, sr. Holmes. Sinto que o assunto está de fato fora de nossas mãos.

— Vamos presumir, apenas como raciocínio, que o documento foi levado pela criada ou pelo criado de quarto.

— São ambos serviçais antigos e leais.

— Creio que o senhor disse que o seu quarto fica no segundo andar, que não há nenhuma entrada de fora e que de dentro ninguém poderia subir sem ser visto. Então, deve ter sido alguém de casa que a levou. A quem o ladrão a entregaria? A um dos vários espiões internacionais e agentes secretos, cujos nomes me são um pouco familiares. Existem três que podem ser considerados os líderes, cabeças da profissão. Começarei minha pesquisa saindo e descobrindo se cada um deles está em seu posto. Se um estiver sumido, principalmente se desapareceu desde a noite passada, teremos alguma indicação do lugar para onde o documento foi.

— Por que ele estaria desaparecido? — perguntou o secretário de Assuntos Europeus. — Ele levaria a carta para uma embaixada em Londres, provavelmente.

— Aposto que não. Esses agentes trabalham de modo independente, e suas relações com as embaixadas em geral são tensas.

O primeiro-ministro fez um sinal afirmativo com a cabeça.

— Creio que está certo, sr. Holmes. Ele levaria um prêmio tão valioso ao quartel-general com suas próprias mãos. Acho que sua linha de ação é excelente. Enquanto isso, Hope, não podemos deixar de lado todas as nossas outras tarefas por causa desse infortúnio. Se houver alguma novidade durante o dia, nós entraremos em contato com o senhor, e certamente o senhor nos informará dos resultados de suas próprias pesquisas.

Os dois homens com um cumprimento saíram da sala.

Depois que nossos ilustres visitantes foram embora, Holmes acendeu o cachimbo em silêncio e ficou sentado durante algum tempo, perdido em seus pensamentos. Eu abri o jornal matutino e estava absorvido no relato de um crime sensacional que havia ocorrido em Londres na noite anterior, quando meu amigo soltou uma exclamação, levantou-se e deixou seu cachimbo na borda da lareira.

— Sim — disse —, não há maneira melhor de abordar o caso. A situação é desesperadora, mas não irremediável. Mesmo agora, se pudéssemos ter certeza de quem levou a carta, é bem provável que ainda não a tenha passado adiante. Afinal, tudo é uma questão de dinheiro com esses sujeitos, e tenho o tesouro da Inglaterra atrás de mim. Se estiver no mercado, eu o comprarei; se significar mais um pêni no imposto de renda. É possível que o sujeito o tenha guardado para ver que ofertas aparecem deste lado, antes de tentar a sorte no outro. Só existem três capazes de jogar um jogo tão audacioso: Oberstein, La Rothiere e Eduardo Lucas. Verei cada um deles.

Dei uma olhada no jornal da manhã.

— É o Eduardo Lucas, da rua Godolphin?

— Sim.

— Você não o verá.

— Por que não?

— Foi assassinado em sua casa ontem à noite.

Meu amigo tem me surpreendido com tanta frequência ao longo de nossas aventuras que foi com um sentimento de exultação que percebi como eu o surpreendera. Ele olhou espantado, e então tirou o jornal das minhas mãos. Este era o parágrafo que estivera lendo quando ele se levantou da cadeira.

Assassinato em Westminster

Um crime com características misteriosas foi cometido na noite passada no número 16 da rua Godolphin, uma das casas antigas e isoladas do século XVIII, que ficam entre o rio e a abadia, quase à sombra da grande torre do Parlamento. Nesta mansão pequena mas elegante morava há alguns anos o sr. Eduardo Lucas, conhecido nos círculos da sociedade pela sua personalidade encantadora, bem como pela merecida fama de ser um dos melhores tenores amadores do país. O sr. Lucas é solteiro, tem 34 anos de idade, e sua criadagem é formada pela sra. Pringle, uma velha governanta, e por Mitton, seu criado de quarto. A governanta se recolhe cedo e dorme no alto da casa. O criado estava fora à noite, visitando um amigo em Hammer-

smith. Das 22 horas em diante, o sr. Lucas ficou sozinho em casa. O que ocorreu durante aquele tempo ainda não se sabe, mas quando eram 23h45, o guarda Barrett, que passava pela rua Godolphin, notou que a porta do número 16 estava entreaberta. Bateu, mas não teve resposta. Percebendo uma luz na sala da frente, bateu de novo, mas sem resposta. Então empurrou a porta e entrou. O aposento estava num estado de desordem selvagem, com a mobília toda empurrada para um lado e uma cadeira de cabeça para baixo bem no centro. Ao lado dessa cadeira, e ainda agarrando uma das pernas dela, estava o infeliz dono da casa. Fora apunhalado bem no coração e deve ter morrido instantaneamente. A faca com a qual o crime foi cometido era uma adaga indiana curvada, tirada de um painel de armas orientais que enfeitava uma das paredes. Roubo não parece ter sido o motivo para o crime, pois não houve tentativa de levar as peças valiosas do aposento. O sr. Eduardo Lucas era tão conhecido e popular que seu destino violento e misterioso despertou um doloroso interesse e uma grande emoção num vasto círculo de amigos.

— Bem, Watson, o que acha disso? — perguntou Holmes, depois de uma longa pausa.

— É uma coincidência assombrosa.

— Uma coincidência! Aqui está um dos três homens que havíamos mencionado como possíveis atores neste drama, e ele encontra uma morte violenta no mesmo horário em que, pelo que sabemos, o drama foi encenado. São grandes os indícios de que isso não pode ser uma coincidência. Nenhum número poderia expressá-los. Não, meu caro Watson, os dois fatos estão ligados; têm de estar ligados. Cabe a nós descobrir a ligação.

— Mas agora a polícia já deve saber de tudo.

— Não tudo. Eles sabem tudo o que viram na rua Godolphin. Não sabem, e nem devem saber, nada de Whitehall Terrace. Só *nós* conhecemos os dois fatos, e podemos estabelecer a ligação entre eles. Existe um ponto óbvio que, de qualquer modo, atrairia minhas suspeitas para Lucas. Rua Godolphin, Westminster, é uma caminhada de apenas alguns minutos até Whitehall Terrace. Os outros agentes secretos que mencionei moram no distante West End. Portanto era mais fácil para Lucas do que para os outros estabelecer uma conexão ou receber uma mensagem dos criados do secretário para Assuntos

Europeus; uma coisa pequena, e ainda assim, quando acontecimentos estão limitados a um período de algumas horas, ela pode ser essencial. Ora! O que temos aqui?

A sra. Hudson havia aparecido com o cartão de uma dama numa bandeja. Holmes olhou-o, ergueu as sobrancelhas e me entregou o cartão.

— Diga a *lady* Trelawney Hope que tenha a bondade de subir — disse.

Logo depois nosso modesto apartamento, já tão procurado aquela manhã, teve a honra de receber a mulher mais graciosa de Londres. Eu ouvira falar com frequência da beleza da filha mais nova do duque de Belminster, mas nenhuma descrição dela, e nenhuma observação das fotografias em preto e branco haviam me preparado para o charme sutil e delicado e a coloração bonita daquela cabeça encantadora. Mesmo assim, ao vê-la naquela manhã de outono, não era a beleza a primeira coisa a impressionar o observador. O rosto era encantador, mas estava pálido de emoção, os olhos brilhavam, mas era o brilho da febre, a boca sensível estava fechada e contraída num esforço de autocontrole. Terror — não beleza — era o que saltava aos olhos quando nossa famosa visitante parou por um instante na porta aberta.

— Meu marido esteve aqui, sr. Holmes?

— Sim, madame, esteve aqui.

— Sr. Holmes, eu lhe imploro que não conte a ele que estive aqui. — Holmes fez uma curvatura com frieza, e indicou uma cadeira à dama.

— A sua condição de dama me coloca numa posição muito delicada. Por favor, sente-se e diga o que deseja, mas receio não poder fazer nenhuma promessa incondicional.

Ela atravessou a sala e sentou-se de costas para a janela. Era uma presença majestosa — alta, graciosa e intensamente feminina.

— Sr. Holmes — disse, e suas mãos de luvas brancas se juntavam e se separavam enquanto falava —, vou falar com franqueza com o senhor, na esperança de induzi-lo também a falar francamente. Existe uma confiança absoluta entre mim e meu marido em todos os assuntos, menos em um. Este é a política. Sobre isso, seus lábios estão selados. Não me conta nada. Agora, soube que houve um incidente dos mais deploráveis em nossa casa na noite passada. Sei que um papel desapareceu. Mas como o assunto é política, meu marido se recusa a confiar em mim. Agora é essencial, essencial, eu digo, que eu o entenda direito. O senhor é a única pessoa, além desses políticos, que conhece os fatos verdadeiros. Portanto eu lhe imploro, sr. Holmes, que me conte exatamente o que aconteceu e quais as consequências. Conte-me tudo, sr. Holmes. Não deixe que qualquer consideração pelos interesses de seu cliente o silencie, pois lhe asseguro que seria melhor para os interesses dele, se ao menos ele pudesse ver isso, se confiasse totalmente em mim. O que era esse papel que foi roubado?

— Madame, o que me pede é realmente impossível.

Ela deu um gemido e mergulhou o rosto nas mãos.

— Deve compreender que isto é assim, madame. Se seu marido acha melhor que a senhora ignore esse assunto, caberá a mim, que apenas soube dos fatos verdadeiros sob a promessa de segredo profissional, contar o que ele se recusou a fazer? Não é justo me pedir isso. É a ele que deve perguntar.

— Eu perguntei a ele. Vim procurar o senhor como último recurso. Mas se não me contar nada de definitivo, sr. Holmes, pode me fazer um grande favor se me esclarecer um detalhe.

— Qual, madame?

— A carreira política de meu marido pode ser prejudicada por causa deste incidente?

— Bem, madame, a menos que seja solucionado, pode com certeza ter um efeito muito infeliz.

— Ah! — respirou profundamente, como alguém cujas dúvidas foram esclarecidas.

— Mais uma pergunta, sr. Holmes. Por uma expressão que meu marido deixou escapar ao primeiro choque do desastre, compreendi que a perda desse documento poderia provocar terríveis consequências.

— Se ele disse isso, com certeza não posso negá-lo.

— De que tipo são?

— Não, madame, novamente me pergunta mais do que posso responder.

— Então não tomarei mais o seu tempo. Não posso condená-lo, sr. Holmes, por ter se negado a falar mais livremente, e o senhor, por sua vez, não pensará o pior de mim por desejar, embora contra a vontade dele, compartilhar as ansiedades de meu marido. De novo peço-lhe que não lhe diga nada sobre minha visita.

Olhou para nós da porta, e tive uma última impressão daquele bonito rosto apavorado, dos olhos atemorizados e da boca contraída. Depois foi embora.

— Agora, Watson, o sexo frágil é o nosso departamento — disse Holmes com um sorriso, quando o farfalhar de saias desapareceu no momento em que a porta da frente foi fechada. — Qual é a jogada da bela dama? O que ela realmente queria?

— Com certeza o que ela disse é claro e sua ansiedade é muito natural.

— Hum! Pense na aparência dela, Watson: seu comportamento, sua excitação contida, sua inquietação, sua insistência em fazer perguntas. Lembre-se de que vem de uma casta de gente que não demonstra a menor emoção.

— Ela com certeza estava muito emocionada.

— Lembre-se também da curiosa vivacidade com que nos garantiu que era melhor para o marido que ela soubesse de tudo. O que queria dizer com isso? E deve ter observado, Watson, como agiu para que a luz ficasse às suas costas. Não queria que víssemos sua expressão.

— Sim, escolheu a única cadeira da sala.

— Ainda assim os motivos das mulheres são inescrutáveis. Recorda-se da mulher em Margate de quem eu suspeitei pelo mesmo motivo. Sem pó no nariz, aquilo acabou sendo a solução correta. Como se pode construir nessa areia movediça? A mais trivial ação delas pode significar enormidades, ou a mais extraordinária conduta delas pode depender de um grampo para cabelo ou de uma pinça. Adeus, Watson.

— Vai sair?

— Sim, darei um pulo até a rua Godolphin com nossos amigos da polícia oficial. A solução do nosso problema está com Eduardo Lucas, embora deva admitir que não tenho nenhuma ideia da forma que pode assumir. É um erro fundamental teorizar antes de se conhecerem os fatos. Fique de guarda, meu bom Watson, e receba quaisquer novos visitantes. Devo encontrá-lo no almoço, se puder.

Durante todo aquele dia e no outro e no outro, Holmes permaneceu num estado de espírito que seus amigos chamariam de taciturno e outros de mal-humorado. Entrava e saía, fumava sem parar, tocava alguns acordes em seu violino, mergulhava em devaneios, devorava sanduíches em horas irregulares, e quase não respondia às perguntas casuais que eu lhe fazia. Era evidente que as coisas não iam bem com ele nem com sua busca. Não disse nada sobre o caso, e foi pelos jornais que soube dos detalhes do inquérito, e da prisão, e posterior libertação, de John Mitton, o criado de quarto do falecido. O júri de instrução apresentou o óbvio homicídio premeditado, mas os participantes ainda permaneciam desconhecidos. Nenhum motivo foi sugerido. A sala estava cheia de objetos de valor, mas nada foi levado. Os papéis do morto não foram tocados. Foram examinados com cuidado, e mostraram que ele era um estudioso atento da política internacional, um tagarela infatigável, um notável poliglota e um incansável escritor de cartas. Tinha contatos frequentes com os principais políticos de vários países. Mas nada de sensacional foi descoberto entre os documentos que enchiam suas gavetas. Quanto às suas relações com mulheres, pareciam ter sido promíscuas, mas superficiais. Tinha muitas relações, mas poucas amigas entre elas, e ninguém a quem amasse. Seus hábitos eram regulares, sua conduta inofensiva. Sua morte era um mistério absoluto e com a probabilidade de permanecer assim.

Quanto à prisão de John Mitton, o criado de quarto, foi um ato de desespero, como uma alternativa à total inatividade. Mas nenhum processo poderia ser mantido contra ele. Havia visitado amigos em Hammersmith naquela noite. O *álibi* era perfeito. É verdade que partiu de volta para casa numa hora que lhe permitiria estar em Westminster antes que o crime fosse descoberto, mas sua própria explicação, de que fizera a pé uma parte do caminho, parecia muito provável por causa da beleza da noite. Chegou de fato à meia-noite e parecia estar transtornado pela tragédia inesperada. Sempre teve boas relações com seu patrão. Vários objetos de propriedade do morto — particularmente uma caixinha de lâminas — foram encontrados no quarto do criado, mas ele explicou que eram presentes do falecido, e a governanta confirmou a história. Mitton esteve a serviço de Lucas durante três anos. É digno de nota que Lucas não levava Mitton quando ia ao continente. Às vezes ficava em Paris durante três meses, mas Mitton ficava encarregado da casa da rua Godolphin. Quanto à governanta, não ouviu nada na noite do crime. Se seu patrão recebeu alguma visita, ele mesmo a deixou entrar.

De modo que durante três manhãs o mistério continuou, pelo que pude acompanhar nos jornais. Se Holmes sabia mais, guardou para si mesmo, mas, ao me contar que o inspetor Lestrade fazia-lhe confidências sobre o caso, deduzi que estava a par de todas as novidades. No quarto dia apareceu um longo telegrama de Paris que parecia resolver toda a questão. Dizia o *Daily Telegraph*:

> *A polícia parisiense acaba de fazer uma descoberta que levanta o véu existente em torno do trágico destino do sr. Eduardo Lucas, que teve uma morte violenta na noite da última segunda-feira, na rua Godolphin, Westminster. Nossos leitores se lembrarão de que o falecido foi encontrado apunhalado em seu quarto e que alguma suspeita recaiu em seu criado, mas foi afastada com um álibi. Ontem uma senhora, conhecida como mme. Henri Fournaye, que mora numa pequena casa isolada na rua Austerlitz, foi denunciada às autoridades por seus criados como sendo louca. Um exame mostrou que ela de fato desenvolveu uma mania de forma perigosa e permanente. Na investigação a polícia descobriu que mme. Henri Fournaye só voltou de uma viagem a Londres na terça-feira passada, e há indícios que a ligam ao crime de Westminster. Uma comparação de fotografias provou de modo conclusivo que o sr. Henri Fournaye e Eduardo Lucas eram na verdade a mesma pessoa, e que o falecido, por algum motivo, levava uma vida dupla em Londres e Paris. Mme. Fournaye, que é de origem mestiça, tem um temperamento extremamente excitável, e sofreu no passado de ataques de ciúmes que chegaram ao delírio. Levantou-se a hipótese de que foi num desses ataques que ela cometeu o crime terrível que causou tanta sensação em Londres. Seus movimentos na noite de segunda-feira ainda não foram reconstituídos, mas sem dúvida uma mulher que corresponde à descrição dela atraiu muita atenção na estação de Charing Cross na manhã de terça-feira, por causa do seu aspecto transtornado e da violência de seus gestos. Portanto, é provável que o crime tenha sido cometido quando estivesse fora de si ou que seu efeito imediato fosse o de levar a infeliz mulher ao delírio. No momento ela é incapaz de fazer um relato coerente do passado, e os médicos não dão esperanças de recuperação da razão. Há evidências de que uma mulher, que pode ter sido mme. Fournaye, foi vista durante algumas horas na noite de segunda-feira rondando a casa da rua Godolphin.*

— O que acha disto, Holmes? — Eu li em voz alta o artigo, enquanto ele terminava o café da manhã.

— Meu caro Watson — disse ao se levantar da mesa, passando a andar de um lado para outro na sala —, você é muito paciente, mas se não lhe contei nada nos últimos três dias, é porque não há nada para dizer. Mesmo agora, esta reportagem de Paris não nos ajuda muito.

— Com certeza é definitivo no que se refere à morte do sujeito.

— A morte do homem é um mero incidente, um episódio banal, em comparação com o nosso objetivo real, que é localizar esse documento e evitar uma catástrofe na Europa. Apenas uma coisa importante aconteceu nesses últimos três dias, e é o fato de que nada aconteceu. Tenho notícias quase de hora em hora do governo, e é certo que em nenhum lugar na Europa existem sinais de problemas. Agora, se esta carta estivesse perdida; não, ela *não pode* estar perdida, mas se não está perdida, onde pode estar? Quem está com ela? Por que está sendo retida? Esta é a questão que bate em minha cabeça como um martelo. Foi de fato uma coincidência a morte de Lucas na noite em que a carta desapareceu? Será que a carta chegou até ele? Se chegou, por que não está entre seus papéis? Esta sua esposa louca a terá levado consigo? Se levou, estará em sua casa em Paris? Como eu poderia procurá-la sem levantar suspeitas da polícia francesa? É um caso, meu caro Watson, em que a justiça é tão perigosa para nós quanto para os criminosos. Cada mão humana está contra nós, e ainda assim os interesses em jogo são colossais. Se eu conseguir concluir com êxito este caso, isto com certeza representará o coroamento glorioso da minha carreira. Ah, aqui estão as últimas da frente de combate! — Deu uma olhada rápida no bilhete que segurava. — Ora! Lestrade parece ter notado algo de interessante. Ponha seu chapéu, Watson, e caminharemos juntos até Westminster.

Era a minha primeira visita ao local do crime — uma casa alta, com os fundos estreitos, escura, empertigada, formal e sólida como o século em que fora construída. As feições de buldogue de Lestrade nos olharam da janela da frente, e ele nos cumprimentou calorosamente quando um policial corpulento abriu a porta e nos deixou entrar. O aposento ao qual fomos levados era aquele em que o crime fora cometido, mas não havia mais nenhum vestígio dele, a não ser uma mancha feia e irregular no tapete. Esse tapete era um pequeno quadrado de lã no centro da sala, cercado por um bonito assoalho de madeira, em blocos quadrados, bastante polidos. Sobre a lareira havia um magnífico painel de armas, uma das quais fora usada naquela noite trágica. Perto da janela havia uma escrivaninha suntuosa, e cada detalhe da casa, as pinturas, os tapetes e o papel de parede, tudo indicava um gosto luxuoso quase efeminado.

— Viu as novidades de Paris? — perguntou Lestrade.

Holmes confirmou.

— Nossos amigos franceses parecem ter acertado no alvo desta vez. Sem dúvida é como eles dizem. Ela bateu à porta, visita de surpresa, eu creio, porque ele levava sua vida em compartimentos estanques, deixou-a entrar, pois não podia deixá-la na rua. Ela disse-lhe como o localizara, e o censurou. Uma coisa levou à outra, e então com aquela adaga tão acessível o fim chegou logo. Mas não foi feito tudo num instante, pois estas cadeiras estavam espalhadas por toda a sala e ele tinha uma na mão, como se tentasse manter a mulher afastada com ela. Está tudo tão claro como se tivéssemos visto.

Holmes ergueu as sobrancelhas.

— E ainda assim me procurou?

— Ah, sim, isso é um outro assunto, uma ninharia, mas o tipo de coisa pela qual o senhor se interessa; esquisito, sabe, e o que se pode chamar de bizarro. Não tem nada a ver com o fato principal; não pode ter, pela aparência.

— O que é, então?

— Bem, o senhor sabe, depois de um crime deste tipo tomamos muito cuidado para manter as coisas na mesma posição. Nada foi removido. Guardas se encarregam disso dia e noite. Esta manhã, como o homem foi enterrado e a investigação terminou, no que se relaciona com a sala, pensamos em dar uma arrumada por aqui. Este tapete. Vê, não é pregado no chão, apenas colocado aí. Tivemos de levantá-lo. Encontramos...

— Sim? Vocês encontraram...

O rosto de Holmes ficou tenso de ansiedade.

— Ora, tenho certeza de que não adivinharia o que encontramos nem em cem anos. Vê esta mancha no tapete? Bem, uma grande quantidade deve ter passado através dele, não?

— Sem dúvida.

— Bem, ficará surpreso ao saber que não há uma mancha correspondente no assoalho de madeira clara.

— Nenhuma mancha! Mas deve ter...

— Sim, é o que diz. Mas o fato é que não tem.

Pegou a ponta do tapete, levantou-a e mostrou que realmente era como ele dissera.

— Mas o lado de baixo está tão manchado quanto o de cima. Deveria ter deixado uma marca.

Lestrade exultava com o prazer de ter deixado intrigado o perito famoso.

— Agora, vou dar a explicação. *Há* uma segunda mancha, mas em outra parte do tapete, e lá, de fato, estava uma grande quantidade de sangue derramado sobre o quadrado branco do assoalho antigo. O que acha disso, sr. Holmes?

— Ora, é muito simples. As duas manchas na verdade se correspondem, mas o tapete foi trocado de lado. Como era quadrado e despregado, isto pôde ser feito com facilidade.

— A polícia não precisa do senhor para concluir que o tapete foi invertido. Isto está bem claro, pois as manchas ficam uma sobre a outra se o colocar deste modo. Mas o que quero saber é quem o deslocou e por quê?

Eu podia ver pelo rosto rígido de Holmes que estava vibrando de excitação interior.

— Olhe aqui, Lestrade — disse —, aquele guarda no corredor ficou em seu posto o tempo todo?

— Sim, ficou.

— Bem, siga meu conselho. Interrogue-o com cuidado. Não o faça diante de nós. Esperaremos aqui. Leve-o para a sala dos fundos. Pergunte a ele como ousou fazer entrar pessoas e deixá-las sozinhas nesta sala. Não lhe pergunte se fez isso. Fale como se tivesse certeza. Diga-lhe que *sabe* que alguém esteve aqui. Pressione-o. Diga-lhe que uma confissão total é sua única possibilidade de perdão. Faça exatamente o que lhe digo!

— Por Deus, se ele souber, eu o afastarei! — exclamou Lestrade. Correu para o saguão e alguns momentos depois sua voz arrogante soou nos fundos da casa.

— Agora, Watson, agora! — exclamou Holmes com uma impaciência exaltada.

Toda a força demoníaca do homem escondida atrás daquele comportamento indiferente explodiu num paroxismo de energia. Arrancou o tapete do chão, e num instante estava com as mãos e os joelhos no chão, pressionando para baixo cada um dos quadrados de madeira. Um deles girou de lado quando ele colocou a unha em sua borda. Abria-se como a tampa de uma caixa. Uma pequena cavidade negra abriu-se embaixo. Holmes meteu nela sua mão impaciente e a retirou com um rugido agudo de raiva e desapontamento. Estava vazia.

— Depressa, Watson, depressa! Encaixe de novo! — A tampa de madeira foi recolocada, e o tapete acabara de ser posto no lugar quando ouviram a voz de Lestrade no corredor. Ele encontrou Holmes apoiado languidamente na lareira, resignado e paciente, tentando disfarçar seus bocejos irreprimíveis.

— Desculpe-me por tê-lo deixado esperando, sr. Holmes. Posso ver que está bastante entediado com todo esse caso. Bem, ele confessou, tudo certo. Venha aqui dentro, MacPherson. Deixe estes cavalheiros ouvirem a respeito de sua conduta indesculpável.

O policial corpulento, muito vermelho e arrependido, aproximou-se.

— Eu achei que não tinha nada de mal, senhor. A jovem veio até a porta ontem à tarde; errou de casa, ela disse. E então começamos a conversar. É muito solitário, quando se fica de guarda aqui o dia inteiro.

— Bem, o que aconteceu, então?

— Ela queria ver o lugar onde o crime foi cometido, lera sobre ele nos jornais. Era uma jovem muito respeitável, bem-educada, senhor, e não vi mal nenhum em deixá-la dar uma olhada. Quando viu aquela marca no tapete, caiu no chão e ficou como se estivesse morta. Corri para os fundos e peguei um pouco de água, mas não consegui reanimá-la. Então saí, dobrei a esquina e fui até o *Ivy Plant* em busca de *brandy*, e quando o trouxe, a jovem já se recuperara e saíra; envergonhada, eu diria, e sem coragem de me encarar.

— E sobre aquele tapete que foi movido?

— Bem, senhor, estava um pouco enrugado, é claro, quando voltei. Ora, ela caiu sobre ele, e ele fica num assoalho polido sem nada para segurá-lo no lugar. Eu o endireitei depois.

— É uma lição para você aprender que não pode me enganar, guarda MacPherson — disse Lestrade com dignidade. — Sem dúvida pensou que sua falta no cumprimento do dever nunca seria descoberta, e ainda assim uma ligeira olhada naquele tapete foi suficiente para me convencer de que alguém fora admitido na sala. Sorte sua, meu rapaz, que não esteja faltando nada, senão já estaria na rua Queer. Lamento tê-lo chamado por causa de uma coisa tão insignificante, sr. Holmes, mas achei que o fato de a segunda mancha não corresponder à primeira interessaria ao senhor.

— Com certeza foi muito interessante. Esta mulher só esteve aqui uma vez, guarda?

— Sim, senhor, apenas uma.

— Quem era ela?

— Não sei o nome, senhor. Estava respondendo a um anúncio sobre datilografia e veio ao número errado, uma jovem muito agradável e gentil, senhor.

— Alta? Bonita?

— Sim, senhor, era uma mulher alta e jovem. Pode-se dizer que ela era bonita. Talvez alguns dissessem que era muito bonita. "Oh, guarda, deixe-me dar uma olhada!", ela disse. Tinha um jeito elegante e persuasivo, como se poder dizer, e pensei que não havia nada de mal em apenas deixá-la espiar pela porta.

— Como estava vestida?

— Discretamente, senhor. Uma capa longa, até os pés.

— A que horas foi isso?

— Estava anoitecendo. Começavam a acender os postes quando eu voltei com o *brandy*.

— Muito bom — disse Holmes. — Venha, Watson, creio que temos um trabalho mais importante num outro lugar.

Quando saímos da casa, Lestrade permaneceu na sala da frente, enquanto o guarda arrependido abria a porta para nós. Holmes virou--se no degrau e mostrou algo em sua mão. O policial olhou atentamente.

— Meu Deus, senhor! — exclamou, com uma expressão de assombro. Holmes pôs o dedo nos lábios, enfiou a mão no bolso da frente, e começou a rir enquanto descíamos a rua. — Excelente! — disse. — Venha, amigo Watson, a cortina se levanta para o último ato. Ficará aliviado em saber que não haverá guerra nenhuma, que o *right honourable* Trelawney Hope não sofrerá nenhum golpe em sua carreira, que o soberano indiscreto não receberá punição alguma por sua indiscrição, que o primeiro-ministro não terá de lidar com nenhuma complicação europeia, e que, com um pouco de tato e esperteza de nossa parte, ninguém perderá um pêni sequer pelo que foi um incidente muito perigoso.

Enchi-me de admiração por este homem extraordinário.

— Você solucionou o caso! — exclamei.

— Quase, Watson. Alguns detalhes ainda não foram esclarecidos. Mas já temos tanto que será uma falha nossa se não conseguirmos saber o resto. Iremos direto a Whitehall Terrace e levaremos o caso até o fim.

Quando chegamos à residência do secretário para Assuntos Europeus, foi por *lady* Hilda Trelawney Hope que Holmes perguntou. Fomos levados para a sala de visitas.

— Sr. Holmes! — disse a dama, e seu rosto estava vermelho de indignação. — Isto é com certeza muito injusto e mesquinho de sua parte. Queria, como expliquei, manter em segredo minha visita ao senhor, receando que meu marido soubesse que eu estava me intrometendo em seus negócios. E mesmo assim o senhor me compromete vindo aqui e demonstrando desse modo que existem relações de negócios entre nós.

— Infelizmente, madame, não tive alternativa. Fui encarregado de recuperar este papel extremamente importante. De modo que devo lhe pedir, madame, que faça a gentileza de colocá-lo em minhas mãos.

A dama ficou de pé num pulo, e a cor desapareceu de seu bonito rosto num instante. Seus olhos ficaram vidrados — ela cambaleou —, e pensei que iria desmaiar. Depois, com grande esforço, recobrou-se do choque, e seu rosto demonstrava assombro e idignação.

— O senhor... o senhor me insulta, sr. Holmes.

— Ora, ora, madame, isso é inútil. Entregue a carta.

Ela correu para a campainha.

— O mordomo lhes mostrará a saída.

— Não a toque, *lady* Hilda. Se o fizer, todos os meus esforços para evitar um escândalo serão frustrados. Entregue a carta e tudo ficará bem. Se colaborar comigo, posso ajeitar tudo. Se trabalhar contra mim, terei de expô-la.

Ela parou, desafiadora, as feições majestosas, os olhos fixos nos dele como se lesse a sua alma. Sua mão estava na campainha, mas ela não ousara tocá-la.

— Está tentando me amedrontar. Não é uma atitude muito adequada a um homem, sr. Holmes, vir aqui e intimidar uma mulher. O senhor diz que sabe de algo. O que sabe?

— Por favor, sente-se, madame. Vai se machucar se cair aí. Não falarei enquanto não se sentar. Obrigado.

— Dou-lhe cinco minutos, sr. Holmes.

— Um é suficiente, *lady* Hilda. Sei de sua visita a Eduardo Lucas, que lhe entregou o documento, sei de seu engenhoso retorno ao aposento na noite passada, e a maneira pela qual tirou a carta de seu esconderijo sob o tapete.

Ela o encarou com um rosto cadavérico e engoliu em seco duas vezes antes de poder falar.

— Está louco, sr. Holmes... o senhor está louco! — exclamou finalmente.

Ele tirou um pedaço de papelão do bolso. Era o rosto de uma mulher cortado de um retrato.

— Trouxe isto porque pensei que poderia ser útil — disse. — O policial a reconheceu.

Ela deu um gemido e apoiou a cabeça no encosto da cadeira.

— Vamos, *lady* Hilda. A senhora está com a carta. O caso ainda pode ser consertado. Não desejo criar-lhe problemas. Minha obrigação termina quando eu devolver a carta perdida ao seu marido. Siga o meu conselho e seja franca comigo. É sua única chance.

Sua coragem era admirável. Mesmo agora não se deixava vencer.

— Afirmo de novo, sr. Holmes, que está absolutamente enganado.

Holmes levantou-se da cadeira.

— Sinto muito pela senhora, *lady* Hilda. Fiz o máximo que pude. Vejo que foi tudo em vão.

Ele tocou a campainha. O mordomo entrou.

— O sr. Trelawney Hope está em casa?

— Ele estará em casa, senhor, às 12h45.

Holmes olhou para seu relógio.

— Ainda faltam 15 minutos — disse. — Muito bem, eu esperarei.

Mal o mordomo fechara a porta, *lady* Hilda ajoelhou-se aos pés de Holmes, as mãos estendidas, o rosto bonito erguido e molhado de lágrimas.

— Oh, poupe-me, sr. Holmes! Poupe-me! — implorou, numa súplica frenética. — Pelo amor de Deus, não conte a ele! Amo-o tanto! Não seria capaz de provocar uma única mancha em sua vida, e sei que isto partiria seu coração nobre.

Holmes ergueu a dama.

— Estou grato, madame, por ter dado ouvidos à razão, mesmo neste último instante! Não temos tempo a perder. Onde está a carta?

Ela correu até uma escrivaninha, destrancou-a e tirou um envelope azul comprido.

— Aqui está, sr. Holmes. Gostaria de nunca tê-la visto!

— Como podemos devolvê-lo? — murmurou Holmes. — Rápido, rápido, devemos pensar em alguma maneira! Onde está a caixa de correspondência?

— Aqui no quarto dele.

— Que golpe de sorte! Depressa, madame, traga-a aqui!

Logo depois ela apareceu com uma caixa vermelha na mão.

— Como a abriu antes? Tem uma duplicata da chave? Sim, é claro que tem. Abra-a!

De seu decote, *lady* Hilda tirou uma chave pequena. A caixa foi aberta. Estava entulhada de papéis. Holmes enfiou o envelope azul no meio deles; entre as folhas de um outro documento. A caixa foi fechada, trancada e levada de volta para o quarto.

— Agora estamos prontos para recebê-lo — disse Holmes. — Ainda temos dez minutos. Estou fazendo o possível para acobertá-la, *lady* Hilda. Em troca, vai passar esse tempo me contando francamente o verdadeiro significado deste caso extraordinário.

— Sr. Holmes, eu lhe contarei tudo — exclamou a dama. — Oh, sr. Holmes, eu preferiria cortar minha mão direita a dar a ele um momento de mágoa! Não existe uma mulher em toda Londres que ame seu marido como eu o amo, e ainda assim, se ele soubesse como agi, como fui induzida a agir, nunca me perdoaria. Pois preza tanto sua própria honra que ele não poderia esquecer ou perdoar um lapso na honra dos outros. Ajude-me, sr. Holmes! Minha felicidade, a felicidade dele, nossas próprias vidas estão em jogo!

— Depressa, madame, o tempo está acabando!

— Era uma carta minha, sr. Holmes, uma carta indiscreta escrita antes do meu casamento, uma carta boba, de uma garota impulsiva e romântica. Não fiz por mal, e mesmo assim ele a acharia criminosa. Se tivesse lido essa carta, toda sua confiança em mim seria destruída para sempre. Já se passaram anos desde que a escrevi. Pensei que todo esse assunto estivesse esquecido. Então, afinal, ouvi deste homem, Lucas, que ela havia passado para suas mãos, e que ele a entregaria ao meu marido. Implorei sua misericórdia. Ele disse que devolveria a carta se eu lhe entregasse um certo documento que descreveu, e que estava na caixa de correspondência do meu marido. Tinha uma espécie de espião no escritório que lhe falou sobre a sua existência. Ele me garantiu que meu marido não seria prejudicado. Ponha-se na minha situação, sr. Holmes! O que eu deveria fazer?

— Contar tudo ao seu marido.

— Não podia, sr. Holmes, não podia! De um lado, parecia ser a ruína certa, e de outro, por mais terrível que parecesse tirar um papel de meu marido, ainda mais sobre um assunto político, não podia compreender as consequências, enquanto em matéria de amor e confiança era tudo muito claro para mim. Eu o fiz, sr. Holmes! Tirei um molde da chave. Esse homem, Lucas, fez uma duplicata. Abri a caixa de correspondência dele, tirei o papel e o levei à rua Godolphin.

— O que aconteceu lá, madame?

— Bati na porta da maneira combinada. Lucas a abriu. Fui atrás dele até a sala, deixando a porta do saguão entreaberta, pois temia ficar sozinha com aquele homem. Lembro-me de que havia uma mulher do lado de fora quando entrei. Nosso negócio foi feito logo. Ele estava com a minha carta em sua mesa, e eu lhe entreguei o documento. Ele me deu a carta. Nesse momento ouvimos um barulho à porta. Passos no corredor. Lucas afastou rapidamente o tapete, jogou o documento em algum esconderijo ali e o cobriu.

"O que aconteceu depois disso parece um pesadelo. Vi um rosto moreno e louco, transtornado, ouvi uma voz de mulher que gritava em francês: 'Minha espera não foi em vão. Afinal, afinal encontrei você com ela!' Houve uma luta feroz. Eu o vi com uma cadeira na mão, uma faca brilhava na dela. Fugi correndo da cena horrível, da casa, e somente na manhã seguinte, no jornal, é que soube do desfecho terrível. Aquela noite eu estava feliz porque tinha a minha carta, e ainda não sabia o que o destino iria trazer.

"Foi na manhã seguinte que percebi que apenas trocara um problema por outro. A angústia de meu marido com a perda do documento me doeu no coração. Mal pude me controlar para não me ajoelhar diante dele e lhe contar o que havia feito. Mas isso seria de novo uma confissão do passado. Vim procurar o senhor naquela manhã para compreender a plena dimensão do meu ato. Desde o instante em que compreendi, eu só pensava em trazer de volta o papel do meu marido. Ainda devia estar no lugar onde Lucas o colocara, porque fora escondido antes que aquela mulher horrível entrasse na sala. Não fosse a chegada dela, eu não saberia onde ficava o esconderijo. Como eu poderia entrar na sala? Durante dois dias fiquei vigiando o lugar, mas a porta nunca foi deixada aberta. Na noite passada fiz minha última tentativa. O que fiz e como me saí o senhor já sabe. Trouxe o papel de volta e pensei em destruí-lo, já que não via um jeito de devolvê-lo sem confessar ao meu marido a minha culpa. Céus, ouço seus passos na escada!"

O secretário para Assuntos Europeus entrou agitado na sala.

— Alguma novidade, sr. Holmes, alguma novidade? — exclamou.

— Tenho algumas esperanças.

— Ah, graças aos céus! — Seu rosto ficou radiante. — O primeiro-ministro vai almoçar comigo. Posso contar a ele sobre as suas esperanças? Ele tem nervos de aço, mas sei que mal tem conseguido dormir desde esse incidente terrível. Jacobs, poderia pedir ao primeiro-ministro para subir? Quanto a você, querida, este é um assunto político. Espere na sala de jantar. Estaremos lá daqui a alguns minutos.

A atitude do primeiro-ministro era controlada, mas pude ver pelo brilho de seus olhos e pelo tremor de suas mãos ossudas que estava tão excitado quanto seu jovem colega.

— Creio que tem algo a contar, sr. Holmes?

— Puramente negativo por enquanto — respondeu meu amigo. — Investiguei cada ponto onde poderia estar, e tenho certeza de que não há perigo algum a temer.

— Mas isso não é suficiente, sr. Holmes. Não podemos viver eternamente nesse vulcão. Precisamos ter algo definitivo.

— Tenho esperanças de consegui-lo. É por isso que estou aqui. Quanto mais penso no assunto, mais fico convencido de que a carta nunca saiu desta casa.

— Sr. Holmes!

— Se tivesse saído, a esta altura já teria sido publicada, com certeza.

— Mas por que alguém a pegaria para deixá-la em sua própria casa?

— Não tenho certeza de que alguém a pegou.

— Então como ela pode ter saído da caixa de correspondência?

— Não estou convencido de que ela chegou a sair da caixa de correspondência.

— Sr. Holmes, esta brincadeira é muito importuna. Eu lhe asseguro que a carta saiu da caixa.

— O senhor examinou a caixa desde terça de manhã?

— Não. Não foi necessário.

— Provavelmente apenas deu uma olhada superficial.

— Impossível, eu afirmo.

— Mas não estou convencido disso. Sei que essas coisas acontecem. Presumo que haja outros papéis ali. Ora, pode ter sido misturada com os outros.

— Estava bem em cima.

— Alguém pode ter sacudido a caixa e tê-la tirado do lugar.

— Não, não, estava tudo em ordem.

— Bem, isto pode ser resolvido facilmente, Hope — disse o primeiro-ministro. — Traga a caixa de correspondência.

O secretário tocou a campainha.

— Jacobs, traga minha caixa de correspondência. Isto é uma perda de tempo idiota, mas, se nada mais irá convencê-lo, isso será feito. Obrigado, Jacobs, ponha-a aqui. Sempre guardei a chave na corrente do meu relógio. Aqui estão os papéis, veja. Carta do lorde Merrow, relatório de *sir* Charles Hardy, memorando de Belgrado, notas sobre as taxas de grãos russo-germânicas, carta de Madri, bilhete do lorde Flowers... Meu Deus! O que é isto? Lorde Bellinger! Lorde Bellinger!

O primeiro-ministro viu o envelope azul na mão dele.

— Sim, é ele; e a carta está intacta. Hope, eu lhe dou os parabéns.

— Obrigado! Obrigado! Que peso me tirou do coração. Mas isto é inconcebível... é impossível. Sr. Holmes, o senhor é um feiticeiro, um adivinho! Como descobriu que estava aqui?

— Porque sabia que não estava em nenhum outro lugar.

— Não consigo acreditar em meus olhos! — Ele correu para a porta.

— Onde está minha esposa? Preciso dizer-lhe que está tudo bem. Hilda! Hilda! — ouvimos sua voz nas escadas.

O primeiro-ministro olhou para Holmes piscando os olhos.

— Ora, senhor — disse. — Há mais coisa nisso do que aquilo que parece à primeira vista. Como é que a carta voltou para a caixa?

Holmes desviou-se sorridente do exame atento daqueles olhos cintilantes.

— Também temos nossos segredos diplomáticos — disse e, pegando o seu chapéu, virou-se para a porta.

O VALE DO MEDO

Primeira parte:
A tragédia de Birlstone

1

O AVISO

— PENSO QUE... — EU DISSE.

— Eu deveria fazer isso — Sherlock Holmes comentou com impaciência.

Acho que sou um dos mais pacientes mortais, mas admito que fiquei aborrecido com aquela interrupção sarcástica.

— Na verdade, Holmes, às vezes você é um pouco irritante — eu disse, sério.

Ele estava absorto demais em seus pensamentos para dar uma resposta imediata à minha queixa. Curvou-se na mesa, sem ter tocado em nada do que lhe fora servido no café da manhã, e olhou para a tira de papel que acabara de tirar de um envelope. Depois, pegou o envelope, colocou-o perto da luz e examinou cuidadosamente tanto a parte externa quanto a sua dobra.

— É a letra de Porlock — disse, de modo pensativo. — Tenho quase certeza de que é a letra de Porlock, embora só a tenha visto duas vezes. O "E" grego, floreado em cima, é característico. Mas, se é de Porlock, deve ser algo muito importante.

Ele estava falando consigo mesmo, e não comigo, mas a minha irritação desapareceu, substituída pelo interesse que aquelas palavras me despertavam.

— Mas quem, afinal, é Porlock? — perguntei.

— Porlock, Watson, é um nome de plume, uma simples identificação, mas por trás disso existe uma personalidade matreira e evasiva. Numa carta anterior, ele me disse abertamente que este não era seu nome e me desafiou, afirmando que eu jamais o encontraria entre os milhões de habitantes desta cidade grande. Porlock é importante não por ele mesmo, mas pelo homem poderoso ao qual está ligado. Imagine o peixe-guia com o tubarão, o chacal com o leão — qualquer coisa que seja é insignificante ao lado do que é ameaçador. Não apenas ameaçador, Watson, mas sinistro — e sinistro no mais alto grau. É nesse aspecto que ele me interessa. Você já me ouviu falar do professor Moriarty?

— O famoso criminoso, tão famoso entre os bandidos quanto...

— Modere-se, Watson — Holmes disse num tom de desaprovação.

— Eu ia dizer "quanto desconhecido do público".

— Assim é mais distinto! — Holmes exclamou. — Você está revelando um certo tipo inesperado de humor baixo contra o qual preciso me proteger, Watson. Ao chamar Moriarty de criminoso, você está dizendo uma calúnia aos olhos da lei — e nisso reside a glória e a maravilha da questão. O maior planejador de todos os tempos, o organizador de todas as crueldades, o cérebro que controla o submundo: o cérebro que poderia ter feito ou destruído o destino de nações. Este é o homem. Mas ele está tão distante da suspeita de todos, tão imune a julgamentos, tão admirável em sua conduta e na sua capacidade de passar despercebido que por estas palavras de acusação ele poderia arrastá-lo aos tribunais e ganhar uma indenização por danos morais. Não é ele o celebrado autor de *A dinâmica de um asteroide*, um livro que trata de matemática pura num nível tão elevado que, segundo dizem, não havia ninguém na imprensa científica capaz de criticá-lo? Um homem desses é para se difamar? Um doutor desbocado e um professor difamado — esses seriam os papéis de vocês dois. Genial, Watson. Mas, se eu for indulgente com os menos favorecidos, encontrarei meu lugar no céu.

— E eu estarei lá para vê-lo! — eu disse, de modo reverente. — Mas você estava falando desse tal de Porlock.

— Ah, sim. O que diz chamar-se Porlock é um elo que não está muito distante do principal. Porlock não é propriamente um elo entre nós. Ele é a única falha nessa cadeia, até onde eu pude testar.

— Mas nenhuma cadeia é mais forte que o seu elo mais fraco.

— Exatamente, meu caro Watson. Daí a extrema importância de Porlock. Levado por algumas aspirações rudimentares de honestidade e encorajado pela criteriosa estimulação de uma ocasional nota de dez libras enviada furtivamente, ele, por uma ou duas vezes, deu-me informações em primeira mão, de muito valor, aquele tipo de informação que prevê e evita o crime em vez de puni-lo. Não tenho dúvida de que, se nós tivéssemos o código dessa mensagem, veríamos que ela é importante como eu penso ser.

Holmes novamente abriu o papel sobre o seu prato vazio. Eu me levantei e, curvando-me a seu lado, vi aquela curiosa inscrição, disposta da seguinte maneira:

534 c2 13 127 36 31 4 17 21 41
DOUGLAS 109 293 5 37 BIRLSTONE
26 BIRLSTONE 9 47 171

— O que você conclui disso, Holmes?

— Obviamente, é uma tentativa de enviar uma informação secreta cifrada.

— Mas qual a utilidade de uma mensagem cifrada sem o código?

— Neste caso, nenhuma.

— Por que você diz "neste caso"?

— Porque há muitos códigos que eu conseguiria ler com a mesma facilidade com que leio os resumos feitos nas colunas de obituário. Essas coisas bobas divertem a inteligência sem fatigá-la. Mas isso aqui é diferente. Está claro que isso é uma referência às palavras nas páginas de algum livro. Até eu saber que livro é esse e qual a página, não posso fazer nada.

— Mas por que "Douglas" e "Birlstone"?

— Logicamente porque essas palavras não estão na página citada.

— Então por que ele não mencionou o livro?

— Sua perspicácia natural, meu caro Watson, essa astúcia que delicia seus amigos, certamente evitaria que você enviasse o código e a mensagem no mesmo envelope. Se o esquema falha, você está perdido. Desse outro modo, é preciso que os dois sejam extraviados para que haja algum perigo. Nosso segundo mensageiro já está atrasado e ficarei surpreso se ele não nos trouxer outra carta de explicação ou, o que é mais provável, o livro a que esses números se referem.

A previsão de Holmes concretizou-se poucos minutos depois com a chegada de Billy, o mensageiro, com a carta que estávamos esperando.

— A mesma caligrafia — observou Holmes quando abriu o envelope. E desta vez assinada — acrescentou numa voz exultante, enquanto desdobrava a carta. — Veja, Watson, estamos progredindo.

Mas sua expressão se fechou ao ver o conteúdo.

— Puxa! Isso é muito frustrante! Acho, Watson, que todas as nossas expectativas deram em nada. Espero que Porlock não seja prejudicado.

Prezado sr. Holmes, diz ele, não vou continuar nesse caso. É muito perigoso. Ele desconfia de mim. Posso sentir que ele desconfia. Ele se aproximou de mim, de modo inesperado, logo depois de eu ter endereçado este envelope com a intenção de lhe enviar a chave do código. Consegui esconder tudo. Se ele tivesse visto, as coisas ficariam ruins para mim. Mas noto suspeita em seus olhos. Por favor, queime a mensagem cifrada, que agora não terá nenhuma utilidade para o senhor.

Fred Porlock

Holmes ficou sentado durante algum tempo com a carta entre os dedos e o cenho franzido, enquanto olhava para o fogo.

— Na verdade, pode não haver nada — ele disse, finalmente. — Pode ser apenas sua consciência pesada. Sabendo que é um traidor, ele pode ter lido a acusação nos olhos do outro.

— E o outro, eu presumo, é o professor Moriarty?

— Não pode ser outro. Quando qualquer um do grupo fala sobre "ele", sabe-se logo de quem estão falando. Existe um "ele" predominante para todos eles.

— Mas o que ele pode fazer?

— Hum! É uma pergunta complexa. Quando você tem um dos cérebros mais brilhantes da Europa contra você e todas as forças escusas a apoiá-lo, há possibilidades infinitas. De qualquer modo, nosso amigo Porlock está muito assustado. Compare com atenção a caligrafia do bilhete com a do envelope, que foi feita, segundo ele, antes desta visita de mau agouro. Uma é clara e firme; a outra, pouco legível.

— Por que ele escreveu, afinal? Por que simplesmente não desistiu?

— Porque temia que eu fizesse alguma sindicância sobre ele nesse caso e, assim, lhe causasse algum problema.

— Não há dúvida — eu disse. — É claro — apanhei a mensagem cifrada e me pus a examiná-la. — É enlouquecedor pensar que este pedaço de papel pode conter um segredo importante e que está além das forças humanas desvendá-lo.

Sherlock Holmes empurrou os pratos de comida, nos quais nem tocara, e acendeu o cachimbo fedorento, que era sua companhia na hora das meditações mais profundas.

— Isto é o que eu gostaria de saber! — ele disse, recostando-se e olhando para o teto. — Talvez haja alguns pontos que tenham escapado ao seu raciocínio maquiavélico. Vamos analisar o problema à luz da razão, simplesmente. Esse homem se refere a um livro. Esse é o nosso ponto de partida.

— O que é um pouco vago.

— Vamos ver, então, se conseguimos delimitá-lo. No meu modo de ver a coisa, parece menos impenetrável. Que indicações temos sobre este livro?

— Nenhuma.

— Bem, bem, na verdade não é tão ruim assim. A mensagem cifrada começa com um grande 534, não é? Podemos partir da hipótese de que 534 é a página à qual a mensagem se refere. Então nosso livro é um *grande*, o que já é alguma coisa. Que outras indicações temos quanto à natureza desse livro grande? O sinal seguinte é C2. O que você acha disso, Watson?

— Capítulo dois, não há dúvida.

— Nada disso, Watson. Tenho certeza de que você concordará comigo que, se foi dada a página, é desnecessário o número do capítulo. Além disso, se a página 534 está no capítulo dois, o tamanho do primeiro capítulo deve ser realmente intolerável.

— Coluna! — gritei.

— Brilhante, Watson. Você está maravilhoso esta manhã. Se não for coluna, então ficarei muito desapontado. Então agora, veja bem, começamos a visualizar um livro grande, impresso em duas colunas, cada uma delas com um comprimento considerável, já que uma das palavras do documento está indicada como a de número 293. Será que esgotamos a lógica?

— Temo que sim.

— Isso é uma injustiça com você mesmo. Tenho outra ideia brilhante, meu caro Watson. Outro lampejo feliz. Se o livro fosse uma obra rara, ele o enviaria para mim. Em vez disso ele pretendia, antes que seus planos fossem interrompidos, enviar-me a chave do código nesse envelope. Ele diz isso no bilhete. Isso parece indicar que, na opinião dele, eu não teria dificuldade em encontrar o livro. Ele o tem, e imaginou que eu também o tivesse. Em resumo, Watson, é um livro bastante comum.

— O que você diz parece plausível.

— Então reduzimos nosso campo de pesquisa a um livro grande, impresso em duas colunas e de uso comum.

— A Bíblia! — gritei, triunfante.

— Bom, Watson, bom! Mas, se é que posso dizer assim, não é suficientemente bom. Mesmo se a ideia fosse minha, eu não poderia pensar num livro menos provável de ser lido pelos associados de Moriarty. Além disso, as edições da Sagrada Escritura são tantas que dificilmente ele imaginaria que dois exemplares teriam a mesma paginação. O livro que ele menciona deve ser padronizado. Ele tem certeza de que a página 534 dele coincidirá com a minha página 534.

— Mas muitos poucos livros coincidiriam assim.

— Exatamente. Aí está nossa salvação. Nossa pesquisa está limitada a livros padronizados que se supõe que qualquer pessoa tenha.

— O *Bradshaw*![1]

— Há algumas dificuldades, Watson. O vocabulário do *Bradshaw* é vivo e conciso, mas limitado. A seleção de palavras não serviria para o envio de mensagens de caráter geral. Vamos eliminar o *Bradshaw*. O dicionário é inadmissível pelo mesmo motivo. O que resta então?

— Um almanaque.

— Excelente, Watson! Muito me engano se você não acertou no alvo. Um almanaque! Vamos analisar as características do *Almanaque Whitaker*. Ele é de uso geral. Tem o número de páginas suficiente. É impresso em duas colunas. Embora conciso nas primeiras edições,

[1] Guia ferroviário publicado periodicamente na Inglaterra. (N. do T.)

tornou-se, se bem me lembro, bastante descritivo depois. — Ele apanhou o volume na mesa. — Aqui está a página 534, coluna dois, um considerável bloco de informações, segundo percebo, sobre o comércio e os recursos da Índia Britânica. Anote as palavras, Watson. A de número 13 é "Mahratta". Receio que não seja um começo muito auspicioso. A de número 127 é "governo", o que pelo menos faz sentido, embora um tanto irrelevante para nós e para o professor Moriarty. Vamos tentar de novo. O que faz o governo de Mahratta? Ah! A palavra seguinte é "erva-cidreira". Nada feito, meu bom Watson! Chega!

Ele dissera aquilo de um modo engraçado, mas suas sobrancelhas cerradas demonstravam desapontamento e irritação. Eu me sentei, desalentado e infeliz, olhando para o fogo. O longo silêncio foi quebrado por uma súbita exclamação de Holmes, que correu até um armário e apanhou um livro de capa amarela.

— Pagamos o preço, Watson, de sermos tão atualizados — ele exclamou. — Vivemos à frente do nosso tempo e sofremos as penas habituais. Sendo dia 7 de janeiro, nós muito adequadamente pesquisamos no novo almanaque. É mais do que provável que Porlock tenha tirado sua mensagem do antigo. Não há dúvida de que ele nos diria isso caso tivesse escrito sua carta de explicação. Vamos ver a página 534. A palavra número 13 é "existe", o que é mais promissor. A palavra 127 é "algum". Existe algum... — Os olhos de Holmes brilhavam de contentamento e seu dedo fino, agitado, tremia enquanto ele contava as palavras. — "Perigo". Ah! Ah! Excelente! Escreva aí, Watson. Existe algum perigo-pode-vir-em breve-alguém. Então temos o nome Douglas. "Rico-agora-em Birlstone House-certeza-Birlstone em risco. Aí está, Watson! O que me diz da razão pura e seus resultados? Se no armazém vendessem uma coroa de louros, eu mandaria Billy buscar uma.

Eu estava olhando para a estranha mensagem que havia escrito, enquanto ele a decifrava, numa folha de papel almaço sobre meu joelho.

— Que maneira estranha de dizer alguma coisa! — comentei.

— Ao contrário, ele foi extremamente feliz — disse Holmes. — Quando você procura numa coluna só as palavras com as quais expressar o que deseja, dificilmente encontrará tudo o que quer dizer. Você é obrigado, então, a deixar alguma coisa para a inteligência do seu correspondente. O sentido está perfeitamente claro. Existe alguma coisa planejada contra alguém chamado Douglas, quem quer que ele seja, que é, como está dito, um homem rico que mora no interior do país. Ele está certo ("certeza" foi a palavra mais próxima de "certo" que ele encontrou) de que o outro está em perigo. Aí está o resultado e foi preciso um pouco de análise feita com muita habilidade.

Holmes tinha a alegria impessoal do verdadeiro artista em sua melhor forma, mesmo que se lamentasse quando não conseguia atingir o alto nível a que aspirava. Ele ainda estava sorrindo quando Billy abriu a porta e o inspetor MacDonald, da Scotland Yard, entrou apressado na sala.

Já iam longe aqueles dias, quase no início do século, quando Alec MacDonald nem sonhava obter a fama nacional que agora conquistara. Ele era um integrante jovem mas confiável do grupo de detetives, que se distinguira em vários casos que ficaram sob sua responsabilidade. Sua figura alta e robusta revelava uma grande força física, enquanto a cabeça de formato grande e os olhos fundos e vivos não eram provas menos evidentes da inteligência perspicaz que cintilava por baixo daquelas sobrancelhas grossas. Ele era um homem calado, meticuloso, de caráter obstinado e com um forte sotaque de Aberdeen. Duas vezes, ao longo de sua carreira, Holmes o havia ajudado a resolver casos, sendo que sua única recompensa fora a satisfação intelectual de enfrentar um problema. Por este motivo, a afeição e o respeito do escocês por seu colega amador eram profundos, e ele os demonstrava pela franqueza com que consultava Holmes em qualquer dificuldade. A mediocridade não conhece nada além de si mesma, mas o talento reconhece imediatamente o gênio, e MacDonald tinha talento profissional suficiente para perceber que não havia humilhação alguma em procurar a ajuda de alguém que, na Europa, era o único que poderia ajudá-lo, tanto pelo talento quanto pela experiência. Holmes não era predisposto a amizades, mas era tolerante com aquele escocês grandalhão e sorriu ao vê-lo.

— O senhor é um pássaro madrugador, sr. Mac — ele disse. — Desejo que o senhor encontre o que procura. Receio que isso signifique que há alguma coisa de errado.

— Se o senhor dissesse "espero" em lugar de "receio", ficaria mais perto da verdade, na minha opinião, sr. Holmes — respondeu o inspetor com um sorriso. — Bem, talvez um pequeno trago afastasse essa friagem da manhã.

— Não, não quero fumar, obrigado. Preciso ir embora, pois as primeiras horas de um caso são valiosas, já que ninguém conhece os fatos melhor que você. Mas... Mas...

O inspetor parou de falar abruptamente e olhava, com total perplexidade, para um pedaço de papel que estava na mesa. Era a folha em que eu anotara a mensagem enigmática.

— Douglas! — ele disse, um pouco confuso. — Birlstone! O que é isso, sr. Holmes? Olha! Isso é bruxaria! Em nome do que é mais sagrado, onde o senhor obteve esses nomes?

— Isto é um código que eu e o dr. Watson tivemos a oportunidade de elucidar. Mas por quê? O que há de errado com esses nomes?

O inspetor olhou para nós, primeiro para um e depois para o outro, com uma expressão de assombro.

— Apenas que o sr. Douglas, da Mansão de Birlstone, foi barbaramente assassinado ontem à noite — ele disse.

2

SHERLOCK HOLMES SE PRONUNCIA

Foi um daqueles momentos dramáticos para os quais meu amigo vivia. Seria um exagero dizer que ele ficou chocado ou nervoso com a revelação surpreendente. Embora não tivesse uma ponta de crueldade em sua formação, ele era, sem sombra de dúvida, calejado devido a uma grande vivência. Mas, se suas emoções estavam amortecidas, sua percepção intelectual encontrava-se extraordinariamente ativa. Não havia, então, nenhum vestígio do que eu senti com aquela notícia curta, mas seu rosto mostrava uma expressão calma e interessada, igual à do químico que vê os cristais decantarem numa solução saturada.

— Extraordinário! — disse ele. — Extraordinário!

— O senhor não parece surpreso.

— Interessado, sr. Mac, mas pouco surpreso. Por que eu estaria surpreso? Recebi uma mensagem anônima de uma fonte que sei ser importante, avisando-me que o perigo ameaça uma certa pessoa. Uma hora depois, fico sabendo que esse perigo realmente se concretizou e que a pessoa morreu. Estou interessado, mas, como o senhor vê, não estou surpreso.

Em poucas palavras ele explicou ao inspetor os fatos sobre a carta e o código. MacDonald sentou-se, com o queixo enfiado na mão e as grossas sobrancelhas cor de areia.

— Eu ia para Birlstone hoje cedo — ele disse. — Vim aqui para lhe perguntar se o senhor gostaria de ir comigo. O senhor e o seu amigo aqui. Mas, pelo que o senhor diz, talvez possamos trabalhar melhor aqui mesmo em Londres.

— Pois eu penso que não — disse Holmes.

— Com os diabos, sr. Holmes! — gritou o inspetor. — Dentro de um dia ou dois os jornais estarão cheios de notícias sobre o mistério de Birlstone. Mas que mistério, se há um homem em Londres que previu o crime antes mesmo que ele ocorresse? Temos apenas que pôr as mãos nesse homem e o resto virá em seguida.

— Não há dúvida, sr. Mac. Mas como o senhor pretende pôr as mãos nesse homem que atende por Porlock?

MacDonald virou a carta que Holmes lhe entregara.

— Foi posta no correio em Camberwell. Isso não ajuda muito. O nome, como disse o senhor, não é verdadeiro. Não há muita coisa para seguirmos, na verdade. O senhor não disse que havia lhe enviado dinheiro?

— Duas vezes.

— E como?

— Em notas para o correio de Camberwell.

— O senhor nunca se preocupou em ver quem ia pegar o dinheiro?

— Não.

O inspetor pareceu surpreso e um pouco chocado.

— Por que não?

— Porque sou leal. Eu prometi a ele, quando me escreveu pela primeira vez, que não tentaria localizá-lo.

— O senhor acredita que haja alguém por trás dele?

— Sei que há alguém.

— Esse professor que ouvi o senhor mencionar?

— Exatamente.

O inspetor MacDonald sorriu, e suas pálpebras estremeceram quando ele olhou para mim.

— Não vou esconder, sr. Holmes, que nós da Divisão de Investigações Criminais pensamos que o senhor desconfia desse professor. Eu mesmo fiz algumas investigações sobre isso. Ele parece ser um tipo de homem muito respeitável, instruído e talentoso.

— Fico feliz que os senhores tenham reconhecido seu talento.

— Mas não se pode deixar de reconhecer. Depois de saber sua opinião, resolvi ir vê-lo. Tive uma conversa com ele sobre eclipses. Não sei dizer como a conversa foi parar nisso. Mas ele tinha uma lanterna refletora e um globo, de modo que me explicou tudo num minuto. Ele me emprestou um livro, mas não vejo problema em reconhecer que era um pouquinho profundo demais para mim, embora eu tenha tido uma boa formação em Aberdeen. Ele impressiona bastante com aquele rosto magro, os cabelos prateados e o modo solene de falar. Quando ele pôs a mão no meu ombro, na hora de eu ir embora, era como a bênção do pai quando se sai para enfrentar o mundo cruel.

Holmes sorriu e esfregou as mãos.

— Ótimo! — ele disse. — Ótimo! Diga-me, meu amigo, esse encontro agradável e tocante foi, eu suponho, no escritório do professor?

— Foi.

— Um lugar bonito, não é?

— Muito bonito. Muito elegante mesmo, sr. Holmes.

— O senhor se sentou de frente para a escrivaninha dele?

— Exatamente.

— Com o sol nos seus olhos e o rosto dele na sombra?

— Bem, já era noite, mas eu lembro que a luz estava virada para o meu rosto.

— Tinha que ser. O senhor, por acaso, notou um quadro acima da cabeça do professor?

— Eu não deixo escapar muita coisa, sr. Holmes. Talvez tenha aprendido com o senhor. Sim, vi o quadro. Uma jovem com a cabeça sobre as mãos, olhando de lado.

— Aquele quadro é de Jean-Baptiste Greuze — o inspetor tentou parecer interessado.

— Jean-Baptiste Greuze — continuou Holmes, juntando as pontas dos dedos e recostando-se bem para trás na cadeira — foi um artista francês que apareceu entre os anos de 1750 e 1800. Eu me refiro, é claro, ao período de sua carreira. Os críticos atuais fizeram mais do que endossar a grande fama que ele conseguiu entre seus contemporâneos.

Os olhos do inspetor tinham uma expressão distraída.

— Não seria melhor... — ele disse.

— Vamos chegar lá — interrompeu Holmes. — Tudo o que estou dizendo tem uma relação muito direta e vital com o que o senhor chamou de mistério de Birlstone. Na verdade, isso pode ser, em certo sentido, considerado a própria causa do mistério.

MacDonald deu um rápido sorriso e olhou de modo simpático para mim.

— Suas ideias são muito rápidas para o meu ritmo, sr. Holmes. O senhor omite um fato ou outro e aí não consigo acompanhar. Qual é, afinal, a relação entre este pintor morto e o caso de Birlstone?

— Todo conhecimento é útil para o detetive — observou Holmes. — Mesmo o fato banal de que no ano de 1865 um quadro de Greuze, chamado *La jeune fille à l'agneau*, alcançou mais de quarenta mil libras no leilão de Portalis pode dar início a uma série de reflexões na sua mente.

É claro que foi assim. O inspetor parecia agora sinceramente interessado.

— Posso lembrar que é possível averiguar o salário do professor em várias fontes confiáveis. Ele recebe setecentas libras por ano — continuou Holmes.

— Então, como ele poderia comprar...

— Exatamente. Como poderia?

— Sim, é extraordinário — disse o inspetor, pensativo. — Continue, sr. Holmes. Estou adorando tudo isso. É maravilhoso.

Holmes sorriu. Ele sempre se emocionava com uma admiração sincera, a característica de um verdadeiro artista.

— E Birlstone? — ele perguntou.

— Ainda temos tempo — disse o inspetor, olhando para o relógio. Tenho um cabriolé aí na porta, e em menos de vinte minutos estaremos em Victoria Station. Mas sobre o quadro... Pensei que certa vez, sr. Holmes, tivesse me dito que nunca se encontrara com o professor Moriarty.

— Não, nunca me encontrei.

— Então como sabe a respeito dessas coisas?

— Ah, isso é uma outra questão. Estive três vezes no escritório dele, duas esperando por ele com pretextos diferentes e saindo antes que ele chegasse. Uma vez... Bem, mal consigo falar sobre essa vez a um detetive da polícia. Foi nessa última ocasião que tomei a liberdade de remexer em seus papéis, com o mais inesperado dos resultados.

— O senhor achou algo comprometedor?

— Absolutamente nada. Foi isso que me deixou perplexo. Contudo, agora o senhor sabe da questão do quadro. Isso mostra que ele é um homem muito rico. Como conseguiu fortuna? Não é casado. Seu irmão mais moço é chefe de estação numa cidade do Oeste. Sua cadeira de professor lhe rende setecentas libras por ano. E ele possui um Greuze.

— E daí?

— A conclusão está clara.

— O senhor quer dizer que ele tem uma renda muito grande e que deve ganhá-la de modo ilegal?

— Exatamente. É claro que tenho outros motivos para pensar assim. Algumas pequenas pistas que levam de modo vago ao centro da teia onde a criatura venenosa e imóvel se oculta. Só menciono o quadro de Greuze porque isso o senhor mesmo observou.

— Bem, sr. Holmes, admito que o que o senhor diz é interessante. Mais do que interessante, é maravilhoso. Mas vamos esclarecer tudo isso um pouquinho mais, se for possível. O senhor acredita que seja falsificação de dinheiro ou roubo? De onde vem esse dinheiro?

— O senhor já leu a respeito de Jonathan Wild?

— Bem, o nome me parece familiar. Personagem de um romance, não é? Eu não ligo muito para os detetives de romances. São uns sujeitos que fazem as coisas e não deixam a gente ver como eles fazem. Eles fazem tudo por intuição e não com técnica.

— Jonathan Wild não era detetive, nem personagem de romance. Ele foi um mestre do crime. Viveu no século passado, em 1750 ou coisa assim.

— Então não me serve. Sou um homem prático.

— Sr. Mac, a coisa mais prática que o senhor faria na vida seria ficar calado por três meses e ler a historiografia do crime. Tudo acontece em ciclos até o professor Moriarty. Jonathan Wild era a força oculta dos criminosos de Londres, aos quais vendia suas ideias e sua organização por uma comissão de 15%. A velha roda continua a girar e tudo o que desce torna a subir. Já aconteceu tudo isso antes e acontecerá novamente. Vou contar-lhe uma ou duas coisas sobre Moriarty que lhe interessarão.

— É tudo muito interessante.

— Acontece que eu conheço o primeiro elo da cadeia. Uma cadeia com esse Napoleão fracassado numa das pontas e centenas de bandidos, batedores de carteira, chantagistas e trapaceiros na outra ponta, com todo tipo de crime entre as duas. O comandante em chefe é o coronel Sebastian Moran, tão distante, protegido e inacessível à justiça quanto ele mesmo. Quanto o senhor acha que ele lhe paga?

— Gostaria de saber.

— Seis mil libras por ano. É o salário pago pelo seu cérebro, dentro do espírito americano de negócios. Eu soube desse detalhe por acaso. É mais do que os vencimentos do primeiro-ministro. Isso lhe dá uma ideia dos rendimentos de Moriarty e da escala em que ele opera. Um outro ponto. Eu me dei ao trabalho de investigar alguns dos últimos cheques emitidos por Moriarty. Apenas cheques corriqueiros com os quais ele paga as contas de casa. Eram de seis bancos diferentes. Isso lhe diz alguma coisa?

— Na verdade, é muito estranho. Mas o que o senhor deduz disso?

— Que ele não queria comentários sobre sua fortuna. Ninguém ficaria sabendo, desse modo, quanto ele possui. Não tenho dúvida alguma de que ele tem vinte contas bancárias. O grosso da sua fortuna está no exterior, muito provavelmente no Deutsche Bank ou no Crédit Lyonnais. Quando tiver tempo, eu lhe recomendo uma investigação sobre o professor Moriarty.

O inspetor MacDonald ficava mais impressionado à medida que a conversa prosseguia. Ele havia se deixado desviar do que o levara até lá. Agora sua inteligência escocesa prática levou-o de volta ao assunto que tinha a tratar.

— Mas ele pode se esquivar — disse o inspetor. — O senhor nos desviou do assunto com suas histórias interessantes, sr. Holmes. O que realmente interessa é sua observação de que existe alguma ligação entre o professor e o crime. Isso o senhor ficou sabendo pela mensagem que recebeu de Porlock. Será que, para nosso interesse prático imediato, poderemos conseguir mais do que isso?

— Podemos alinhavar algumas ideias quanto ao motivo do crime. É, segundo pude deduzir de suas observações iniciais, um crime inexplicável, ou pelo menos inexplicado. Agora, supondo que a origem do crime seja a que suspeitamos, pode haver dois motivos diferentes. Em primeiro lugar, posso dizer-lhe que Moriarty controla seu pessoal com mão de ferro. A disciplina dele é tremenda. Só há uma punição em seu código. A morte. Agora, podemos supor que este homem que foi assassinado (esse Douglas, cuja morte iminente já era do conhecimento de um dos subordinados do chefão do crime) de algum modo traiu o chefe. Sua punição seria uma consequência natural, e do conhecimento de todos, mesmo que fosse apenas para incutir-lhes o medo da morte.

— Bem, essa é uma sugestão, sr. Holmes.

— A outra é que o assassinato tenha sido engendrado por Moriarty no curso normal dos negócios. Houve algum roubo?

— Não soube de nada a esse respeito.

— Se houve roubo, isso iria contrariar a primeira hipótese e reforçaria a segunda. Moriarty pode ter planejado tudo com a promessa de receber parte do lucro, ou então foi muito bem pago para executá-lo. As duas são possíveis. Mas, qualquer que tenha sido, ou se foi uma terceira combinação, é lá em Birlstone que devemos investigar. Conheço muito bem nosso homem para supor que tenha deixado alguma coisa aqui que pudesse nos levar até ele.

— Então, vamos a Birlstone! — exclamou MacDonald, saltando da cadeira. — Puxa! É mais tarde do que eu pensava. Senhores, dou-lhes cinco minutos para se arrumarem, e nada mais.

— É muito para nós dois — disse Holmes ao se levantar da cadeira para ir tirar o roupão e vestir o casaco. — Quando estivermos a caminho, sr. MacDonald, vou pedir-lhe que tenha a bondade de me contar tudo sobre o caso.

"Tudo sobre o caso" na verdade era muito pouco, embora houvesse evidências de que o caso que tínhamos em mãos merecia uma grande atenção dos especialistas. Ele se mostrou animado e esfregou as mãos magras enquanto ouvia os detalhes, poucos mas valiosos. Até aquele dia, tínhamos passado uma série de semanas sem movimento algum e agora, finalmente, surgia algo interessante para aquele extraordinário talento que, como todos os dons especiais, torna-se desinteressante se não estiver em uso. A lâmina do cérebro fica cega e enferruja se não for usada. Os olhos de Sherlock Holmes reluziram, seu semblante pálido adquiriu uma leve cor e todo o seu rosto inquieto brilhou quando recebeu o chamado para o serviço. No cabriolé, inclinado para a frente, ouvia atentamente a curta narrativa sobre o problema que nos esperava em Sussex. O inspetor baseava-se, segundo nos explicou, numa mensagem que lhe foi enviada pelo trem da manhã. White Mason, o oficial local, era seu amigo, e por isso MacDonald fora avisado mais rapidamente do que era normal na Scotland Yard quando alguém do interior necessitava de sua ajuda. Quando um agente da capital é chamado para o caso, geralmente as pistas já foram desfeitas.

"Prezado Inspetor MacDonald", dizia a carta que ele leu para nós. "Segue num envelope anexo uma requisição oficial pedindo seus serviços. Esta é uma carta pessoal. Telegrafe avisando em que trem poderá vir para Birlstone e eu irei esperá-lo. Ou mandarei alguém, se estiver muito ocupado. Este caso é dos grandes. Não perca tempo. Se conseguir trazer o sr. Holmes, será ótimo, pois ele pode descobrir alguma coisa. Tudo daria a impressão de uma cena de teatro se não houvesse aquele homem morto. Puxa, esse é dos grandes!"

— Seu amigo não é tolo — observou Holmes.

— Não é mesmo. White Mason é um homem muito esperto, se é que posso julgar alguém.

— Bem, o senhor sabe de mais alguma coisa?

— Só que ele nos dará todos os detalhes quando chegarmos lá.

— Como o senhor ficou sabendo do sr. Douglas e que ele havia sido horrivelmente assassinado?

— Estava no relatório oficial em anexo. Lá não diz "horrível". Esse não é um termo usado oficialmente. Dava o nome de John Douglas. Mencionava que os ferimentos eram na cabeça, causados pelo disparo de uma espingarda. Mencionava também a hora do alarme, que foi por volta da meia-noite de ontem. Acrescentava que o caso, sem sombra de dúvida, era assassinato, mas que ninguém fora detido, e que apresentava características intrigantes e fora do comum. Isso é tudo o que temos até agora, sr. Holmes.

— Então, com sua permissão, vamos deixar assim, sr. Mac. A tentação de elaborar teorias prematuras com base em dados insuficientes é o mal de nossa profissão. Só vejo duas coisas concretas no momento: um grande cérebro em Londres e um homem morto em Sussex. A ligação que existe entre essas duas coisas é o que vamos investigar.

3

A TRAGÉDIA DE BIRLSTONE

E AGORA, POR UM MOMENTO, VOU PEDIR LICENÇA PARA RETIRAR minha insignificante pessoa e narrar os fatos que ocorreram antes de chegarmos ao local, e segundo informações que obtivemos depois. Só desse modo posso fazer com que o leitor avalie as pessoas envolvidas e o estranho ambiente em que o destino as lançou.

A aldeia de Birlstone é um pequeno e antigo povoado de casas construídas de madeira e alvenaria na parte norte do condado de Sussex. Durante muitos séculos o lugar permaneceu imutável, mas nos últimos anos seu jeito pitoresco e sua localização têm atraído um grande número de moradores ricos, cujas vilas se perdem nos bosques das cercanias. Acredita-se, no lugar, que esses bosques sejam o início da imensa floresta de Weald, que se estende até alcançar as planícies do norte da Inglaterra. Surgiram várias lojas para atender às necessidades da população, agora maior, de modo que se espera que em pouco tempo Birlstone se transforme de um antigo vilarejo em uma cidade moderna. Ali é o centro de uma área grande do país, já que Tunbridge Wells, o mais importante da região, fica a 15 ou 20 quilômetros para leste, além dos limites de Kent.

A cerca de oitocentos metros da cidade, num antigo parque, famoso por suas grandes faias, situa-se a antiga Casa Senhorial de Birlstone. Parte desta venerável construção remonta ao tempo das Cruzadas, quando Hugo de Capus construiu uma fortaleza no meio da propriedade, que lhe fora dada pelo Rei Vermelho. Ela foi destruída por um incêndio em 1543 e algumas das suas pedras angulares, marcadas pelo fogo, foram utilizadas, no reinado de James I, para a construção de uma casa erguida sobre as ruínas do castelo feudal. A Casa Senhorial, com suas muitas arestas e suas janelas pequenas em forma de diamante, ainda estava em grande parte do modo como o construtor a entregara no início do século XVII. Dos dois fossos que haviam protegido os antecessores mais guerreiros, o externo estava vazio e tinha agora a humilde função de pátio da cozinha. O fosso interno ainda estava lá, com seus 12 metros de largura, conquanto tivesse agora apenas alguns metros de água em toda a volta da casa. Uma pequena corrente o abastecia e continuava depois dele, de modo que, embora fosse turvo, sua água não ficava estagnada. O único acesso à casa era através de uma ponte levadiça, cujas correntes e guinchos há muito haviam enferrujado e quebrado. Mas os últimos proprietários da casa tinham, com energia, feito os reparos necessários e a ponte levadiça era capaz não apenas de se erguer, mas, de fato, era suspensa toda noite e baixada pela manhã. Assim, retomando o costume dos antigos tempos feudais, a Casa Senhorial era convertida numa ilha durante a noite, fato que tinha uma relação muito direta com o mistério que em breve chamaria a atenção de toda a Inglaterra.

A casa ficou sem dono durante alguns anos e estava ameaçada de se transformar numa pitoresca decadência quando os Douglas ficaram com ela. Essa família era formada apenas por duas pessoas: John Douglas e sua esposa. Douglas era um homem notável, tanto pelo caráter quanto pelo físico; sua idade deveria estar em torno dos cinquenta; o rosto era de traços firmes, com um bigode grisalho, os olhos cinzentos com uma expressão particularmente triste; e um corpo musculoso e forte que não perdera nada dos tempos de juventude. Ele era alegre e gentil com todos, mas um tanto brusco em seus modos, dando a impressão de que fora criado num meio social um pouco inferior ao da sociedade de Sussex. Contudo, embora visto com alguma reserva e curiosidade por seus vizinhos mais refinados, em pouco tempo adquiriu uma grande popularidade entre os habitantes do lugar, contribuindo de modo generoso para qualquer campanha e comparecendo aos concertos populares e a outros eventos, em que, sendo um notável tenor, estava sempre disposto a cantar alguma coisa. Ele parecia ter muito dinheiro, que, segundo se dizia, ganhara nos garimpos de ouro da Califórnia, e ficava patente, pelo que ele e a mulher diziam, que passara uma parte da vida na América. A boa impressão produzida por sua generosidade e por seus modos democráticos aumentou pela forma de total indiferença ao perigo. Embora fraco como cavaleiro, comparecia a todos os rodeios e levava os tombos mais divertidos com sua determinação de conseguir o melhor de si. Quando o vicariato pegou fogo, ele se distinguiu também pelo modo destemido como entrou no prédio várias vezes para salvar alguns pertences, depois que os bombeiros locais já tinham dado o caso por encerrado, qualificando-o de impossível. Assim, John Douglas, da Casa Senhorial, em cinco anos tinha uma boa reputação em Birlstone.

Sua esposa também era popular entre as pessoas com as quais se dava, embora, segundo o costume inglês, as visitas a estrangeiros que chegassem sem apresentações fossem raras. Isso não importava muito a ela, já que escolhera aquele vilarejo por vontade própria e estava muito absorvida, segundo as aparências, no marido e na vida doméstica. Sabia-se que ela era uma dama inglesa que conhecera o sr. Douglas em Londres, que era viúvo naquele tempo. Ela era uma mulher linda, alta, morena e elegante, cerca de vinte anos mais jovem que o marido; uma diferença que não parecia estragar a alegria da vida conjugal. Mas as pessoas que os conheciam melhor observaram algumas vezes que a confiança entre ambos não parecia completa, já que a esposa era muito reticente sobre o passado do marido ou, o que era mais provável, não o conhecia a fundo. Algumas pessoas mais observadoras já haviam percebido e comentado que a sra. Douglas tinha alguns sinais de doença nervosa e que demonstrava uma grande inquietação se o marido demorasse a voltar para casa. Num lugarejo calmo, onde qualquer mexerico é bem-vindo, essa fraqueza da senhora da Casa Senhorial não passou despercebida e tornou-se mais viva ainda na memória de todos quando ocorreram certos fatos que deram a esse comportamento um significado especial.

Havia ainda uma outra pessoa que morava naquela casa, embora não em caráter permanente, mas cuja presença ali na época dos estranhos acontecimentos que serão narrados trouxe seu nome a público de forma muito notória. Era Cecil James Barker, de Hales Lodge, Hampstead. Sua figura alta e meio desconjuntada já era conhecida na rua principal de Birlstone, porque ele era um visitante frequente e bem-vindo na Casa Senhorial. Ele era mais notado ainda por ser o único amigo do passado desconhecido do sr. Douglas a frequentar sua nova casa inglesa. Barker era sem dúvida alguma um inglês, mas por certas observações suas ficava claro que conhecera Douglas na América e que ali tinham sido amigos íntimos. Ele parecia ser um homem rico, e diziam que era solteiro. Em termos de idade, era mais moço que Douglas, no máximo 45 anos; alto, elegante e de peito largo, o rosto bem barbeado e com um certo ar de pugilista, sobrancelhas grossas e pretas, e olhos negros dominadores que poderiam, mesmo sem a ajuda das mãos fortes, abrir caminho no meio de uma multidão hostil. Ele não montava a cavalo nem caçava, mas passava os dias caminhando pelo velho vilarejo com o cachimbo na boca, ou andando de charrete com seu anfitrião, ou, na ausência deste, com a esposa dele, percorrendo toda aquela linda região. "Um cavalheiro tranquilo, generoso", dizia Ames, o mordomo. "Mas eu não gostaria de ter que enfrentá-lo." Ele era cordial e íntimo com Douglas e não menos cordial com sua esposa, uma amizade que por mais de uma vez pareceu provocar certa irritação no marido, de tal modo que até mesmo os empregados podiam perceber a irritação dele. Esta era a terceira pessoa que estava na família quando a catástrofe ocorreu. Quanto aos demais residentes da velha casa, basta citar, entre a criadagem, o empertigado, respeitável e capaz Ames, e a sra. Allen, uma pessoa alegre e jovial que ajudava a senhora em algumas tarefas domésticas. Os outros seis empregados da casa não têm qualquer relação com os acontecimentos de 6 de janeiro.

Foi às 23h45 que o primeiro alarme chegou à pequena delegacia de polícia local, sob o comando do sargento Wilson, do destacamento de Sussex. O sr. Cecil Barker, muito excitado, correra até a porta e tocara o sino violentamente. Uma terrível tragédia ocorrera na Casa Senhorial, e o sr. John Douglas tinha sido assassinado. Esse era o conteúdo de sua mensagem aflita. Ele voltara correndo para a casa, seguido logo depois pelo sargento, que chegara ao local do crime um pouco depois da meia-noite, após tomar as providências necessárias para avisar às autoridades do condado que algo de grave estava ocorrendo.

Ao chegar à Casa Senhorial, o sargento encontrou a ponte abaixada, as janelas abertas e toda a casa num estado de completa confusão e agitação. Os criados, pálidos, estavam todos juntos no hall e o assustado mordomo, com as mãos agitadas, aguardava na entrada. Somente Cecil Barker parecia manter o autocontrole e dominar suas emoções. Abrira a porta que ficava mais perto da entrada e fizera sinal para o sargento segui-lo. Nesse instante, chegou o dr. Wood, o jovial e competente clínico geral do vilarejo. Os três homens entraram no local da tragédia ao mesmo tempo, enquanto o horrorizado mordomo os seguiu para fechar a porta e evitar que as criadas vissem a cena terrível.

O morto estava estendido de costas, com os membros esticados, no centro do escritório. Estava vestido apenas com um roupão rosado, que encobria suas roupas de dormir. Havia chinelos de feltro nos seus pés descalços. O médico ajoelhou-se ao lado dele e aproximou o abajur que estava na mesa. Uma olhada na vítima foi o suficiente para mostrar ao doutor que sua presença era dispensável. O homem fora atingido violentamente. Ao lado do seu peito, estava uma arma curiosa, uma espingarda com os canos serrados perto dos gatilhos. Estava claro que fora disparada de perto, e que ele recebera o tiro no rosto, reduzindo a cabeça quase a pó. Os gatilhos tinham sido amarrados, de modo que o disparo simultâneo fosse mais destruidor.

O policial estava nervoso e preocupado com a tremenda responsabilidade que caíra sobre ele de repente.

— Não vamos tocar em nada até meus superiores chegarem — ele disse com a voz abafada, olhando aterrorizado para aquela cabeça mutilada.

— Não se tocou em nada até agora — disse Cecil Barker. — Eu me responsabilizo por isso. Os senhores encontraram tudo exatamente como estava.

— Quando aconteceu? — O sargento apanhara seu caderno de anotações.

— Logo depois das 23h30. Eu ia começar a me trocar, ainda estava sentado no quarto, junto à lareira, quando ouvi o estampido. Não foi muito alto; parecia ter sido abafado. Eu corri logo. Acho que cheguei aqui em menos de trinta segundos.

— A porta estava aberta?

— Sim, estava aberta. O coitado do Douglas estava estirado, assim como os senhores veem agora. A vela que ele trouxera para o escritório estava na mesa. Eu acendi as luzes pouco depois.

— O senhor não viu ninguém?

— Não. Ouvi a sra. Douglas descendo a escada atrás de mim, e corri para evitar que ela se deparasse com esse espetáculo chocante. A sra. Allen, a governanta, chegou e levou-a dali. Ames já tinha chegado também e voltamos ao escritório.

— Mas tenho certeza de ter ouvido que a ponte ficava suspensa a noite toda.

— Sim, estava levantada até que eu a descesse.

— Então como um assassino poderia ter fugido? É impossível. O sr. Douglas deve ter se matado.

— Essa foi a nossa primeira ideia. Mas veja bem. — Barker abriu a cortina e mostrou que a grande janela, em forma de diamante, estava totalmente aberta. — E veja isso. — Ele levantou o abajur e mostrou uma marca de sangue que parecia a pegada de alguém sobre o parapeito de madeira. Alguém pisou aqui na hora da fuga.

— O senhor quer dizer que alguém conseguiu atravessar o fosso?

— Exatamente.

— Então, se o senhor chegou ao quarto em menos de meio minuto depois do crime, essa pessoa ainda devia estar na água nessa hora.

— Não duvido disso. Por Deus, como eu gostaria de ter chegado até a janela. Mas a cortina estava fechada, como podem ver, de modo que não me passou pela cabeça. Então ouvi os passos da sra. Douglas, e não podia deixá-la entrar no quarto. Seria muito penoso para ela.

— Horrível mesmo! — disse o médico, olhando a cabeça espatifada e as terríveis marcas em volta. — Nunca vi nada assim desde aquele acidente ferroviário de Birlstone.

— Mas escute — observou o sargento, que com seu jeito lento e rude ainda estava com a mente voltada para a janela aberta. — Está bem que o senhor diga que um homem fugiu atravessando o fosso, mas o que eu pergunto é: como ele conseguiu entrar na casa se a ponte estava suspensa?

— Ah, esse é o problema — disse Barker.

— A que horas ela foi levantada?

— Por volta das seis da tarde — disse Ames, o mordomo.

— Eu tinha informações de que ela era suspensa ao pôr do sol. Isso quer dizer por volta de 16h30, e não às 18h, nesta época do ano — disse o sargento.

— O sr. Douglas teve visitas para o chá — disse Ames. — Só pude suspendê-la depois que todos foram embora. Então, eu mesmo a levantei.

— Então temos o seguinte — disse o sargento. — Se entrou alguém estranho, se é que entrou, deve ter passado pela ponte antes das 18 horas e se escondido, até que o sr. Douglas viesse para o quarto, depois das 23 horas.

— Exatamente. Todas as noites o sr. Douglas percorria tudo aí por fora antes de entrar para ver se as luzes estavam apagadas. Então ele entrou aqui. O homem estava esperando por ele e o atingiu. Depois fugiu pela janela, deixando a arma. É assim que eu vejo a coisa; nada vai se encaixar melhor.

O sargento apanhou um cartão que estava no chão, ao lado do morto. As iniciais V.V., e embaixo o número 341, estavam rabiscados a tinta.

— O que é isto? — perguntou. Barker olhou com curiosidade.

— Não o tinha visto ainda — disse ele. — O assassino deve tê-lo deixado aí.

— V.V. 341. Isso não me diz nada.

O sargento ficou virando o cartão entre seus dedos compridos.

— O que é V.V.? Talvez as iniciais de alguém. O que o senhor encontrou aí, dr. Wood?

Era um martelo grande que estava sobre o tapete em frente à lareira. Um martelo bem grande e bem-acabado. Cecil Barker apontou para uma caixa de metal que estava sobre o consolo da lareira.

— O sr. Douglas estava mudando os quadros de lugar ontem — disse ele. — Eu mesmo o vi sobre aquela cadeira colocando o quadro na parede. Isso explica a presença do martelo.

— É melhor colocarmos o martelo novamente sobre o tapete onde o encontramos — disse o sargento, coçando a cabeça com uma expressão intrigada. — Vamos precisar das melhores cabeças da polícia para desvendar tudo. Vamos precisar da ajuda de Londres. — Ele levantou o abajur e caminhou lentamente pelo quarto. — Ei! — ele gritou com a voz excitada, puxando as cortinas para um dos lados. — A que horas essas cortinas foram puxadas?

— Quando as lâmpadas foram acesas — disse o mordomo. — Devia passar um pouco das quatro horas.

— Alguém esteve escondido aqui, tenho certeza. — Ele aproximou o abajur e as marcas de sapatos enlameados ficaram visíveis no canto da parede. — Estou achando que isso confirma a sua teoria, sr. Barker.

Parece que o homem entrou na casa depois das quatro horas, quando as cortinas já estavam puxadas; e antes das seis, quando a ponte foi suspensa. Ele entrou nesse cômodo porque foi o primeiro que encontrou. Não havia outro lugar em que pudesse se esconder, de modo que se enfiou atrás das cortinas. Tudo agora parece claro. É provável que sua ideia principal fosse assaltar a casa, mas o sr. Douglas apareceu, e então ele o matou e fugiu.

— É assim que vejo a coisa — disse Barker. — Mas não estamos perdendo minutos preciosos? Não podemos começar a vasculhar o país antes que o sujeito desapareça?

O sargento ficou pensativo por um momento.

— Não há trem antes das seis da manhã, de modo que ele não pode fugir de trem. Se for pela estrada a pé, com as pernas molhadas, com toda certeza alguém vai estranhar. De qualquer modo, não posso sair daqui até que seja dispensado. E acho que nenhum dos senhores deve sair antes que examinemos mais atentamente tudo isso.

O médico pegou o abajur e estava examinando o corpo mais detidamente.

— Que marcas são essas? — ele perguntou. — Podem ter alguma relação com o crime?

O braço direito do morto estava para fora do roupão, exposto até o cotovelo. Na metade do antebraço, havia um curioso desenho marrom, um triângulo dentro de um círculo, destacando-se vividamente na pele pálida do cadáver.

— Não é tatuagem — disse o médico, examinando com sua lente. Nunca vi nada igual. Ele é marcado a ferro, como se faz com o gado. O que significa isso?

— Admito que não sei dizer, mas já vi essa marca em Douglas certa vez nos últimos dez anos — respondeu Cecil Barker.

— Eu também — disse o mordomo. — Muitas vezes quando o senhor arregaçava a manga eu percebia essa marca. Sempre fiquei imaginando o que poderia ser.

— Então isso não tem nada a ver com o crime — disse o sargento. — Mesmo assim é muito estranho. Tudo neste caso é estranho. Sim, o que é isso agora?

O mordomo soltara um grito de espanto, e estava apontando para a mão estendida do morto.

— Levaram a aliança dele! — ele disse, ofegante.

— O quê?

— Sim, é verdade! O patrão sempre usava a aliança de ouro maciço no dedo mínimo da mão esquerda. Aquele anel de pedra ficava sobre ela, e o anel com a cobra enrolada, no terceiro dedo. O anel de pedra e o da cobra estão aí, mas a aliança desapareceu.

— Ele tem razão — disse Barker.

— O senhor disse que o anel de pedra ficava sobre a aliança? — perguntou o sargento.

— Sempre!

— Então o assassino, ou quem quer que tenha sido, primeiro tirou este anel que o senhor chama de anel de pedra, depois a aliança, e por fim pôs o anel de pedra no lugar outra vez.

— Exatamente.

O policial sacudiu a cabeça.

— Acho que, quanto antes chamarmos Londres para cuidar do caso, melhor — disse ele. — White Mason é um homem esperto. Jamais deixou de resolver sozinho um caso local. Não vai demorar muito para que ele chegue e nos ajude. Mas acho que teremos de chamar Londres. De qualquer modo, não me envergonho de dizer que isso é demais para o meu gosto.

4

TREVAS

Às três da madrugada, o detetive-chefe de Sussex, atendendo ao chamado urgente do sargento Wilson, de Birlstone, chegara à mansão numa pequena carruagem puxada por um cavalo resfolegante. Pelo trem das 5h40 da manhã ele enviara sua mensagem à Scotland Yard e ao meio-dia estava na estação ferroviária de Birlstone esperando por nós. O sr. White Mason era um homem tranquilo, bem-apessoado, que usava um terno largo de *tweed*; tinha o rosto corado bem barbeado, o físico robusto, as pernas musculosas muito ágeis e enfiadas em polainas, parecendo um fazendeiro, um guarda-caça aposentado ou qualquer outra coisa, menos um destacado policial de província.

— Temos aí um caso dos grandes, sr. MacDonald — ele ficou repetindo. — Os jornalistas vão ficar em cima de nós feito moscas quando descobrirem isso. Espero que possamos terminar nosso trabalho antes que eles metam o nariz na história e atrapalhem nossas pistas. Não me lembro de nada parecido com esse caso. Há coisas que vão lhe interessar, sr. Holmes. Tenho certeza. E ao senhor também, dr. Watson, porque os médicos darão sua palavra antes de terminarmos. Os senhores ficarão no Westville Arms. Não há outro lugar, mas ouvi dizer que é muito limpo e confortável. O rapaz levará suas bagagens. Por aqui, cavalheiros, por favor.

Um sujeito muito ágil e delicado, esse detetive de Sussex. Em dez minutos todos nós tínhamos nos instalado em nossos quartos. Dez minutos depois já estávamos sentados na sala de estar da hospedaria e ouvíamos um resumo dos fatos que foram mencionados no capítulo anterior. MacDonald de vez em quando fazia uma anotação, enquanto

Holmes estava atento, com a expressão de surpresa e admiração reverente de um botânico a examinar uma flor rara e preciosa.

— Notável! — ele disse quando a história terminou. — Notável mesmo! Não consigo me lembrar de nenhum caso em que as características fossem mais estranhas.

— Achei mesmo que o senhor iria dizer isso, sr. Holmes — comentou White Mason com satisfação. — Estamos bem avançados em Sussex. Contei-lhes os fatos até a hora em que assumi o controle, depois do sargento Wilson, entre três e quatro horas. Na verdade, fiz a coisa evoluir um pouco! Mas eu não precisava ter vindo com tanta pressa, pois não havia nada de imediato que eu pudesse fazer. O sargento Wilson tinha apurado os fatos. Eu verifiquei tudo, avaliei bem e acrescentaria alguma coisa.

— E o que seria? — Holmes perguntou, ansioso.

— Bem, em primeiro lugar, examinei o martelo. O dr. Wood estava lá para me ajudar. Não encontramos marcas de violência nele. Pensei que, se o sr. Douglas tivesse se defendido com o martelo, poderia ter feito marcas no assassino antes de deixá-lo no tapete. Mas não havia mancha alguma.

— Isso, na verdade, não prova nada — observou o inspetor MacDonald. — Já houve muitos assassinatos com martelo sem haver marcas nele.

— Exatamente. Não prova que ele não tenha sido usado. Mas poderia haver manchas, e isso nos teria ajudado. Na verdade, não havia nada. Então examinei a arma. Eram cartuchos de chumbo grosso e, como observou o sargento Wilson, os gatilhos estavam amarrados um no outro de modo que, puxando-se a ponta de um, os dois canos disparavam. Quem preparou isso estava decidido a não deixar a vítima com vida. O cano serrado não tinha mais de sessenta centímetros de comprimento; a arma podia ser facilmente escondida debaixo de um casaco. Não havia o nome completo do fabricante, mas as letras P, E e N impressas entre os dois canos e o resto do nome cortado pela serra.

— Um P grande, floreado em cima, o E e o N menores? — Holmes perguntou.

— Exatamente.

— Pennsylvania Small Arms Company. É uma firma americana muito conhecida — disse Holmes.

White Mason olhou para o meu amigo do mesmo jeito como o clínico geral de um vilarejo contempla o especialista da Harley Street que, apenas com uma palavra, pode resolver as dificuldades que o deixam perplexo.

— Isso é muito útil, sr. Holmes. Não há dúvida de que o senhor está certo. Maravilhoso! Maravilhoso! O senhor sabe de cor o nome de todos os fabricantes de armas do mundo?

Holmes cortou o assunto abanando a cabeça.

— Não há dúvida de que é uma espingarda americana — continuou White Mason. — Acho que eu li alguma coisa dizendo que a espingarda de cano serrado é a arma usada em algumas regiões da América. Fora o nome inscrito no cano, essa ideia tinha me ocorrido. Há um indício, então, de que o homem que entrou na casa e matou seu proprietário seja americano.

MacDonald sacudiu a cabeça.

— Espere, o senhor está se adiantando muito — ele disse. — Ainda não vi nenhuma prova de que um estranho tivesse entrado na casa.

— A janela aberta, o sangue no peitoril, o estranho cartão, marcas de sapato no canto do quarto, a arma.

— Nada que não pudesse ter sido forjado. Douglas era americano, ou morou muito tempo na América. O sr. Barker também. Não é preciso importar um americano para ter procedimentos americanos.

— Ames, o mordomo...

— O que tem ele? É de confiança?

— Dez anos com o sr. Charles Chandos. Íntegro como uma rocha. Estava com Douglas desde que ele comprou a Casa Senhorial, há cinco anos. Ele nunca viu uma arma desse tipo na casa.

— A arma foi feita para ficar escondida. Por isso os canos foram serrados. Caberia em qualquer caixa. Como ele poderia afirmar que não havia uma arma assim na casa?

— Bem, de qualquer modo, ele jamais tinha visto algo assim.

MacDonald abanou sua obstinada cabeça escocesa.

— Ainda não estou convencido de que alguém tenha entrado na casa — disse ele. — Peço aos senhores que analisem — seu sotaque de Aberdeen tornara-se mais acentuado ao expor seu argumento. — Peço aos senhores que analisem o que significa supor que a arma não estava na casa e que todas essas coisas estranhas tenham sido praticadas por alguém de fora. Ora, é inconcebível! Não faz sentido. Gostaria de ouvi-lo, sr. Holmes, com base no que foi dito até aqui.

— Bem, exponha sua ideia, sr. Mac — disse Holmes, no seu modo mais formal.

— O homem não era um ladrão, supondo-se que ele existe. A questão do anel e do cartão sugerem assassinato premeditado por algum motivo particular. Muito bem. Então temos um homem que se enfia numa casa com a intenção deliberada de cometer um assassinato. Ele sabe, se é que sabe alguma coisa, que terá dificuldades para fugir, já que a casa é cercada de água. Que arma ele escolheria? Os senhores diriam que a mais silenciosa do mundo. Assim ele poderia esperar, depois que tudo estivesse terminado, escapar pela janela rapidamente, transpor o fosso e fugir. Isso é compreensível. Mas é compreensível que ele traga a mais barulhenta das armas que poderia escolher, sabendo que ela faria com que qualquer pessoa que estivesse na casa corresse para o local do tiro o mais depressa possível e que talvez ele fosse visto antes que conseguisse atravessar o fosso? É verossímil, sr. Holmes?

— Bem, o senhor colocou a questão de modo muito drástico — respondeu meu amigo, pensativo. — Isso precisa de uma boa justificativa. Posso saber, sr. White Mason, se o senhor examinou o outro lado do fosso logo que chegou, para ver se havia sinais de que alguém saíra por ali?

— Não havia nenhum sinal, sr. Holmes. Mas a borda do fosso é de pedra. Não se pode descobrir muita coisa.

— Nenhuma pista ou sinal?

— Nada.

— Bem... Haveria alguma objeção, sr. White Mason, à nossa ida até a casa agora? Talvez haja algum detalhe sugestivo.

— Eu ia propor exatamente isso, sr. Holmes, mas achei conveniente que estivessem a par dos fatos antes. Imagino que as cenas choquem o senhor... — White Mason olhou com hesitação para o amador.

— Já trabalhei com o sr. Holmes antes — disse o inspetor MacDonald. — Ele sabe como agir.

— Mas ajo do meu modo — disse Holmes, sorrindo. — Entro num caso para auxiliar a justiça e o trabalho da polícia. Se alguma vez me afastei das autoridades constituídas foi porque elas se afastaram de mim primeiro. Nunca tive a intenção de sobrepujar ninguém. Porém, sr. White Mason, reivindico o direito de trabalhar à minha maneira e de revelar meus resultados quando achar que devo: de uma só vez, e não por etapas.

— Garanto que estamos honrados com sua presença e em lhe mostrar tudo que sabemos — disse White Mason cordialmente. — Venha também, dr. Watson, e, quando chegar a hora, todos nós esperamos um lugarzinho no seu livro.

Descemos a pitoresca rua do vilarejo com olmos podados dos dois lados. Logo adiante ficavam duas antigas pilastras de pedra, manchadas pelo tempo, que tinham no topo algo meio disforme, que outrora fora o feroz leão de Capus de Birlstone. Uma curta caminhada tendo ao redor tanto gramado e carvalhos quanto só se consegue ver nas regiões rurais da Inglaterra; depois uma súbita volta, e a casa grande e baixa ao estilo de James I, feita em tijolo pardo, surge diante de nós com o antiquado jardim, de teixos cortados, nos dois lados. Quando nos aproximamos, vimos a ponte levadiça de madeira e o fosso bonito e largo, tão calmo e luminoso quanto o mercúrio na fria claridade do inverno. Três séculos vividos pela Casa Senhorial, séculos de nascimentos e chegadas, de danças e de encontros de caçadores. Estranho que agora, após tantos anos, este caso misterioso tenha lançado suas sombras sobre as paredes veneráveis. Mas aqueles telhados pontiagudos e as arestas estranhamente projetadas para fora eram um teto adequado para ciladas repugnantes e terríveis. Quando olhei as janelas, que pareciam afundadas em toda aquela estrutura, e a frente externa da casa desbotada e cercada de água, senti que não haveria cenário melhor para uma tragédia como esta.

— Aquela é a janela — disse White Mason. — Aquela, logo à direita da ponte. Está aberta, do mesmo jeito como foi encontrada ontem à noite.

— Parece estreita para um homem passar.

— Bem, certamente não era um gordo. Não precisamos de suas deduções para nos dizer isso, sr. Holmes. Mas tanto o senhor quanto eu poderíamos passar por ela muito bem.

Holmes foi até a margem do fosso e olhou para o outro lado. Então, examinou a borda de pedra e a grama em volta.

— Já dei uma boa olhada, sr. Holmes — disse White Mason. — Não há nada lá, nenhum sinal de que alguém tenha passado por ali. E por que deveria o assassino deixar algum sinal?

— Exatamente. Por que deveria deixar algum sinal? A água está sempre turva?

— Geralmente está desta cor. A correnteza traz o barro.

— Qual a profundidade?

— Cerca de meio metro dos lados e um metro no meio.

— Então podemos afastar a ideia de o homem ter se afogado ao atravessar?

— Sim. Nem uma criança se afogaria aí.

Atravessamos a ponte e fomos recebidos por um homem esquisito, velho, desanimado: o mordomo, Ames. O pobre velho estava pálido e trêmulo devido ao choque. O sargento do vilarejo, um homem alto, formal, com ar melancólico, ainda permanecia em vigília no local do crime. O médico fora embora.

— Algum fato novo, sargento Wilson? — perguntou White Mason.

— Não, senhor.

— Então pode ir embora. Você já fez o suficiente. Mandaremos chamá-lo se precisarmos de você. O mordomo ficou lá fora. Diga a ele para avisar ao sr. Cecil Barker, à sra. Douglas e à governanta que precisamos falar com eles. Agora, senhores, permitam-me que lhes dê a minha opinião primeiro, e depois poderão chegar às suas próprias conclusões.

Ele me impressionou, esse policial interiorano. Ele mantinha um bom controle da situação e possuía a mente sensata, clara, calma, que devia ajudá-lo em sua profissão. Holmes o ouvia atentamente, sem demonstrar aquela impaciência que um representante oficial costumava despertar nele.

— Suicídio ou assassinato? Esta é nossa primeira pergunta, senhores. Não é? Se foi suicídio, então temos de acreditar que esse homem começou por retirar sua aliança e escondê-la; que depois ele desceu até aqui, vestido com o roupão, pisou com os sapatos cheios de lama no canto do quarto, atrás da cortina, abriu a janela, pôs sangue no...

— Com certeza podemos rejeitar essa ideia — disse MacDonald.

— Eu também acho. Suicídio está fora de cogitação. Então houve um assassinato. O que temos de determinar é se ele foi praticado por algum estranho ou por alguém que se achava na casa.

— Bem, vamos ouvir a argumentação.

— Há muitas dificuldades em ambos os casos, mas deve ser uma das duas hipóteses. Vamos supor primeiro que o crime foi cometido por uma pessoa, ou pessoas, da casa. Trouxeram o homem aqui para baixo numa hora em que tudo estava quieto, embora ninguém estivesse dormindo. Então fizeram o serviço com a arma mais estranha e barulhenta do mundo, de forma a anunciar a todos o que acontecera, uma arma que não fora vista na casa antes. Isso não parece um início muito provável, certo?

— Realmente não parece.

— Muito bem. Então todos concordam que após ter sido dado o alarme passou-se apenas um minuto, no máximo, antes que todos, não apenas o sr. Cecil Barker sozinho, embora ele diga ter sido o primeiro, mas também Ames e os demais, chegassem ao local. Os senhores acreditam que nesse tempo o responsável pelo crime tenha tido condições de forjar as marcas de sapato no canto do quarto, abrir a janela, deixar o sinal de sangue no parapeito, tirar a aliança do dedo do morto e todo o resto? É impossível!

— O senhor expôs tudo de modo muito claro — disse Holmes. — Estou inclinado a concordar com o senhor.

— Muito bem. Voltamos, então, à teoria de que o crime foi cometido por alguém de fora. Ainda temos de encarar algumas dificuldades bem grandes, mas, de qualquer modo, não são impossíveis. O homem entrou na casa entre 16h30 e 19h; quer dizer, entre o anoitecer e a hora em que a ponte foi erguida. Algumas visitas tinham estado aqui e a porta ficara aberta, de modo que não havia como evitar sua entrada. Ele podia ser um assaltante comum ou podia ter alguma coisa específica contra o sr. Douglas. Já que o sr. Douglas passou a maior parte da vida na América, e essa espingarda parece ser uma arma americana, poderia parecer que a desavença pessoal é a teoria mais provável. Ele entrou nesse cômodo porque era o primeiro, e escondeu-se atrás da cortina. Ficou ali até depois das 23 horas. Nessa hora o sr. Douglas entrou no quarto. Foi um encontro rápido, se é que houve encontro, pois a sra. Douglas afirma que seu marido saíra do lado dela alguns minutos antes de ouvir o disparo.

— A vela comprova isso — disse Holmes.

— Exatamente. A vela, que era nova, só foi queimada um pouco. Ele deve tê-la colocado na mesa antes de ser atacado, pois do contrário, logicamente, ela teria caído quando ele tombou. Isso mostra que ele não foi atacado no momento em que entrou no quarto. Quando o sr. Barker chegou, a lâmpada estava acesa e a vela, apagada.

— Está tudo muito claro.

— Bem, agora podemos reconstituir os fatos com base nisso. O sr. Douglas entra no quarto. Coloca a vela na mesa. Aparece um homem que estava atrás da cortina. Ele está armado com essa espingarda. Pede a aliança, só Deus sabe por quê, mas deve ter sido assim. O sr. Douglas atendeu. Depois, ou a sangue-frio ou durante uma luta, Douglas pode ter apanhado o martelo que foi achado sobre o tapete; ele matou Douglas desse modo horrível. Deixou a arma cair e também, ao que tudo indica, este estranho cartão ("v.v. 341", seja lá o que isso signifique), fugiu pela janela e atravessou o fosso no mesmo instante em que Cecil Barker descobria o ocorrido. O que acha disso, sr. Holmes?

— Muito interessante, mas pouco convincente.

— Ora, seria uma coisa muito absurda se fosse desse jeito. Deve ter acontecido algo pior — exclamou MacDonald. — Alguém matou o homem, e quem quer que tenha sido, posso provar com facilidade que essa pessoa deve ter agido de outra maneira. O que ele queria deixando que sua fuga fosse dificultada desse jeito? O que ele queria usando uma espingarda quando o silêncio era sua única chance de escapar? Vamos, sr. Holmes, cabe ao senhor nos dar uma pista, já que o senhor diz que a teoria do sr. White Mason não é convincente.

Holmes ficara sentado, observando tudo com atenção, durante esta longa exposição, não perdendo uma palavra dita, com seus olhos penetrantes movendo-se para a direita e para a esquerda e a testa franzida, sinal de que estava refletindo sobre tudo aquilo.

— Eu gostaria de saber mais alguma coisa antes de chegar ao ponto de formular uma teoria, sr. Mac — ele disse, ajoelhando-se ao lado do cadáver. — Puxa! Que estado lastimável. Podemos mandar o mordomo entrar por um minuto?... Ames, imagino que você tenha visto várias vezes essa estranha marca feita a ferro quente no braço do sr. Douglas, o triângulo dentro do círculo.

— Frequentemente, senhor.

— Você nunca ouviu nenhum comentário sobre o significado dela?

— Não, senhor.

— Ela deve ter causado muita dor na hora em que foi feita. É sem dúvida uma queimadura. Agora, observe bem, Ames, que há um pequeno curativo no queixo do sr. Douglas. Você tinha notado isso quando ele ainda estava vivo?

— Sim, senhor. Ele havia se cortado ontem de manhã ao fazer a barba.

— Você se lembra de ele ter se cortado outras vezes ao se barbear?

— Há muito tempo que não acontecia.

— Sugestivo! — disse Holmes. — É claro que pode ser mera coincidência, ou pode revelar um certo nervosismo que indicaria então que ele tinha motivos para temer o perigo. Você percebeu alguma coisa de anormal na conduta dele durante o dia de ontem, Ames?

— Tive a impressão de que ele estava um pouco impaciente e agitado, senhor.

— Hum! O ataque pode não ter sido totalmente inesperado. Parece que avançamos um pouco, não? Talvez o senhor devesse fazer o interrogatório, sr. Mac...

— Não, sr. Holmes. O assunto está em boas mãos.

— Bem, então passemos a este cartão... "v.v. 341." É um papelão grosseiro. Existe algum papelão deste tipo na casa?

— Acho que não.

Holmes atravessou o cômodo, foi até a escrivaninha e derramou um pouquinho de tinta de cada um dos dois vidros num mata-borrão.

— Isso não foi escrito aqui — disse ele. — Esta tinta é preta e a outra é vermelha. Isso foi escrito com uma caneta de ponta grossa, e essas são de ponta fina. Não, isso foi escrito em outro lugar, é o que eu diria. Você tem alguma ideia disso que está escrito, Ames?

— Não, senhor. Não.

— O que acha, sr. Mac?

— Me dá a impressão de algum tipo de sociedade secreta. A mesma deste símbolo marcado no braço dele.

— Essa é a minha opinião também — disse White Mason.

— Bem, podemos admitir isso como uma hipótese e ver se conseguimos alguma coisa desse modo. Um agente dessa tal sociedade entra na casa, espera o sr. Douglas, quase arranca sua cabeça com essa arma e foge pelo fosso, deixando um cartão ao lado do morto que, quando a notícia for publicada nos jornais, mostrará aos outros membros da sociedade que a vingança foi cumprida. Tudo se encaixa. Mas por que essa arma?

— Exatamente.

— E por que roubar a aliança?

— Isso mesmo.

— E por que nenhuma prisão foi feita ainda? Já passa das duas da tarde. Parto do princípio de que, desde o amanhecer, todos os policiais, num raio de cinquenta quilômetros, estão tentando encontrar um homem estranho que esteja molhado.

— Está certo, sr. Holmes.

— Bem, a menos que ele tenha um esconderijo aqui perto, ou uma muda de roupas à sua espera em algum lugar, vai ser difícil não agarrá-lo. E mesmo assim ainda *não* o agarraram até agora. — Holmes se dirigira para a janela e estava examinando com sua lente a marca de sangue sobre o peitoril. — É realmente a marca de uma sola de sapato. É muito larga. Pode-se dizer que é um pé chato. É curioso, porque a marca de lama do canto da parede revela uma sola de alguém que não tem pé chato. Mas essas marcas não são muito precisas. O que é isso debaixo dessa mesinha?

— Os halteres do sr. Douglas — disse Ames.

— Halteres? Só há um. Onde está o outro?

— Não sei, sr. Holmes. Talvez fosse só um mesmo. Há muito tempo que eu não o via.

— Um halter... — Holmes disse, sério, mas sua observação foi interrompida por uma vigorosa batida na porta. Um homem alto, queimado de sol, aparência de competente, bem barbeado, olhou para nós. Não tive dificuldade em imaginar que era Cecil Barker, de quem eu já ouvira falar. Seus olhos penetrantes movimentavam-se rapidamente, com um olhar inquisidor, de um rosto a outro.

— Desculpem interromper a conversa, mas há uma novidade — disse ele.

— Prenderam alguém?

— Não é algo tão bom assim. Mas encontraram a bicicleta dele. Ele deixou a bicicleta e fugiu. Venham ver. Está perto da porta de entrada.

Encontramos alguns curiosos, uns a cavalo, outros a pé, olhando uma bicicleta que fora retirada de uma moita onde estava escondida. Era uma Rudge-Whitworth toda suja, dando a impressão de que fizera uma longa viagem. Havia um alforje com uma chave de parafusos e uma latinha de óleo dentro, mas nenhuma pista quanto ao seu proprietário.

— Seria de grande ajuda para a polícia se todas essas coisas fossem numeradas e registradas — disse o inspetor. — Mas devemos ficar gratos pelo que temos. Se não podemos descobrir para onde ele foi, pelo menos é provável que saibamos de onde veio. Mas, em nome do que é mais sagrado, por que esse sujeito deixou a bicicleta aqui? E como ele foi embora sem ela? Não temos nenhuma luz neste caso, sr. Holmes.

— Não? — disse meu amigo, pensativo. — Estou vendo!

5

OS PERSONAGENS DO DRAMA

— Já viram tudo que queriam no escritório? — perguntou White Mason quando voltamos à casa.

— Por enquanto sim — disse o inspetor, e Holmes assentiu.

— Então, talvez agora os senhores gostassem de ouvir o depoimento de algumas pessoas da casa. Podemos usar a sala de jantar, Ames. Por favor, você será o primeiro. Diga o que sabe.

O relato do mordomo foi simples e claro, e deu uma impressão de sinceridade. Ele fora contratado havia cinco anos, na primeira vez em que o sr. Douglas veio a Birlstone. Sabia que o sr. Douglas era rico e que fizera fortuna na América. Ele sempre fora um patrão amável e atencioso, não do tipo ao qual Ames estava acostumado, mas não se pode ter tudo. Ele jamais vira algum sinal de apreensão no sr. Douglas; ao contrário, ele era o mais destemido dos homens que conhecera. Ele havia ordenado que a ponte levadiça fosse suspensa toda noite porque era um antigo costume da velha casa. E ele gostava de conservar os costumes antigos. O sr. Douglas raramente ia a Londres ou saía do vilarejo, mas no dia anterior ao crime estivera fazendo compras em Tunbridge Wells. Ele, Ames, havia observado certa inquietação e nervosismo por parte do sr. Douglas naquele dia, pois ele parecia impaciente e irritável, o que não era seu estado normal. Ele não havia ido se deitar naquela noite, mas estava na copa, que fica na parte de trás da casa, guardando as pratarias, quando ouviu o sino tocar de modo insistente. Não ouviu disparos, mas dificilmente ouviria, já que a copa e a cozinha ficam bem no fim da casa, e havia muitas portas fechadas e um longo corredor antes de chegar lá. A governanta saíra do seu quarto devido ao toque insistente do sino. Eles foram até a frente da casa juntos. Quando chegaram ao pé da escada, viram a sra. Douglas descendo. Não, ela não estava correndo, não lhe pareceu que estivesse especialmente agitada. Quando ela chegou ao final da escada, o sr. Barker saiu correndo do escritório e pediu a ela que subisse novamente.

— Pelo amor de Deus, volte para o seu quarto! — ele gritou. — O coitado do Jack está morto. Não há nada a fazer. Pelo amor de Deus, suba!

Depois de ser convencida, a sra. Douglas subiu. Ela não gritou. Também não disse nada. A sra. Allen, a governanta, levou-a para cima e ficou com ela no quarto. Ames e o sr. Barker voltaram ao escritório, onde encontraram tudo exatamente como a polícia viu. A vela não estava acesa naquela hora, mas a lâmpada estava ligada. Olharam pela janela, mas a noite estava muito escura, e não puderam ver nem ouvir nada. Correram então para o hall, onde Ames acionou o maquinismo que baixava a ponte. O sr. Barker então correu para chamar a polícia.

Esse, em linhas gerais, foi o depoimento do mordomo.

O relato da sra. Allen, a governanta, foi, de certo modo, uma confirmação do que dissera seu colega. O quarto da governanta ficava mais perto da frente da casa do que a copa onde Ames estava trabalhando. Ela estava se preparando para deitar quando o toque da campainha despertou sua atenção. Sua audição era um pouco deficiente. Talvez por isso não tivesse ouvido o disparo, mas, de qualquer modo, o escritório ficava um pouco distante. Ela ouviu um som que imaginou ser o de uma porta batendo. Isso foi bem antes, pelo menos meia hora antes de o sino tocar. Quando o sr. Ames correu para a parte da frente da casa, ela foi com ele. Viu o sr. Barker, muito pálido e agitado, saindo do escritório. Ele interceptou a sra. Douglas, que estava descendo a escada. Ele lhe pediu que subisse novamente e ela disse alguma coisa, mas que não conseguiu ouvir.

— Leve-a para cima. Fique com ela! — ele dissera à sra. Allen.

Ela então levou-a para o quarto e procurou tranquilizá-la. A sra. Douglas estava muito agitada, com o corpo todo tremendo, mas não tentou descer novamente. Ela apenas se sentou diante da lareira do quarto, vestida com o roupão, e afundou a cabeça nas mãos. A sra. Allen ficou com ela a maior parte da noite. Quanto aos outros criados, todos já tinham ido dormir e só foram acordados pouco antes de a polícia chegar. Eles estavam dormindo na outra extremidade da casa e, com certeza, não puderam ouvir nada.

Essa foi a governanta, que não acrescentou nada no interrogatório, a não ser lamentações e manifestações de surpresa.

O sr. Barker falou depois da sra. Allen como testemunha. Quanto às ocorrências da noite anterior, ele tinha muito pouco a acrescentar ao que já dissera à polícia. Pessoalmente, ele estava convencido de que o assassino fugira pela janela. A mancha de sangue era conclusiva, na sua opinião, quanto a isso. Além do mais, já que a ponte estava suspensa, não havia outro modo de fugir. Não sabia explicar o que acontecera ao assassino ou por que não levara a bicicleta, se é que realmente era dele. Com toda a certeza não poderia ter-se afogado no fosso, que em nenhum ponto tinha mais de um metro de profundidade.

Ele tinha uma teoria definitiva sobre o assassinato. Douglas era um homem reservado, e havia algumas passagens de sua vida sobre as quais ele nunca falara. Emigrara da Irlanda para a América quando era muito jovem. Conseguira subir na vida, e Barker o conheceu na Califórnia, onde os dois se tornaram sócios numa próspera mineração, num lugar chamado Benito Canyon. Eles se saíram muito bem, mas Douglas de repente vendeu tudo e partiu para a Inglaterra. Ele era viúvo nessa época. Barker, posteriormente, já com dinheiro, veio morar em Londres. Desse modo, retomaram a amizade. Douglas dava-lhe a impressão de que havia algum perigo rondando sua cabeça e sempre pensava em sua súbita partida da Califórnia e no fato de ele ter uma casa num local tão tranquilo da Inglaterra como algo relacionado com esse perigo. Pensava que alguma sociedade secreta, alguma organização implacável estava na pista de Douglas, e que não se deteria até matá-lo. Algumas observações do outro deram-lhe esta impressão, embora nunca lhe tivesse dito que sociedade era nem de que modo ele a provocara. Ele só podia supor que a inscrição no cartão tinha alguma relação com essa sociedade secreta.

— Quanto tempo o senhor ficou com Douglas na Califórnia? — perguntou o inspetor MacDonald.

— Cinco anos ao todo.

— O senhor disse que ele era solteiro?

— Viúvo.

— O senhor sabia de onde era a primeira esposa dele?

— Não. Lembro-me de ele ter dito que ela era de origem alemã e cheguei a ver o retrato dela. Era uma mulher muito bonita. Ela morreu de febre tifoide um ano antes de eu o conhecer.

— O senhor associa o passado dele a alguma região da América?

— Eu o ouvi falar de Chicago. Ele conhecia bem a cidade e havia trabalhado lá. Eu o ouvi falar das zonas de carvão e ferro. Ele viajou muito naquela época.

— Ele era político? Essa sociedade tem alguma coisa a ver com política?

— Não. Ele não ligava para política.

— O senhor tem algum motivo para pensar que essa sociedade seja ligada ao mundo do crime?

— Ao contrário. Nunca encontrei um homem mais correto em minha vida.

— Havia alguma coisa curiosa sobre a vida dele na Califórnia?

— Ele preferia trabalhar e ficar no nosso garimpo, lá no alto das montanhas. Jamais ia aos lugares em que os outros iam, se pudesse evitar. Foi por isso que pensei logo que alguém estava atrás dele. Depois, quando partiu tão repentinamente para a Europa, tive certeza de que era isso mesmo. Acredito que ele recebeu algum tipo de aviso. Uma semana depois que ele viajou, apareceram alguns homens perguntando por ele.

— Que tipo de homens?

— Bem, eram do tipo fortão. Chegaram ao garimpo e queriam saber onde ele estava. Eu disse que Douglas tinha ido para a Europa e que eu não sabia onde encontrá-lo. Eles não estavam com boas intenções. Quanto a isso, não tive dúvida.

— Eles eram americanos? Da Califórnia?

— Bem, não conheço muito bem o pessoal da Califórnia. Eles eram americanos, sim. Mas não eram mineiros. Não sei o que eram e fiquei muito feliz quando os vi pelas costas.

— Isso foi há seis anos?

— Quase sete.

— E o senhor e ele ficaram juntos cinco anos na Califórnia, de modo que esse negócio foi há mais de dez anos?

— Exatamente.

— Deve ter sido algo muito grave para esperar esses anos todos. Não deve ter sido uma coisa pequena.

— Acho que isso o acompanhou a vida inteira. Não deve ter saído nunca da cabeça dele.

— Mas, se um homem tinha um perigo rondando, e sabia do que se tratava, o senhor não acha que ele deveria pedir proteção à polícia?

— Talvez fosse um tipo de perigo contra o qual não pudesse ser protegido. Há uma coisa que o senhor precisa saber. Ele sempre andava armado. Seu revólver estava sempre no bolso. Mas, por falta de sorte, ele estava de roupão e deixara a arma no quarto, ontem à noite. Com a ponte erguida, ele deve ter achado que estava seguro.

— Eu gostaria de ter essas datas mais precisas — disse MacDonald. — Faz seis anos que Douglas saiu da Califórnia. O senhor viajou no ano seguinte, não foi?

— Exatamente.

— Ele estava casado havia cinco anos. O senhor deve ter chegado na época do casamento?

— Um mês antes. Eu era seu melhor amigo.

— O senhor conhecia a sra. Douglas antes do casamento?

— Não, não conhecia. Fiquei fora da Inglaterra durante dez anos.

— Mas esteve com ela muitas vezes depois. Barker olhou de modo severo para o detetive.

— Eu o vi muitas vezes depois — respondeu ele. — Se eu a vi foi porque não se pode visitar um homem sem deixar de conhecer sua esposa. Se o senhor acha que existe alguma ligação...

— Eu não acho nada, sr. Barker. Estou fazendo todas as perguntas que possam ajudar no caso. Mas não quero ofender ninguém.

— Algumas perguntas são ofensivas — Barker respondeu, irritado.

— Só queremos os fatos. É pelo seu interesse, e pelo interesse de todos, que eles devem ser esclarecidos. O sr. Douglas aprovava inteiramente sua amizade com a esposa dele?

Barker ficou mais pálido, e suas mãos grandes e musculosas estavam contraídas.

— O senhor não tem o direito de fazer uma pergunta dessas! — ele gritou. — O que isso tem a ver com o caso que o senhor está investigando?

— Vou repetir a pergunta.

— Recuso-me a responder.

— O senhor pode se recusar a responder, mas deve saber que sua recusa já é uma resposta, pois o senhor não se recusaria a responder se não tivesse nada a esconder.

Barker ficou imóvel por um momento, com o rosto contraído, perdido em reflexões. Depois ergueu os olhos, sorrindo.

— Bem, acho que os senhores estão fazendo apenas seu serviço, afinal de contas, e não tenho o direito de dificultar as coisas. Só pediria que os senhores não preocupassem a sra. Douglas com esse assunto, pois tudo o que houve já é demais. Posso dizer-lhes que o pobre do Jack só tinha um defeito na vida, e esse defeito era o ciúme. Ele gostava muito de mim; ninguém poderia gostar mais de um amigo. E era dedicado à sua esposa. Ele gostava que eu viesse aqui e estava sempre mandando me chamar. Mesmo assim, se a esposa dele e eu conversássemos ou se ele notasse alguma simpatia entre nós, era dominado por uma onda de ciúme e perdia a cabeça, dizendo as piores coisas do mundo. Mais de uma vez eu jurei nunca mais vir aqui por este motivo, mas então ele me enviava cartas arrependidas, suplicantes, dizendo que eu precisava vir. Mas podem acreditar em mim, senhores, que nenhum homem jamais teve uma esposa mais adorável e fiel. E lhes digo também: nenhum amigo jamais foi mais leal do que eu.

Isso foi dito de modo veemente e emocionado, mas mesmo assim o inspetor MacDonald não pôde encerrar o assunto.

— O senhor sabe que a aliança do morto foi tirada de seu dedo? — ele disse.

— É o que parece — disse Barker.

— O que o senhor quer dizer com "parece"? O senhor sabe que isso é um fato.

O homem pareceu confuso e hesitante.

— Quando eu disse "parece", quis dizer que era possível que ele mesmo tivesse tirado a aliança.

— O simples fato de a aliança ter sumido, independentemente de quem a tirou do dedo, pode sugerir a qualquer um que o casamento e a tragédia têm ligação. Ou será que não?

Barker sacudiu seus ombros largos.

— Não posso afirmar o que isso sugere — ele respondeu. — Mas, se o senhor quer dar a entender que isso poderia se refletir de algum modo no comportamento desta senhora (seus olhos chamejaram por um instante e depois, com um esforço evidente, ele controlou suas emoções), bem, o senhor está no caminho errado. É o que penso.

— Acho que não tenho mais nada para lhe perguntar, por enquanto — disse MacDonald em tom seco.

— Há um pequeno detalhe — disse Sherlock Holmes. — Quando o senhor entrou no escritório havia apenas uma vela acesa na mesa, não é?

— Sim, é isso mesmo.

— Apenas com a luz dessa vela o senhor viu que algo de terrível havia acontecido?

— Exatamente.

— O senhor imediatamente tocou a campainha para pedir ajuda?

— Sim.

— E essa ajuda chegou logo?

— Em cerca de um minuto.

— No entanto, quando os outros chegaram, a vela já estava apagada e a lâmpada acesa. Isso parece notável.

Novamente Barker mostrou sinais de indecisão.

— Não vejo o que isso tem de notável, sr. Holmes — ele respondeu depois de uma pausa. — A vela tem uma luz muito fraca. Minha primeira ideia foi ter uma iluminação melhor. O abajur estava na mesa, e então eu o acendi.

Holmes não perguntou mais nada e Barker, olhando alternadamente para cada um de nós, com um jeito que me pareceu desafiador, virou-se e saiu da sala.

O inspetor MacDonald enviara um recado à sra. Douglas dizendo que aguardaria por ela em seu quarto, mas ela respondeu que nos encontraria na sala de jantar. Ela entrou na sala finalmente: uma mulher alta e bonita com cerca de trinta anos, reservada e controlada, muito diferente da figura trágica e confusa que eu imaginara. É bem verdade que seu rosto estava pálido e com um ar cansado, demonstrando ter sofrido um grande choque, mas seus modos eram tranquilos e suas mãos bem desenhadas, que ela pôs na mesa; estavam tão firmes quanto as minhas. Seus olhos tristes e atraentes olhavam para cada um de nós de um jeito curiosamente inquisitivo. Aquela expressão interrogativa transformou-se repentinamente em palavras.

— Os senhores descobriram alguma coisa? — ela perguntou.

Seria apenas fruto da minha imaginação achar que havia um indício de medo, em vez de esperança, naquela pergunta?

— Tomamos todas as providências possíveis, sra. Douglas — disse o inspetor. — A senhora pode ter certeza de que nada será negligenciado.

— Não economize dinheiro — ela disse num tom de voz desanimado, monocórdio. — Meu desejo é que sejam feitos todos os esforços.

— Talvez a senhora possa nos dizer algo que esclareça o problema.

— Não se preocupe. Tudo que eu sei contarei aos senhores.

— Soubemos pelo sr. Cecil Barker que a senhora, na verdade, não viu... Que a senhora não entrou no cômodo onde ocorreu a tragédia.

— É verdade. Ele fez com que eu voltasse lá para cima. Pediu que eu voltasse para o meu quarto.

— Exatamente. A senhora tinha ouvido o tiro e desceu imediatamente.

— Vesti meu roupão e desci.

— Quando o sr. Barker interceptou a senhora na escada, já havia passado quanto tempo desde a hora do tiro?

— Alguns minutos. É difícil calcular o tempo numa hora dessas. Ele implorou que eu não entrasse no escritório. E garantiu que eu não poderia fazer nada. Então a sra. Allen, a governanta, levou-me lá para cima. Tudo parecia um pesadelo.

— Pode nos dar alguma ideia de quanto tempo seu marido ficou aqui embaixo antes que a senhora escutasse o tiro?

— Não, não sei dizer. Antes de descer ele estava no quarto de vestir e, por isso, não ouvi quando desceu. Toda noite ele percorria a casa inteira, pois tinha medo de incêndio. Era a única coisa, que eu saiba, de que ele tinha medo.

— É aí que eu quero chegar, sra. Douglas. A senhora só conheceu seu marido na Inglaterra, não é?

— Sim. Estávamos casados há cinco anos.

— A senhora alguma vez o ouviu falar sobre alguma coisa que tivesse acontecido com ele na América e que pudesse representar algum perigo para ele?

A sra. Douglas ficou pensativa antes de responder.

— Sim — ela disse, finalmente. — Sempre senti que havia algum perigo a rondá-lo. Ele se recusava a falar sobre isso comigo. Não era por falta de confiança. Havia o mais completo amor e confiança entre nós, mas por seu desejo de me manter afastada de qualquer coisa que pudesse me assustar. Ele achava que isso poderia me preocupar, se eu ficasse sabendo de tudo, e então permanecia calado.

— Como a senhora ficou sabendo, então?

O rosto da sra. Douglas iluminou-se com um súbito sorriso.

— É possível um homem manter um segredo por toda a vida e a esposa que o ama nunca suspeitar? Eu soube disso de várias maneiras. Soube pelo modo como se recusava a conversar sobre alguns episódios da época em que morou na América. Soube por causa de certas precauções que ele tomava. Soube pelo modo como ele observava certas pessoas estranhas. Eu estava convencida de que ele tinha alguns inimigos perigosos, que acreditava estarem em sua pista e contra os quais estava sempre prevenido. Eu tinha tanta certeza disso que durante anos ficava aterrorizada quando ele demorava a chegar em casa.

— Posso saber quais foram as palavras que chamaram a sua atenção? — perguntou Holmes.

— O Vale do Medo — respondeu a senhora. — Foi essa a expressão que ele usou quando eu lhe perguntei sobre isso: "Estive no Vale do Medo. Ainda não saí de lá." "Será que não se consegue sair nunca do Vale do Medo?", eu perguntei isso quando o vi mais sério do que o normal. "Às vezes eu acho que nunca mais sairemos", ele me respondeu, então.

— Certamente a senhora lhe perguntou o que ele queria dizer com "Vale do Medo".

— Perguntei. Mas seu rosto ficou muito sombrio e ele abanou a cabeça. "Já é muito ruim que um de nós tenha estado nas trevas", ele disse. "Queira Deus que isso nunca aconteça com você." Era algum vale que realmente existe e no qual ele vivera, e onde algo de terrível lhe acontecera, quanto a isso tenho certeza, mas não posso lhes dizer mais nada.

— Ele nunca mencionou nomes?

— Sim. Ele estava delirando de febre uma vez, quando sofreu um acidente durante uma caçada. Lembro-me bem de que havia um nome que surgia constantemente em sua boca. Ele o pronunciava com raiva e uma espécie de horror. McGinty era o nome: chefe McGinty. Eu lhe perguntei, quando ficou bom, quem era esse chefe McGinty e de que ele era chefe. "Não é meu chefe, graças a Deus!", respondeu. Mas há uma ligação entre o chefe McGinty e o Vale do Medo.

— Há um outro ponto também — disse o inspetor MacDonald. — A senhora conheceu o sr. Douglas numa pensão de Londres, não foi? E ficaram noivos lá. Havia alguma coisa secreta ou misteriosa sobre o casamento?

— Só havia o amor. Sempre o amor. Nada de mistério.

— Ele não tinha nenhum rival?

— Não. Eu era livre...

— A senhora certamente ficou sabendo que a aliança dele sumiu. Isso sugere alguma coisa? Supondo que algum inimigo do passado o tenha seguido e cometido o crime, que motivo ele poderia ter para levar sua aliança?

Por um instante eu juraria que a sombra de um sorriso tinha percorrido os lábios dela.

— Realmente não sei dizer — ela respondeu. — Com certeza, é uma coisa extraordinária.

— Bem, não vamos retê-la por mais tempo e sentimos muito ter-lhe causado este incômodo agora — disse o inspetor. — Há outros detalhes, naturalmente, mas falaremos com a senhora à medida que for necessário.

Ela se levantou e novamente percebi aquele olhar rápido, inquisidor, com o qual ela nos sondava: "Que impressão meu depoimento causou em vocês?" era uma pergunta que certamente passara por sua cabeça. Depois, com um ligeiro aceno de cabeça, ela saiu da sala.

— Ela é uma mulher bonita, muito bonita — disse MacDonald, pensativo, depois de a sr. Douglas fechar a porta. — Esse Barker, com certeza, vinha aqui muitas vezes. É do tipo que deve ser atraente para as mulheres. Ele admitiu que o morto era ciumento, e talvez soubesse que motivos tinha para ser ciumento. E há também a questão da aliança. Não se pode passar por cima disso. O homem que tira a aliança de um morto... O que o senhor acha disso, sr. Holmes?

Meu amigo estava sentado com a cabeça apoiada nas mãos, mergulhado em reflexões. Ele então se levantou e tocou a campainha.

— Ames, onde está o sr. Cecil agora? — ele disse quando o mordomo entrou.

— Vou ver, senhor.

Voltou pouco depois para dizer que o sr. Barker estava no jardim.

— Você se lembra, Ames, o que o sr. Barker estava calçando quando você se encontrou com ele ontem à noite no escritório?

— Sim, sr. Holmes. Estava usando chinelos de feltro. Eu lhe trouxe as botas quando ele ia sair para ir à polícia.

— Onde estão os chinelos agora?

— Ainda estão embaixo da cadeira, no hall.

— Ótimo, Ames. Realmente é importante saber quais são as pegadas do sr. Barker e as pegadas de pessoas que vieram de fora.

— Sim, senhor. Posso dizer que percebi que os chinelos estavam manchados de sangue. E os meus também estavam.

— Isso é muito natural, considerando-se as condições do escritório. Ótimo, Ames. Chamaremos outra vez se precisarmos de você.

Pouco depois, estávamos no escritório. Holmes trouxera os chinelos que estavam no hall. Como observara Ames, as solas dos dois pés estavam escuras de sangue.

— Estranho! — Holmes murmurou ao chegar à janela e examinar os chinelos minuciosamente. — Muito estranho mesmo!

Com uma de suas pinças ele colocou o chinelo sobre a mancha de sangue que havia no peitoril. As duas correspondiam perfeitamente. Ele sorriu em silêncio para seus colegas.

O inspetor ficou transfigurado de excitação. Seu sotaque parecia ter ficado mais acentuado ainda.

— Puxa! Não há a menor dúvida! — ele exclamou. — Barker fez essa marca aí na janela. É muito maior do que a marca de qualquer bota. Lembro-me de que o senhor disse que era um pé chato, e aqui está a explicação. Mas o que houve afinal, sr. Holmes? O que houve?

— Bem, o que houve? — meu amigo repetiu, pensativo.

White Mason ria e esfregava as mãos gordas com uma satisfação profissional.

— Eu disse que era um caso dos grandes! — ele exclamou. — E é mesmo dos grandes!

6

A PRIMEIRA LUZ

Os TRÊS DETETIVES TINHAM MUITOS DETALHES PARA INVESTIGAR, de modo que voltei sozinho para nossas modestas acomodações na hospedaria do vilarejo. Mas antes de ir para lá dei uma volta pelo curioso jardim de outros tempos que cercava a casa. Filas de teixos muito antigos, cortados em desenhos estranhos, a rodeavam. Na parte interna havia um bonito gramado com um antigo relógio de sol no centro. Esse cenário tinha um efeito repousante que fazia muito bem aos meus nervos um tanto perturbados. Naquela atmosfera absolutamente tranquila pode-se esquecer de tudo ou lembrar-se apenas com um fantástico pesadelo daquele escritório sinistro com aquele homem cheio de sangue estendido no chão. Mesmo assim, enquanto eu caminhava pelo jardim e tentava mergulhar a alma nessa calma, ocorreu um estranho incidente que me levou de volta à tragédia e deixou uma impressão sinistra em minha mente.

Eu disse que uma sequência de teixos orlava o jardim. Na parte que ficava mais distante da casa eles eram menos espaçados e formavam uma cerca viva densa. Do outro lado dessa cerca viva, oculto da visão de quem viesse do lado da casa, havia um banco de pedra. Ao me aproximar do local, ouvi vozes, distinguindo depois a voz grave de um homem e o riso de uma mulher. Pouco depois, cheguei ao final da cerca de teixos e meus olhos bateram na sra. Douglas e em Barker antes que eles percebessem a minha presença. A aparência dela chocou-me. Na sala de jantar ela estava séria e discreta. Agora toda a simulação de tristeza desaparecera. Seus olhos brilhavam com uma vívida alegria, e o rosto ainda balançava, divertido, por causa de alguma observação engraçada de seu companheiro. Ele estava inclinado para a frente, com as mãos apertadas e os antebraços apoiados nos joelhos, com um sorriso no rosto atrevido e belo. Num instante, mas já tarde demais, eles recolocaram suas máscaras sérias quando me viram. Eles trocaram uma ou duas palavras apressadas, e, então, Barker levantou-se e veio na minha direção.

— Desculpe-me, senhor, mas seu nome é dr. Watson? — ele disse.

Eu assenti de modo frio, que mostrou, ouso dizer, de modo bastante claro, a impressão que aquela cena havia causado em mim.

— Achamos que devia ser o senhor, já que sua amizade com o sr. Sherlock Holmes é muito conhecida. O senhor se incomodaria de falar um instante com a sra. Douglas?

Eu o segui de cara fechada. Eu conseguia visualizar nitidamente aquela figura morta lá no chão. Ali, algumas horas após sua morte, estavam sua esposa e seu melhor amigo rindo atrás de uma moita no jardim que fora dele. Cumprimentei a senhora com reserva. Eu havia me preocupado com a tristeza dela na sala de jantar. Agora eu a olhava com indiferença.

— Receio que o senhor me considere insensível e sem coração — disse ela.

Eu dei de ombros.

— Não é da minha conta — eu disse.

— Talvez algum dia me dê razão. Se o senhor fizesse ideia...

— Não há necessidade de explicar nada ao dr. Watson — Barker cortou rapidamente. — Como ele mesmo disse, não tem nada com isso.

— Exatamente, e por isso peço licença para continuar minha caminhada — eu disse.

— Um momento, dr. Watson! — gritou a mulher, com voz suplicante. — Há uma pergunta que o senhor pode responder com muito mais autoridade que qualquer outra pessoa, e pode ser muito importante para mim. O senhor conhece o sr. Holmes e seu relacionamento com a polícia melhor do que qualquer um. Supondo-se que ele fosse informado, de modo confidencial, de alguma coisa, é absolutamente necessário que revele isso aos detetives?

— Sim, é verdade — disse Barker, impaciente. — Ele está aqui por conta própria ou está trabalhando com os outros?

— Nem sei se eu deveria estar falando sobre isso.

— Eu lhe peço. Eu lhe imploro, dr. Watson, que o senhor responda. Eu lhe asseguro que estará nos ajudando; ajudando-me muito se nos orientar a respeito disso.

Havia um tom de sinceridade na voz da mulher, e por um instante esqueci-me de tudo sobre sua leviandade e estava pensando apenas em atender ao seu desejo.

— O sr. Holmes é um investigador particular — eu disse. — Ele é o seu próprio chefe e age de acordo com sua própria opinião. Ao mesmo tempo, naturalmente, ele é leal com os detetives da polícia que estejam trabalhando num mesmo caso, e não esconde deles nada que possa ajudá-los a solucionar o problema. Fora isso, não posso dizer nada mais, a não ser encaminhá-la ao sr. Holmes para que a senhora obtenha mais informações.

Ao dizer isso, fiz um cumprimento erguendo o chapéu e continuei em minha caminhada, deixando-os ainda sentados naquele banco escondido atrás da cerca de teixos. Olhei para trás, ao contornar a extremidade da cerca, e vi que os dois conversavam de modo muito compenetrado e, como olhavam para mim, estava claro que a nossa conversa era o assunto da discussão deles.

— Não quero saber das confidências dela — disse Holmes quando lhe contei o que acontecera. Ele passara a tarde inteira na Casa Senhorial discutindo o caso com seus dois colegas, e voltou à hospedaria às cinco horas com muito apetite para tomar o chá que eu havia pedido para ele. — Não quero saber de confidências, Watson, pois elas se tornarão muito embaraçosas se houver uma acusação de conspiração e assassinato.

— Você acha que acontecerá isso?

Ele estava muito alegre e com um jeito jovial.

— Meu caro Watson, logo estarei em condições de pôr você a par de toda a situação. Não digo que já tenhamos elucidado tudo, longe disso, mas quando encontrarmos o halter que desapareceu...

— O halter!

— Puxa, Watson, será possível que você não tenha percebido que o caso gira em torno do halter que sumiu? Bem, bem, não precisa ficar triste, pois, cá entre nós, acho que nem o inspetor Mac, nem o excelente médico local compreenderam a importância desse incidente. Um halter, Watson! Considere um atleta com um halter. Imagine o que isso acarretaria: o perigo de uma curvatura na espinha. Surpreendente, Watson; surpreendente!

Ele estava com a boca cheia de torrada e os olhos com um brilho que revelavam alguma ideia inusitada, observando meu embaraço intelectual. O seu bom apetite era uma garantia de sucesso, porque eu tinha lembranças muito vivas de dias e noites em que ele nem tocava na comida, quando sua mente se ocupava com algum problema e seu corpo esguio, ágil, tornava-se mais magro ainda com o ascetismo da completa concentração mental. Finalmente ele acendeu o cachimbo e, sentado junto à lareira da hospedaria, falou calmamente e sem seguir uma linha lógica sobre o caso, como se estivesse pensando alto, e não fazendo uma afirmação ponderada.

— Uma mentira, Watson: uma grande, enorme, intrometida, inflexível mentira, é isso que nos espera. É esse o nosso ponto de partida. Toda a história contada por Barker é uma mentira. Mas a história de Barker é apoiada pela sra. Douglas. Consequentemente, ela está mentindo também. Os dois estão mentindo, conspirando. Então agora temos o problema bem claramente: por que estão mentindo, e qual a verdade que tentam tão obstinadamente esconder? Vamos tentar, Watson, você e eu, descobrir o que há por trás dessa mentira e reconstituir a verdade.

— Como eu sei que eles estão mentindo? Porque é uma invenção tosca que simplesmente *não pode* ser verdadeira. Veja bem! Segundo a história que nos contaram, o assassino teve menos de um minuto, após o assassinato, para retirar a aliança, que estava por baixo de um anel, colocar esse outro anel (coisa que ninguém faria) e deixar aquele estranho cartão ao lado da vítima. Obviamente eu acho tudo isso impossível. Você pode argumentar (mas tenho muito respeito por você, Watson, para achar que você faria isso) que a aliança pode ter sido retirada antes de ele ter sido assassinado. O fato de que a vela fora acesa pouco antes mostra que não houve tempo para conversas. Seria Douglas, já que dizem que ele era destemido, capaz de entregar sua aliança assim sem opor resistência, ou devemos imaginar que ele seria capaz de entregá-la? Não, não, Watson, o assassino ficou sozinho com o morto por algum tempo com a luz acesa. Quanto a isso, não tenho a menor dúvida. Mas a espingarda, aparentemente, foi a causa da morte. Consequentemente, ela deve ter sido disparada antes da hora que nos disseram. Mas não deveria haver dúvida quanto a isso. Estamos diante de uma deliberada conspiração por parte de duas pessoas que ouviram o disparo: Barker e a esposa de Douglas. Quando eu tiver condições, no decorrer das investigações, de provar que a marca de sangue sobre o peitoril foi colocada ali deliberadamente por Barker para dar uma pista falsa à polícia, você verá que as coisas ficarão pretas para o lado dele.

— Agora precisamos nos perguntar a que horas o assassinato realmente ocorreu. Até as 22h30 os criados ainda estavam andando pela casa, de modo que certamente não aconteceu antes dessa hora. Às 22h45 todos já tinham ido para os seus aposentos, com exceção de Ames, que estava na copa. Fiz alguns testes, depois que você veio embora, hoje à tarde, e vi que nenhum ruído feito por Barker no escritório poderia chegar à copa estando todas as portas fechadas. Mas não acontece o mesmo com o quarto da governanta. Não fica tão longe assim e de lá eu podia ouvir vozes vagamente, se elas estivessem num tom alto. O som de um disparo é até certo ponto abafado quando o disparo é feito de muito perto, como sem dúvida aconteceu neste caso. Não deve ter sido um som muito alto, e mesmo assim, no silêncio da noite, deve ter chegado facilmente ao quarto da sra. Allen. Ela é, como nos disse, um tanto surda, mas mesmo assim citou no depoimento que ouviu uma porta bater meia hora antes de ser dado o alarme. Meia hora antes do alarme, pode ter sido 22h45. Não tenho dúvida de que o que ela ouviu foi o disparo da arma, e que esse foi o exato momento do crime. Se assim for, temos agora que determinar o que o sr. Barker e a sra. Douglas, presumindo que eles não são os verdadeiros assassinos, ficaram fazendo de 22h45, quando o barulho do disparo os fez descer, até 23h15, quando tocaram a campainha e chamaram os criados. O que estavam fazendo e por que não deram o alarme imediatamente? É essa pergunta que temos, e, quando ela for respondida, teremos dado um passo para a resolução do problema.

— Estou convencido de que existe alguma combinação entre esses dois. Ela tem de ser uma pessoa insensível para ficar rindo de um gracejo poucas horas depois do assassinato do marido — eu disse.

— Exatamente. Ela não parece se comportar como uma esposa nem mesmo no relato que fez sobre o ocorrido. Não sou, como você sabe, Watson, um grande admirador das mulheres, mas minha experiência de vida me ensinou que há poucas mulheres, seja qual for o seu relacionamento com o marido, que deixariam as palavras de alguém se interpor entre elas e o cadáver do marido. Se algum dia eu me casasse, Watson, desejaria inspirar em minha mulher um sentimento tal que impedisse que ela fosse afastada por uma governanta quando meu corpo estivesse estendido a uns poucos metros dela. Isso foi mal arquitetado, porque até o investigador mais frio estranharia a falta de lamentações dessa mulher. Mesmo que não houvesse mais nada, só isso, para mim, sugeriria a existência de uma conspiração.

— Você pensa, então, que a sra. Douglas e Barker são mesmo os culpados do assassinato?

— Suas perguntas, Watson, são de uma objetividade aterrorizante — disse Holmes, sacudindo o cachimbo no ar em minha direção. — Parecem balas disparadas contra mim. Se você partir da ideia de que a sra. Douglas e Barker sabem a verdade sobre o assassinato e tentam encobri-la, então posso lhe dar uma resposta. Tenho certeza de que eles sabem a verdade. Mas sua proposição mais ferina ainda não está muito clara. Vamos analisar as dificuldades que existem.

— Vamos supor que os dois estão unidos pelos laços de um amor proibido e que decidiram se livrar do homem que estava entre eles. É uma suposição muito vaga, pois uma investigação discreta entre os criados e outras pessoas não confirma isso. Pelo contrário: há fortes indícios de que os Douglas eram muito ligados um ao outro.

— Quanto a isso, tenho certeza de que não pode ser verdade — eu disse, lembrando-me daquele rosto de mulher lindo e risonho que vi no jardim.

— Bem, pelo menos eles davam essa impressão. Mas vamos imaginar que eles fossem um casal muito astuto, que ilude todo mundo a respeito disso e que conspira para matar o marido dela. Acontece que ele é um homem sobre o qual paira algum perigo...

— Sobre isso, só temos o depoimento deles dois. Holmes pareceu preocupado.

— Entendo, Watson. Você defende a teoria segundo a qual tudo que eles disseram desde o início é falso. De acordo com o seu pensamento, nunca houve ameaça nenhuma, nem sociedade secreta, nem o Vale do Medo, nem o chefe Mac-sei-lá-o-quê ou qualquer outra coisa.

Bem, isso é uma generalização muito grande. Vamos ver aonde isso nos leva. Eles inventaram isso para justificar o crime. Então reforçaram a ideia deixando a bicicleta perto da casa como prova de que alguém entrou lá. A marca sobre o peitoril sustenta a mesma ideia. E também o cartão sobre o corpo, que deve ter sido preparado na casa. Tudo isso se encaixa na sua hipótese, Watson. Mas agora chegamos ao ponto em que as coisas não se encaixam. Por que uma espingarda com o cano serrado? E ainda por cima americana? Como eles poderiam ter tanta certeza de que o disparo não chamaria a atenção de ninguém? Foi um mero acaso, se assim se pode chamar, que a sra. Allen não tenha saído para ver por que a porta batera. Por que os seus dois culpados fizeram tudo isso, Watson?

— Confesso que não sei explicar.

— Então, novamente se uma mulher e seu amante conspiram para assassinar o marido, será que os dois vão anunciar sua culpa retirando ostensivamente a aliança do morto após o crime? Você acha que isso é provável, Watson?

— Não, não é.

— E mais: a ideia de deixar uma bicicleta escondida lá fora ocorreu a você, mas será que mesmo o mais obtuso dos detetives não perceberia nisso uma pista falsa, já que a bicicleta era a primeira coisa de que o fugitivo precisaria?

— Não consigo imaginar uma explicação.

— Mesmo assim, não precisa haver uma lógica nos fatos para que a mente do homem formule uma explicação. Apenas como um exercício mental, sem supor que seja verdade, deixe-me indicar uma linha de pensamento possível. Ou seja, tudo é fruto de minha imaginação, mas quantas vezes não é a imaginação a origem da verdade?

— Vamos supor que *havia* um segredo, um segredo realmente vergonhoso na vida de Douglas. Isso nos faz pensar que seu assassino seja, vamos supor, alguém que queira se vingar: alguém de fora da casa. Essa pessoa, por algum motivo que, confesso, ainda não consigo explicar, pegou a aliança do morto. A vingança pode ter a ver com o primeiro casamento dele e o roubo da aliança, alguma relação com isso. Depois que essa pessoa saiu, Barker e a esposa dele chegaram ao escritório. O assassino os convenceu de que qualquer tentativa de detê-lo faria com que fosse revelado um escândalo horrível. Os dois se convenceram disso e preferiram deixá-lo sair. Talvez por isso eles tenham abaixado a ponte, o que pode ser feito quase sem provocar ruído, e depois a levantaram novamente. Ele fugiu e, por algum motivo, achou que seria mais seguro ir a pé do que de bicicleta. Por isso deixou-a num local onde só seria encontrada depois que ele estivesse em segurança em algum lugar. Até aqui estamos dentro dos limites da possibilidade, não é?

— Bem, é possível, sem dúvida — eu disse com certa reserva.

— Precisamos lembrar, Watson, que, o que quer que tenha ocorrido, foi algo inusitado. Bem, agora, para continuar nossas suposições, os dois, não necessariamente os dois culpados, perceberam, após a fuga do assassino, que haviam se colocado numa situação em que seria difícil provar que não cometeram o crime ou nem foram coniventes. Eles então, de modo rápido e desajeitado, encontraram a saída. A marca na janela foi feita com o chinelo manchado de Barker para dar a ideia de como o assassino fugiu. Eles dois eram as pessoas que deviam ter ouvido o disparo, de modo que não deram o alarme quando deviam, e sim meia hora depois.

— E como você pretende provar tudo isso?

— Bem, se alguém entrou na casa, poderá ser procurado e detido. Esta seria a melhor prova de todas. Caso contrário... Bem, os recursos científicos ainda não foram esgotados. Acredito que uma noite sozinho naquele escritório me ajudaria bastante.

— Uma noite sozinho!

— Pretendo ir até lá agora. Combine isso com o atencioso Ames, que não gosta muito de Barker. Vou me sentar naquele escritório e ver se a sua atmosfera me traz alguma inspiração. Acredito no *genius loci*. Você ri, meu caro Watson. Bem, veremos. A propósito, você trouxe aquele seu guarda-chuva grande, não trouxe?

— Está aqui.

— Bem, vou levá-lo, se não se importa.

— Claro que não... Mas que arma desprezível! Em caso de perigo...

— Não há nada de mais, meu caro Watson. Do contrário, eu certamente pediria a sua ajuda. No momento, estou apenas aguardando a volta de meus colegas de Tunbridge Wells, onde no momento estão tentando encontrar o provável dono da bicicleta.

O inspetor MacDonald e White Mason só voltaram das suas investigações no começo da noite, e chegaram radiantes, contando que haviam feito um grande progresso no nosso caso.

— Olha, vou admitir que eu duvidava de que alguém tivesse entrado na casa, mas as dúvidas desapareceram — disse MacDonald. — Identificamos a bicicleta e temos a descrição do nosso homem, de modo que foi um bom avanço.

— Isso me soa como o princípio do fim — disse Holmes. — Quero cumprimentar os dois do fundo do meu coração.

— Bem, eu parti do fato de que o sr. Douglas parecera perturbado desde o dia anterior, quando esteve em Tunbridge Wells. Fora em Tunbridge Wells, então, que ele tomara conhecimento de algum perigo. Estava claro, portanto, que, se algum homem chegou numa bicicleta, com certeza tinha vindo de Tunbridge Wells. Levamos a bicicleta conosco e a mostramos em diversos hotéis. Foi identificada imediatamente pelo gerente do Eagle Commercial, que disse que ela pertencia a um homem chamado Hargrave, que alugara um quarto lá dois dias antes. A bicicleta e uma pequena valise eram todos os seus pertences. Ele se registrou dizendo ter chegado de Londres, mas não deu endereço. A valise foi fabricada em Londres e dentro só havia objetos ingleses, mas o homem, sem dúvida alguma, é americano.

— Bem, bem, vocês realmente fizeram um bom trabalho, enquanto eu fiquei sentado com meu amigo elaborando teorias. É uma lição de como ser prático, sr. Mac — disse Holmes, satisfeito.

— Pois é, sr. Holmes — disse o inspetor.

— Mas tudo isso pode se encaixar na sua teoria — comentei.

— Pode ser e pode não ser. Mas vamos ouvir o final, sr. Mac. Não havia nada que identificasse esse homem?

— Tão pouco que é evidente que ele tomou cuidados para não ser identificado. Não havia nenhum papel ou cartas em seu quarto, nem marcas nas roupas. Havia um mapa de ciclovias da região na mesinha de cabeceira. Ele saiu do hotel ontem, depois do café da manhã, de bicicleta, e ninguém mais soube dele até nós chegarmos.

— É isso que me intriga, sr. Holmes — disse White Mason. — Se esse sujeito não desejava que as suspeitas recaíssem sobre ele, o certo seria ter voltado ao hotel e ficado como um turista inocente. Do jeito como ele fez, deveria saber que o gerente do hotel iria comunicar à polícia e que seu desaparecimento seria relacionado com o assassinato.

— Isso é o que seria certo imaginar. Mesmo assim, ele já comprovou sua esperteza, de qualquer modo, já que não foi apanhado. Mas a descrição dele... Qual é a descrição dele?

MacDonald apanhou o bloco de notas.

— Aqui só temos o que nos disseram. Pelo visto não observaram nada de particular nele, mas mesmo assim o carregador, o rapaz da portaria e a camareira fizeram a mesma descrição. Ele é um homem de aproximadamente 1,70 metro de altura, cerca de cinquenta anos, cabelos ligeiramente grisalhos, bigode claro, nariz curvo e um rosto que todos descreveram como ameaçador e desagradável.

— Fora a expressão, seria quase a descrição do próprio Douglas — disse Holmes. — Ele tem pouco mais de cinquenta, cabelos e bigodes grisalhos e mais ou menos a mesma altura. Mais alguma coisa?

— Ele usava um terno cinza-escuro com colete, um sobretudo amarelo e um boné.

— E quanto à arma?

— Tem cerca de meio metro. Podia muito bem caber na valise. Ele poderia carregá-la dentro do sobretudo sem dificuldade.

— E como o senhor acha que tudo isso se encaixa no caso?

— Bem, sr. Holmes, quando tivermos agarrado o homem, e o senhor pode ter certeza de que enviei a descrição dele por telégrafo assim que a anotei, poderemos julgar melhor os fatos — disse MacDonald. — Mesmo assim, já progredimos bastante. Sabemos que um americano que diz chamar-se Hargrave chegou a Tunbridge Wells dois dias antes com uma bicicleta e uma valise. Nesta ele guardava uma espingarda de cano serrado. Então, veio com o propósito deliberado de cometer o crime. Ontem de manhã ele saiu em sua bicicleta com a arma escondida no sobretudo. Ninguém o viu chegar, até onde sabemos, mas ele não precisa passar pelo vilarejo para chegar aos portões do parque, e há muitos ciclistas na estrada. Presumivelmente, ele escondeu logo a bicicleta entre os loureiros, onde foi encontrada, e talvez também tenha se escondido ali, com os olhos na casa, esperando que o sr. Douglas saísse. A arma é estranha para ser usada dentro de casa, mas ele pretendia usá-la do lado de fora, e nesse caso então ela apresentava vantagens óbvias, já que seria impossível errar, e o barulho de tiros é tão comum no esporte inglês que ninguém estranharia nada na vizinhança.

— Está tudo muito claro! — disse Holmes.

— Bem, o sr. Douglas não apareceu. O que ele fez a seguir? Deixou a bicicleta e aproximou-se da casa ao anoitecer. Encontrou a ponte abaixada e ninguém por perto. Aproveitou a oportunidade pensando, sem dúvida, em dar alguma desculpa se encontrasse com alguém. Não encontrou ninguém. Entrou furtivamente no primeiro cômodo que viu e escondeu-se atrás da cortina. Dali ele pôde ver a ponte ser levantada e sabia que sua única possibilidade de fuga seria pelo fosso. Ele esperou até 22h45, quando o sr. Douglas, em sua ronda noturna, entrou no escritório. Acertou-o e fugiu, como planejado. Sabia que o pessoal do hotel falaria sobre a bicicleta e que isso seria uma pista para achá-lo. Então, deixou-a lá e seguiu de alguma outra forma para Londres ou para algum esconderijo seguro que já tivesse providenciado. O que acha, sr. Holmes?

— Bem, sr. Mac, muito bom e muito claro até aí. Esse é o seu final da história. Meu final é que o crime foi cometido meia hora antes do que o relatado; que a sra. Douglas e o sr. Barker estão envolvidos numa conspiração para esconder algo; que eles ajudaram a fuga do assassino (ou, pelo menos, que chegaram ao escritório antes que o assassino tivesse fugido) e que forjaram provas da fuga pela janela, enquanto, com toda certeza, eles mesmos abaixaram a ponte para que o assassino fugisse. É assim que eu vejo a primeira metade.

Os dois detetives sacudiram a cabeça.

— Bem, sr. Holmes, se isso é verdade, saímos de um mistério e entramos em outro — disse o inspetor de Londres.

— E, de certa forma, um mistério pior — acrescentou White Mason. — A senhora nunca esteve na América em toda a sua vida. Que ligação ela poderia ter com um assassino americano que fizesse com que o acobertasse?

— Eu reconheço as dificuldades — disse Holmes. — Pretendo fazer uma investigação sozinho hoje à noite, e talvez isso possa esclarecer alguma coisa.

— Podemos ajudá-lo, sr. Holmes?

— Não, não! Trevas e o guarda-chuva de Watson. Meus desejos são simples. E Ames, o leal Ames. Não há dúvida de que ele me fará essa concessão. Todas as minhas linhas de pensamento me levam de volta a uma pergunta básica: por que um homem de porte atlético desenvolve seu físico com um aparelho tão incomum quanto o halter simples?

Já era bem tarde da noite quando Holmes voltou de sua investigação solitária. Dormíamos num quarto com duas camas, que foi a melhor coisa que a hospedaria pôde nos arranjar. Eu já estava dormindo quando fui meio despertado pela entrada dele.

— Como é, Holmes, descobriu alguma coisa? — murmurei.

Ele ficou ao meu lado em silêncio, com a vela na mão. Depois, aquela figura alta e magra se inclinou na minha direção.

— Watson, você teria medo de dormir no mesmo quarto com um lunático, um homem de miolo mole, um idiota que perdeu o juízo? — ele sussurrou.

— De modo algum — respondi, perplexo.

— Que sorte! — ele disse, e não pronunciou nem mais uma palavra naquela noite.

7

A SOLUÇÃO

NA MANHÃ SEGUINTE, APÓS O CAFÉ, ENCONTRAMOS O INSPETOR MacDonald e o sr. White Mason sentados no saguão da delegacia, conversando de maneira reservada. Na mesa diante deles havia algumas cartas e telegramas, que separavam e sobre os quais anotavam cuidadosamente. Havia três cartas separadas.

— Ainda na pista do ciclista misterioso? — Holmes perguntou jovialmente. — Quais as últimas sobre o malandro?

MacDonald apontou com pesar para a pilha de correspondência.

— No momento ele está sendo procurado em Leicester, Nottingham, Southampton, Derby, East Ham, Richmond e outros 14 lugares. Em três deles, East Ham, Leicester e Liverpool, há uma acusação formal contra ele e, na verdade, ele já foi preso. Parece que o país está cheio de fugitivos com sobretudos amarelos.

— Puxa! — disse Holmes, de modo simpático. — Agora, sr. Mac e sr. White Mason, eu gostaria de lhes dar um conselho muito sério. Quando entrei nesse caso com os senhores, disse, como devem se lembrar, que eu não lhes apresentaria teorias que não estivessem totalmente provadas. Ao contrário, eu iria guardando tudo e trabalhando por minha conta até me convencer de que minhas teorias estavam certas. Por esse motivo não estou lhes dizendo agora tudo que tenho em mente. Por outro lado, eu disse que os ajudaria e não acho que seja ajudá-los permitir que os senhores desperdicem suas energias num trabalho inútil. Por isso vim aqui para aconselhá-los. E meu conselho se resume nestas palavras: abandonem o caso.

MacDonald e White Mason olharam com perplexidade para o colega famoso.

— O senhor o considera sem solução? — exclamou o inspetor.

— Acho que *este* caso que os senhores estão tentando resolver é sem solução. Não considero sem solução chegar à verdade.

— Mas esse ciclista. Ele não é uma invenção. Temos a descrição dele, sua valise, sua bicicleta. Esse sujeito deve estar em algum lugar. Por que não haveríamos de pegá-lo?

— Sim, sim. Não há dúvida de que ele está em algum lugar, e não há dúvida de que vamos pegá-lo. Mas não acho que os senhores devam perder tempo em East Ham ou Liverpool. Tenho certeza de que podemos chegar ao resultado final de um modo mais direto.

— O senhor está escondendo alguma coisa. Não é justo da sua parte, sr. Holmes. — O inspetor estava aborrecido.

— O senhor conhece os meus métodos de trabalho, sr. Mac. Mas vou esconder essas coisas pelo menor tempo possível. Quero apenas verificar certos detalhes, o que pode ser feito prontamente, depois me despeço e volto para Londres, deixando minhas condenações inteiramente à sua disposição. Eu tenho muita consideração pelo senhor para agir de outro modo, pois em toda a minha experiência não me lembro de nenhum caso mais estranho e interessante.

— Não entendo, sr. Holmes. Nós o encontramos ontem à noite quando voltamos de Tunbridge Wells, e o senhor concordou com os resultados a que chegamos. O que aconteceu desde então para que o senhor tenha uma ideia completamente diferente sobre o caso?

— Já que o senhor me pergunta, eu passei algumas horas, como disse que ia fazer, na Casa Senhorial ontem à noite.

— Sim, e o que aconteceu?

— Ah, só posso lhe responder de um modo bastante genérico por enquanto. A propósito, estive lendo uma história curta, mas muito clara e interessante, sobre aquela velha construção, vendida pela modesta soma de um pêni pelo negociante de fumo local. — Holmes puxou do bolso do colete um pequeno pedaço de papel com um esboço da Casa Senhorial. — O interesse por uma investigação aumenta, meu caro sr. Mac, quando se tem afinidade com a ambientação histórica do lugar. Não fique tão impaciente, pois lhe garanto que mesmo uma descrição tão resumida como esta lança um pouco de luz sobre o passado. Permita-me dar-lhe uma prova disso. "Mandada erigir no quinto ano do reinado de James I, e localizada no sítio de uma construção muito mais antiga, a Casa Senhorial de Birlstone apresenta um dos melhores exemplos ainda existentes de residência com fosso da época daquele governante...".

— O senhor está nos fazendo de bobos, sr. Holmes.

— Ora, sr. Mac! É a primeira demonstração da irritação que percebo no senhor. Bem, não vou ler isso aqui na íntegra, já que o senhor reagiu desse modo. Mas quando eu lhe disser que há um relato da tomada do lugar por um coronel do Parlamento, em 1644, do fato de Charles ter se escondido lá durante vários dias durante a Guerra Civil e, finalmente, da visita que o segundo George fez à casa, o senhor irá admitir que há várias associações de interesse ligadas a esta antiga casa.

— Não duvido, sr. Holmes. Mas isso não é assunto nosso.

— Não é? Não é? Mente aberta, meu caro sr. Mac, é uma das coisas essenciais em nossa profissão. A integração de ideias e os usos indiretos do conhecimento são de grande interesse. Desculpe essas observações de alguém que, embora um simples conhecedor do crime, é mais velho e talvez mais experiente que o senhor.

— Sou o primeiro a admitir isso — disse o detetive com veemência.

— Bem, bem... Vou deixar a História de lado e voltar aos fatos atuais. Estive ontem à noite, como já disse, na Casa Senhorial. Não vi nem o sr. Barker nem a sra. Douglas. Não vi necessidade de perturbá-los, mas gostei de saber que a senhora aparentemente não estava abatida e que havia jantado muito bem. Minha visita foi especialmente ao bondoso sr. Ames, com quem troquei algumas amabilidades, que culminaram com a permissão dele, sem consultar ninguém mais, para que eu ficasse sozinho no escritório durante algum tempo.

— Nossa! Puxa! — eu exclamei.

— Não, não. Está tudo em ordem agora. O senhor tinha dado permissão para isso, sr. Mac, segundo fui informado. O lugar estava com sua arrumação normal e ali passei um quarto de hora que valeu a pena.

— O que o senhor fez?

— Bem, para não fazer mistério de algo tão simples, eu estava à procura do halter que desapareceu. Isso sempre significou muito para mim na avaliação do caso. Acabei encontrando.

— Onde?

— Ah! Aqui chegamos ao limiar do inexplorado. Deixe-me avançar um pouco mais, só um pouco mais, e prometo que contarei tudo que sei.

— Bem, somos obrigados a aceitar suas condições — disse o inspetor. — Mas nos dizer para abandonar o caso... Por que, em nome de Deus, deveríamos abandonar o caso?

— Pelo simples motivo, meu caro sr. MacDonald, de que o senhor ainda não tem a menor ideia do que está investigando.

— Estamos investigando o assassinato do sr. John Douglas, de Birlstone.

— Sim, sim. Está bem. Mas não se preocupe em seguir o misterioso cavalheiro da bicicleta. Eu lhe garanto que isso não o ajudará.

— Então o que o senhor nos sugere fazer?

— Eu lhe direi exatamente como agir, se o senhor fizer o que eu falar.

— Bem, tenho de admitir que sempre achei que o senhor tinha razão, mesmo com suas maneiras estranhas de trabalhar. Farei o que o senhor disser.

— E o sr. White Mason?

O detetive do interior olhou desalentadamente de um para o outro. Holmes e seus métodos eram novos para ele.

— Bem, se é bom para o inspetor, é bom para mim — ele disse finalmente.

— Ótimo! — disse Holmes. — Bem, então recomendo que os dois façam uma bela caminhada pelo campo. Dizem que a vista de Birlstone Ridge sobre Weald é notável. Poderiam almoçar em alguma estalagem agradável. Mas, como não conheço nada por aqui, não vou fazer nenhuma indicação. À noite, cansados mas felizes...

— Olha, isso está virando piada! — exclamou MacDonald, levantando-se furioso de sua cadeira.

— Está bem. Passem o dia como quiserem — disse Holmes, batendo-lhe no ombro. — Façam o que quiserem e vão aonde desejarem, mas se encontrem comigo aqui antes de escurecer, sem falta. Sem falta, sr. MacDonald.

— Isso parece mais sensato.

— Era excelente a ideia que eu dei, mas não insisto, desde que o senhor esteja aqui quando eu precisar. Mas agora, antes de nos separarmos, quero que o senhor escreva um bilhete para o sr. Barker.

— Sim.

— Vou ditar, se o senhor preferir. Pronto?

— "Prezado senhor, lamento que tenhamos de esvaziar o fosso, na esperança de encontrar algo..."

— É impossível — disse o inspetor. — Eu investiguei.

— Ora, meu caro senhor! Por favor, faça o que lhe peço.

— "... na esperança de encontrar algo que possa ajudar em nossas investigações. Acertei tudo e os operários chegarão aí amanhã cedo..."

— Impossível!

— "... amanhã cedo, de modo que achei melhor explicar ao senhor com antecedência."

— Agora assine e mande por um portador por volta das 16 horas. A essa hora devemos nos encontrar novamente aqui. Até lá, podemos fazer o que bem entendermos, pois posso lhes garantir que esta investigação chegou ao ponto final.

Já começava a escurecer quando voltamos a nos encontrar. Holmes estava muito sério, eu me sentia curioso, e os detetives, obviamente, com um ar de censura e aborrecimento ao mesmo tempo.

— Bem, cavalheiros, pedi que viessem agora para que testem junto comigo as minhas teorias, e os senhores julgarão se as observações que fiz justificam minhas conclusões — disse meu amigo em tom grave. — Será uma noite fria e não sei quanto tempo nossa expedição irá demorar, de modo que lhes peço que vistam seus agasalhos mais quentes. É da máxima importância que estejamos no lugar certo antes que escureça. Assim, com sua permissão, começaremos imediatamente.

Fomos em direção aos limites do parque da Casa Senhorial até chegarmos a um lugar onde havia uma abertura na cerca que o rodeava. Foi por aí que entramos e então, em meio à semiescuridão daquela hora, todos nós seguimos Holmes até chegarmos a um local cheio de moitas e que fica quase em frente à porta de entrada principal e à ponte. Esta ainda não tinha sido suspensa. Holmes se abaixou atrás dos loureiros e nós três fizemos o mesmo.

— Bem, o que vamos fazer agora? — perguntou MacDonald, um tanto ríspido.

— Manter nosso espírito sossegado e fazer o mínimo de barulho — respondeu Holmes.

— Para que viemos até aqui? Eu realmente acho que o senhor deveria nos tratar com maior franqueza.

Holmes riu.

— Watson insiste em que eu sou um dramaturgo na vida real — disse ele. — Tenho mesmo um quê de artista e gosto de uma encenação bem ensaiada. Com certeza nossa profissão seria insípida e sórdida se, às vezes, não fizéssemos um pouco de encenação a fim de exaltar os resultados a que chegamos. Uma acusação brusca, um tapa brutal nos ombros, o que se pode fazer com um *dénouement* assim? Mas a dedução rápida, a armadilha sutil, certa precisão do que está para ocorrer, a defesa de teorias aparentemente ousadas, não é tudo isso que constitui o orgulho e a justificativa do nosso trabalho? No momento os senhores vibram com a fascinação da situação e com a intuição do caçador. Onde estaria essa fascinação se eu tivesse sido preciso como uma tabela de horários? Só peço um pouco de paciência, sr. Mac, e tudo se esclarecerá.

— Espero que o orgulho, a justificativa e todo o resto venham antes que a gente morra de frio — disse o detetive londrino com uma resignação divertida.

Todos nós tínhamos bons motivos para compartilhar desse desejo, pois nossa vigília era demorada e difícil. Lentamente as sombras foram caindo por sobre a comprida fachada da velha casa. Um mau cheiro carregado de umidade vinha do fosso, fazendo-nos tremer e bater os queixos. Havia uma única lâmpada no portão de entrada e um ponto de luz no escritório onde ocorrera o crime. Todo o resto estava escuro e silencioso.

— Quanto tempo isso vai durar? — perguntou o inspetor de repente. — E o que estamos esperando?

— Sei tanto quanto o senhor o tempo que isso vai demorar — Holmes respondeu com certa aspereza. — Se os criminosos programassem a hora dos seus movimentos como as ferrovias fazem, seria muito melhor para todos nós. Quanto ao que nós... Bem, isso é o que estamos esperando.

Quando ele acabou de responder, a luz amarelada do escritório foi ofuscada por alguém que passava na frente dela de um lado para outro, para lá e para cá. Os loureiros atrás dos quais nos encontrávamos ficavam bem em frente à janela e a poucos metros de distância. Ela foi aberta, fazendo ranger as dobradiças, e pudemos ver a silhueta da cabeça e dos ombros de um homem que se debruçava no peitoril e olhava a escuridão. Durante alguns minutos ele observou tudo atentamente, de modo furtivo, dissimulado, como alguém que deseja se certificar de que não há ninguém observando. Então ele se inclinou para a frente e, no absoluto silêncio, percebemos o discreto ruído de água sendo agitada. Parecia que ele estava mexendo na água com algo que tinha na mão. Então, de repente, ele puxou qualquer coisa como um pescador faz depois de fisgar um peixe: um objeto grande, redondo, que obscureceu a luz no momento em que passou pela esquadria da janela.

— Agora! — gritou Holmes. — Agora!

Ficamos todos de pé, com nossos membros entorpecidos, enquanto ele, com aquela explosão de energia que podia fazer dele em certas ocasiões o homem mais ágil e mais forte que eu já conhecera, corria pela ponte e tocava violentamente o sino. Ouviu-se o ruído de pinos sendo destravados do outro lado e o atônito Ames apareceu na porta. Holmes empurrou-o para o lado sem dizer nada, seguido por todos nós, e irrompeu no cômodo onde entrara o homem que estávamos observando.

A lamparina na mesa era a origem da claridade que havíamos visto lá de fora. Estava agora na mão de Cecil Barker, que a levantou na nossa direção quando entramos no cômodo. A luz fazia brilhar seu rosto forte, resoluto, escanhoado, e seus olhos ameaçadores.

— Com os diabos, o que significa tudo isso? — ele gritou. — O que estão procurando?

Holmes deu uma rápida olhada pelo escritório e, então, dirigiu-se rapidamente para um pacote encharcado amarrado com cordas que estava no lugar onde havia sido jogado, debaixo da escrivaninha.

— Foi atrás disso que viemos, sr. Barker. Desse pacote que contém um halter e que o senhor acabou de apanhar no fundo do fosso.

Barker olhou para Holmes mostrando surpresa em seu olhar.

— Que raios! Como o senhor ficou sabendo? — ele perguntou.

— Simplesmente porque eu coloquei isso lá no fundo.

— O senhor colocou lá! O senhor!

— Talvez eu devesse dizer "recoloquei lá no fundo" — disse Holmes. — O senhor deve se lembrar, inspetor MacDonald, de que eu estava estranhando a falta de um halter. Chamei sua atenção para isso, mas, devido à pressão de outras ocorrências, o senhor não teve muito tempo para examinar o assunto, o que lhe permitiria tirar conclusões sobre isso. Quando há água por perto e some alguma coisa pesada, não é muito difícil supor que esse objeto foi jogado na água. A ideia merecia pelo menos ser verificada. Então, com a ajuda de Ames, que me fez entrar até o escritório, e com o cabo do guarda-chuva do dr. Watson, consegui, ontem à noite, içar este pacote e inspecioná-lo. Mas era da maior importância que pudéssemos provar quem o havia colocado ali. Isso nós conseguimos por meio do simples artifício de avisar que o fosso seria esvaziado no dia seguinte, o que faria com que a pessoa que escondeu o pacote fosse certamente retirá-lo de lá quando a noite caísse e a escuridão lhe permitisse fazer isso. Temos quatro testemunhas que viram quem se aproveitou dessa oportunidade e, portanto, sr. Barker, acho que o senhor agora tem a palavra.

Sherlock Holmes colocou o pacote molhado em cima da mesa, ao lado da lamparina, e desamarrou a corda que o prendia. Do embrulho ele retirou o halter, que colocou no chão perto do outro halter, no canto do escritório. Depois, retirou um par de botas.

— Americanas, como podem ver — ele comentou, apontando para a parte da frente do calçado. Depois ele colocou na mesa uma faca comprida, dentro da bainha. Finalmente ele desamarrou uma trouxa de roupas, contendo uma muda completa de roupas de baixo, meias, um terno cinza de *tweed* e um sobretudo amarelo e curto.

— As roupas são comuns, exceto o sobretudo, que tem detalhes bem sugestivos — comentou Holmes. Ele o colocou contra a luz, enquanto seus dedos finos e compridos percorriam o casaco. — Aqui, como podem perceber, é o bolso interno, aumentado para dentro do forro de modo a dar espaço para a espingarda serrada. A etiqueta do alfaiate está no colarinho: Neale, Outfitter, Vermissa, EUA. Passei uma tarde muito proveitosa na biblioteca do pároco e aumentei meus conhecimentos ao saber que Vermissa é uma próspera cidadezinha perto de um dos mais conhecidos vales de carvão e ferro dos Estados

Unidos. Lembro-me, sr. Barker, de que o senhor associou os distritos de carvão à primeira esposa do sr. Douglas, e não seria uma dedução muito absurda dizer que as letras v.v. no cartão deixado ao lado do cadáver possam significar Vale Vermissa, ou que esse vale, que manda emissários para cometer assassinatos, possa ser o Vale do Medo de que ouvimos falar. Isso me parece razoavelmente claro. E agora, sr. Barker, acho que podemos ouvir sua explicação.

Foi um espetáculo observar o rosto expressivo de Barker durante a exposição do grande detetive. Raiva, surpresa, consternação e indecisão se alternavam. Finalmente ele se refugiou numa ironia um tanto mordaz.

— O senhor sabe tanto, sr. Holmes. Talvez fosse melhor nos contar mais — ele disse em tom de escárnio.

— Não tenho dúvida de que eu poderia contar muito mais, sr. Barker, mas teria muito mais graça vindo do senhor.

— Oh, o senhor pensa assim, é? Bem, tudo que posso dizer é que, se existe algum segredo aqui, não é meu, e não sou a pessoa que deve revelá-lo.

— Bem, se o senhor vai por esse caminho, sr. Barker, devemos mantê-lo sob vigilância até que tenhamos a autorização para prendê-lo — disse o inspetor, calmamente.

— Podem fazer o que bem entenderem — disse Barker de modo desafiador.

Pelo que tudo indicava, a conversa estava encerrada, pois bastava olhar para aquele rosto de pedra para perceber que nenhuma *peine forte et dure* o forçaria a falar contra a vontade. Mas o silêncio foi quebrado por uma voz de mulher. A sra. Douglas estivera ouvindo tudo pela porta entreaberta, e agora entrava no escritório.

— Você fez muito, Cecil — disse ela. — Não importa o que aconteça depois, mas você fez bastante por nós.

— E fez muito mesmo — comentou Sherlock Holmes em tom sério. — Desde o início eu tive muita simpatia pela senhora e devo pedir-lhe que tenha confiança em nosso bom senso e que confie plenamente na polícia. Talvez eu tenha errado ao não atender ao pedido que me fez por intermédio de meu amigo, dr. Watson, mas àquela altura eu tinha bons motivos para acreditar que a senhora estivesse diretamente envolvida no crime. Agora, garanto-lhe que já não penso assim. Ao mesmo tempo, há muita coisa ainda sem explicação e solicito encarecidamente que a senhora peça ao sr. Douglas para nos contar a história dele.

A sra. Douglas deu um grito de espanto ao ouvir as palavras de Holmes. Os detetives e eu certamente repetimos esse grito quando percebemos a presença de um homem que parecia ter saído da parede e que agora avançava, saindo da escuridão do canto do escritório de onde viera. A sra. Douglas virou-se e o abraçou. Barker apertou sua mão estendida.

— É melhor assim, Jack — sua esposa repetia. — Tenho certeza de que assim é melhor.

— Realmente é, sr. Douglas — disse Sherlock Holmes. — O senhor mesmo achará melhor.

O homem piscava enquanto nos olhava ainda meio confuso, pois saíra da escuridão para um ambiente iluminado. Era um rosto extraordinário, olhos acinzentados penetrantes, um bigode grisalho cheio e bem aparado, queixo retilíneo e saliente, e a boca com uma expressão irônica. Ele olhou detidamente para todos nós e então, para surpresa minha, avançou em minha direção e me entregou um maço de papéis.

— Ouvi falar no senhor — ele disse com um sotaque que não era inglês nem americano, mas suave e agradável. — O senhor é o historiador dessa papelada. Bem, dr. Watson, o senhor nunca teve uma história como essa em suas mãos e eu gastei meu último centavo com ela. Conte essa história do seu jeito. Mas há fatos, e o senhor não pode esconder do público. Fiquei confinado dois dias e passava as manhãs e as tardes, embora não houvesse muita claridade naquela ratoeira, pondo tudo em palavras nesses papéis. É um prazer entregá-los ao senhor; ao senhor e ao seu público. Aí está a história do Vale do Medo.

— Isso pertence ao passado, sr. Douglas — disse Sherlock Holmes com serenidade. — O que desejamos agora é ouvir sua história sobre o presente.

— Eu contarei, senhor — disse Douglas. — Posso fumar enquanto falo? Bem, obrigado, sr. Holmes. O senhor também é fumante, se me lembro bem, e pode imaginar o que é ficar sentado durante dois dias com tabaco no bolso e com medo de que o cheiro do fumo nos denuncie. — Ele se apoiou no consolo da lareira e tragou o charuto que Holmes lhe dera.

— Ouvi falar no senhor. Nunca imaginei que fosse encontrá-lo. Mas, antes de o senhor acabar de ler tudo isso, concordará que lhe trouxe algo bem diferente — disse, apontando para os papéis.

O inspetor MacDonald manteve-se o tempo todo olhando para aquele homem com uma expressão de assombro.

— Bem, não consigo entender isso! — ele finalmente gritou. — Se o senhor é John Douglas, de Birlstone, a morte de quem estamos investigando há dois dias, e de onde, afinal, o senhor apareceu agora? O senhor parece ter saído de uma cartola de mágico.

— Ah, sr. Mac, o senhor não entenderia esta nova versão do esconderijo do rei Charles — disse Holmes, sacudindo o dedo com ar de censura. — Naquele tempo as pessoas só se escondiam em lugares seguros. E um lugar que já foi usado uma vez pode ser usado de novo. Eu me convenci de que tínhamos de encontrar o sr. Douglas debaixo desse teto.

— E por quanto tempo o senhor pregou esta peça em nós, sr. Holmes? — perguntou o inspetor, furioso. — Quanto tempo o senhor deixou que perdêssemos numa busca que o senhor sabia que era ridícula?

— Nem um minuto, meu caro sr. Mac. Só ontem à noite cheguei a uma opinião sobre o caso. Como minha teoria só poderia ser provada hoje à noite, disse ao senhor e ao seu colega para tirarem uma folga durante o dia. Diga, o que mais eu poderia ter feito? Quando encontrei as roupas no fosso, imediatamente ficou claro para mim que o corpo que achamos aqui não poderia ser o do sr. John Douglas, e sim o do ciclista de Tunbridge Wells. Não era possível outra conclusão. Portanto eu tinha de descobrir onde o sr. Douglas poderia estar, e entre as várias possibilidades estava a de que, com a conivência da esposa e do amigo, ele havia se escondido nesta casa mesmo, que tem lugares adequados para abrigar um fugitivo esperando uma oportunidade melhor para fugir de vez.

— O senhor descreveu tudo muito bem — disse o sr. Douglas de modo aprovador. — Eu pensei que escaparia da legislação inglesa, pois não tinha muita certeza a respeito da minha situação em relação a ela, e além disso vi a oportunidade de afastar, de uma vez por todas, esses perdigueiros do meu rastro. Veja bem, do início ao fim não fiz nada de que tivesse de me envergonhar, e nada que não faria de novo, mas os senhores farão o seu próprio julgamento quando eu lhes contar minha história. Não se preocupe em me advertir, inspetor. Estou disposto a encarar a verdade.

— Não vou começar do princípio. Está tudo ali — indicou meu maço de folhas. — Os senhores acharão que é uma história muito estranha. Tudo se resume no seguinte: há alguns homens que têm um bom motivo para me odiar e que gastarão até o último centavo para saber que me apanharam. Enquanto eu estiver vivo e eles também, não há segurança no mundo para mim. Eles me caçaram de Chicago à Califórnia. Depois me fizeram fugir da América. Mas, quando me casei e me estabeleci aqui neste lugar, pensei que meus últimos anos seriam tranquilos. Nunca falei à minha mulher sobre isso. Como eu poderia envolvê-la numa coisa dessas? Ela jamais teria um momento de sossego. Ficaria sempre imaginando desgraças. Acho que ela sabe de alguma coisa, pois posso ter deixado escapar um comentário aqui, outro ali: mas até ontem, depois que os senhores a viram, ela jamais soube de nada. Ela lhes contou tudo que sabia, e o mesmo fez Barker, pois, na noite em que tudo aconteceu, não houve muito tempo para explicações. Agora ela sabe tudo, e teria sido mais prudente se eu tivesse contado a ela antes. Mas era um assunto tão desagradável, querida... — Ele segurou a mão dela por um instante — ... E procurei fazer o melhor.

— Bem, senhores, no dia anterior ao desses acontecimentos eu fui a Tunbridge Wells e vi de relance um homem na rua. Minha mente é rápida para essas coisas e não tive dúvida sobre quem seria ele. Era o pior inimigo que eu tinha entre todos os outros, o que ficara atrás de mim como um lobo faminto perseguindo uma rena todos esses anos. Eu logo vi que teria problemas e, então, vim para casa e me preparei para ele. Achei que podia enfrentá-lo sozinho. Houve um tempo em que a minha sorte era conhecida nos Estados Unidos. Nunca duvidei de que essa sorte ainda estivesse do meu lado.

— Fiquei alerta durante todo o dia seguinte e não saí em momento algum. Isso foi bom, pois do contrário ele teria me acertado com aquela espingarda antes mesmo que eu chegasse perto dele.

Depois que a ponte foi suspensa (eu ficava mais tranquilo quando a ponte era suspensa, à noitinha) eu analisei bem o problema. Nunca imaginei que ele entraria na casa e ficaria esperando por mim. Mas, quando fiz minha ronda de roupão, como era meu costume, tão logo entrei no escritório pressenti o perigo. Acho que, quando um homem já passou por perigos na vida (e passei por perigos a maior parte da minha), há uma espécie de sexto sentido que acena a bandeira vermelha. Eu vi o sinal de maneira bem nítida e mesmo assim não sei lhes dizer por quê. Logo depois, vi a ponta de uma bota aparecendo por baixo da cortina da janela, e então entendi tudo.

— Eu tinha apenas uma vela na mão, mas entrava luz suficiente do hall pela porta, que estava aberta. Eu coloquei a vela na mesa e corri para apanhar o martelo que eu deixara sobre o consolo da lareira. Nesse instante ele saltou em cima de mim. Vi o brilho da lâmina de uma faca e parti para cima dele com o martelo. Eu o atingi em algum lugar, pois a faca fez barulho ao cair no chão. Ele fugiu para trás da mesa, rápido como uma enguia, e logo depois puxou a arma de dentro do casaco. Eu o ouvi engatilhá-la, mas eu a segurei antes que ele pudesse fazer o disparo. Eu a segurei pelo cano e lutamos durante um minuto mais ou menos. O fato de tê-la largado significou a morte para ele. Ele jamais deixara acontecer algo assim, mas deixou que a coronha ficasse para baixo durante muito tempo. Talvez tenha sido eu quem puxou o gatilho. Talvez tenha sido nossa luta que provocou o disparo. De qualquer modo, ele levou os dois tiros no rosto, e ali estava eu, olhando para o que restava de Ted Baldwin. Eu o reconheci na cidade aquele dia e novamente quando veio para cima de mim. Mas sua própria mãe não o reconheceria do modo que eu o vi naquela noite. Estou acostumado com coisas desagradáveis, mas ver aquilo realmente me fez mal.

— Eu estava apoiado na mesa quando Barker desceu correndo. Ouvi minha esposa vindo também, e então corri para a porta e a detive. Não era cena para uma mulher ver. Eu prometi que logo iria para perto dela. Falei alguma coisa com Barker (ele entendeu tudo num instante e esperamos que os outros chegassem). Mas não apareceu ninguém. Então, percebemos que eles não haviam escutado nada, e que só nós sabíamos o que acontecera.

— Foi nessa hora que tive a ideia. Fiquei encantado com a genialidade da ideia. A manga do homem estava levantada e havia a marca da Loja[2] feita a fogo. Veja aqui.

O homem que conhecíamos como Douglas suspendeu a manga do seu próprio casaco e o punho da camisa para nos mostrar um triângulo marrom dentro de um círculo, exatamente como a marca que tínhamos visto no braço do morto.

— Foi ao ver essa marca que comecei a reparar no resto. Tudo me parecia perfeito. A altura, o cabelo e o corpo se pareciam com os meus. Ninguém poderia ver o rosto dele, pobre-diabo! Eu trouxe essas roupas aqui para baixo, e em 15 minutos Barker e eu vestimos o roupão nele, e ele estava como os senhores o encontraram. Amarramos tudo num embrulho, coloquei no meio a única coisa pesada que consegui encontrar, e atirei pela janela. O cartão que ele pretendia deixar sobre o meu corpo ficou caído ao lado do dele. Meus anéis foram colocados nos dedos dele, mas, na hora da aliança, os senhores mesmos podem ver que passei dos limites — disse, levantando a mão musculosa. — Nunca a tirei desde o dia em que nos casamos e iria demorar uma eternidade para arrancá-la do meu dedo. De qualquer modo, não sei se alguma vez eu quis tirá-la, mas, se quis, não consegui. Então, tivemos de abandonar esse detalhe. Por outro lado, eu apanhei um curativo e o coloquei no lugar onde eu estou usando um. Isto, sr. Holmes, escapou até ao senhor, que é muito esperto. Pois se o senhor, por acaso, tivesse retirado o curativo, não encontraria nenhum corte por baixo dele.

— Esta era a situação. Se eu pudesse ficar escondido por algum tempo e depois fugir para um lugar onde pudesse reencontrar minha "viúva", nós finalmente teríamos a oportunidade de viver em paz pelo resto de nossas vidas. Esses demônios não me dariam descanso até que eu estivesse debaixo da terra, mas, se vissem nos jornais que Baldwin pegara o homem que queriam, isso seria o fim de todos os meus problemas. Eu não tinha muito tempo para dar explicações a Barker e a minha mulher, mas eles compreenderam o suficiente para que pudessem me ajudar. Eu sabia tudo sobre esse esconderijo e Ames

[2] O autor se refere à Loja Maçônica. (N. do T.)

também, mas nunca passou pela sua cabeça ligá-lo ao crime. Eu fui para lá e Barker ficou encarregado de cuidar do resto.

— Acho que os senhores podem deduzir o que aconteceu. Ele abriu a janela e fez a marca sobre o parapeito para dar ideia de como o assassino tinha fugido. Era uma coisa extravagante, já que a ponte estava suspensa, mas não havia outra saída. Então, depois que estava tudo arrumado, ele tocou o sino com força. O que aconteceu depois os senhores sabem. E, agora, podem fazer o que acharem melhor. Eu lhes contei a verdade, toda a verdade, portanto, que Deus me ajude! O que eu lhes pergunto agora é: como eu fico perante a legislação inglesa?

O silêncio foi quebrado por Sherlock Holmes.

— A legislação inglesa é, em princípio, uma legislação justa. O senhor não receberá dela um castigo pior do que o que merece. Mas eu gostaria de esclarecer como esse homem sabia que o senhor morava aqui, ou como entrou em sua casa, ou onde se escondeu.

— Não sei nada sobre isso.

O rosto de Holmes estava lívido e sério.

— A história não acabou ainda. Receio que não — disse ele. — O senhor pode encontrar perigos piores do que a legislação inglesa, ou piores mesmo que seus inimigos americanos. Acho que o senhor ainda corre perigo, sr. Douglas. Aceite meu conselho e continue alerta.

E, agora, leitores pacientes, vou pedir-lhes que venham comigo até um lugar bem distante da Casa Senhorial, de Birlstone, e distante também do ano da graça no qual fizemos nossa movimentada viagem, que terminou com a estranha história do homem conhecido como John Douglas. Desejo que vocês recuem uns vinte anos no tempo, e alguns quilômetros para o oeste, pois assim poderei apresentar-lhes uma narrativa estranha e terrível, tão estranha e tão terrível que vocês podem achar difícil acreditar que tenha acontecido do modo como vou contar. Não pensem que vou começar uma história sem terminar a outra. À medida que vocês lerem, perceberão que não é isso. E, quando eu tiver descrito esses fatos tão distantes no tempo e no espaço e vocês tiverem esclarecido esse mistério do passado, vamos nos encontrar novamente na Baker Street, onde tudo isso, assim como muitos outros acontecimentos extraordinários, chegará ao seu fim.

Segunda parte:
Os Scowrer

1

O HOMEM

Era o dia 4 de fevereiro do ano de 1875. O inverno fora rigoroso e a neve cobria todos os desfiladeiros das montanhas Gilmerton. Mas a máquina limpa-trilhos tinha mantido a estrada de ferro aberta e o trem noturno que liga a região de mineração à das instalações siderúrgicas arrastava-se pesadamente pela subida íngreme que vai de Stagville, na planície, a Vermissa, a cidade principal que fica no alto do Vale Vermissa. A partir desse ponto a ferrovia desce na direção de Bartons Crossing, Helmdale, e do condado de Merton, que é uma área exclusivamente agrícola. Era uma ferrovia de apenas uma linha, mas a cada entroncamento, e eles são numerosos, longas filas de vagões carregados com carvão e minério de ferro revelam a riqueza oculta que trouxera uma população rude e uma vida laboriosa a esta área extremamente deserta dos Estados Unidos.

Era um lugar deserto mesmo. O primeiro aventureiro que atravessou esse lugar dificilmente poderia imaginar que os prados mais bonitos e as pastagens mais viçosas não tinham valor algum se comparados com aquela terra triste de montanhas escuras e florestas densas. Acima da mata escura e quase impenetrável nas suas encostas, os cumes altos e lisos das montanhas, recobertos de neve, sobressaíam, deixando no centro um vale comprido, tortuoso e fechado. Acima do vale o pequeno trem se arrastava.

As lâmpadas a óleo tinham acabado de ser acesas no teto do vagão de passageiros, um vagão comprido e simples no qual estavam sentadas vinte ou trinta pessoas. A maioria dessas pessoas eram trabalhadores que voltavam do trabalho árduo na parte mais baixa do vale. Pelo menos uma dúzia deles, pelo rosto austero e pelas lanternas que traziam, demonstrava ser mineiros. Estavam sentados em grupo, fumando, e conversavam em voz baixa, olhando ocasionalmente para dois homens que estavam sentados do outro lado do vagão, cujos uniformes e distintivos indicavam que eram policiais. Muitas mulheres da classe operária e um ou dois viajantes que deviam ser donos de pequenos empórios locais constituíam o resto dos passageiros, com exceção de um jovem que estava sozinho num canto do carro. É esse homem que nos interessa. Olhem bem para ele, pois vale a pena.

Ele é um jovem de aspecto saudável, altura mediana e não muito longe dos trinta anos. Tem os olhos grandes e acinzentados, sagazes, irônicos, que de vez em quando piscam de maneira inquisitiva enquanto ele observa, através dos óculos, as pessoas em volta. É fácil ver que é uma pessoa sociável e possivelmente simples, ansioso para ser cordial com os demais. Qualquer um o tomaria por uma pessoa gregária e comunicativa, esperta e de sorriso fácil. Ainda assim, quem o examina mais detidamente pode perceber uma certa firmeza em seu queixo e uma rigidez nos lábios que seriam uma advertência de que há muita coisa por trás da fachada desse simpático escocês de cabelo castanho, e que ele é capaz de deixar sua marca, boa ou má, em qualquer sociedade em que seja introduzido.

Depois de fazer um ou dois comentários com o mineiro mais próximo, na tentativa de aproximação, e recebendo apenas respostas curtas e não muito corteses, recolheu-se a um silêncio forçado, olhando pela janela a paisagem quase sem alteração. Não era uma imagem alegre. Em meio à crescente escuridão, o brilho vermelho das fornalhas pulsava nos lados das montanhas. Grandes quantidades de restos de carvão saíam dos dois lados e acima ficava o carvão que ainda seria queimado. Grupos desordenados de casas de madeira, cuja luz das janelas começava a mostrar seu contorno, apareciam aqui e ali ao longo da linha, e as muitas estações que havia no percurso estavam apinhadas de gente de pele escura. Os vales de ferro e de carvão do distrito de Vermissa não eram lugares frequentados por pessoas a passeio ou requintadas. Em toda parte havia sinais característicos da existência de uma luta dura pela vida, um trabalho árduo a ser feito, e os trabalhadores fortes e rudes que o executavam.

O jovem viajante olhava aquela terra sombria com um misto de repulsa e interesse, o que revelava que o cenário era novo para ele.

De tempos em tempos tirava do bolso uma carta volumosa da qual lia alguns trechos e em cuja margem fazia anotações. A certa altura ele retirou da parte de trás da cintura algo que ninguém poderia imaginar estar nas mãos de um homem tão distinto como aquele. Era um revólver bem grande. Quando ele o segurou inclinado contra a luz, o reflexo sobre a borda das cápsulas no tambor mostrou que ele estava carregado com todas as balas. Ele o recolocou rapidamente no seu bolso secreto, mas não antes de o revólver ter sido notado pelo trabalhador que se sentara no banco em frente.

— Olá, companheiro! — disse ele. — Você parece bem armado.

O jovem sorriu um pouco constrangido.

— É — disse ele. — Às vezes precisamos disso no lugar de onde venho.

— E onde será isso?

— Venho de Chicago.

— Um estranho por aqui?

— É.

— Talvez você também precise dele aqui — disse o operário.

— Será?

O jovem parecia interessado.

— Não ouviu falar da vida aqui?

— Nada de especial.

— Puxa! Pensei que o país inteiro soubesse. Você logo ficará sabendo. Por que você veio?

— Disseram que sempre havia serviço para um homem trabalhador.

— Você é do sindicato?

— Sou.

— Então, acho que vai conseguir trabalho. Tem amigos por aqui?

— Ainda não, mas tenho como fazê-los.

— De que maneira?

— Sou membro da Venerável Ordem dos Homens Livres. Não há cidade onde não exista uma Loja. E na Loja encontrarei meus amigos.

Essa referência teve um efeito singular no outro. Ele olhou de modo desconfiado para as outras pessoas que estavam no vagão. Os mineiros continuavam cochichando entre si. Os dois policiais estavam cochilando. Então ele se levantou, sentou-se ao lado do jovem viajante e estendeu a mão.

— Toque aqui — ele disse.

Os dois cumprimentaram-se.

— Vejo que você fala a verdade. Mas é melhor me certificar.

Ele levantou a mão direita até a sobrancelha direita. O jovem viajante imediatamente levantou a mão esquerda e a colocou sobre a sobrancelha esquerda.

— As noites escuras são desagradáveis... — disse o operário.

— ...Para um estranho viajar — o outro completou.

— Isso basta. Sou o Irmão Scanlan, Loja 341, Vale Vermisssa. Prazer em vê-lo por aqui.

— Obrigado. Sou o Irmão John McMurdo, Loja 29, Chicago. Chefe J. H. Scott. Estou feliz por encontrar um irmão tão depressa.

— Bem, há muitos por aqui. Em nenhum lugar dos Estados Unidos você encontrará a Ordem em tão franca expansão como aqui no Vale Vermissa. Mas podemos dar um jeito para você. Não posso entender que um sujeito esperto como você, sendo do sindicato, não encontre trabalho em Chicago.

— Achei muito trabalho ali — disse McMurdo.

— Então por que saiu de lá?

McMurdo fez um sinal com a cabeça apontando os policiais e sorriu.

— Acho que esses caras gostariam muito de saber — disse ele.

Scanlan murmurou em tom amistoso:

— Alguma encrenca? — perguntou.

— Muito séria.

— Você *puxou* pena?

— É, e todo o resto.

— Foi assassinato?

— É muito cedo para falar dessas coisas — disse McMurdo, como alguém que fora surpreendido falando mais do que deveria. — Tenho boas razões pra sair de Chicago, e para você isso é o bastante. Quem é você para ficar perguntando essas coisas?

Por trás dos óculos, seus olhos cinzentos brilharam com um ódio repentino e perigoso.

— Tudo bem, companheiro. Não se ofenda. Os rapazes não vão pensar nada de mal sobre você, seja lá o que você tenha feito. Para onde pretende ir agora?

— Para Vermissa.

— É a terceira parada. Onde vai ficar?

McMurdo puxou um envelope e o aproximou da fraca lâmpada a óleo.

— Aqui está o endereço: Jacob Shafter, Sheridan Street. É uma pensão que me foi recomendada por um homem que conheci em Chicago.

— Eu não conheço, mas Vermissa está fora do meu setor. Moro em Hobson's Patch e é aqui que vamos nos despedir. Mas quero lhe dar um conselho antes de nos separarmos. Se você tiver algum problema em Vermissa, vá direto procurar o chefe McGinty. Ele é o chefe da Loja de Vermissa e nada acontece por lá sem que ele queira. Até logo, companheiro. Talvez nos encontremos na Loja uma noite dessas. Não se esqueça do que eu disse: se tiver algum problema, vá procurar o chefe McGinty.

Scanlan desceu e McMurdo ficou novamente entregue aos seus pensamentos. A noite já caíra e as chamas da fornalha rugiam e saltavam com estrépito no meio da escuridão. Com esse fundo sonoro lúgubre, sombras escuras dobravam-se e esticavam-se, retorciam-se e viravam-se, com o movimento das manivelas, ao ritmo de um ruído incessante.

— Acho que o inferno deve ser mais ou menos assim — disse uma voz.

McMurdo virou-se e viu que um dos policiais se ajeitara no banco e olhava a paisagem árida.

— Por isso, acho que o inferno deve ser assim — disse o outro policial. — Se lá embaixo for pior que isso, então é muito pior do que eu imagino. Acho que você é novo por aqui, rapaz.

— Bem, e se eu for? — McMurdo respondeu com rispidez.

— Apenas isso, senhor: deve ter cuidado com os amigos que escolhe. Se eu fosse você, não começaria com Mike Scanlan e sua gangue.

— O que você tem a ver com os meus amigos? — McMurdo disse numa voz tão alterada que todos que estavam no vagão viraram-se para ver o que acontecia. — Pedi algum conselho, ou você acha que sou idiota e não sei me virar sem você? Fale apenas quando lhe perguntarem alguma coisa, e, juro por Deus, se dependesse de mim, você ia esperar muito para falar.

Ele encarou o policial e lhe mostrou os dentes como um cão ao rosnar.

Os dois policiais, homens pacatos e de boa índole, ficaram perplexos com a veemência com que seus conselhos bem-intencionados foram rejeitados.

— Não se ofenda, estrangeiro — disse um deles. — Era um aviso para o seu próprio bem, já que você é, como se pode ver, novo por aqui.

— Sou novo por aqui, mas não sou novo para você nem para gente do seu tipo — gritou McMurdo, furioso. — Acho que vocês são iguais em todos os lugares, impondo seus conselhos quando ninguém pediu.

— Talvez nos encontremos em breve — disse um dos guardas, sorrindo. — Você foi realmente escolhido a dedo.

— Eu estava pensando a mesma coisa — observou o outro. — Acho que vamos nos encontrar novamente.

— Não tenho medo de vocês. Não se enganem — gritou McMurdo. Meu nome é Jack McMurdo, ouviram? Se quiserem me achar, vou ficar na pensão de Jacob Shafter, na Sheridan Street, Vermissa. Não estou me escondendo de vocês, ouviram? Não se enganem quanto a isso.

Houve um murmúrio de simpatia e admiração dos mineiros devido ao comportamento destemido do recém-chegado, enquanto os policiais davam de ombros e voltavam a conversar entre eles. Pouco depois o trem entrava na estação mal-iluminada, surgindo logo a seguir uma grande claridade, pois Vermissa era a maior cidade daquele circuito. McMurdo pegou sua valise de couro e já ia saltar quando um dos mineiros o abordou.

— Puxa, companheiro, você sabe mesmo como falar com os tiras — disse numa voz que denotava admiração. — Foi um prazer ouvi-lo. Deixe-me carregar sua bagagem e lhe mostrar o caminho. Vou passar pela casa de Shafter no caminho para minha casa.

Seguiu-se um coro amistoso de "boa noite" quando os outros mineiros passaram por eles na plataforma. Antes mesmo de pisar na estação, o violento McMurdo transformara-se numa personalidade em Vermissa.

O campo fora um lugar de terror, mas a cidade era, a seu modo, até mais depressiva. Lá embaixo, ao longo do vale, havia pelo menos um certo esplendor nos gigantescos fornos e nas nuvens de fumaça, enquanto a força e a perseverança do homem encontravam monumentos adequados nas montanhas que ele vasculhara em escavações monstruosas. Mas a cidade tinha um aspecto morto, feio e sórdido. A rua principal, devido ao tráfego, transformara-se numa massa de neve enlameada e marcada pelo sulco das rodas dos veículos. As calçadas eram estreitas e irregulares. O grande número de lâmpadas a óleo servia apenas para mostrar mais nitidamente a série de casas de madeira, cada uma delas com sua varanda dando para a rua, maltratada e suja. Ao se aproximarem do centro da cidade, o cenário clareava devido à existência de uma série de lojas bem-iluminadas, e principalmente por um aglomerado de *saloons* e casas de jogo, onde os mineiros gastavam seu dinheiro suado, mas pago de forma generosa.

— Ali é o sindicato — disse o guia, apontando para um *saloon* que tinha uma aparência quase tão distinta quanto a de um hotel. — Jack McGinty é o chefe aí.

— Que tipo de homem ele é? — perguntou McMurdo.

— O quê? Você nunca ouviu falar no chefe?

— Como é que eu poderia ter ouvido falar nele se sou novo aqui?

— Bem, pensei que o nome dele fosse conhecido em todo o país. O nome dele sai sempre nos jornais.

— Por quê?

— Bem, por causa dos negócios — o mineiro baixou a voz.

— Que negócios?

— Ah, meu bom Deus! Você parece inocente, se é que posso dizer isso sem ofendê-lo. Só há um tipo de negócios sobre o qual você ouvirá falar aqui. É sobre os negócios dos Scowrer.

— Acho que li alguma coisa sobre os Scowrer em Chicago. É um grupo de assassinos, não é?

— Cala a boca! — gritou o mineiro, parando e olhando perplexo para seu acompanhante. — Moço, você não vai durar muito por aqui se falar assim no meio da rua. Muitos homens morreram por muito menos.

— Bem, não sei nada sobre eles. É apenas o que eu li.

— Não estou dizendo que você não tenha lido a verdade. — O homem olhava em volta com nervosismo enquanto falava, perscrutando as sombras como se tivesse medo de ver um perigo qualquer à espreita. — Se matar é assassinato, então Deus sabe que há assassinatos. Mas não ouse ligar o nome de Jack McGinty aos assassinatos, estrangeiro, pois tudo que se fala chega aos ouvidos dele, e ele não é do tipo que perdoa. Bem, é essa a casa que você estava procurando. Vai encontrar o velho Jacob Shafter, que administra sua pensão da mesma forma honesta como vive.

— Muito obrigado — disse McMurdo e, apertando a mão do novo conhecido, pegou a valise e tomou o caminho que dava na casa, em cuja porta ele bateu com força. A porta foi aberta imediatamente por alguém muito diferente do que ele esperava.

Era uma mulher, jovem e muito bonita. Era do tipo alemão, loura e de pele clara, com o atraente contraste de bonitos olhos escuros com os quais ela examinou o estranho com surpresa e um agradável embaraço, que trouxe um pouco de cor à sua pele clara. Emoldurada pela luminosidade da porta aberta, pareceu a McMurdo que jamais vira uma mulher mais bonita; mais bonita ainda pelo contraste com a tristeza do lugar. Uma linda violeta desabrochando no meio da sujeira das minas não teria parecido mais surpreendente. Tão fascinado ele estava que ficou parado olhando para ela sem dizer nada, e foi ela quem quebrou o silêncio.

— Pensei que fosse o papai — disse ela, com um leve e agradável sotaque alemão. — O senhor veio falar com ele? Ele foi ao centro. Deve voltar a qualquer momento.

McMurdo continuou a olhá-la com franca admiração até que ela baixou os olhos, confusa diante de um visitante tão desconcertante.

— Não, senhorita — disse ele, finalmente. — Não tenho pressa. Recomendaram-me a sua casa para me instalar. Achei que seria um bom lugar e agora tenho certeza de que será.

— O senhor se decide muito depressa — ela disse com um sorriso.

— Só um cego não faria o mesmo — respondeu. Ela riu ao ouvir o elogio.

— Entre, senhor — disse ela. — Meu nome é Ettie Shafter, a filha do sr. Shafter. Minha mãe morreu e eu tomo conta da casa. Sente-se perto do fogo, na outra sala, até meu pai voltar. Ah, aí está ele. Então o senhor pode acertar tudo com ele.

Um homem grande, já idoso, vinha subindo a escada da casa. Em poucas palavras McMurdo explicou sua situação. Um homem chamado Murphy dera o endereço da pensão, em Chicago. Essa pessoa tinha recebido a indicação de outra pessoa. O velho Shafter era objetivo. O estrangeiro não reclamou de nada, aceitando de imediato todas as condições, e, aparentemente, dinheiro não era problema. Por 12 dólares cada semana, pagos antecipadamente, ele teria casa e comida. Foi assim que McMurdo, o fugitivo confesso da Justiça, instalou-se sob o teto dos Shafters, a primeira etapa de uma longa e nebulosa série de acontecimentos que terminaram num lugar muito distante.

2

O CHEFE

McMurdo era um homem que fazia rapidamente seu nome. Onde quer que estivesse, as pessoas em volta passavam a conhecê-lo. Em apenas uma semana ele se tornara o mais notório dos moradores da casa de Shafter. Havia cerca de 10 ou 12 hóspedes, mas eram todos trabalhadores honestos ou funcionários das lojas, de uma formação muito diferente daquela do jovem escocês. À noite, quando todos se reuniam, as brincadeiras dele eram as mais vivas, sua conversa, a mais brilhante, e sua canção, a melhor. Sua alegria era inata e seu magnetismo atraía o bom humor de todos que estivessem a seu redor. Mesmo assim, ele mostrava diversas vezes, como fizera no trem, uma capacidade de se enfurecer subitamente e de modo violento, o que lhe valia o respeito e mesmo o temor dos que o viam assim. Com relação à lei e a todas as pessoas ligadas a ela, exibia, também, um cáustico desprezo que encantava alguns dos seus companheiros de pensão e alarmava outros.

Logo de início ele deixou bem claro, por sua admiração incontida, que a filha do dono da pensão conquistara seu coração no instante em que pusera os olhos em sua beleza e graça. Ele não era um pretendente tímido. No segundo dia, dissera-lhe que a amava, e daí em diante repetia a mesma história com absoluto descaso pelo que ela pudesse dizer para desencorajá-lo.

— Existe outro? — ele examinava. — Bem, pior para esse outro! Ele que se cuide. Vou perder a chance da minha vida e deixar morrer os desejos do meu coração por causa de outro? Você pode continuar a dizer não, Ettie! Chegará o dia em que você dirá sim, e sou suficientemente jovem para esperar.

Ele era um pretendente perigoso, com a língua escocesa muito loquaz e seus modos lisonjeiros. Havia nele também aquele fascínio da experiência e de mistério que atrai o interesse de uma mulher e, finalmente, seu amor. Ele podia falar dos maravilhosos vales de County Monaghan, de onde viera, da encantadora e distante ilha, os pequenos montes e verdes prados que pareciam ainda mais belos quando a imaginação os via daqui dessa terra suja e cheia de neve. De repente ele começava a falar nas cidades do norte, de Detroit e dos campos madeireiros de Michigan, de Buffalo e, finalmente, de Chicago, onde ele trabalhara numa serraria. E depois vinha a insinuação de romances, a sensação de que coisas fantásticas haviam acontecido com ele naquela cidade grande, coisas tão fantásticas e íntimas que não podiam nem ser contadas. Ele falou com nostalgia de uma partida súbita, rompimento de antigos laços, um recomeço num mundo diferente que acabou sendo nesse vale sombrio, e Ettie escutava, seus olhos negros brilhando com pena e simpatia, esses dois sentimentos que podem se transformar tão rapidamente e tão naturalmente em amor.

McMurdo conseguira um emprego temporário como guarda-livros, pois era um homem muito bem preparado. Isso o mantinha fora de casa a maior parte do dia, e não encontrara tempo ainda para ir falar com o chefe da Loja da Venerável Ordem dos Homens Livres. Mas ele foi lembrado da sua omissão certa noite pela visita de Mike Scanlan, o companheiro que ele conhecera no trem. Scanlan, um homem baixo de rosto severo e com olhos negros muito nervosos, pareceu contente em vê-lo novamente. Depois de um copo ou dois de uísque, ele contou o motivo de sua visita.

— McMurdo, eu me lembrava do seu endereço e então tomei a liberdade de procurá-lo — ele disse. — Estou surpreso por você ainda não ter ido procurar o chefe. Por que, afinal, você não foi ver o chefe McGinty?

— Eu precisava arranjar um emprego. Andei ocupado.

— Você tem de encontrar tempo para ele, mesmo que não tenha tempo para nada mais. Meu Deus! Cara, você é louco de não ter ido ao sindicato e registrado seu nome no dia seguinte ao da sua chegada aqui! Se você entrar em choque com ele... Bem, você não *deve* entrar em choque. É tudo.

McMurdo mostrou-se um tanto surpreso.

— Sou membro da Loja há mais de dois anos e nunca ouvi falar que as tarefas fossem tão urgentes assim.

— Talvez não sejam em Chicago!

— Bem, aqui é a mesma sociedade.

— É? — Scanlan o encarou demoradamente. Havia algo de sinistro em seu olhar.

— Não é?

— Você me dirá se é daqui a um mês. Eu soube que você conversou com os guardas depois que eu saltei do trem.

— Como você ficou sabendo?

— Oh, a notícia se espalhou. Por aqui as coisas boas e as más se espalham.

— Bem, é verdade. Eu disse àqueles cachorros o que achava deles.

— Meu Deus! McGinty vai gostar muito disso!

— Ele também odeia a polícia? — Scanlan deu uma boa gargalhada.

— Vá conhecê-lo, camarada — disse ele, preparando-se para ir embora. — Não é a polícia que ele odeia, mas odiará você, se não for lá! Agora ouça o conselho de um amigo e vá imediatamente!

Por acaso, na mesma noite, McMurdo teve outra visita mais incisiva que insistiu para que ele fizesse a mesma coisa. Talvez suas atenções para com Ettie estivessem mais evidentes do que antes, ou que elas tenham sido percebidas pelo bom hospedeiro alemão; mas, qualquer que tenha sido a causa, o dono da pensão chamou o jovem ao seu escritório e foi direto ao assunto.

— Parece-me que o senhor está de olho na minha Ettie — disse ele. — É verdade ou estou enganado?

— Sim, é verdade — o jovem respondeu.

— Bem, desejo lhe dizer de saída que não é possível. Alguém chegou na sua frente.

— Ela me disse.

— Pode ter certeza de que lhe disse a verdade! Mas ela lhe disse quem era?

— Não. Eu perguntei, mas ela não quis dizer.

— Eu não ousarei dizer. Talvez ela não quisesse assustá-lo.

— Assustar! — McMurdo ficou irritado na mesma hora.

— É verdade, meu amigo! Não precisa se envergonhar por ter medo dele. É Teddy Baldwin.

— E quem é esse cara, afinal?

— É o chefe dos Scowrer.

— Scowrer! Já ouvi falar neles. Todo mundo fala em Scowrers, mas sempre sussurrando. Do que é que todos vocês têm medo? Quem são os Scowrer?

O dono da pensão instintivamente baixou a voz, como faziam todos ao falar sobre a terrível sociedade.

— Os Scowrer são a Venerável Ordem dos Homens Livres — disse ele.

O jovem se assustou.

— E daí? Eu sou membro da Ordem.

— O senhor?! Eu jamais o receberia em minha casa se soubesse disso. Nem se o senhor pagasse cem dólares por semana.

— O que há de errado com a Ordem? Ela só faz caridade e reúne as pessoas que são membros.

— Pode ser assim em outros lugares. Não aqui!

— Como é aqui?

— Uma sociedade de extermínio, é isso que ela é.

McMurdo riu, incrédulo.

— Como o senhor prova isso? — ele perguntou.

— Provar! Não há cinquenta assassinatos que provem isso? O que me diz de Milman e Van Shorst, e a família Nicholson, e o velho sr. Hyam, e o pequeno Billy James e os outros? Provar! Será que existe alguém neste vale que não a conheça?

— Veja bem... — disse McMurdo em tom sério. — Quero que o senhor retire o que disse ou então explique melhor. O senhor tem de fazer alguma coisa antes de eu sair desta sala. Ponha-se no meu lugar. Estou na cidade há pouco tempo. Pertenço a uma sociedade que conheço apenas como uma entidade inocente. O senhor a encontra no país inteiro, sempre atuando de modo inocente. Agora que estou pensando em me filiar à Loja daqui, o senhor me diz que ela é uma sociedade de extermínio chamada Scowrer. Acho que o senhor me deve uma desculpa ou uma explicação, sr. Shafter.

— Só posso lhe dizer o que todo mundo sabe, senhor. Os chefes de uma sociedade são os chefes da outra. Se o senhor ofender um, é o outro que vai acertá-lo. Temos muitas provas disso.

— Isso não passa de mexerico! Quero provas! — disse McMurdo.

— Se o senhor ficar aqui muito tempo, terá as provas. Mas esqueci que é um deles. Logo, será tão mau quanto os outros. Mas terá de achar outra pensão. Não posso mantê-lo aqui. Já não basta ter um deles cortejando minha Ettie sem que eu ouse afastá-lo, e ainda ter outro hospedado em minha casa? Bem, o senhor só dorme aqui esta noite.

McMurdo viu que estava sendo afastado tanto do seu quarto confortável quanto da mulher que amava. Ele a encontrou sozinha na sala de estar naquela mesma noite e contou a ela os seus problemas.

— Na verdade, seu pai acaba de me contar — disse ele. — Eu não ligaria muito se fosse apenas pelo quarto. Acredite, Ettie, embora eu a conheça há apenas uma semana, você é o ar que eu respiro e não posso viver sem você.

— Calma, sr. McMurdo! Não fale assim! — disse a moça. — Eu já lhe falei que o senhor chegou tarde demais, não falei? Há um outro, e, embora eu não tenha prometido me casar com ele logo, não posso prometer isso a outro.

— Suponha que eu tivesse sido o primeiro, Ettie. Eu teria chance?

A moça enfiou o rosto nas mãos.

— Eu desejaria que o senhor *tivesse* sido o primeiro — ela disse, soluçando.

McMurdo imediatamente ajoelhou-se diante dela.

— Pelo amor de Deus, Ettie, esqueça tudo isso! — ele gritou. — Você vai estragar sua vida e a minha por causa dessa promessa? Siga a vontade do seu coração, puxa! É um guia muito mais seguro do que qualquer promessa feita antes que você soubesse o que estava dizendo.

Ele segurava a mão branca de Ettie entre as suas mãos fortes e morenas.

— Diga que você será minha, e nós enfrentaremos isso juntos.

— Longe daqui?

— Não, aqui.

— Não, não, Jack — os braços dele a envolviam agora. — Não poderia ser aqui. Você não poderia me levar para longe?

O rosto de McMurdo mostrou hesitação por um instante, mas acabou ficando rijo como granito.

— Não, aqui — disse ele. — Vou lutar por você contra o mundo, Ettie, aqui mesmo onde estamos!

— Por que não vamos embora?

— Não, Ettie. Não posso ir embora.

— Por quê?

— Eu nunca mais ergueria minha cabeça novamente se sentisse que tive de fugir daqui. Além do mais, ter medo do quê? Não somos pessoas livres num país livre? Se você me ama e eu a amo, quem ousará se intrometer?

— Você não sabe, Jack. Você está aqui há muito pouco tempo. Você não conhece Baldwin. Não conhece McGinty e os Scowrer.

— Não, não os conheço, não tenho medo deles, e não acredito neles! — disse McMurdo. — Vivi no meio de homens rudes, querida, e, em vez de ter medo deles, eram sempre eles que acabavam tendo medo de mim. Sempre, Ettie. É uma loucura! Se esses homens, como disse seu pai, cometeram crime atrás de crime nesse vale, e se todos os conhecem, por que não foram condenados? Responda-me, Ettie.

— Porque nenhuma testemunha tem coragem de depor contra eles. Quem fizesse isso não viveria um mês, se chegasse a tanto. E também porque eles têm sempre homens que juram que o acusado estava longe do local do crime. Mas certamente, Jack, você já deve ter lido sobre isso. Eu sabia que todos os jornais dos Estados Unidos contaram a respeito deles.

— Sim, eu li alguma coisa, mas pensei que não fosse verdade. Talvez esses homens tenham algum motivo para fazer o que fazem. Talvez tenham sido ofendidos e não tenham outro modo de se defender.

— Oh, Jack, não fale uma coisas dessas! É assim que ele fala, o outro!

— Baldwin... Ele fala assim?

— É por isso que eu o detesto. Oh, Jack, agora posso lhe contar toda a verdade. Eu o odeio com todas as minhas forças; mas tenho medo dele. Tenho medo por mim, mas, acima de tudo, tenho medo por meu pai. Eu sei que um grande sofrimento nos atingiria se eu ousasse dizer o que realmente sinto. Foi por isso que usei de meias-promessas para me livrar dele. Era nossa única esperança. Mas, se você me tirasse daqui, Jack, nós poderíamos levar papai conosco e viver para sempre longe do perigo desses homens cruéis.

Novamente o rosto de McMurdo mostrou hesitação e novamente ficou duro como o granito.

— Não acontecerá nada a você, Ettie. Nem a seu pai. Quanto aos homens cruéis, espero que você possa descobrir que eu sou tão mau quanto o pior deles antes de ficarmos juntos.

— Não, não, Jack! Eu confiaria em você em qualquer outro lugar.

McMurdo riu com amargura.

— Meu Deus, como você sabe pouco a meu respeito! Sua alma inocente, querida, não pode nem imaginar o que se passa na minha. Mas quem chegou aí?

A porta se abriu de repente e surgiu um rapaz empertigado com ar de superioridade. Era um jovem atraente, elegante, que tinha mais ou menos a mesma idade e compleição de McMurdo. Sob o chapéu de feltro com aba larga, que ele não se preocupara em tirar, um rosto bonito com olhos frios, dominadores, e um nariz curvo. Ele olhava de modo agressivo para o casal sentado perto da lareira.

Ettie levantara-se rapidamente, confusa e alarmada.

— Fico feliz em vê-lo, sr. Baldwin — disse ela. — O senhor chegou mais cedo do que eu esperava. Entre e sente-se.

Baldwin estava parado no mesmo lugar, com as mãos na cintura, olhando para McMurdo.

— Quem é ele? — perguntou secamente.

— Um amigo meu, sr. Baldwin. Um novo inquilino. Sr. McMurdo, posso apresentá-lo ao sr. Baldwin?

Os dois jovens cumprimentaram-se com um aceno de cabeça não muito cortês.

— Talvez a srta. Ettie tenha lhe contado o que há entre nós — disse Baldwin.

— Não pensei que houvesse alguma coisa entre vocês dois.

— Não? Pode pensar a partir de agora. Fique sabendo que essa garota é minha. E você vai achar que a noite está ótima para dar um passeio.

— Obrigado. Não estou com vontade de caminhar.

— Não está? — os olhos selvagens do homem brilharam de raiva. — Talvez esteja com vontade de lutar, sr. Inquilino.

— E estou mesmo! — exclamou McMurdo, ficando de pé. — Você nunca falou uma coisa tão certa.

— Pelo amor de Deus, "Jack"! Oh, pelo amor de Deus! — gritava a pobre e confusa Ettie. — Oh, Jack, Jack — ele vai machucá-lo!

— Ah, é de «Jack» que você o chama? — disse Baldwin, praguejando. — Já está assim, é?

— Oh, Ted, seja razoável, seja cortês! Por mim, Ted, se é que você me ama, tenha um bom coração e perdoe.

— Eu acho, Ettie, que se você nos deixasse sozinhos, poderíamos resolver isso — disse McMurdo com tranquilidade. — Ou talvez, sr. Baldwin, o senhor prefira dar uma volta comigo na rua. Está uma noite linda. Há uns espaços vazios no próximo quarteirão.

— Eu vou acertar as contas com você sem ter que sujar as minhas mãos — disse o outro. — Você vai se arrepender de ter posto os pés nesta casa antes de eu acabar com você.

— Não há melhor hora do que agora! — gritou McMurdo.

— Eu mesmo escolho a hora certa, senhor. Deixe isso por minha conta. Veja isso! — ele levantou a manga e mostrou no antebraço um sinal estranho que parecia ter sido marcado a fogo. Era um círculo com um triângulo em seu interior. — Sabe o que significa isso?

— Não sei nem quero em saber!

— Bem, você ficará sabendo. Isso eu lhe prometo. Não vai demorar muito tempo. Talvez a srta. Ettie possa dizer-lhe algo sobre isso. Quanto a você, Ettie, voltará para mim de joelhos. Ouviu bem? De joelhos! E então eu lhe direi qual será o seu castigo. Você plantou: juro por Deus que verei você colhendo os frutos do que semeou! — ele olhou para os dois com expressão de fúria. Então, virou-se e pouco depois a porta da rua bateu.

Durante alguns minutos McMurdo e a moça ficaram calados. Depois ela lançou seus braços em volta dele.

— Oh, Jack, como você foi corajoso! Mas não adianta nada. Tem de ir embora! Hoje ainda, Jack. Hoje ainda! É sua única esperança. Ele acabará com a sua vida. Vi isso nos olhos dele. Que chance você tem contra uma porção deles, com o chefe McGinty e toda a força da Loja por trás deles?

McMurdo afastou os braços dela, beijou-a e levou-a gentilmente até uma cadeira.

— Puxa! Não fique perturbada nem tema nada por mim. Eu sou da Loja. Acabei de contar isso ao seu pai. Talvez eu não seja melhor do que os outros, portanto não pense que eu sou um santo. Talvez você também me odeie agora que lhe contei isso.

— Odiá-lo, Jack?! Enquanto eu viver, jamais poderei sentir isso por você. Já ouvi falar que não há nada de mais em pertencer à Loja em outros lugares, a não ser aqui. Então, por que eu haveria de pensar mal de você? Mas, se você pertence à Loja, Jack, por que não vai se apresentar ao chefe McGinty? Depressa, Jack, depressa! Conte sua versão primeiro, ou então aqueles miseráveis o pegarão.

— Eu estava pensando na mesma coisa — disse McMurdo. — Vou lá agora mesmo tratar disso. Você pode dizer ao seu pai que dormirei aqui esta noite e que amanhã cedo procurarei outro lugar para ficar.

O bar do *saloon* de McGinty estava superlotado como sempre, pois era o local preferido pelos piores elementos da cidade. O homem era popular, porque tinha uma aparência rude e jovial que servia de máscara para encobrir muita coisa. Mas, fora sua popularidade, o medo que tinham dele em toda a cidade, e, na verdade, num raio de quarenta quilômetros, que incluía o vale e além das montanhas que o delimitavam dos dois lados, era suficiente para manter seu bar cheio, pois ninguém podia se dar ao luxo de dispensar sua benevolência.

Além dessas forças secretas, que todos acreditavam que ele exercia de modo impiedoso, ele era um alto funcionário público, um membro do conselho municipal e um comissário de estradas, eleito pelos votos dos malfeitores que, por sua vez, esperavam favores em troca. Os impostos e as taxas eram enormes, os serviços públicos eram notoriamente negligenciados, a contabilidade era aprovada por auditores subornados, e os cidadãos decentes eram obrigados a pagar subornos e ficar calados a fim de que algo pior não se abatesse sobre eles. Foi assim que, ano após ano, os alfinetes de diamante de McGinty tornaram-se maiores; as correntes de ouro, mais pesadas e atravessadas num colete mais elegante; e seu *saloon* se expandia até ameaçar englobar todo um lado do quarteirão da Market Square.

McMurdo empurrou a porta de vaivém do *saloon* e abriu caminho entre a multidão de homens que estava ali dentro, numa atmosfera carregada de fumaça de tabaco e com forte cheiro de álcool. O lugar era muito iluminado e os grandes espelhos que havia em cada parede multiplicavam a iluminação espalhafatosa. Havia vários garçons em manga de camisa preparando bebidas para os clientes, que se amontoavam no grande balcão de metal. No canto do *saloon*, com o corpo apoiado numa barra e um charuto enfiado no canto da boca, estava um homem alto, forte e musculoso que só podia ser o próprio McGinty. Ele era um gigante de bastos cabelos negros, com a barba cerrada e uma mecha de cabelo caindo sobre o colarinho. Tinha a cor morena dos italianos, e seus olhos negros eram estranhamente sem brilho, e, combinados com um ligeiro estrabismo, davam-lhe uma aparência sinistra. Tudo o mais (suas proporções perfeitas, suas feições finas e seu modo franco) combinava com o jeito jovial que forjava. Aqui está, alguém poderia dizer, um sujeito honesto e fanfarrão, que tem um coração magnânimo apesar das palavras rudes que diz. Somente quando aqueles olhos negros sem brilho, profundos e impiedosos, voltavam-se para alguém é que a pessoa se encolhia toda, sentindo que estava frente a frente com uma infinita possibilidade de um demônio latente, com uma força, uma coragem e uma astúcia por trás que o tornavam mil vezes mais mortal.

Depois de olhar bem para esse homem, McMurdo abriu caminho de modo rude, com sua audácia descuidada, e chegou até o pequeno grupo de bajuladores que cercava servilmente seu chefe poderoso, rindo de maneira estrondosa ao menor gracejo que ele fizesse. Os atrevidos olhos acinzentados do jovem estranho encararam sem medo, através dos óculos, aqueles olhos negros sem brilho que se voltaram bruscamente para ele.

— Bem, rapaz, não consigo me lembrar de você.

— Sou novo aqui, sr. McGinty.

— Não é tão novo que não possa chamar um cavalheiro pelo seu título.

— Ele é o Conselheiro McGinty, rapaz — disse alguém do grupo.

— Desculpe, conselheiro. Não conheço bem os costumes do lugar. Mas fui aconselhado a procurá-lo.

— Bem, aqui estou. Isso aqui é tudo. O que acha de mim?

— Ainda é cedo. Se seu coração for tão grande quanto o seu corpo, e sua alma tão boa quanto seu rosto, então não pediria mais nada — disse McMurdo.

— Puxa! Você tem um forte sotaque escocês — disse o dono do *saloon*, sem saber se deveria brincar com aquele visitante audacioso ou corresponder à sua dignidade. — Então você se acha capaz de dar opinião sobre a minha aparência?

— Claro.

— E lhe disseram para me procurar?

— Sim.

— E quem lhe disse isso?

— O Irmão Scanlan, da Loja 341, Vermissa. Bebo à sua saúde, conselheiro, e ao nosso encontro. — Ele ergueu o copo que lhe haviam servido e bebeu, levantando o dedo mínimo.

McGinty, que o observava atentamente, ergueu suas grossas sobrancelhas negras.

— Oh, então é isso? — disse ele. — Terei de examinar isso melhor, senhor...

— McMurdo.

— Um pouco melhor, sr. McMurdo, porque não confiamos nas pessoas por aqui, e nem acreditamos em tudo que nos dizem. Venha um minuto até aqui, atrás do bar.

Havia uma sala pequena cheia de barris. McGinty fechou a porta com todo o cuidado e, então, sentou-se num dos barris, mordendo o charuto pensativamente e examinando o outro com os olhos inquietantes. Durante alguns minutos ele ficou em absoluto silêncio.

McMurdo suportou a inspeção de modo descontraído, com uma das mãos no bolso do casaco e a outra retorcendo o bigode castanho.

De repente McGinty inclinou-se para a frente e mostrou um revólver de aparência aterradora.

— Olhe aqui, brincalhão — disse ele. — Se eu achasse que estava querendo pregar alguma peça em nós, você teria bem pouco tempo.

— Que recepção estranha para o chefe de uma Loja dar a um novo irmão... — McMurdo respondeu com certa dignidade.

— Sim, e é justamente isso que você tem de provar, e que Deus o ajude se você falhar. Onde você foi iniciado? — disse McGinty.

— Loja 29, Chicago.

— Quando?

— Vinte e quatro de junho de 1872.

— Qual o chefe?

— James H. Scott.

— Quem é o seu chefe de distrito?

— Bartholomew Wilson.

— Hum! Você me parece bem fluente no seu teste. O que você faz aqui?

— Trabalho, como o senhor, mas num trabalho mais modesto.

— Você tem as respostas na ponta da língua.

— Sim, sempre tive facilidade para me expressar.

— Você é rápido para agir?

— É essa a opinião dos que me conhecem melhor.

— Bem, podemos testá-lo antes do que você imagina. Você já ouviu falar alguma coisa da Loja por aqui?

— Ouvi que é preciso acertar um homem para se tornar irmão.

— Isso é verdade para você, McMurdo. Por que saiu de Chicago?

— Que o diabo me carregue se eu lhe disser isso.

McGinty arregalou os olhos. Não estava acostumado a ouvir respostas desse tipo e isso o divertiu.

— Por que não vai me contar?

— Porque um irmão não pode mentir para outro.

— Então a verdade é muito ruim?

— Pode dizer assim, se prefere.

— Olhe aqui... Você não pode esperar que eu, como chefe, admita na Loja alguém por cujo passado ele não pode responder.

McMurdo pareceu embaraçado. Então, tirou do bolso do casaco um recorte de jornal desbotado.

— O senhor não denunciaria um companheiro? — ele perguntou.

— Eu lhe meto a mão na cara se disser de novo essas coisas para mim! — McGinty gritou, furioso.

— O senhor está certo, conselheiro — disse McMurdo humildemente. — Devo me desculpar. Falei sem pensar. Sei que estou seguro em suas mãos. Olhe esse recorte.

McGinty passou os olhos pela notícia sobre o assassinato de Jonas Pinto, no Lake Saloon, Market Street, em Chicago, na semana do Ano-novo de 1874.

— Coisa sua? — ele perguntou ao devolver o recorte. McMurdo assentiu.

— Por que você o matou?

— Eu estava ajudando o Tio Sam a fazer dólares. Talvez o meu ouro não fosse tão bom quanto o dele, mas tinha a mesma aparência e era mais barato. Esse tal de Pinto ajudou-me a fazer o derrame...

— Fazer o quê?

— Isso significa pôr os dólares em circulação. Depois, disse que ia deixar o negócio. Talvez fosse mesmo. Não esperei para ver. Eu simplesmente o matei e fugi para as minas de carvão.

— Por que as minas de carvão?

— Porque li nos jornais que por lá o pessoal não era muito exigente. — McGinty riu.

— Primeiro você foi um falsificador de dinheiro e depois se tornou assassino, e vem para cá achando que seria bem-vindo?

— Bem, foi isso que aconteceu — McMurdo respondeu.

— Acho que você irá longe. Diga: você ainda pode fazer esse dinheiro?

McMurdo pegou algumas moedas no bolso.

— Essas nunca passaram pela Casa da Moeda.

— Não diga! — McGinty levou-as até a luz nas suas mãos enormes e tão cabeludas quanto as de um gorila. — Não consigo ver nenhuma diferença! Puxa! Você será um irmão muito útil, é o que eu acho. Temos de agir assim com um homem mau, ou quando são dois contra nós, pois às vezes precisamos salvar nossa pele, amigo McMurdo. Logo ficaríamos em dificuldades se não empurrássemos para trás quem estava nos empurrando.

— Acho que vou empurrar os outros com o resto dos rapazes.

— Você me parece ter bastante coragem. Você não se sobressaltou quando eu apontei a pistola para você.

— Não era eu quem estava correndo perigo.

— E quem estava?

— O senhor, conselheiro. — McMurdo tirou do bolso lateral do casaco uma pistola engatilhada. — Eu estava apontando para o senhor o tempo todo. Acho que o meu tiro seria tão rápido quanto o seu.

McGinty ficou vermelho de raiva e depois explodiu numa gargalhada.

— Puxa! — disse ele. — Há muito tempo que não temos nenhum perigo assim tão perto. Suponho que a Loja saberá se orgulhar de você. Bem, que diabo você quer? Não posso falar em particular com um cavalheiro durante cinco minutos sem vocês me interromperem?

O *bartender* ficou embaraçado.

— Sinto muito, conselheiro, mas é o sr. Ted Baldwin. Ele disse que precisa falar com o senhor agora.

O recado era desnecessário, pois o rosto rígido e cruel do outro estava olhando por cima do ombro do empregado. Ele empurrou o *bartender* para fora e fechou a porta.

— Então você chegou aqui antes, não é? — disse ele com um olhar furioso para McMurdo. —Tenho algo a lhe falar, conselheiro, sobre este homem.

— Então diga aqui e agora, na minha frente! — gritou McMurdo.

— Vou falar na hora que eu quiser, do jeito que eu quiser.

— Silêncio, silêncio! — disse McGinty, levantando-se do barril onde estava sentado. — Isso não adianta nada. Temos um novo irmão aqui, Baldwin, e não devemos recebê-lo assim. Aperte a mão dele, homem, e dê o caso por encerrado.

— Nunca! — gritou Baldwin, furioso.

— Eu me ofereci para lutar com ele, se ele acha que eu agi mal — disse McMurdo. — Eu lutarei com as mãos, ou, se isso não lhe agradar, lutarei com ele da maneira que escolher. Agora, deixarei que o senhor, conselheiro, julgue, como deve fazer um chefe.

— Qual é o caso?

— Uma jovem. Ela é livre para se decidir.

— É? — gritou Baldwin.

— Entre dois irmãos da Loja, eu diria que ela é livre — disse o chefe.

— Oh, essa é a sua decisão?

— Sim, é, Ted Baldwin — disse McGinty, com um olhar duro. — É você quem vai disputar isso?

— O senhor vai preterir alguém que esteve a seu lado durante anos em favor de um homem que o senhor nunca viu antes? O senhor não é chefe para sempre, Jack McGinty, e quando chegar a hora de votar...

O conselheiro partiu para cima dele como um tigre. Suas mãos se fecharam em torno do pescoço do outro e ele caiu sobre um dos barris. No seu acesso de fúria ele teria acabado com a vida do outro se McMurdo não tivesse interferido.

— Calma, conselheiro! Pelo amor de Deus, tenha calma! — ele gritou enquanto o puxava para trás.

McGinty afrouxou as mãos e Baldwin, assustado, atordoado e arquejante, com o corpo todo tremendo como alguém que tivesse chegado à fronteira da morte, sentou-se no barril sobre o qual fora jogado.

— Você está querendo isso há muitos dias, Ted Baldwin. Agora você conseguiu! — gritou McGinty, com o peito largo arfando. — Talvez você pense que se eu for derrotado na votação para chefe você pegará o meu lugar. A Loja é que decidirá. Mas, enquanto eu for chefe, nenhum homem levantará a voz para mim ou desacatará minhas decisões.

— Não tenho nada contra o senhor — murmurou Baldwin, esfregando a garganta.

— Muito bem, então! — gritou o outro, adotando uma falsa jovialidade. — Todos nós somos bons amigos e está tudo encerrado.

Ele apanhou uma garrafa de champanha na prateleira e começou a torcer a rolha.

— Veja bem, vamos beber em nome da Loja — ele continuou, enquanto enchia três copos. — Depois disso, como vocês sabem, não pode correr sangue entre nós. Agora, então, a mão esquerda na minha garganta. Eu lhe pergunto, Ted Baldwin, qual o problema, senhor?

— As nuvens estão carregadas — respondeu Baldwin.

— Mas o sol brilhará para sempre.

— Juro que sim.

Os homens beberam e a mesma cerimônia foi repetida entre Baldwin e McMurdo.

— Pronto! — gritou McGinty, esfregando as mãos. — Este é o fim da desavença. Você se submeterá à disciplina da Loja, se tudo der certo, e por aqui a palmatória é pesada, como bem sabe o Irmão Baldwin, e como você descobrirá logo, Irmão McMurdo, se arranjar alguma confusão.

— Acredite: não pretendo fazer isso — disse McMurdo. Ele estendeu a mão para Baldwin. — Sou rápido para brigar e rápido para perdoar. É o meu sangue quente escocês, segundo dizem. Mas para mim está tudo terminado, e não guardo rancor.

Baldwin teve de pegar a mão estendida, pois os terríveis olhos do chefe estavam sobre ele. Mas seu rosto carrancudo mostrava que as palavras do outro não convenceram.

McGinty bateu nos ombros dos dois.

— Hum! Essas moças! Essas moças! — ele disse. — E pensar que a mesma mulher agrada a dois de meus rapazes. Coisas do diabo. É a moça quem vai resolver a questão, porque está fora da jurisdição do chefe, e Deus seja louvado por isso. Já temos muitas encrencas por aqui sem as mulheres. Você tem de se filiar à Loja 341, Irmão McMurdo. Temos nossos próprios meios e métodos, muito diferentes de Chicago. Nossa reunião é sábado à noite e, se você vier, nós o livraremos para sempre do Vale Vermissa.

3

LOJA 341, VERMISSA

NO DIA SEGUINTE ÀQUELA NOITE DE TANTOS ACONTECIMENTOS excitantes, McMurdo mudou-se da casa de Jacob Shafter e foi se instalar na pensão da viúva MacNamara, na periferia da cidade. Scanlan, seu primeiro conhecimento, feito no trem, teve oportunidade, pouco depois, de mudar-se para Vermissa, e os dois moravam juntos. Não havia nenhum outro hóspede e a dona da hospedaria era uma velha escocesa simpática que deixava os dois à vontade, de forma que tinham liberdade de falar e agir, o que era muito bom para homens que tinham segredos em comum. Shafter ficara menos severo, a ponto de deixar McMurdo fazer as refeições em sua casa quando quisesse. Por isso, sua ligação com Ettie não foi interrompida. Pelo contrário, a relação tornou-se mais estreita e íntima à medida que passavam as semanas. McMurdo sentiu-se suficientemente seguro no quarto de sua nova casa para mostrar seus moldes de cunhagem e, sob a condição de manter segredo, alguns irmãos de Loja eram recebidos lá para vê-los, e cada um deles carregava no bolso alguns exemplares do dinheiro falsificado, certos de que não haveria a menor dificuldade em passá-lo adiante. Por que, dominando arte tão magnífica, McMurdo continuava trabalhando era um completo mistério para seus companheiros, embora deixasse claro a todos que lhe perguntavam sobre isso que, se não tivesse um emprego para manter as aparências, logo a polícia estaria atrás dele.

Já havia, na verdade, um policial atrás dele, mas o incidente, por sorte, fez-lhe mais bem do que mal. Depois do primeiro encontro, eram raras as noites em que não ia ao *saloon* de McGinty, a fim de se entrosar melhor com "os rapazes", que era o título jovial pelo qual a perigosa quadrilha que infestava o lugar era conhecida entre seus integrantes. Seu jeito impetuoso e destemido de falar fez dele um favorito entre o grupo, enquanto o modo rápido e científico pelo qual eliminava seus antagonistas numa disputa de bar fez com que conquistasse o respeito daquela comunidade rude. Mas um outro incidente fez com que os outros o estimassem ainda mais.

Uma noite, na hora de maior movimento, a porta do *saloon* se abriu e entrou um homem trajando o uniforme azul da polícia das minas de carvão e ferro. Era uma corporação especial criada pelos proprietários das minas e das ferrovias a fim de ajudar os efetivos da polícia civil, que não tinham condições de combater o banditismo que aterrorizava a região. Houve um silêncio quando o homem entrou, e muitos o olharam com curiosidade, mas as relações entre policiais e criminosos são especiais em algumas regiões dos Estados Unidos, e o próprio McGinty, que estava atrás do balcão, não se mostrou surpreso quando o inspetor se misturou aos seus clientes.

— Um uísque puro, porque a noite está fria — disse o oficial. — Acho que não nos encontramos antes, conselheiro.

— O senhor será o novo comandante? — perguntou McGinty.

— Exatamente. Confiamos no senhor, conselheiro, e em outros cidadãos de destaque para nos ajudar a manter a lei e a ordem nesta cidade. Eu sou o capitão Marvin, da polícia das minas.

— Ficaríamos melhor sem o senhor, capitão Marvin — disse McGinty secamente. — Porque temos a polícia da cidade e não precisamos de coisas importadas. As pessoas da sua corporação são instrumentos pagos pelos homens de dinheiro, contratados por eles para bater ou atirar nas pessoas mais pobres, não é?

— Bem, não vamos discutir sobre isso — disse o policial, com bom humor. — Acho que cada um faz seu trabalho, mas não podemos ter a mesma opinião sobre ele. — Ele esvaziou o copo e virou-se para sair quando seus olhos bateram no rosto de Jack McMurdo, que estava apoiando os cotovelos no balcão. — Olá! — ele gritou, olhando o outro de cima a baixo. — Aqui está um velho conhecido.

McMurdo afastou-se dele.

— Nunca fui seu amigo nem de nenhum outro maldito policial em toda a minha vida — disse ele.

— Ser conhecido não significa ser amigo — disse o policial, sorrindo. — Você é Jack McMurdo, de Chicago, tenho certeza, e não tente negar.

McMurdo deu de ombros.

— Não estou negando nada — disse ele. — Acha que tenho vergonha do meu nome?

— Você tem bons motivos para isso.

— Que diabo você quer dizer com isso?! — ele gritou, fechando os punhos.

— Não, não, Jack. Gritos não adiantam comigo. Eu era oficial em Chicago antes de vir para esse maldito depósito de carvão, e reconheço logo um criminoso de Chicago quando ponho os olhos nele.

O rosto de McMurdo mostrou espanto.

— Não me diga que você é o Marvin da Central de Chicago! — ele gritou.

— O mesmo Teddy Marvin, às suas ordens. Não esquecemos o assassinato de Jonas Pinto lá.

— Eu não o matei.

— Não? Que testemunho imparcial, não acha? Bem, você fez a coisa de modo notável, do contrário eles o teriam agarrado. Mas vamos deixar de lado essas coisas do passado porque, aqui entre nós (e talvez eu esteja me excedendo ao dizer isso), eles não têm como acusá-lo de nada, e Chicago o espera de braços abertos.

— Estou muito bem onde estou.

— Bem, eu lhe dei uma sugestão e você é mal-humorado demais para me agradecer.

— É, acho que você tem razão, e realmente lhe agradeço — disse McMurdo, de um modo não muito amável.

— Para mim está tudo bem, desde que você esteja andando dentro da lei — disse o capitão. — Mas, se sair da linha, aí é outra coisa! Então, boa noite para você. E boa noite, conselheiro.

Ele deixou o *saloon*, mas não sem antes criar um herói ali. O passado de McMurdo em Chicago já fora comentado antes. Ele desestimulara todas as perguntas com um sorriso, como alguém que não desejasse ser enaltecido por seus feitos. Mas agora a coisa toda estava oficialmente confirmada. Os frequentadores do bar o rodearam e cumprimentaram com entusiasmo, apertando sua mão. Ele estava livre da comunidade a partir de então. Ele conseguia beber muito sem demonstrar embriaguez, mas naquela noite, se seu amigo Scanlan não estivesse por perto para levá-lo para casa, o grande herói certamente teria passado a noite debaixo do balcão.

Numa noite de sábado, McMurdo foi apresentado à Loja. Ele pensou que não haveria cerimônia por ter sido iniciado em Chicago; mas em Vermissa havia ritos particulares dos quais todos se orgulhavam, e os postulantes tinham de se submeter a eles. O grupo se reuniu numa grande sala reservada para essa finalidade no sindicato. Cerca de sessenta membros se reuniam em Vermissa, mas esse número nem de longe representava a força total da organização, pois havia várias outras lojas no vale, e ainda outras espalhadas pelas montanhas que delimitavam o vale. Essas lojas intercambiavam seus membros quando havia negócios sérios em andamento, de modo que os crimes podiam ser praticados por homens estranhos à localidade. Ao todo, havia cerca de quinhentas lojas espalhadas pelo distrito mineiro.

Na despojada sala de reuniões, os homens sentavam-se em torno de uma mesa comprida. Na lateral ficava uma outra mesa cheia de garrafas e copos e para a qual alguns membros já estavam olhando. McGinty sentou-se na cabeceira com um chapéu achatado de veludo preto sobre o seu cabelo preto emaranhado e uma estola púrpura em torno do pescoço, de modo que parecia um sacerdote presidindo um ritual diabólico. À sua direita e à sua esquerda ficavam os membros mais destacados da Loja, entre eles o rosto cruel e vistoso de Ted Baldwin. Cada membro usava uma estola ou um medalhão como emblema de sua categoria. Eram, em sua maioria, homens de meia-idade, mas o resto do grupo era formado por companheiros mais jovens, entre 18 e 25 anos, que executavam as ordens dos superiores. Entre os mais velhos havia alguns cujas feições indicavam almas ferozes e desregradas, mas olhando aqueles soldados era difícil acreditar que aqueles jovens vivos e de rosto franco fizessem realmente parte de uma quadrilha de assassinos, cujas mentes sofreram uma tal perversão moral que eles sentiam um tremendo orgulho de sua competência e olhavam com o maior respeito os homens que tinham a fama de fazer o que chamavam de um "trabalho limpo". Para suas naturezas pervertidas, tornara-se algo divertido e nobre a apresentação voluntária para a execução de serviços contra homens que nunca os ofenderam, e que, em muitos casos, jamais tinham visto antes. Depois de cometido o crime, discutiam quem havia disparado o tiro mortal e divertiam-se, e a todos os demais, descrevendo os gritos e contorções do morto. No início, haviam mostrado certa discrição em seus trabalhos, mas na época em que se passa esta narrativa seus métodos eram ostensivos, já que as falhas frequentes da lei lhes mostraram que, por um lado, ninguém ousaria testemunhar contra eles, e, por outro, tinham um número ilimitado de testemunhas de confiança que poderiam utilizar e um tesouro bem forrado do qual poderiam retirar os fundos necessários para contratar os melhores advogados do país. Em dez anos de atuação não ocorrera nenhuma prisão, e o único perigo que sempre ameaçara os Scowrer estava nas próprias vítimas que, embora fossem muitas e apanhadas de surpresa, podiam, como às vezes acontecia, deixar sua marca em seus assassinos.

McMurdo fora advertido de que teria de passar por algumas provações, embora ninguém lhe dissesse em que consistiam. Ele foi levado para outra sala por dois irmãos que o conduziram de modo solene. Pelas frestas da madeira, podia ouvir o murmúrio de muitas vozes vindo da sala de reuniões. Uma ou duas vezes, percebeu que falavam em seu nome, e sabia que estavam discutindo sua candidatura. Depois, entraram na sala onde ele estava três guardas da sociedade, com uma faixa verde e dourada atravessada no peito.

— O chefe ordena que seus braços sejam amarrados e seus olhos vendados antes de entrar — disse um deles. Os três então retiraram o casaco dele, arregaçaram a manga direita de sua camisa e finalmente amarraram uma corda nos seus braços, acima do cotovelo, e a apertaram bem. Depois, colocaram um grosso capuz preto em sua cabeça, que cobria até a metade do rosto, de modo que ele não conseguia enxergar nada. Então, foi conduzido até a sala de reuniões.

Estava escuro como breu e sufocante debaixo do capuz. Ele ouvia os ruídos e o murmúrio das pessoas em torno dele, e depois ouviu a voz de McGinty, lenta e distante.

— John McMurdo, você já é membro da Venerável Ordem dos Homens Livres? — perguntou ele.

Ele assentiu.

— A sua Loja é a 29, de Chicago?

Ele assentiu novamente.

— As noites escuras são desagradáveis — disse o chefe.
— Sim, para um estranho viajar — ele respondeu.
— As nuvens estão carregadas.
— Sim, uma tempestade se aproxima.
— Os irmãos estão satisfeitos? — perguntou o chefe.
Houve um murmúrio geral de aprovação.
— Sabemos, irmão, pela sua marca e pelas senhas, que você é realmente um dos nossos — disse McGinty. — Devemos informá-lo, contudo, que neste distrito e em outros distritos desta região temos alguns ritos, e também tarefas próprias, que precisam de bons homens para executá-las. Você está preparado para ser testado?
— Estou.
— Dê um passo à frente para provar isso.
Logo em seguida ele sentiu duas coisas duras diante de seus olhos, pressionando-os, dando a impressão de que não poderia andar para a frente sem o perigo de perdê-los. Mesmo assim, teve coragem suficiente para andar, e quando se moveu para a frente, a pressão se desfez. Houve um murmúrio de aprovação.
— Ele é corajoso — disse alguém. — Você consegue suportar dor?
— Tanto quanto os outros — respondeu.
— Teste-o!
Ele mal conseguiu reprimir um grito, pois uma dor lancinante percorreu seu braço. Quase desmaiou com o choque repentino que a dor lhe provocou, mas mordeu os lábios e cerrou os punhos para esconder sua agonia.
— Posso aguentar mais ainda — disse.
Dessa vez ele foi aplaudido. Jamais houvera uma primeira impressão na Loja tão boa quanto aquela. Recebeu tapinhas nas costas e o capuz foi retirado da sua cabeça. Ele ficou piscando e sorrindo em meio aos cumprimentos que recebia dos irmãos.
— Só mais uma coisa, Irmão McMurdo — disse McGinty. — Você já fez o juramento de manter segredo e fidelidade, e você sabe que o castigo pela quebra desse juramento é a morte instantânea e inevitável?
— Sei — disse McMurdo.
— E você aceita o comando do chefe atual sob todas as circunstâncias?

— Aceito.

— Então, em nome da Loja 341, Vermissa, eu o cumprimento pelo seu ingresso em nosso mundo de privilégios e debates. Ponha a bebida na mesa, Irmão Scanlan, e vamos beber à saúde do nosso notável irmão.

O casaco de McMurdo lhe foi devolvido, mas antes de vesti-lo examinou seu braço direito, que ainda doía muito. Ali, na carne do antebraço, havia um círculo com um triângulo dentro, fundo e vermelho, onde o ferrete fora colocado. Um ou dois dos outros membros levantaram suas mangas e lhe mostraram suas próprias marcas da Loja.

— Todos nós passamos por isso — disse um deles. — Mas nem todos de modo tão corajoso quanto você.

— Oh, isso não foi nada! — ele disse. Mas a pele queimava e doía.

Quando as bebidas que se seguiram à cerimônia foram servidas, a reunião prosseguiu para tratar dos assuntos da Loja. McMurdo, acostumado apenas com os feitos prosaicos de Chicago, ouvia atentamente, demonstrando mais surpresa do que pretendia ao ouvir o que relatavam.

— O primeiro assunto da pauta é esta carta do chefe da Divisão Windle, de Merton County, Loja 249 — disse McGinty. — Diz ele:

> PREZADO SENHOR: Há um serviço a ser executado em Andrew Rae, da empresa Rae e Sturmash, proprietária de minas de carvão perto daqui. O senhor se lembra de que sua Loja nos deve uma *retribuição*, já que executamos aquele caso dos dois guardas no outono passado. Se o senhor mandar dois homens dos bons, eles serão informados de tudo pelo tesoureiro Higgins, da nossa Loja, cujo endereço o senhor sabe. Ele dirá a eles quando e onde agir. Atenciosamente,
>
> J. W. Windle, D.M.A.O.F.

— Windle nunca nos recusou auxílio nas ocasiões em que precisamos de um homem ou dois dele emprestados, e não devemos negar-lhe ajuda. — McGinty parou e olhou ao redor da mesa com seus olhos sombrios, maldosos. — Quem se apresenta para o trabalho?

Vários jovens levantaram as mãos. O chefe olhou para eles com um sorriso aprovador.

— Você serve, *Tigre* Cormac. Se você cuidar disso como fez da última vez, não haverá erro. E você, Wilson.

— Não tenho arma — disse o voluntário, ainda um adolescente.

— É a sua primeira vez, não? Bem, você tem de começar um dia. Será um bom começo para você. Quanto à arma, estará esperando por você, acredite. Se vocês se apresentarem na segunda-feira, dará tempo de sobra. Vocês terão uma bela recepção quando voltarem.

— Desta vez não haverá recompensa? — perguntou Cormac, um jovem grandalhão, de rosto moreno e mal-encarado, cuja ferocidade lhe valera o apelido de Tigre.

— Não se preocupe com a recompensa. Você só fará isso pela honra do serviço. Talvez depois que o serviço for executado apareçam alguns dólares.

— O que esse homem fez? — perguntou o jovem Wilson.

— Na verdade, isso não é da sua conta. Ele foi julgado lá. Não é problema nosso. Tudo que temos a fazer é executar o serviço para eles, do mesmo modo como fariam para nós. Por falar nisso, dois irmãos da Loja de Merton vão chegar na próxima semana para resolver algumas coisas por aqui.

— Quem são eles? — alguém perguntou.

— É mais prudente não perguntar. Se a gente não sabe nada, não pode testemunhar, e não se arranja encrenca. Mas esses são homens que farão um trabalho limpo.

— Já não é sem tempo! — gritou Ted Baldwin. — As pessoas estão ficando incontroláveis por aqui. Na semana passada mesmo, três dos nossos homens foram demitidos por Blaker. Ele está devendo há muito tempo, mas vai receber o dele direitinho.

— Receber o quê? — McMurdo perguntou num sussurro ao seu vizinho de mesa.

— Um cartucho de chumbo grosso! — gritou o homem, dando uma gargalhada bem alta. — O que acha dos nossos métodos, irmão?

A alma criminosa de McMurdo parecia já ter absorvido o espírito da sociedade perversa da qual agora era membro.

— Gosto deles — disse. — Aqui é o lugar certo para um cara esperto.

Muitos dos que estavam perto dele ouviram suas palavras e o aplaudiram.

— O que houve? — gritou o chefe cabeludo, da cabeceira da mesa.

— É esse nosso novo irmão, senhor, que gosta dos nossos métodos.

McMurdo levantou-se por um instante.

— Eu gostaria de dizer, Venerável Chefe, que, se deve ser escolhido um homem, eu gostaria de ser indicado. Para mim, seria uma honra ajudar a Loja.

Houve muitos aplausos quando disse isso. Percebia-se que um novo sol surgia no horizonte. Para alguns dos membros mais velhos, parecia que o progresso era rápido demais.

— Eu proponho que o Irmão McMurdo espere até que a Loja decida convocá-lo — disse o secretário Harraway, um velho de barba grisalha e cara de abutre que estava sentado perto do presidente da reunião.

— Certo, foi isso que eu quis dizer. Estou às suas ordens — disse McMurdo.

— A sua vez chegará, irmão — disse o presidente. — Nós o consideramos um homem disposto e acreditamos que fará um bom trabalho por aqui. Há uma pequena questão hoje à noite na qual você poderá ajudar, se assim desejar.

— Vou esperar algo que valha a pena.

— Você pode ir hoje à noite, pois isso o ajudará a saber como agimos nessa comunidade. Mais tarde eu direi do que se trata. Por enquanto, tenho mais um ou dois assuntos a tratar antes da reunião — ele olhou para a pauta. — Em primeiro lugar, vou pedir ao tesoureiro o nosso balanço. Tem a pensão para a viúva de Jim Carnaway. Ele foi morto fazendo um serviço para a Loja, e não queremos que ela fique no prejuízo.

— Jim foi morto no mês passado quando tentava matar Chester Wilcox, de Marley Creek — o vizinho de McMurdo lhe disse.

— Os fundos estão bem no momento — disse o tesoureiro, tendo à sua frente o extrato do banco. — As firmas têm sido generosas ultimamente. A Max Linder e Co. pagou quinhentos dólares para ser deixado em paz. A Walker Brothers deu cem dólares, mas por minha conta eu devolvi a quantia e pedi quinhentos. Se até quarta-feira eu não receber nada delas, suas máquinas podem sofrer algum problema. No ano passado tivemos de provocar um incêndio em suas instalações para que se tornassem razoáveis. Então a Seção Oeste da Companhia de Mineração pagou sua contribuição anual. Temos o suficiente em caixa para enfrentar qualquer situação.

— E Archie Swindon? — perguntou um dos irmãos.

— Ele vendeu a firma e se mudou. O velho safado deixou um bilhete para nós dizendo que preferia ser um varredor de ruas de Nova York do que proprietário de uma grande mina de carvão sob a pressão de um grupo de chantagistas. Ainda bem que foi embora antes que recebêssemos o bilhete! Acho que não ousará mostrar a cara neste vale novamente.

Um homem mais velho, sem barba, com expressão bondosa e a testa larga, levantou-se da cabeceira oposta à do presidente.

— Sr. Tesoureiro, posso lhe perguntar quem comprou a propriedade desse homem que nós expulsamos daqui? — disse.

— Sim, Irmão Morris. Quem comprou foi a State and Merton County Railroad Company.

— E quem comprou as minas de Todman e de Lee que foram postas à venda pelo mesmo motivo no ano passado?

— A mesma empresa ferroviária, Irmão Morris.

— E quem comprou as siderúrgicas de Manson e de Shuman, e de Van Deher e de Atwood, que foram abandonadas ultimamente?

— Foram todas compradas pela West Gilmerton General Mining Company.

— Não consigo entender, Irmão Morris, o que pode nos interessar saber quem comprou as empresas, já que não podem levá-las daqui — disse o presidente.

— Com todo o respeito ao senhor, Venerável Chefe, acho que isso nos interessa muito. O processo se arrasta há dez anos. Estamos aos poucos afastando do comércio todos os pequenos negociantes. Qual é o resultado disso? No lugar dessas pessoas vêm grandes companhias, como a estrada de ferro ou a General Iron, cujos diretores ficam em Nova York ou na Filadélfia e que não ligam para as nossas ameaças. Podemos tirar os seus chefes locais, mas isso significa apenas que outros virão para os seus lugares. E estamos tornando a coisa perigosa para nós. Os pequenos não podem nos prejudicar. Não têm dinheiro nem poder. Desde que não arranquemos tudo deles, podem ficar sob nosso poder. Mas, se essas grandes empresas acharem que estamos nos interpondo entre elas e o seu lucro, não hesitarão em nos perseguir e nos levar à Justiça.

Houve um silêncio absoluto depois que essas palavras pessimistas foram ditas, e todos os rostos ficaram sombrios. Eles tinham sido tão onipotentes durante todo esse tempo, e tão acostumados à impunidade, que o simples pensamento de que havia uma possibilidade de desforra de tudo aquilo fora banido de suas mentes. Mesmo assim, a ideia provocou um frio arrepio até no mais despreocupado de todos.

— A minha opinião é que devemos apertar menos os pequenos. No dia em que todos tiverem ido embora, a força desta sociedade desaparecerá — continuou Morris.

As verdades geralmente não agradam. Houve manifestações de hostilidade enquanto ele retomava seu lugar. McGinty levantou-se com uma expressão sombria.

— Irmão Morris, você é sempre pessimista — disse. — Desde que os membros da Loja estejam unidos, não há força nos Estados Unidos que possa afetá-la. Na verdade, já não aconteceu isso diversas vezes na Justiça? Na minha opinião as grandes companhias acharão mais fácil pagar do que lutar, da mesma forma que as pequenas empresas. E agora, irmão, a Loja encerrou sua reunião de hoje, a não ser que alguém tenha algum assunto a tratar — McGinty tirou o chapéu preto de veludo e a estola. — Chegou a hora de bebermos alguma coisa e confraternizar.

A natureza humana é mesmo estranha. Ali estavam aqueles homens, para quem um assassinato é coisa normal, que repetidamente abatiam um pai de família, algum homem contra o qual não tinham nada pessoal, sem um sentimento de remorso ou de compaixão pela viúva desesperada ou pelos filhos desamparados, e mesmo assim uma música romântica ou enternecedora era capaz de levá-los às lágrimas. McMurdo possuía uma excelente voz de tenor e, se não tivesse conquistado a simpatia da Loja antes, teria conseguido quando cantou para eles trechos de *I'm Sitting on the Stile, Mary* e *On the Banks of Allan Water*. Nessa mesma noite o novo camarada tornara-se um dos mais populares, marcado antecipadamente com distinção. Mas eram necessárias outras qualidades, além de um bom relacionamento, para que alguém se tornasse um Homem Livre respeitável, e ele viu um exemplo disso antes de a noite terminar. A garrafa de uísque circulara pela mesa várias vezes e os homens estavam vermelhos e prontos para uma travessura quando o chefe levantou-se outra vez para se dirigir a eles.

— Rapazes, há um homem nesta cidade que deseja confusão, e cabe a vocês fazer com que ele consiga isso — disse. — Estou falando de James Stanger, do *Herald*. Vocês repararam como ele tem falado contra nós novamente?

Houve um murmúrio de assentimento intercalado por muitos xingamentos. McGinty pegou um pedaço de papel que estava no bolso do colete.

> "Lei e Ordem!"
>
> É o título do artigo. "Império do Terror nas Minas de Carvão e Ferro. Já se passaram 12 anos desde que ocorreu o primeiro assassinato que prova a existência de uma organização criminosa entre nós. Daquele dia em diante esses ultrajes nunca mais pararam, e agora chegaram ao ponto em que nos transformam no opróbrio do mundo civilizado. É para uma coisa dessas que nossa grande pátria acolhe os estrangeiros que fogem do despotismo da Europa? É certo que eles se tornem tiranos de homens que lhes deram guarida e que um estado de terrorismo e ilegalidade seja criado sob a sombra acolhedora da bandeira estrelada da liberdade, e que nos aterrorizaria se soubéssemos de sua existência numa monarquia do Leste? Os homens são conhecidos. A organização é patente e pública. Por quanto tempo vamos suportá-la? Poderemos viver desse modo para sempre...

— Eu já li o suficiente! — gritou o presidente, jogando o papel na mesa. — É isso que ele diz sobre nós. O que lhes pergunto é o seguinte: o que devemos dizer a ele?

— Matá-lo! — gritaram várias vozes ferozes.

— Protesto contra isso — disse o Irmão Morris, o homem de rosto amável e barbeado. — Eu lhes digo, companheiros, nossa mão é tão pesada neste vale que chegará um momento em que todos se unirão para nos esmagar, buscando sua autodefesa. James Stanger é um velho. Ele é respeitado na cidade e em toda essa região. Seu jornal representa o que há de mais sólido no vale. Se ele for eliminado, haverá tamanha agitação nesse Estado que acabará nos destruindo.

— E como conseguiriam nossa destruição, sr. Um-Passo-Atrás? — gritou McGinty. — Com a polícia? Metade dos policiais faz parte de nossa folha de pagamento e a outra metade morre de medo de nós. Ou será por meio dos tribunais e dos juízes? Já não tentaram isso antes? E o que aconteceu?

— O juiz Lynch pode tentar — disse o Irmão Morris.

A sugestão do companheiro foi recebida com uma manifestação geral de raiva.

— Eu só preciso levantar meu dedo e ponho duzentos homens nesta cidade para varrê-la de ponta a ponta — gritou McGinty. Então, elevando de repente a voz e franzindo as sobrancelhas de modo apavorante, disse:

— Veja bem, Irmão Morris, estou de olho em você e já tem algum tempo. Você não tem coragem para nada e quer tirar a coragem dos outros. Será muito ruim para você o dia em que o seu nome, Irmão Morris, estiver em nossa agenda. E estou pensando que é lá mesmo que ele deve ser colocado.

Morris ficou terrivelmente pálido e seus joelhos pareceram ceder sob seu peso quando caiu sentado na cadeira. Levantou os óculos com as mãos trêmulas e bebeu um gole antes de responder.

— Peço desculpas, Venerável Chefe, ao senhor e a todos os irmãos desta Loja se falei mais do que devia. Sou um membro fiel, todos sabem disso, e é o medo que tenho de que algo de ruim aconteça à Loja que me faz dizer coisas assim. Mas confio mais em seu julgamento do que no meu próprio, Venerável Chefe. Eu prometo que não farei mais isso.

O rosto do chefe desanuviou-se quando ouviu aquelas palavras de humildade.

— Muito bem, Irmão Morris. Eu sentiria muito se fosse obrigado a lhe dar uma lição. Mas, enquanto eu permanecer neste posto, seremos uma Loja unida na palavra e na ação. E agora, rapazes, vou lhes dizer o seguinte: se acontecesse alguma coisa a Stanger, arranjaríamos mais encrenca do que desejamos. Esses editores são muito unidos e todos os jornais do Estado pediriam a ação da polícia e até de tropas. Mas acho que vocês podem lhe fazer uma advertência bem dura. Você pode cuidar disso, Irmão Baldwin?

— Claro! — disse o jovem, com veemência.

— Quantos vai querer levar?

— Uns seis, e dois para ficarem de guarda na porta. Vou levar você, Gower; e você, Mansel; você, Scanlan; e os dois Willabys.

— Eu prometi ao novato que ele iria — disse o presidente.

Ted Baldwin olhou para McMurdo com uma expressão de quem não esquecera nem perdoara o outro.

— Muito bem, ele pode vir, se quiser — disse ele, de má vontade. — É o bastante. Quanto mais cedo formos, melhor.

A reunião se dissolveu com gritos e gargalhadas e cantorias de homens bêbados. O bar ainda estava lotado de gente à toa e alguns dos irmãos permaneceram ali. O pequeno grupo escolhido para o serviço foi para rua e se subdividiu em pequenos grupos de dois ou três para não chamar atenção. Estava uma noite especialmente fria, e a lua em quarto crescente brilhava no céu estrelado. Os homens pararam e se reuniram num pátio em frente a um edifício alto. As palavras *Vermissa Herald* estavam ali em letras douradas entre as janelas excessivamente iluminadas. Lá de dentro vinha o ruído da máquina impressora.

— Você aí — disse Baldwin a McMurdo. — Você fica aqui embaixo, na porta, e cuide para que o caminho esteja livre para nós. Arthur Willaby pode ficar com você. Os outros vêm comigo. Não fiquem com medo, rapazes, pois temos uma porção de testemunhas de que estamos no bar neste exato momento.

Era quase meia-noite e a rua estava deserta, com exceção de um ou outro que ainda perambulava por ali a caminho de casa. O grupo cruzou a rua e, empurrando a porta da redação do jornal, Baldwin e seus homens entraram no prédio e subiram a escada que ficava em frente. McMurdo e o outro permaneceram embaixo. Da sala que ficava logo no andar de cima veio um grito, depois um pedido de socorro e depois o ruído de passos e de cadeiras caindo. Pouco depois um homem de cabelos grisalhos saiu correndo do prédio. Foi agarrado antes que pudesse continuar seu caminho e seus óculos caíram bem nos pés de McMurdo. Ouviu-se a seguir um soco e um gemido. Ele estava no chão e recebeu uma série de socos quando todos caíram em cima dele. Ele se contorcia e seus membros longos e finos se agitavam com os golpes que recebia. Finalmente, pararam de bater nele, mas Baldwin, com seu rosto cruel exibindo um sorriso diabólico, golpeava a cabeça do homem, que tentava inutilmente defender-se com os braços. Seus cabelos brancos estavam molhados com manchas de sangue. Baldwin ainda estava debruçado sobre sua vítima, acertando um soco perverso onde quer que visse uma parte exposta, quando McMurdo correu e o puxou.

— Você vai matar o homem — disse ele. — Pare com isso!

Baldwin olhou para ele com espanto.

— Vá para o diabo! — ele gritou. — Quem é você para se meter? Você que é novo na Loja? Vá embora! — Ele ergueu seu bastão, mas McMurdo puxou a pistola do bolso.

— Vá embora você! — ele gritou. — Eu estouro seus miolos se você tocar em mim. Quanto à Loja, a ordem do chefe não era para matar. E você? O que está fazendo? Está matando o homem.

— Ele tem razão — disse um dos homens.

— É melhor vocês todos sumirem daqui! As janelas estão todas acesas e daqui a pouco toda a cidade estará aqui.

Realmente havia um vozerio pela rua e um grupo de linotipistas e jornalistas estava se juntando na entrada do prédio e querendo entrar em ação. Deixando o corpo inerte e machucado do editor na escada, os criminosos correram e fugiram rapidamente pela rua. Quando chegaram ao sindicato, alguns deles se misturaram aos fregueses do *saloon* de McGinty, sussurrando para o chefe, em meio ao movimento, que o serviço tinha sido executado a contento. Outros, e entre eles McMurdo, entraram por ruas transversais e assim, por caminhos mais longos, foram para suas casas.

4

O VALE DO MEDO

QUANDO MCMURDO ACORDOU NA MANHÃ SEGUINTE, TINHA um bom motivo para se lembrar de sua iniciação na Loja. Sua cabeça doía em consequência da bebida, e seu braço, no lugar em que fora marcado com ferro quente, estava ardendo e inchado. Tendo sua própria fonte de renda, ele não era muito assíduo ao trabalho, de modo que tomou seu café da manhã bem tarde e ficou em casa o resto da manhã, escrevendo uma longa carta para um amigo. Depois, leu o *Daily Herald*. Numa coluna, incluída na última hora, ele leu:

> Violência na redação do *Herald*. Editor fica gravemente ferido.

Contava em resumo o que acontecera na noite anterior, mas ele estava mais a par dos fatos do que o redator. A notícia terminava da seguinte maneira:

> O assunto agora está nas mãos da polícia, mas não se deve esperar que seus esforços tenham melhor resultado do que no passado. Alguns dos homens foram reconhecidos e espera-se que alguém seja preso. A responsabilidade desse ato cabe, como nem precisa ser dito, a essa sociedade infame que por tanto tempo tem mantido nossa comunidade em estado de submissão e contra a qual o *Herald* tem se batido tanto. Os muitos amigos do sr. Stanger se alegrarão ao saberem que, embora tenha sido surrado de maneira cruel e brutal, e levado violentos golpes na cabeça, não há risco de morte imediato.

Em seguida o jornal dizia que guardas das empresas de mineração, armados com rifles Winchester, foram chamados para proteger a redação.

McMurdo deixou o jornal de lado e, enquanto acendia seu cachimbo com a mão trêmula devido aos excessos da noite anterior, ouviu uma batida do lado de fora, e sua senhoria entregou-lhe um bilhete que acabara de ser levado por um rapaz. Não tinha assinatura e dizia o seguinte:

Eu gostaria de falar com o senhor, mas seria melhor que não fosse em sua casa. Estarei ao lado da bandeira de Miller Hill. Se for até lá agora, há uma coisa que é importante para o senhor ouvir e importante, para mim, dizer.

McMurdo leu o recado duas vezes, bastante surpreso, pois não podia imaginar o que seria nem quem era o seu autor. Se fosse letra de mulher, teria imaginado que aquilo poderia ser o início de mais uma aventura, coisa tão normal em sua vida no passado. Mas era letra de homem, e de uma pessoa instruída. Finalmente, após alguma hesitação, resolveu ir ver do que se tratava.

Miller Hill é um parque público malconservado localizado bem no centro da cidade. No verão, é o local preferido pelas pessoas, mas no inverno fica completamente deserto. Do alto do parque tem-se uma vista geral não só da cidade suja e irregular, mas também de todo o vale, com suas minas e fábricas encardindo a neve de cada lado dele, e de suas escarpas cheias de vegetação e cobertas de neve. McMurdo subiu o caminho margeado por uma vegetação muito rica até chegar ao restaurante que é o centro das excursões de verão. Ao lado dele ficava a bandeira citada no recado, e junto à base havia um homem com o chapéu inclinado sobre o rosto e a gola do casaco levantada. Quando ele se virou, McMurdo viu que era o Irmão Morris, o que causara irritação no chefe na noite anterior. Eles se cumprimentaram segundo os ritos da Loja.

— Eu gostaria de lhe falar por um instante, sr. McMurdo — disse o outro, com uma hesitação que mostrava que o assunto era delicado. — Foi gentileza sua vir até aqui.

— Por que não pôs seu nome no bilhete?

— Temos de ser cautelosos, senhor. Nunca se sabe, numa época dessas, como uma coisa vai se desenrolar. Nunca se sabe também em quem confiar e em quem não confiar.

— Mas devemos confiar nos irmãos da Loja, não?

— Não, não. Nem sempre — disse Morris com a voz mais elevada, demonstrando veemência em sua resposta. — Tudo que dizemos, e até o que pensamos, parece chegar até aquele homem, McGinty.

— Olhe aqui... — disse McMurdo de modo decidido. — Não tem nem 24 horas que fiz meu juramento ao chefe. O senhor estaria me pedindo para quebrar meu juramento?

— Se é assim que o senhor vê as coisas, só posso lhe dizer que sinto muito por ter-lhe dado o trabalho de vir se encontrar comigo — disse Morris com ar tristonho. As coisas vão mal quando dois cidadãos livres não podem trocar ideias.

McMurdo, que estava observando seu companheiro com toda a atenção, relaxou um pouco.

— Bem, falo apenas por mim — disse ele. — Sou novato, como o senhor sabe, e ainda não conheço bem as coisas por aqui. Não devo abrir minha boca, sr. Morris, mas, se o senhor acha que deve me dizer alguma coisa, aqui estou para ouvi-lo.

— E depois ir contar tudo ao chefe McGinty — disse Morris, irritado.

— O senhor, agora, está me fazendo uma injustiça! — exclamou McMurdo. — Eu sou fiel à Loja, e lhe digo isso desde já, mas eu seria um verme se repetisse para outra pessoa qualquer o que o senhor possa vir a me contar em confiança. O que o senhor disser ficará comigo, embora eu lhe avise que poderá não ter de mim nem ajuda nem simpatia.

— Eu desisti de procurar uma ou outra — disse Morris. — Posso estar colocando minha vida em suas mãos pelo que vou dizer, mas, mau como o senhor é (e ontem à noite me pareceu que é tão mau quanto o pior de todos), ainda assim é novo aqui, e sua consciência não pode estar tão insensível quanto a deles. Foi por isso que pensei em falar com o senhor.

— Bem, o que o senhor tem a me dizer?

— Se o senhor me entregar, maldito seja!

— Eu já lhe disse que não faria isso.

— Eu gostaria de lhe perguntar, então, se quando o senhor se filiou à Sociedade dos Homens Livres de Chicago, e fez votos de caridade e fidelidade, por um instante que seja lhe passou pela cabeça que essa sociedade o levaria ao crime.

— Se o senhor chama isso de crime... — McMurdo respondeu.

— Chama de crime! — Morris gritou, sua voz tremendo de raiva. — O senhor ainda não viu nada, se é que pode dar outro nome a isso. Foi crime ontem à noite um velho, que poderia ser seu pai, ser espancado até que seus cabelos brancos ficassem vermelhos de sangue? Foi crime ou o senhor chamaria isso de outra coisa?

— Alguns diriam que foi uma batalha — disse McMurdo. — Uma guerra entre duas categorias, de modo que cada uma delas luta da melhor maneira que pode.

— Mas o senhor pensou numa coisa assim quando se filiou à Sociedade dos Homens Livres de Chicago?

— Posso garantir que não.

— Nem eu quando me filiei a ela na Filadélfia. Era apenas um clube beneficente e um local de reuniões. Ouvi então falar nessa sociedade (maldita hora em que esse nome chegou aos meus ouvidos!) e eu me associei para me sentir melhor. Meu Deus! Para me sentir melhor! Minha esposa e os três filhos vieram comigo. Abri uma pequena loja na Market Square, e meus negócios iam bem. Mas se espalhou a notícia de que eu era um dos Homens Livres, e fui obrigado a me filiar à Loja local, como o senhor fez ontem à noite. E tenho a marca da vergonha no meu antebraço, e algo pior em meu coração. Descobri que eu estava sob o comando de um mau-caráter e me vi envolvido nas malhas do crime. O que posso fazer? Cada palavra que pronunciei com a intenção de melhorar as coisas foi considerada traição, como aconteceu ontem à noite. Não posso ir embora, pois tudo o que possuo é minha loja. Se eu deixar a sociedade, sei que isso significa a morte para mim, e só Deus sabe o que aconteceria à minha mulher e às crianças. Olha, a situação é terrível. Terrível! — Ele cobriu o rosto com as mãos e seu corpo estremecia com soluços convulsivos.

McMurdo deu de ombros.

— O senhor é muito delicado para esse tipo de trabalho — disse ele. — O senhor não é a pessoa certa para esse tipo de trabalho.

— Eu tinha uma consciência e uma religião, mas fizeram de mim um criminoso a mais entre eles. Fui designado para um trabalho. Se eu falhasse, sei bem o que me aconteceria. Talvez eu seja um covarde. Talvez seja o fato de eu pensar na minha esposa e nas crianças que me torne assim. De qualquer modo, fui para executar o serviço. Acho que essa lembrança vai me perseguir para sempre. Era uma casa abandonada, a vinte milhas daqui, depois do fim do vale. Eu fiquei do lado de fora da casa, como aconteceu com o senhor ontem. Não podiam confiar em mim para o serviço. Os outros entraram. Quando saíram, estavam com as mãos vermelhas até o punho. Enquanto íamos embora, uma criança ficou gritando do lado de fora da casa, atrás de nós. Era um menino de seus cinco anos que tinha assistido ao assassinato do pai. Eu quase desmaiei com tanta barbaridade, mas mesmo assim tive de manter o rosto sereno e com um sorriso, pois eu bem sabia que se não agisse dessa forma a próxima casa a ser visitada por eles com suas mãos sanguinárias seria a minha, e desta vez o meu pequeno Fred é que ficaria chorando pelo pai morto. Mas aí eu já era um criminoso: cúmplice de um assassinato, perdido neste e também no outro mundo. Sou católico, mas o padre não me perdoaria quando soubesse que sou um Scowrer e estou excomungado de minha fé. Essa é a minha situação. E vejo que o senhor vai pelo mesmo caminho, e lhe pergunto qual será o fim dele. O senhor está disposto a ser um assassino a sangue-frio ou podemos fazer alguma coisa que pare com isso?

— O que o senhor faria? — perguntou McMurdo, de forma direta. — O senhor denunciaria?

— Deus me livre! — exclamou Morris. — Com certeza, só de pensar nisso, eu estaria morto.

— Claro — disse McMurdo. — Estou achando que o senhor é um homem fraco e que se preocupa demais com o assunto.

— Se preocupa demais! Espere até ter vivido aqui mais um pouco. Olhe aquele vale lá embaixo. Veja a fumaceira dessas chaminés que o escurecem. Eu lhe garanto que a nuvem de assassinatos é mais densa e está mais perto da cabeça de todas as pessoas. É o Vale do Medo, o Vale da Morte. O terror anda no coração das pessoas desde que anoitece até o amanhecer. Espere, jovem, e aprenderá por si mesmo.

— Bem, eu lhe direi o que penso quando tiver visto mais — comentou McMurdo, com indiferença. — O que me parece bem claro é que o senhor não é o homem certo para o lugar e que, quanto antes o senhor vender tudo (se o senhor conseguir um mínimo pelo seu negócio), será melhor. O que o senhor disse para mim não irá adiante, mas eu juro que se descobrir que é um informante...

— Não, não! — gritou Morris, suplicante.

— Bem, vamos deixar as coisas como estão. Vou me lembrar do que o senhor me disse e talvez um dia eu volte a falar nisso. Espero que tenha me chamado aqui com boas intenções. Agora, vou para casa.

— Só mais uma coisa — disse Morris. — Talvez tenham nos visto juntos. Podem querer saber sobre o que falávamos.

— Bem pensado.

— Eu lhe ofereço um emprego em minha loja.

— E eu não aceito. Esse é o nosso assunto. Bem, até logo, Irmão Morris, e que as coisas melhorem para o senhor no futuro.

Naquela mesma tarde, enquanto McMurdo estava sentado, fumando, perdido em seus pensamentos, ao lado da lareira da sala de estar, a porta se abriu e surgiu a figura gigantesca do chefe McGinty. Ele fez o sinal e depois, sentando-se em frente ao jovem, olhou-o fixamente durante algum tempo, olhar respondido com a mesma firmeza.

— Não gosto muito de visitas, Irmão McMurdo — ele disse, finalmente. — Acho que perco muito tempo com as pessoas que me visitam. Mas achei que devia circular um pouco e vir vê-lo em sua casa.

— É um prazer vê-lo aqui, conselheiro — McMurdo respondeu de modo enfático, apanhando sua garrafa de uísque no armário. — É uma honra que eu não esperava.

— Como está o braço? — perguntou o chefe. McMurdo torceu um pouco o rosto.

— Não esqueço o braço — disse ele. — Mas vale a pena.

— Sim, vale a pena para aqueles que são leais e se esforçam e ajudam a Loja — respondeu o outro. — Sobre o que você conversava com o Irmão Morris hoje de manhã na Miller Hill?

A pergunta veio de forma tão repentina que foi bom ele ter a resposta pronta. Ele deu uma ruidosa gargalhada.

— Morris não sabia que eu ganho a vida aqui em casa. Não deveria mesmo saber, pois, para o meu gosto, ele tem escrúpulos demais. Mas é um velho bem-intencionado. Ele achava que eu não tinha ocupação e que faria uma boa ação me oferecendo um emprego na loja dele.

— Ah, foi isso?

— Sim, foi isso.

— E você recusou?

— Claro. Não posso ganhar dez vezes mais no meu quarto em quatro horas?

— É verdade. Mas, se eu fosse você, não procuraria muito o Morris.

— Por que não?

— Bem, acho que porque lhe digo que não. Isso é o suficiente para a maioria das pessoas por aqui.

— Isso pode ser suficiente para a maioria das pessoas, mas não é suficiente pra mim, conselheiro — disse McMurdo com atrevimento. — Se o senhor conhece bem os homens, sabe disso.

Aquele gigante moreno olhou firmemente para ele e sua mão cabeluda se fechou por um instante em torno da garrafa como se fosse arremessá-la na cabeça do outro. Então, riu do seu jeito barulhento, rude, falso.

— Você é mesmo um gozador — disse ele. — Bem, se deseja saber as razões, eu digo. Morris falou alguma coisa contra a Loja?

— Não.

— Nem contra mim?

— Não.

— Bem, isso porque não confiava em você. Mas ele não é um irmão leal. Nós o conhecemos bem, e por isso o observamos, e estamos esperando apenas a hora de repreendê-lo. Acho que essa hora está se aproximando. Não há lugar para ovelhas sarnentas em nosso rebanho. Mas, se você andar acompanhado de um homem desleal, podemos pensar que você também é desleal.

— Não há motivo para eu andar com ele, porque não gosto dele — McMurdo respondeu. — Quanto a ser desleal, se fosse qualquer outro homem que não o senhor, ele não diria isso duas vezes.

— Bem, chega — disse McGinty, esvaziando o copo. — Só vim lhe avisar. Você está avisado.

— Eu gostaria de saber como o senhor ficou sabendo que estive conversando com Morris — disse McMurdo.

McGinty deu uma gargalhada.

— Minha função é saber o que acontece nesta cidade — disse ele. — Acho que é melhor você me contar tudo que acontece. Bem, está na hora e só quero dizer...

Sua despedida, porém, foi interrompida de forma inesperada. Com um súbito estrépito, a porta da rua se abriu e três homens de rostos circunspectos e olhar duro os encararam por baixo dos chapéus da polícia. McMurdo levantou-se e pôs a mão no seu revólver, mas se deteve ao perceber que dois rifles Winchester estavam apontados para a sua cabeça. Um homem de uniforme avançou pela sala com um revólver na mão. Era o capitão Marvin, que já trabalhara em Chicago, e que agora pertencia à polícia das minas de carvão e ferro. Ele sacudiu a cabeça para McMurdo exibindo um meio sorriso.

— Eu sabia que o senhor se meteria em encrencas, sr. McMurdo Desonesto de Chicago — disse ele. — Não pode ficar longe delas, não é? Pegue seu chapéu e venha conosco.

— Acho que o senhor pagará por isso, capitão Marvin — disse McGinty. — Quem é o senhor, eu gostaria de saber, para invadir uma casa desse modo e molestar homens honestos e cumpridores da lei?

— O senhor está fora disso, conselheiro McGinty — disse o policial. — Não estamos atrás do senhor, e sim de McMurdo. O senhor deve nos ajudar e não atrapalhar o nosso serviço.

— Ele é meu amigo e responderei pela sua conduta — disse o chefe.

— Pelo que se diz, sr. McGinty, o senhor terá de responder pela sua própria conduta qualquer dia desses — respondeu o capitão. — Esse McMurdo era um desonesto antes de vir pra cá, e ainda é um desonesto. Apontem para ele enquanto o desarmo, guardas.

— Aqui está minha arma — disse McMurdo friamente. — Talvez, capitão Marvin, se nós dois estivéssemos sozinhos frente a frente, o senhor não me prendesse com tanta facilidade assim.

— Onde está a autorização para prendê-lo? — McGinty perguntou. — Puxa! Tanto faz viver na Rússia ou em Vermissa enquanto a polícia tiver gente assim como o senhor. Isso é uma violência capitalista e não vai ficar assim não, eu lhe garanto.

— O senhor faz da melhor maneira possível o que acha ser seu dever. Nós cuidamos do nosso.

— De que me acusam? — perguntou McMurdo.

— De envolvimento no espancamento do editor do *Herald*, sr. Stanger. Não é culpa sua que não seja uma acusação de assassinato.

— Bem, se é só isso que têm contra ele, vocês podem evitar muitos problemas deixando-o agora mesmo — exclamou McGinty com uma gargalhada. — Esse homem estava comigo lá no meu *saloon* jogando pôquer até meia-noite, e posso lhe indicar muitas testemunhas.

— Isso é problema seu e o senhor pode dizer tudo isso amanhã no tribunal. Enquanto isso, vamos, McMurdo, e fique quietinho se não quiser ter a cabeça varada por chumbo. E o senhor se afaste, sr. McGinty, pois aviso que não tolero resistência quando estou em serviço.

O comportamento do capitão era tão determinado que tanto McMurdo quanto seu chefe foram obrigados a aceitar a situação. McGinty conseguiu sussurrar algumas palavras para o prisioneiro.

— E quanto à... — ele fez um gesto com a mão dando a entender que se referia à máquina de dinheiro falso.

— Tudo bem... — sussurrou McMurdo, que providenciara um bom esconderijo sob o assoalho.

— Vou me despedir de você — disse o chefe, apertando a mão do outro. — Vou procurar Reilly, o advogado, e cuidar de toda a defesa. Dou-lhe a minha palavra que eles não vão segurar você lá.

— Eu não confiaria nisso. Tomem conta do prisioneiro, vocês dois, e atirem se ele tentar alguma coisa. Vou revistar a casa antes de sair.

Marvin realmente revistou a casa, mas aparentemente não descobriu nenhuma pista da máquina de falsificar dinheiro. Quando saiu da casa, ele e seus homens escoltaram McMurdo até o quartel-general. Anoitecera e caía um forte temporal, de modo que as ruas estavam quase desertas, mas mesmo assim alguns vadios seguiram o grupo e, protegidos pela escuridão, gritavam xingamentos para o prisioneiro.

— Executem o maldito Scowrer! — eles gritavam. — Executem-no! — Todos riam e zombavam enquanto ele era levado para as dependências da polícia. Depois de uma inspeção rápida e formal feita pelo oficial de plantão, foi levado para a cela comum. Ali, encontrou Baldwin e mais três criminosos que haviam participado do espancamento na noite anterior, todos detidos naquela tarde e esperando o julgamento, que seria no dia seguinte.

Mesmo no interior daquela fortaleza policial, no entanto, o braço longo dos Homens Livres era capaz de penetrar. Bem tarde da noite chegou um carcereiro com as esteiras enroladas que serviriam de cama para eles. Do meio das esteiras, ele tirou duas garrafas de uísque, alguns copos e um baralho. Passaram uma noite divertida sem se preocupar com o julgamento da manhã.

E nem tinham motivo para isso, como ficaria provado pelo resultado do julgamento. O juiz não poderia, com toda certeza, dar uma sentença que pudesse remeter o caso a uma instância superior. De um lado, os linotipistas e jornalistas foram forçados a admitir que a luz não era forte o suficiente para que vissem tudo com clareza, que estavam todos muito perturbados e que ficava muito difícil para eles afirmar quem eram os culpados, embora achassem que os acusados estavam entre eles. Interrogados pelo esperto advogado contratado por McGinty, ficaram ainda mais confusos. A vítima já dissera que fora tomada de surpresa, devido à rapidez do ataque, e que não poderia afirmar nada a não ser que o primeiro homem que o atacara usava bigode. Acrescentou que sabia que eles eram Scowrer, já que ninguém mais na comunidade tinha motivos para ter inimizade por ele, dizendo ainda que há muito tempo vinha sendo ameaçado por causa dos editoriais que escrevia. Por outro lado, ficou claramente demonstrado pelo depoimento unânime e sem hesitação de seis cidadãos, incluindo-se entre eles um alto funcionário municipal, o conselheiro McGinty, que os homens estiveram jogando no sindicato até uma hora depois de ocorrida a agressão. Desnecessário dizer que o juiz praticamente se desculpou pelo incômodo a que foram submetidos e criticou implicitamente o capitão Marvin e a polícia pelo excesso de zelo.

O veredicto foi comemorado com aplausos ruidosos por uma plateia na qual McMurdo viu muitos rostos conhecidos. Mas algumas pessoas ficaram quietas, com os lábios apertados e os olhos demonstrando preocupação, enquanto os homens saíam do banco dos réus. Uma dessas pessoas, um homem baixo, de barba preta e jeito resoluto, exprimiu seus pensamentos e os de seus companheiros enquanto os ex-prisioneiros passavam por ele.

— Assassinos desgraçados! Vamos prendê-los um dia — disse.

5

A PIOR HORA

Se faltava alguma coisa para aumentar a popularidade de Jack McMurdo entre seus companheiros, sua prisão e sua absolvição tiveram esse efeito. Um homem fazer alguma coisa, na própria noite em que se filiou à Loja, que o obrigasse a comparecer diante de um juiz era um novo recorde nos registros da sociedade. Ele já conseguira a reputação de um sujeito bastante alegre, um farrista inveterado, e também um homem de temperamento forte, que não aceitaria um insulto nem mesmo do todo-poderoso chefe. Mas, além disso, havia impressionado seus camaradas com a ideia de que entre todos eles não havia nenhum com um cérebro capaz de elaborar tão rapidamente um plano sanguinário, ou cuja mão fosse mais capaz de executar esse plano. "Ele será o rapaz do serviço perfeito", comentavam os mais antigos entre si enquanto esperavam a hora em que pudessem dar-lhe um trabalho. McGinty já tinha bastante gente, mas reconhecia que este era especialmente capaz. Ele se sentia como alguém que segurava pela correia um cão de caça irrequieto. Havia os vira-latas para os serviços menores, mas algum dia ele soltaria essa criatura sobre suas vítimas. Alguns membros da Loja, Ted Baldwin entre eles, ressentiam-se do rápido prestígio do novato e o odiavam por isso, mas tinham muito cuidado com ele, pois estava tão pronto para lutar como para rir.

Mas, se ele ganhou prestígio com os companheiros, havia um outro lugar em que seu prestígio fora por água abaixo. O pai de Ettie Shafter não queria mais saber dele nem permitia mais que entrasse em sua casa. Ettie estava tão perdidamente apaixonada que não queria perdê-lo, embora seu bom senso a prevenisse do que seria o casamento com um homem tido como criminoso. Certo dia, após uma noite inteira sem conseguir pregar olhos, ela decidiu ir vê-lo, possivelmente pela última vez, e se esforçar para afastá-lo daquelas péssimas influências que estavam acabando com ele. Ela foi até a casa dele, atendendo a um pedido que ele lhe fazia com frequência, e dirigiu-se ao cômodo que usava como sala de estar. Ele estava sentado a uma mesa, de costas para ela, e tinha uma carta diante dele. Uma súbita vontade infantil de brincar a dominou; tinha apenas 19 anos. Ele não ouvira a porta se abrir. Ela se aproximou dele na ponta dos pés e pôs as mãos suavemente sobre os ombros dele.

Se ela esperava assustá-lo, com certeza conseguiu, mas de um modo que a assustou também. Ele deu um salto e segurou o pescoço dela com a mão direita. Ao mesmo tempo, com a outra mão, amassou o papel que estava lendo. Durante algum tempo ficou paralisado, olhando para ela. Então, uma expressão de perplexidade e alegria surgiu em seu rosto, substituindo a ferocidade, que a fez recuar aterrorizada, como se em toda a sua vida tranquila jamais tivesse visto coisa semelhante.

— É você! — disse ele, erguendo as sobrancelhas. — E pensar que você veio falar comigo, minha querida, e eu não achei nada melhor para fazer do que quase estrangulá-la! Venha, querida, quero que você esqueça isso — disse, estendendo os braços.

Mas ela ainda não conseguira esquecer aquele olhar de medo culpado que vira no rosto dele. Seu instinto feminino dizia-lhe que aquele arroubo não era apenas o medo normal de um homem que se assusta. Culpa, era isso; culpa e medo.

— Acredite, eu estava com o pensamento longe. E você entrou tão de mansinho, com esses seus pezinhos lindos...

— Não, não. Foi mais que isso, Jack. — Então uma súbita suspeita a dominou. — Deixe-me ver aquela carta que você estava escrevendo.

— Ah, Ettie, não posso fazer isso.

A suspeita transformou-se em certeza.

— É para outra mulher! — ela gritou. — Sei que é. Que outro motivo você teria para escondê-la de mim? Como vou saber se não é casado, você que é novo por aqui e ninguém o conhece?

— Não sou casado, Ettie. Eu lhe juro que não sou. Você é a única. Eu juro, em nome de Cristo!

Ele estava pálido, falando com tanta sinceridade que ela não podia fazer outra coisa a não ser acreditar nele.

— Então por que você não me mostra a carta?

— Vou lhe explicar — ele disse. — Prometi não mostrar essa carta a ninguém e, do mesmo modo como não quebraria um juramento que tivesse feito a você, tenho de manter minha palavra. É assunto da Loja, e nem para você eu posso mostrar. E, se eu me assustei quando pôs a mão no meu ombro, será que você não entende que poderia ter sido a mão de um detetive?

Ela sentiu que ele estava falando a verdade. Ele a envolveu em seus braços e afastou de vez seus temores e dúvidas ao beijá-la.

— Sente-se aqui perto de mim. É um trono muito feio para uma rainha como você, mas é o único que seu pobre amor pode lhe oferecer. Ele lhe dará algo melhor um dia desses. Acho que sim. Agora você está calma de novo, não está?

— Como posso me sentir bem, Jack, se sei que você é um criminoso que vive no meio de criminosos, se não sei se algum dia vou ouvir que você está no banco dos réus por assassinato? McMurdo, o Scowrer: foi assim que um dos nossos hóspedes se referiu a você ontem. Isso perfurou meu coração como uma faca.

— Na verdade, palavras duras não matam.

— Mas o que ele disse é verdade.

— Bem, querida, a coisa não é tão ruim quanto você pensa. Não passamos de homens pobres que estamos tentando à nossa maneira conseguir os nossos direitos.

Ettie enlaçou o pescoço do namorado.

— Saia disso, Jack! Faça isso por mim. Pelo amor de Deus, saia disso! Foi para pedir isso que vim até aqui. Oh, Jack, eu lhe peço isso de joelhos. Ajoelhada aqui, diante de você, eu peço para que desista de tudo isso.

Ele a levantou e encostou a cabeça da moça no seu peito.

— Para falar a verdade, querida, você não sabe o que está me pedindo. Como eu poderia desistir se isso significaria quebrar meu juramento e desertar? Se você soubesse como estão as coisas comigo, jamais me pediria isso. Além do mais, mesmo se eu quisesse sair, como poderia fazê-lo? Você acha que a Loja deixa que um homem a abandone com todos os seus segredos?

— Pensei nisso, Jack. Planejei tudo. Papai guardou algum dinheiro. Ele está cansado deste lugar aqui, onde o medo desse pessoal acaba com a nossa vida. Ele está pronto para partir. Podemos ir juntos para a Filadélfia ou para Nova York, onde estaríamos livres deles.

McMurdo riu.

— A Loja tem o braço comprido. Você acha que ela não poderia estendê-lo daqui até a Filadélfia ou a Nova York?

— Bem, podemos então ir para o oeste, para a Inglaterra ou para a Alemanha, de onde o papai veio. Para qualquer lugar longe deste Vale do Medo.

McMurdo pensou no velho Morris.

— Esta é a segunda vez que ouço alguém chamar o vale assim — ele disse. — O medo parece estar enraizado em alguns de vocês.

— Esse medo pesa em cada minuto de nossas vidas. Você acha que Ted Baldwin nos perdoou? Se não fosse o fato de ele temer você, quais seriam as nossas chances? Se você visse como aqueles olhos negros e famintos olham para mim!

— Puxa! Vou ensiná-lo a ter melhores modos se eu pegá-lo assim. Veja bem, menina. Não posso sair daqui. Não posso. Fique sabendo disso de uma vez por todas. Mas, se você deixar que eu cuide disso do meu jeito, acabo encontrando um modo de sair dessa de maneira honrosa.

— Não há honra numa coisa dessas.

— É apenas o modo de ver as coisas. Mas, se você me der seis meses, vou dar um jeito de sair daqui sem sentir vergonha de encarar os outros.

A moça riu de contentamento.

— Seis meses! — ela disse. — É uma promessa?

— Bem, podem ser sete ou oito. Mas no máximo em um ano vamos deixar o vale para trás.

Foi o máximo que Ettie pôde conseguir, mas mesmo assim já era alguma coisa. Havia essa luz ao longe para iluminar a escuridão do futuro imediato. Ela voltou para a casa do pai com o coração mais alegre. Foi o melhor dia desde que Jack McMurdo entrara em sua vida.

Pode-se pensar que, como membro da sociedade, ele seria informado de todas as suas atividades, mas logo descobriu que a organização era maior e mais complexa do que a simples Loja. Até mesmo o chefe

McGinty ignorava muitas coisas, pois havia uma pessoa chamada de delegado do condado, que morava em Hobson's Patch, mais adiante naquele ramal, e que tinha controle sobre várias lojas, que dirigia de modo arbitrário e rígido. McMurdo só o viu uma vez, um homem astuto, pequeno e de cabelos grisalhos, o andar furtivo e o olhar oblíquo cheio de malícia. Evans Pott era o seu nome, e mesmo o grande chefe de Vermissa sentia por ele um pouco de repulsa e medo, do mesmo modo que o gigantesco Danton deve ter sentido em relação ao fraco mas perigoso Robespierre.

Um dia, Scanlan, que era companheiro de pensão de McMurdo, recebeu um bilhete de McGinty que continha outro bilhete de Evans Pott, que lhe informava estar mandando dois homens dos bons, Lawler e Andrews, que tinham instruções para agir nas vizinhanças, embora fosse melhor para o caso que nenhum detalhe fosse revelado. Seria possível o chefe providenciar acomodações adequadas e todo o conforto até que chegasse a hora de os dois agirem? McGinty acrescentou que era impossível alguém permanecer incógnito no sindicato e que, por isso, seria obrigado a pedir para McMurdo e Scanlan acomodá-los por uns dias na pensão onde moravam.

Na mesma noite os dois homens chegaram, cada um com uma sacola de mão como bagagem. Lawler era um homem idoso, astuto, calado e reservado, vestido com uma velha sobrecasaca preta que, juntamente com o chapéu de feltro e a barba irregular e grisalha, davam-lhe o aspecto de um pregador itinerante. Seu companheiro, Andrews, era pouco mais que um menino, alegre e com um rosto franco, com todo o jeito de uma pessoa em férias e ansiosa para aproveitar cada minuto do passeio. Os dois eram abstêmios e se comportavam, em tudo, como membros exemplares da sociedade, exceto pelo fato de serem ambos assassinos que demonstraram com frequência que eram os melhores instrumentos para essa associação de assassinatos. Lawler já executara 14 serviços desse tipo, e Andrews, três.

Eles eram, como McMurdo descobriu, pessoas sempre dispostas a falar sobre seus feitos do passado, que repetiam com um orgulho meio acanhado, como se tivessem feito um trabalho bom e altruísta para a comunidade. Mas eram reticentes quanto ao novo serviço que tinham pela frente.

— Fomos escolhidos porque nem eu nem o menino aqui bebemos — Lawler explicou. — Sabem que nós nunca falaremos mais do que devemos. Vocês não devem levar isso a mal, mas são ordens do delegado do condado que nós obedecemos.

— Certo. Estamos todos juntos nisso — disse Scanlan, companheiro de McMurdo, quando os quatro se sentaram para o jantar.

— Isso é verdade, e vamos falar à beça sobre o assassinato de Charlie Williams ou o de Simon Bird, ou sobre qualquer outro serviço do passado. Mas, até esse serviço terminar, não falaremos nada sobre ele.

— Há certas coisas sobre esse serviço que eu gostaria de perguntar — disse McMurdo. — Suponho que não seja atrás de Jack Knox, de Ironhill, que vocês estejam. Eu gostaria de vê-lo recebendo o que merece.

— Não, não é ele ainda.

— Nem Herman Strauss?

— Não é ele também.

— Bem, se vocês não querem dizer, não podemos obrigá-los, mas eu gostaria de saber.

Lawler sorriu e sacudiu a cabeça. Ele não diria nada.

Apesar da reserva dos dois forasteiros, Scanlan e McMurdo estavam decididos a participar do que chamavam *brincadeira*. Quando, certa manhã, bem cedo ainda, McMurdo os ouviu descendo a escada, acordou Scanlan e os dois se vestiram rapidamente. Quando já estavam vestidos, viram que os outros já tinham saído e deixado a porta aberta. Não tinha amanhecido ainda e, com a luz das lâmpadas, puderam ver os dois homens na rua a uma certa distância. Eles os seguiram com muita cautela, procurando não fazer ruído ao pisar na neve espessa.

A pensão ficava perto do limite da cidade, e logo chegaram ao cruzamento de estradas que ficava pouco depois da divisa. Havia no local três homens à espera, com os quais Lawler e Andrews falaram rapidamente. Depois, seguiram todos juntos. Era claro que seria um serviço dos grandes, que precisava de muita gente. Chegaram a um ponto de onde partiam diversas trilhas que levavam às várias minas. Os forasteiros tomaram o caminho que ia para Crow Hill, uma grande mina que estava em mãos de gente poderosa e que conseguira, graças ao enérgico e destemido gerente da Nova Inglaterra, Josiah H. Dunn, manter alguma ordem e disciplina durante o longo reinado do terror.

O dia começava a raiar agora, e alguns operários caminhavam lentamente para o trabalho, uns em grupos e outros sozinhos, ao longo daquele caminho escuro.

McMurdo e Scanlan também caminhavam, com a atenção voltada para os homens que estavam seguindo. Uma névoa espessa os envolvia, e em meio à névoa soou um apito. Era o sinal dado dez minutos antes de os elevadores descerem e o trabalho começar.

Quando chegaram perto da mina, havia uma centena de operários esperando, batendo com os pés no chão e soprando os dedos, pois estava extremamente frio. Os forasteiros pararam ao lado de um grupo à sombra da casa de máquinas. Scanlan e McMurdo subiram num monturo de lixo, de onde podiam ver tudo abaixo deles com nitidez. Viram o engenheiro da mina, um escocês grande e barbudo chamado Menzies, sair da casa de máquinas e tocar o apito para que o elevador descesse. Nesse instante um jovem alto, de aparência desleixada mas de rosto sério e barbeado, avançou rapidamente em direção à boca da mina. Enquanto andava, seus olhos bateram no grupo, silencioso e imóvel, junto à casa de máquinas. Eles tinham tirado o chapéu e levantado a gola dos casacos para proteger o rosto. Por um instante o pressentimento da morte pôs sua mão gelada no coração do gerente. Mas pouco depois ele tirou esse pensamento da cabeça e viu a situação apenas como a invasão da área de trabalho por estranhos.

— Quem são vocês? — ele perguntou, enquanto avançava em sua direção. — O que estão querendo aqui?

Não houve resposta, mas Andrews deu um passo à frente e atirou na barriga do homem. Os operários que estavam esperando a hora de descer ficaram sem ação e aterrorizados, como se estivessem paralisados. O gerente pôs as duas mãos sobre o ferimento e se curvou. Depois tentou andar, meio cambaleante, mas outro dos assassinos o acertou, e ele caiu de lado no chão, batendo em cheio sobre uma pilha de escória de carvão. Menzies, o escocês, deu um grito de raiva ao presenciar essa cena e partiu para cima dos assassinos com uma ferramenta nas mãos, mas foi interceptado por duas balas que lhe atingiram o rosto e o fizeram cair aos pés dos seus assassinos.

Houve uma movimentação dos operários em direção aos cadáveres e um grito inarticulado de piedade e raiva, mas um dos forasteiros descarregou o revólver atirando para o alto, acima da cabeça da turba, e todos fugiram e se dispersaram, muitos indo para suas casas, em Vermissa. Quando alguns dos mais corajosos se juntaram novamente e voltaram ao serviço, a quadrilha assassina já desaparecera na névoa fria da manhã sem que nenhuma testemunha fosse capaz de reconhecer algum desses homens que cometeram um crime duplo diante de centenas de pessoas.

Scanlan e McMurdo voltaram para casa; Scanlan, um pouco deprimido, pois este fora o primeiro serviço desse tipo que ele vira com os próprios olhos, e lhe parecera menos divertido do que estava acostumado a pensar. Os gritos terríveis da mulher do gerente morto perseguiam os dois enquanto corriam de volta à cidade. McMurdo estava absorto e calado, mas não demonstrou simpatia pela debilidade do companheiro.

— Na verdade isso é como uma guerra — ele repetia. — O que é isso, senão uma guerra entre eles e nós? E nós atacamos onde podemos.

Houve uma grande festa na sala da Loja, no sindicato, naquela noite, não só pelo assassinato do gerente e do engenheiro da Crow Hill, o que colocaria esta empresa na lista de companhias vítimas de extorsão e do terror da região, mas também devido a uma vitória conseguida pela própria Loja. Seria revelado que, quando o delegado do condado enviara cinco homens dos bons a Vermissa para executar um serviço, tinha pedido que, em troca, fossem escolhidos em Vermissa e enviados secretamente três homens para matar William Hales, da Stake Royal, um dos mais conhecidos e populares proprietários de minas do distrito de Gilmerton, um homem que, segundo se dizia, não tinha um inimigo sequer, porque era, em todos os aspectos, um empregador-modelo. Mas ele insistira na questão de eficiência no trabalho e tinha, em consequência disso, demitido alguns empregados beberrões e outros indolentes que eram membros da todo-poderosa sociedade. Notícias ameaçadoras pregadas na sua porta não enfraqueceram sua decisão e, assim, num país livre e civilizado, ele se viu condenado à morte.

A execução tinha sido agora convenientemente levada a cabo. Ted Baldwin, que se espreguiçava no lugar de honra ao lado do chefe, tinha sido o chefe da operação. Seu rosto corado e seus olhos reluzentes e afogueados eram testemunhas da noite passada em claro e da bebida. Ele e seus dois companheiros haviam passado a noite anterior entre as montanhas. Estavam despenteados e sujos. Mas nenhum herói que voltasse de um serviço qualquer poderia ter tido uma recepção mais calorosa dos companheiros. A história era contada e recontada entre gritos de entusiasmo e gargalhadas ruidosas. Eles haviam esperado a vítima voltar para casa, ao anoitecer, instalados no alto de uma colina íngreme onde o cavalo do homem teria de andar lentamente. Ele estava tão agasalhado para se proteger do frio que não conseguiu puxar a arma. Eles o arrancaram do cavalo e atiraram nele várias vezes. Ele gritava pedindo misericórdia, e os gritos foram repetidos na Loja, para divertimento dos presentes.

Nenhum deles conhecia o homem, mas há um drama eterno num assassinato, e eles haviam mostrado aos Scowrer de Gilmerton que os homens de Vermissa eram pessoas confiáveis. Houve um pequeno contratempo, pois, enquanto estavam descarregando seus revólveres no corpo imóvel, um homem e a esposa passaram por ali. Alguém sugeriu que matassem o casal também, mas os dois eram pessoas que não ofereciam perigo e que não tinham qualquer ligação com as minas, de modo que foram severamente advertidos de que deveriam seguir e ficar de boca fechada para que algo ruim não acontecesse com eles. E então aquela figura coberta de sangue foi deixada ali como um aviso a todos os empregadores implacáveis, e os três vingadores correram para as montanhas, onde a natureza contínua se precipita até as fornalhas e os montes de escória das minas.

Aquele fora um grande dia para os Scowrer. A noite caíra mais negra ainda sobre o vale. Mas, assim como o general astuto escolhe o momento da vitória para redobrar seus ataques, para que os inimigos não possam ter tempo de se organizar depois da derrota, também o chefe McGinty, observando toda a operação com olhos meditativos e maliciosos, pensara em novo ataque contra os que se opunham a ele. Naquela mesma noite, quando os companheiros meio bêbedos foram embora, ele tocou no braço de McMurdo e o levou para aquela sala onde conversaram no seu primeiro encontro.

— Ouça, meu rapaz — disse ele. — Finalmente tenho um serviço ótimo para você. Terá o comando dele em suas mãos.

— Fico feliz em ouvir isso — McMurdo respondeu.

— Pode levar dois homens com você: Manders e Reilly. Já foram avisados sobre o serviço. Nunca ficaremos sossegados por aqui enquanto Chester Wilcox não for liquidado. Você terá a gratidão de todas as lojas da região das minas se conseguir eliminá-lo.

— Farei o melhor possível. Quem é ele e onde posso encontrá-lo?

McGinty tirou seu eterno charuto, meio mordido, meio fumado, do canto da boca, e começou a desenhar um diagrama tosco numa página arrancada do seu caderninho de anotações.

— Ele é o capataz-chefe da Iron Dike Company. É um cara difícil, e antigo primeiro-sargento da guerra, cheio de cicatrizes e já grisalho. Fizemos duas tentativas, mas não tivemos sorte, e Jim Carnaway perdeu sua vida assim. Agora é você o encarregado. Essa é a casa, isolada no desvio da Iron Dike, como você está vendo aqui no mapa, sem outra por perto. Não é bom ir lá de dia. Ele anda armado e atira depressa e com precisão, sem perguntar nada. Mas, à noite, aqui está ele, com a mulher, os três filhos e uma criada. Você não pode parar para pensar. É tudo ou nada. Se você pudesse colocar uma bolsa com pólvora na porta da frente com um estopim...

— O que ele fez?

— Eu não lhe disse que ele acertou Jim Carnaway?

— Por que ele o acertou?

— O que isso tem a ver com você? Carnaway estava perto da casa dele à noite e ele o acertou. Isso basta pra mim e pra você. Você tem de fazer a coisa direito.

— E essa mulher e as crianças... Liquido também?

— Tem de ser, porque, do contrário, como vamos pegá-lo?

— Parece injusto com eles, pois não fizeram nada de errado.

— Que conversa é essa? Quer voltar atrás?

— Calma, conselheiro, calma. O que eu já disse ou fiz que pudesse levar o senhor a pensar que desejo voltar atrás de uma ordem do chefe da minha Loja? O certo e o errado é o senhor quem decide.

— Você faz isso, então?

— Claro que farei.

— Quando?

— Bem, dê-me uma noite ou duas para que eu possa ver a casa e planejar tudo. Então...

— Ótimo — disse McGinty, apertando-lhe a mão. — Deixo por sua conta. Será um dia maravilhoso quando você vier nos contar a novidade. Será o golpe final para que todos se curvem.

McMurdo pensou longa e profundamente sobre o serviço que fora confiado a ele tão de repente. A casa isolada em que Chester Wilcox morava ficava a cerca de cinco milhas, num vale vizinho. Naquela mesma noite começou a preparar sozinho o ataque. Já era dia quando voltou do reconhecimento do lugar. No dia seguinte conversou com seus dois subordinados, Manders e Reilly, jovens impetuosos que estavam tão excitados como se fossem a uma caçada. Duas noites depois encontraram-se fora da cidade, todos armados, e um deles carregando um saco com a pólvora usada nas minas. Eram duas horas quando chegaram à casa isolada. Ventava muito, e as nuvens passavam rapidamente diante da lua em quarto crescente. Eles haviam sido advertidos para ficarem atentos a emboscadas, de modo que caminhavam cautelosamente, com as armas nas mãos. Mas não havia nenhum ruído, a não ser o lamento do vento, e também não havia movimento algum a não ser o balanço dos galhos acima deles. McMurdo foi até a porta da casa e ficou escutando, mas estava tudo quieto lá dentro. Então ele pôs o saco de pólvora junto à porta, fez um furo nele com sua faca e colocou o estopim. Quando ficou bem aceso, ele e os dois companheiros saíram correndo, e estavam a uma distância segura, abrigados numa vala, antes que o barulho da explosão lhes dissesse que o trabalho estava terminado. Nenhum serviço mais limpo constava dos registros sangrentos da sociedade. Mas todo aquele trabalho tão bem organizado e audaciosamente executado fora em vão! Advertido pelo destino de várias vítimas, e sabendo que estava marcado para morrer, Chester Wilcox mudara-se com a família no dia anterior, para um lugar mais seguro e menos conhecido, onde um grupo de policiais tomava conta da casa. Fora uma casa vazia que explodira, e o inflexível ex-primeiro-sargento da guerra ainda estava ensinando disciplina aos mineiros da Iron Dike.

— Deixe-o pra mim — disse McMurdo. — Ele é meu e vou pegá-lo, nem que espere um ano.

Um voto de agradecimento e confiança foi aprovado por toda a Loja, e por ora o assunto estava encerrado. Quando, algumas semanas depois, foi noticiado nos jornais que Wilcox morrera numa emboscada, não era segredo para ninguém que McMurdo ainda estava em atividade para acabar o que havia começado.

Eram esses os métodos da Sociedade dos Homens Livres, e esses os feitos dos Scowrer, por meio dos quais espalhavam o medo naquele distrito grande e rico que por muito tempo foi dominado pela sua terrível presença. Por que macular estas páginas com outros crimes? Eu já não disse o suficiente para mostrar quem eram esses homens e seus métodos? Esses fatos fazem parte da História e há registros, nos quais podem ser lidos os detalhes. Nesses registros, pode-se ler sobre o assassinato dos policiais Hunt e Evans porque se atreveram a prender dois membros da sociedade, uma violência dupla planejada na Loja de Vermissa, e executada a sangue-frio contra dois homens desarmados e indefesos. Pode-se ler também sobre a morte da sra. Larbey enquanto cuidava do marido, que fora espancado quase até a morte por ordem do chefe McGinty. A morte do velho Jenkins, seguida pouco depois pela morte do seu irmão, a mutilação de James Murdoch, a explosão da casa da família Staphouse e o assassinato dos Stendal ocorreram numa sucessão bárbara, todos no mesmo inverno terrível. A primavera chegara com riachos de águas agitadas e flores desabrochando. Havia esperança em toda a Natureza, mantida por tanto tempo aprisionada; mas não havia nenhuma esperança para os homens e as mulheres que viviam sob o jugo do terror. Nunca a nuvem que os cobria estivera tão carregada e sem esperança de dissipação como no início do verão do ano de 1875.

6

PERIGO

ERA O AUGE DO IMPÉRIO DO TERROR. MCMURDO, QUE JÁ FORA indicado como líder, com muita possibilidade de vir um dia a suceder McGinty como chefe, era agora tão necessário nas reuniões que nada era feito sem sua ajuda e aconselhamento. Porém, quanto mais popular ele ficava entre os Homens Livres, mais fechadas eram as fisionomias dos que o cumprimentavam nas ruas de Vermissa. Apesar do terror que sentiam, as pessoas estavam tomando coragem para se unir contra seus opressores. Havia rumores sobre reuniões secretas na redação do *Herald* e sobre distribuição de armas de fogo entre os cidadãos. Mas McMurdo e seus homens não se deixavam perturbar por essas informações. Eles eram muitos, decididos e bem armados. Seus adversários estavam dispersos e sem força. Tudo isso terminaria, como já acontecera no passado, em conversa fiada e possivelmente em prisões inúteis. Foi o que disseram McGinty, McMurdo e todos os valentões.

Era uma noite de sábado em maio. Sábado era sempre a noite da Loja, e McMurdo estava saindo de casa para ir até lá quando Morris, o irmão mais frágil da Ordem, veio vê-lo. Sua fronte estava cheia de rugas de preocupação e sua fisionomia agradável estava transtornada e desfigurada.

— Posso falar francamente, sr. McMurdo?

— Claro.

— Não posso esquecer que uma vez eu lhe abri meu coração e que o senhor guardou tudo para si, embora o chefe tenha lhe perguntado sobre nossa conversa.

— O que mais eu poderia fazer se o senhor confiou em mim? Não quer dizer que eu tivesse concordado com o que me disse.

— Eu sei disso. Mas o senhor é uma pessoa com a qual posso falar e me sentir seguro. Tenho um segredo aqui — pôs a mão sobre o peito. — E isso está acabando com a minha vida. Eu desejaria que isso tivesse acontecido com qualquer um de vocês, menos comigo. Se eu contar o que é, significará a morte, certamente. Se não disser nada, pode ser o fim de todos nós. Que Deus me ajude. Estou quase perdendo a cabeça.

McMurdo olhou para o homem com seriedade. Ele estava tremendo. Despejou um pouco de uísque num copo e entregou ao outro.

— Esse é o seu melhor remédio — ele disse. — Agora, fale.

Morris bebeu e seu rosto pálido ganhou um pouco de cor.

— Posso contar-lhes tudo numa frase — ele disse. — Há um detetive atrás de nós.

McMurdo olhou para ele, espantado.

— O quê? Está louco — disse ele. — Por aqui não está cheio de policiais e detetives? E que mal eles já nos fizeram?

— Não, não. Não é um homem daqui. Como o senhor disse, nós os conhecemos e eles podem fazer muito pouco. Mas já ouviu falar no pessoal de Pinkerton?

— Já ouvi algumas pessoas falarem nesse nome.

— Acredite-me: nunca se sabe quando um deles está atrás da gente. Não é algo que se possa escolher. É uma coisa que, uma vez começada, não para mais até que, de um modo ou de outro, esteja terminada. Se um homem de Pinkerton estiver mesmo nisso, todos nós estaremos destruídos.

— Temos de matá-lo.

— Ah, é a primeira ideia que lhe ocorre! Será também o pensamento de todos os da Loja. Eu não disse que isso tudo iria terminar em assassinato?

— Qual o problema quanto a assassinato? Não é uma coisa bastante comum por aqui?

— Na verdade é, mas não cabe a mim apontar o homem que deve morrer. Eu, se fizesse isso, nunca mais teria sossego. Entretanto, são as nossas cabeças que poderão rolar. Em nome de Deus, o que devo fazer? — ele andava de um lado para outro em meio à agonia da indecisão.

Mas suas palavras haviam tocado McMurdo bem fundo. Era fácil ver que concordava com a opinião do outro quanto ao perigo e quanto à necessidade de enfrentá-lo. Ele apertou o ombro de Morris e o sacudiu em sua agitação.

— Olha aqui, homem, o senhor não ganhará nada ficando sentado e se lamentando feito uma beata de igreja! — exclamou, exaltado. — Vamos aos fatos. Quem é o sujeito? Onde está? Como ficou sabendo a respeito dele? Por que veio falar comigo?

— Vim porque o senhor é o único homem que pode me aconselhar. Eu lhe disse que tinha uma loja no Leste antes de vir pra cá. Deixei bons amigos por lá, e um deles trabalha no serviço telegráfico. Aqui está uma carta que recebi dele ontem. Está na parte de cima da folha. O senhor mesmo pode ler.

Foi isso que McMurdo leu:

Como estão os Scowrer por aí? Lemos muita coisa sobre eles nos jornais. Espero receber notícias suas em breve. Cinco grandes corporações e duas ferrovias estão decididas a levar o negócio a sério. Pode apostar que conseguirão. Estão decididas mesmo. Pinkerton está cuidando do caso e seu melhor homem, Birdy Edwards, está agindo. A coisa vai acabar não demora muito.

E, depois, o P.S.:

É claro que o que escrevi foi o que ouvi no serviço, de modo que não é totalmente garantido. É um código estranho com o qual se lida todos os dias e muita coisa não dá para entender.

McMurdo ficou sentado em silêncio durante algum tempo com a carta em suas mãos indóceis. A névoa se dissipara por um instante e ali estava o abismo diante dele.

— Mais alguém sabe disso? — ele perguntou.

— Não contei a mais ninguém.

— Mas esse homem, o seu amigo, teria outra pessoa a quem provavelmente escreveria?

— Bem, ele conhece mais um ou dois sujeitos.

— Da Loja?

— É bem provável.

— Eu perguntei porque é provável que ele tenha dado alguma descrição desse sujeito, Birdy Edwards. Então poderíamos procurá-lo.

— Bem, é possível. Mas acho que ele não o conhece. Ele estava apenas me contando as novidades que lhe chegam devido ao seu serviço. Como ele poderia conhecer esse homem de Pinkerton?

McMurdo teve um súbito estalo.

— Puxa! — gritou. — Eu o conheço. Que bobo fui por não me lembrar! Meu Deus, que sorte! Vou cuidar disso sozinho, como se a carta tivesse chegado pra mim. Está bom assim?

— É tudo que eu pediria.

— Então, deixe tudo como está e fique calado. Agora, vou até a Loja e, logo, o velho Pinkerton se arrependerá de tudo isso.

— O senhor o mataria?

— Quanto menos souber, amigo Morris, mais tranquila ficará sua consciência e melhor o senhor dormirá. Não faça perguntas e deixe as coisas correrem. Eu estou cuidando do caso agora.

Morris sacudiu a cabeça com tristeza enquanto saía.

— Sinto que o sangue dele está nas minhas mãos — disse num resmungo.

— Autodefesa não é assassinato — disse McMurdo, rindo de um jeito sinistro. — É ele ou nós. Acho que esse cara nos destruiria se o deixássemos ficar no vale por algum tempo. Ora, Irmão Morris, ainda temos que elegê-lo chefe da Loja, pois o senhor com certeza a salvou.

Mas estava claro, pela sua atitude, que ele pensava mais seriamente nesta nova intromissão do que suas palavras deixavam transparecer. Pode ter sido sua consciência culpada; pode ter sido a fama da organização de Pinkerton; pode ter sido a notícia de que corporações grandes e ricas haviam assumido a tarefa de acabar com os Scowrer; mas, qualquer que tenha sido o motivo, sua atitude era a de um homem se preparando para o pior. Todos os papéis que pudessem incriminá-lo foram destruídos antes que saísse de casa. Depois disso, deu um longo suspiro de alívio, pois tinha a impressão de estar seguro. Mesmo assim, o perigo devia estar tão presente em sua mente que a caminho da Loja passou na casa de Shafter. A entrada dele estava proibida, mas, quando bateu na janela, Ettie saiu para encontrá-lo. O ar travesso desaparecera dos seus olhos irrequietos de amante dedicada. Ela viu a mensagem do perigo no rosto sério dele.

— Aconteceu alguma coisa! — ela exclamou. — Oh, Jack, você está em perigo!

— Sim, mas não é muito sério, querida. Mesmo assim, é melhor mudar antes que as coisas fiquem piores.

— Mudar!

— Prometi a você que um dia eu iria. Acho que chegou a hora. Recebi certas notícias esta noite, más notícias, e acho que haverá encrencas sérias por aqui.

— A polícia?

— Bem, Pinkerton. Mas você não deve saber o que é isso nem o que possa significar. Estou muito envolvido nisso tudo e posso ter que cair fora bem depressa. Você disse que iria comigo se eu fosse embora.

— Oh, Jack, seria a sua salvação.

— Sou um homem honesto em algumas coisas, Ettie. Eu não tocaria num fio do seu cabelo que fosse por nada nesse mundo, nem tiraria você um centímetro que fosse do trono de ouro sobre as nuvens em que sempre a vi. Você confia em mim?

Ela segurou a mão dele sem dizer nada.

— Então escute o que vou dizer e faça tudo da maneira que eu mandar, pois é nossa única saída. Vão acontecer coisas neste vale. Sinto isso nos meus ossos. Pode haver muita gente atrás de nós. Mas eu sou um só. Se eu for embora, de dia ou à noite, você terá de ir comigo.

— Eu vou atrás de você, Jack.

— Não, não. Você deve ir *comigo*. Se esse vale se fechar para mim e eu não puder voltar mais, como posso deixá-la aqui, talvez tendo que me esconder da polícia sem uma possibilidade de enviar uma mensagem a você? Conheço uma boa senhora no lugar de onde eu vim, e é lá que deixarei você até que possamos nos casar. Você vem?

— Sim, Jack, eu irei.

— Deus a abençoe por confiar em mim. Que o fogo do inferno me queime se eu não fizer o que prometo. Agora, veja bem, Ettie, direi apenas uma palavra a você e, quando receber o recado, deixe tudo e vá para o saguão da estação da ferrovia e me espere até que vá me encontrar com você.

— Seja dia ou noite, atenderei a seu chamado, Jack.

Um pouco mais tranquilo, agora que já começara a se preparar para fugir, McMurdo seguiu para a Loja. Já estavam todos reunidos, e somente depois de fazer complicados sinais e contrassinais, ele conseguiu passar pelos vigias externos e internos que protegiam os membros da sociedade. Um murmúrio de satisfação e de boas-vindas o saudou quando entrou. A grande sala estava lotada, e através da fumaça dos cigarros ele viu a cabeleira preta e emaranhada do chefe, a fisionomia hostil de Baldwin, a cara de abutre de Harraway, o secretário, e os rostos de mais alguns que estavam entre os líderes da Loja. Ele gostou que estivessem todos ali para tomar conhecimento das novidades.

— De fato, ficamos contentes com a sua presença, irmão! — exclamou o presidente. — Há certas coisas aqui que precisam de um Salomão para julgá-las convenientemente.

— O caso é Lander e Egan — explicou o homem ao seu lado, enquanto ele se sentava. — Os dois reclamam o direito de receber o dinheiro que a Loja vai dar pela morte do velho Crabbe em Stylestown. Mas quem pode dizer qual deles acertou o tiro que matou o velho?

McMurdo levantou-se e fez sinal com a mão, pedindo a palavra. A expressão do seu rosto deixou todos atentos. Em silêncio, esperaram as palavras dele.

— Venerável Chefe, tenho um assunto urgente — disse ele em tom solene.

— O Irmão McMurdo pede urgência — disse McGinty. — É um pedido que, pelas regras da Loja, tem prioridade. Pode falar, irmão.

— Venerável Chefe e companheiros, sou portador de más notícias, mas é melhor que elas sejam anunciadas e discutidas, do que recebermos um golpe sem aviso, o que nos destruiria — disse ele. — Tenho informações de que as organizações mais poderosas e mais ricas deste Estado uniram suas forças para nos destruir, e que neste exato momento há um detetive de Pinkerton, um sujeito chamado Birdy Edwards, trabalhando aqui no vale e recolhendo provas que possam colocar uma corda em volta do pescoço de muitos de nós e mandar todos os que estão nesta sala para uma cela. Esta é a situação a ser discutida e para a qual pedi urgência.

Houve um silêncio absoluto na sala. Que foi quebrado pelo presidente.

— Qual a prova disso, Irmão McMurdo? — perguntou.

— Está na carta que recebi — disse McMurdo. Ele leu o trecho em voz alta. — É uma questão de honra para mim não dar mais detalhes sobre a carta, nem passá-la às suas mãos, mas garanto que não há mais nada nela que seja do interesse da Loja. Apresento o caso a vocês do modo como me foi exposto.

— Sr. Presidente, já ouvi falar em Birdy Edwards e que ele tem a fama de ser o melhor homem do serviço de Pinkerton — disse um dos membros mais velhos.

— Alguém já o viu? — perguntou McGinty.

— Sim, eu já o vi — disse McMurdo.

Houve um murmúrio de perplexidade na sala.

— Acho que o temos na palma da mão — ele continuou, com um sorriso de satisfação. — Se agirmos bem depressa e de forma inteligente, podemos acabar logo com isso. Se eu merecer sua confiança e sua ajuda, teremos pouco a temer.

— O que temos a temer? O que ele pode saber a respeito das nossas atividades?

— O senhor poderia dizer isso se todos nós fôssemos íntegros como o senhor, conselheiro. Mas esse sujeito tem todos os milhões dos capitalistas a apoiá-lo. O senhor acha que não existe um irmão mais fraco que possa ser comprado? Assim ele conhecerá nossos segredos. Talvez já os tenha. Só há um remédio.

— Que ele jamais saia do vale — disse Baldwin. McMurdo assentiu.

— Certo, Irmão Baldwin — disse ele. — Você e eu tivemos umas diferenças, mas esta noite você disse a palavra certa.

— Onde ele está? Onde podemos vê-lo?

— Venerável Chefe, acredito que este assunto seja importante demais para ser discutido por toda a Loja — disse McMurdo com veemência. — Deus me livre de duvidar de algum dos presentes. Mas, se chegar alguma coisa aos ouvidos desse sujeito, acabariam todas as nossas possibilidades de agarrá-lo. Eu sugiro que a Loja eleja uma comissão pequena, sr. presidente. O senhor, se me permite sugerir, o Irmão Baldwin e mais cinco membros. Então poderei falar abertamente sobre o que eu sei e sobre o que penso que deve ser feito.

A proposta foi aceita imediatamente e a comissão escolhida. Além do presidente e de Baldwin, foram escolhidos o secretário com cara de abutre, Harraway; Tigre Cormac, o jovem e brutal assassino; Carter, o tesoureiro; e os irmãos Willaby, que eram homens destemidos e arrebatados que não rejeitariam nada.

A festança habitual na Loja foi rápida e sem muita euforia, pois havia uma nuvem pairando sobre a cabeça daqueles homens, e muitos ali começavam a ver pela primeira vez a nuvem vingadora da lei formando-se naquele céu tão sereno sob o qual eles haviam se abrigado por tanto tempo. O terror que eles haviam imposto aos outros estivera sempre tão afastado de suas vidas que a ideia de desforra passara a ser algo muito remoto, e por isso parecia tão alarmante agora que estava bem perto deles. Eles foram embora cedo e deixaram seus líderes resolver a situação.

— Agora, McMurdo — disse McGinty quando ficaram sozinhos. Os sete homens estavam sentados imóveis em seus lugares.

— Eu disse há pouco que conhecia Birdy Edwards — McMurdo explicou. — Não preciso dizer que ele não está aqui com esse nome. Ele é um homem valente, mas não é louco. Ele está aqui com o nome de Steve Wilson, hospedado em Hobson's Patch.

— Como sabe disso?

— Porque conversei com ele. Não dei muita importância ao fato na época, nem pensaria mais nisso se não fosse a carta. Mas agora tenho certeza de que é ele. Eu o encontrei quarta-feira. Ele seria uma parada se tivéssemos de enfrentá-lo. Disse que era jornalista e que fazia a pesquisa para um jornal de Nova York. Por um instante eu acreditei. Ele queria saber tudo sobre os Scowrer e sobre o que ele chamou de "os ultrajes". Ele me fez todos os tipos de perguntas, dizendo que eram para o jornal dele. Acreditem que eu não contei nada. "Posso pagar pela informação", ele disse. "E pago bem se conseguir um material que agrade ao meu editor." Eu disse que achava poder lhe dizer algo muito bom e ele me deu uma nota de vinte dólares pela informação. "Você terá dez vezes isso aí, se puder me contar tudo o que eu desejo", disse ele.

— O que você contou a ele?

— Alguma coisa que inventei.

— Como sabe que ele não era mesmo um jornalista?

— Vou contar. Ele desceu em Hobson's Patch e eu também. Por acaso entrei no escritório do telégrafo e ele estava saindo de lá.

— "Veja isso", disse o operador, depois que ele saiu. "Acho que devíamos cobrar o dobro por isso." "Acho que sim", eu disse. Ele tinha preenchido o formulário com algo que parecia letra chinesa. "Ele despacha um negócio assim todos os dias", disse o funcionário. "Sim", disse eu. "Deve ser uma notícia especial para o jornal dele, e ele está com medo que outros copiem." Foi isso que o operador pensou e que eu pensei naquele dia. Mas agora penso diferente.

— Puxa, acho que você está certo! — disse McGinty. — Mas o que acha que devemos fazer em relação a isso?

— Por que não saímos agora mesmo para agarrá-lo? — alguém sugeriu.

— Ah, quanto antes, melhor.

— Eu iria agora mesmo se soubesse onde encontrá-lo — disse McMurdo. — Ele está em Hobson's Patch, mas não sei em que casa. Tenho um plano, para o caso de aceitarem meu conselho.

— E que plano é esse?

— Vou até lá amanhã de manhã descobrir com o operador onde ele está. Acho que ele saberá como localizá-lo. Bem, então digo a ele que sou um dos Homens Livres. Ofereço todos os segredos da Loja por um certo preço. Podem acreditar que ele cairá nessa. Vou dizer que os papéis estão na minha casa e que seria conveniente que ele fosse até lá enquanto as pessoas estiverem fora. Marcamos para as dez da noite e ele vê tudo. Isso vai atraí-lo, não?

— E daí?

— Vocês podem planejar o resto. A casa da viúva MacNamara é uma casa afastada. Ela é confiável como o aço e surda como um poste. Apenas Scanlan e eu estaremos lá. Se eu conseguir que ele vá, eu o informarei se ele prometer ir. Vocês sete chegariam às nove horas. Vamos pegá-lo. Se por acaso ele sair vivo, ele poderá falar que Birdy Edwards é realmente um cara de muita sorte.

— Ou eu muito me engano ou haverá uma vaga no grupo de Pinkerton — disse McGinty. — Fica acertado assim, McMurdo. Amanhã, às nove, estaremos lá com você. Depois que ele entrar e você fechar a porta, deixe o resto por nossa conta.

7

A ARMADILHA PARA BIRDY EDWARDS

Como McMurdo havia dito, a casa em que ele morava era isolada e muito conveniente para um crime como o que eles haviam planejado. Ficava no extremo da cidade e bem afastada da estrada. Em qualquer outra situação, os conspiradores teriam simplesmente chamado o seu homem, como já haviam feito muitas vezes antes, e descarregado as armas em seu corpo; mas neste caso era preciso descobrir o quanto ele sabia, como ficara sabendo e o que fora transmitido aos patrões dele. Era possível que estivessem atrasados demais e que o serviço já tivesse sido feito. Se fosse este o caso, eles pelo menos poderiam se vingar do homem que fizera isso. Mas tinham esperança de que nada de muito importante tivesse chegado ao conhecimento do detetive, pois, do contrário, argumentavam, ele não teria se preocupado em passar aquelas informações banais que McMurdo dissera ter-lhe dado. Mas tudo isso eles ouviriam dos lábios dele. Quando estivesse em seu poder, eles encontrariam uma maneira de fazê-lo falar. Não era a primeira vez que lidavam com uma testemunha indesejável.

McMurdo foi para Hobson's Patch, como ficara combinado. A polícia parecia estar especialmente interessada nele naquela manhã, e o capitão Marvin, que dissera conhecê-lo há muito tempo de Chicago, realmente dirigiu-se a ele enquanto esperava na estação ferroviária. McMurdo afastou-se e se recusou a falar com o capitão. Ele voltou da sua missão à tarde e encontrou-se com McGinty no sindicato.

— Ele vem aí — disse.

— Ótimo! — aprovou McGinty. O gigante estava em mangas de camisa, com as correntes e emblemas brilhando no peito por cima do seu enorme colete e um diamante cintilando abaixo da barba eriçada.

A bebida e a política haviam feito do conselheiro um homem muito rico, além de poderoso. O mais terrível de tudo, portanto, era a possibilidade de cadeia ou de forca que fora mencionada na noite anterior.

— Você acha que ele sabe de muita coisa? — perguntou, ansioso.

McMurdo sacudiu a cabeça com pesar.

— Ele já está por aqui há algum tempo. Pelo menos há seis semanas. Acho que não veio até aqui para ver a paisagem. Se trabalhou entre nós durante todo esse tempo com o apoio do dinheiro das ferrovias, deve-se esperar que tenha conseguido algum resultado, e que tenha passado isso adiante.

— Não há nenhum homem fraco na Loja! — gritou McGinty. — São todos exemplares. Mesmo assim, ah, meu Deus!, existe aquele pulha do Morris. O que acha dele? Se algum homem tiver que trair a Loja, certamente será ele. Estou pensando em mandar dois rapazes até a casa dele antes de anoitecer para lhe dar uma surra e ver o que conseguem dele.

— Bem, não haveria mal nenhum nisso — disse McMurdo. — Não vou negar que gosto de Morris e lamentaria se algum mal lhe acontecesse. Uma vez ou duas ele falou comigo sobre assuntos da Loja e, embora não pareça encará-lo do mesmo modo que nós, nunca achei que fosse do tipo que delata. Mas não quero me interpor entre o senhor e ele.

— Vou pegar esse velho idiota — disse McGinty, praguejando. — Estou de olho nele desde o ano passado.

— Bem, o senhor sabe mais sobre isso — disse McMurdo. — Mas, seja lá o que o senhor for fazer, tem de ser amanhã, porque precisamos ficar fora de circulação até que o caso Pinkerton esteja resolvido. Não podemos deixar que a polícia nos perturbe hoje.

— É verdade — disse McGinty. — E vamos saber com Birdy Edwards onde ele obteve as informações, nem que ele perca as tripas. Será que ele percebeu que era uma armadilha?

McMurdo riu.

— Acho que eu o peguei pelo ponto fraco — ele disse. — Se ele tiver uma boa pista sobre os Scowrer, é capaz de segui-la até o inferno. Peguei o dinheiro dele — McMurdo sorria enquanto mostrava um maço de notas. — E muito mais depois que eu lhe mostrar meus papéis.

— Que papéis?

— Bem, não há papel nenhum. Mas eu disse que havia estatutos e livros de normas para os membros. Ele espera resolver tudo antes de ir embora.

— Que confiança! — disse McGinty de modo sinistro. — Ele não perguntou por que você não levava os papéis até ele?

— Como se eu pudesse andar por aí com coisas desse tipo. Sou um homem suspeito, ainda mais depois que o capitão Marvin falou comigo hoje de manhã na estação!

— Ah, eu fiquei sabendo — disse McGinty. — Acho que a culpa disso irá recair sobre você. Podemos colocá-lo numa velha mina depois de eliminá-lo, mas, de qualquer modo, não podemos nos aproximar do homem que mora em Hobson's Patch, já que você esteve hoje lá.

McMurdo deu de ombros.

— Se fizermos tudo direito, nunca poderão provar que houve assassinato — disse ele. — Ninguém poderá vê-lo vindo para a casa depois que escurecer e vou dar um jeito para que ninguém o veja ir. Agora, conselheiro, vou mostrar-lhe meu plano e peço que o senhor passe para os outros. Vocês chegam antes. Muito bem. Ele chega às dez horas. Vai bater três vezes para que eu abra a porta. Então, fico atrás dele e fecho a porta. Aí ele é nosso.

— Tudo muito fácil e claro.

— Sim, mas o passo seguinte precisa de reflexão. Ele está bem armado. Eu o enganei, mas, mesmo assim, é provável que esteja alerta. Suponha que eu o leve a um quarto onde estejam sete homens, quando ele esperava me encontrar sozinho. Haverá tiroteio e alguém vai se machucar.

— É verdade.

— E o barulho fará com que todos os guardas da cidade caiam sobre nós.

— Acho que você está certo.

— É assim que devo pensar. Vocês todos ficarão no salão, aquele que o senhor viu quando foi falar comigo. Vou abrir a porta para ele. Levo-o para a outra sala e deixo-o ali enquanto vou apanhar os papéis. Isso me dará oportunidade de lhes dizer como estão as coisas. Depois, volto para onde ele está com alguns papéis falsos. Enquanto estiver lendo, eu pulo em cima dele e pego sua arma. Vocês ouvem o meu chamado e correm. Quanto mais rápido, melhor, pois ele é forte como eu e pode ser difícil de controlar. Mas acho que posso segurá-lo até vocês chegarem.

— É um bom plano — disse McGinty. — A Loja ficará em dívida com você por isso. Acho que, quando eu deixar este posto, poderia indicar o homem que me sucederá.

— Bem, conselheiro, sou pouco mais que um recruta — disse McMurdo, mas seu rosto mostrava o que ele pensava do cumprimento do grande homem.

Quando voltou para casa, fez seus preparativos para a noite difícil que teria pela frente. Primeiramente limpou, lubrificou e carregou sua Smith & Wesson. Depois examinou a sala em que o detetive seria pego na armadilha. Era um cômodo grande, com uma mesa comprida no centro e o grande fogão num canto. Em cada um dos lados havia uma janela. Não havia postigos, apenas cortinas leves que corriam para os lados. McMurdo examinou-as atentamente. Sem dúvida, deve ter-lhe ocorrido que o apartamento era muito devassado para um assunto tão secreto. Mas sua distância da estrada compensava aquela desvantagem. Finalmente ele discutiu o assunto com o outro inquilino. Scanlan, embora fosse um Scowrer, era um homenzinho inofensivo, fraco demais para se opor à opinião dos seus companheiros, mas ficava secretamente horrorizado com os atos sanguinários que algumas vezes fora obrigado a assistir. McMurdo contou-lhe resumidamente o que iria acontecer.

— E, se eu fosse você, Mike Scanlan, passaria a noite longe, e fora de tudo isso. Vai correr muito sangue por aqui antes de amanhecer.

— Na verdade, Mac, não é a vontade que manda em mim, e sim os nervos — disse Scanlan. — Quando eu vi o gerente Dunn cair lá na mina de carvão, foi demais para mim. Não fui feito pra isso. Não sou como você ou McGinty. Se a Loja não for pensar mal de mim, farei como você disse. E sairei quando anoitecer.

Os homens chegaram na hora certa, como combinado. Eles eram aparentemente cidadãos respeitáveis, bem-vestidos e limpos, mas um bom conhecedor de fisionomias veria facilmente naquelas bocas e olhos implacáveis que havia poucas esperanças para Birdy Edwards. Não havia um homem naquela sala cujas mãos já não tivessem ficado ensanguentadas antes. Eles eram tão insensíveis para assassinatos quanto um açougueiro para desossar um boi. Em primeiro lugar, tanto em aparência quanto em culpa, estava o terrível chefe. Harraway, o secretário, era um homem magro, mordaz, com um pescoço longo e fino e os membros irrequietos, nervosos, um homem de incorruptível fidelidade no que se referia às finanças da Ordem, e sem noção alguma de justiça ou honestidade em relação às outras pessoas. O tesoureiro, Carter, era um homem de meia-idade com um ar impassível, bastante rabugento, com uma pele amarelada feito pergaminho. Ele era um organizador competente, e todos os detalhes de cada ataque saíam de seu cérebro conspirador. Os dois Willaby eram homens de ação, jovens altos e ágeis, de rostos determinados, enquanto seu companheiro, Tigre Cormac, um jovem moreno e pesadão, era temido até por seus próprios camaradas pela ferocidade de seu temperamento. Eram esses os homens reunidos aquela noite sob o teto de McMurdo para o assassinato do detetive de Pinkerton.

O anfitrião pusera uma garrafa de uísque na mesa e eles se apressavam em se embebedar antes do serviço que tinham pela frente. Baldwin e Cormac já estavam meio bêbados, e o álcool despertara toda a ferocidade deles. Cormac pôs as mãos sobre a lareira por um instante; ela estava acesa, porque as noites de primavera ainda eram geladas.

— Vamos pegá-lo — disse ele.

— É — comentou Baldwin, ansioso. — Se ele for tratado *direitinho,* falará tudo.

— Ele falará tudo, não se preocupe — disse McMurdo. Ele tinha nervos de aço, pois, embora toda a responsabilidade do caso fosse dele, seu jeito era frio e despreocupado como sempre. Os outros notaram isso e o cumprimentaram.

— Você é o cara certo para lidar com ele — disse o chefe, de modo aprovador. — Ele não perceberá nada até que você esteja com as mãos em seu pescoço. É uma pena que suas janelas não tenham persianas.

McMurdo puxou as cortinas das duas janelas.

— Bem, ninguém pode nos ver aqui dentro agora. Está quase na hora.

— Talvez ele não venha. Talvez sinta cheiro de perigo — disse o secretário.

— Ele virá, não se preocupem — disse McMurdo. — Ele está tão ansioso para vir quanto vocês para vê-lo. Ouçam!

Todos se sentaram como bonecos de cera, alguns com os copos no ar a caminho da boca. Ouviram três batidas fortes na porta.

— Silêncio!

McMurdo levantou a mão em sinal de advertência. Um olhar de júbilo surgiu em todos do grupo e eles puseram as mãos nas armas ocultas.

— Não façam barulho! — McMurdo sussurrou enquanto saía da sala, fechando a porta com cuidado.

Os assassinos esperavam com o ouvido atento. Contaram os passos do companheiro até a porta. Depois ouviram quando ele abriu a porta. Houve algumas palavras de saudação. Após isso, ouviram uma outra pessoa andando na casa, e a voz de um estranho. Um instante depois, ouviu-se a batida da porta e em seguida o ruído da chave girando na fechadura. A presa estava segura na armadilha. Tigre Cormac deu uma risada alta e o chefe McGinty bateu na boca do outro com sua mão grande.

— Fique quieto, estúpido! — ele sussurrou. — Você ainda vai estragar tudo.

Ouviu-se um murmúrio de conversa vindo da sala ao lado. Parecia uma conversa interminável. Depois, a porta se abriu e McMurdo apareceu, com o dedo sobre os lábios.

Ele foi até a cabeceira da mesa e olhou para os outros. Ocorrera uma mudança sutil nele. Seu comportamento era como o de alguém que tem um trabalho importante a executar. Seu rosto estava rígido como granito. Seus olhos brilhavam com uma excitação feroz atrás dos óculos. Ele se tornara visivelmente um líder. Todos o olhavam com grande interesse, mas ele não disse nada. Com o mesmo olhar estranho com que entrara na sala, ele olhou para cada um dos homens.

— Bem, ele está aí? Birdy Edwards está aí? — perguntou o chefe McGinty finalmente.

— Sim — McMurdo respondeu lentamente. — Birdy Edwards está aqui. Birdy Edwards sou eu!

Passaram-se dez segundos depois dessas palavras, durante os quais a sala parecia estar vazia, tão profundo era o silêncio ali dentro. O assobio de uma chaleira que estava no fogo pareceu áspero e estridente aos ouvidos de todos. Sete rostos pálidos, todos virados para este homem que os dominava, ficaram imóveis sentindo um grande pavor. Depois, com o ruído de vidros se partindo, surgiram pelas janelas da sala os canos reluzentes de rifles, enquanto as cortinas eram arrancadas de seu suporte. Ao ver isso, o chefe McGinty deu um gemido de urso ferido e partiu na direção da porta meio aberta. Um revólver apontado em sua direção esperava por ele na porta, com os austeros olhos azuis do capitão Marvin, da polícia das minas, encarando-o firmemente. O chefe recuou e caiu sentado em sua cadeira novamente.

— O senhor está mais seguro aí, conselheiro — disse o homem que eles haviam conhecido como McMurdo. — E você, Baldwin, se não tirar as mãos do revólver, terá problemas. Tire a mão daí, ou por Deus que eu... Assim... Assim está bem. Há quarenta homens armados em volta da casa e vocês mesmos podem imaginar que chances terão de escapar daqui. Pegue as armas deles, Marvin! — Não havia resistência possível sob a ameaça daqueles rifles. Os homens foram desarmados. Carrancudos, perplexos e muito assustados, eles continuavam sentados em torno da mesa.

— Eu gostaria de dizer uma coisa antes de nos separarmos — disse o homem que os havia enganado. — Acho que não vamos nos encontrar novamente até o dia em que vocês me verão lá no tribunal. Vou dizer algo para que vocês reflitam a respeito daqui até lá. Agora vocês sabem o que eu sou. Finalmente posso pôr as cartas na mesa. Eu sou Birdy Edwards, do grupo de Pinkerton. Fui escolhido para desbaratar essa quadrilha. Eu tinha de jogar um jogo difícil e perigoso. Ninguém, ninguém mesmo, nem a pessoa mais chegada a mim e mais querida sabia que eu estava nesse jogo, exceto o capitão Marvin aqui e os meus patrões. Mas tudo terminou hoje, graças a Deus, e sou o vencedor!

Os sete rostos pálidos e rígidos olharam para ele. Havia um ódio implacável nos olhos desses homens. Ele entendeu aquela ameaça atroz.

— Talvez vocês pensem que o jogo ainda não terminou. Bem, arrisco minha sorte nisso. Contudo, alguns de vocês não terão outra mão[3] e há mais sessenta que, como vocês, dormirão na cadeia esta

---

[3] O autor se refere ao jogo de pôquer, quando o jogador pode pedir mais cartas se as suas não lhe servirem. (N. do T.)

noite. Vou lhes confessar uma coisa: quando me encarregaram desse serviço, eu não acreditava que existia uma sociedade como a de vocês. Achei que era história dos jornais, e que eu provaria isso. Disseram-me que tinha a ver com os Homens Livres, e então fui a Chicago e me tornei um deles. Então, fiquei com mais certeza do que antes de que tudo não passava de história dos jornais, pois não vi nenhum perigo na sociedade, mas apenas coisas boas. Mesmo assim, eu tinha que executar meu serviço e vim para o vale das minas. Quando cheguei aqui, vi que eu estava enganado e que as coisas não eram inventadas. Então, fiquei para investigar. Nunca matei ninguém em Chicago. Nunca falsifiquei uma moeda na minha vida. Aquelas moedas que eu dei a vocês eram tão verdadeiras quanto qualquer outra que circule por aí, mas eu jamais gastei dinheiro de maneira melhor. Eu queria cair nas graças de vocês e fingi que a polícia me procurava. Tudo funcionou como eu imaginei.

"Eu me filiei à Loja infernal de vocês e comecei a fazer parte da sociedade. Talvez digam que sou tão mau quanto vocês. Podem dizer o que quiserem, já que consegui agarrá-los. Mas qual é a verdade? Na noite em que eu entrei para a sociedade vocês espancaram o velho Stanger. Eu não consegui avisá-lo, pois não houve tempo, mas segurei suas mãos, Baldwin, quando você já ia matá-lo. Se cheguei a sugerir algumas coisas a fim de manter minha posição entre vocês, eram coisas que eu podia evitar. Não pude salvar Dunn e Menzies, pois eu não sabia o suficiente sobre o caso, mas vou tratar de fazer com que os assassinos deles sejam enforcados. Eu avisei Chester Wilcox, de modo que, quando explodi a casa dele, ele e a família estavam longe, escondidos. Houve muitos crimes que não pude evitar, mas, se olharem para trás e pensarem quantas vezes a vítima de vocês voltava para casa por outro caminho, ou estava na cidade quando vocês iam procurá-la, ou ficava em casa quando vocês pensavam que a pessoa iria sair. Então vocês verão o meu trabalho.

— Maldito traidor! — McGinty disse baixinho.

— Ah, John McGinty, pode me chamar assim se isso alivia o seu sofrimento! Você e esses outros iguais a você foram inimigos de Deus e dos homens aqui nesta cidade. Foi preciso que um homem se metesse entre vocês e os pobres-diabos desses homens e mulheres que vocês mantinham sob suas garras. Só havia um jeito de fazer isso, e eu fiz. Você me chama de traidor, mas acho que milhares de pessoas me chamarão de salvador. Um libertador que foi ao inferno para salvá-las. Vivi três meses neste inferno. Eu não passaria por tudo isso de novo. Eu tinha de ficar até conseguir tudo, até que cada homem e cada segredo estivesse aqui na minha mão. Eu teria esperado um pouco mais se não tivesse sido informado de que o meu segredo estava começando a se espalhar. Chegou uma carta à cidade que lhes informaria de tudo. Então tive de agir, e agir depressa. Não tenho mais nada a dizer a vocês, a não ser que, quando chegar a minha hora, eu morrerei mais tranquilo, pois me lembrarei do trabalho que fiz aqui neste vale. Agora, Marvin, não vou retê-lo mais. Leve-os e acabe logo com isso.

Houve pouco mais a dizer. Scanlan recebeu um bilhete lacrado para ser entregue na casa da srta. Ettie Shafter, uma missão que ele aceitara com uma piscadela e um sorriso. Nas primeiras horas da manhã, uma mulher bonita e um homem muito bem protegido embarcaram num trem especial que fora enviado pela empresa ferroviária e fizeram uma viagem tranquila, deixando para trás a terra do perigo. Foi a última vez que Ettie e seu companheiro puseram os pés no Vale do Medo. Dez dias depois eles se casaram em Chicago, tendo o velho Jacob Shafter como testemunha do enlace.

O julgamento dos Scowrer foi realizado longe do lugar onde seus simpatizantes poderiam aterrorizar os guardiões da lei. Eles lutaram em vão. Em vão o dinheiro da Loja, arrancado por meio de extorsão em toda aquela região, foi gasto como água na tentativa de salvá-los. O depoimento frio, claro, desapaixonado de quem conhecia cada detalhe de suas vidas, da organização e dos seus crimes não foi abalado pela astúcia dos seus defensores. Finalmente, depois de tantos anos, eles foram desmascarados e expostos. Aquela nuvem fora retirada para sempre de cima do vale. McGinty cumpriu seu destino em cima do cadafalso, encolhendo-se de medo e choramingando quando chegou sua hora derradeira. Oito de seus principais seguidores tiveram o mesmo fim. Cinquenta tiveram pena de prisão com tempos de reclusão variados. O trabalho de Birdy Edwards estava terminado.

Mas, ao contrário do que ele pensara, o jogo ainda não tinha terminado. Havia outra rodada a ser jogada, e talvez mais outra e mais outra ainda. Ted Baldwin escapara do cadafalso; e os Willaby também; e o mesmo aconteceu com vários dos mais violentos membros da quadrilha. Durante dez anos eles ficaram fora do mundo, e então chegou um dia em que ficaram livres novamente, um dia que Edwards, que conhecia bem esses homens, sabia ser o fim da sua vida tranquila. Eles haviam jurado que derramariam o sangue dele como vingança pelos seus companheiros. E partiram imediatamente para cumprir a promessa. Ele teve de fugir de Chicago depois de dois atentados que quase foram fatais. A partir daí, ficou bem claro que o terceiro não falharia. De Chicago ele partiu, já com o nome trocado, para a Califórnia, e foi lá que sua vida por um certo tempo perdeu o encanto, quando Ettie Edwards morreu. Mais uma vez ele quase foi morto, e mais uma vez, com o nome de Douglas, trabalhou num vale isolado onde, com um sócio inglês chamado Barker, enriqueceu. Por fim, chegou um aviso de que seus perseguidores estavam na sua pista novamente, e ele partiu na hora certa para a Inglaterra. E daí surgiu John Douglas, que pela segunda vez se casou com uma companheira digna e que viveu durante cinco anos como um proprietário rural em Sussex, uma vida que terminou com os estranhos acontecimentos de que tomamos conhecimento.

EPÍLOGO

Os procedimentos policiais e legais haviam terminado e o caso de John Douglas foi enviado a uma instância superior do Judiciário. Então ele foi absolvido por ter agido em legítima defesa. "Leve-o para fora da Inglaterra a qualquer custo", Holmes escrevera à esposa dele. "Há certas forças aqui que podem ser mais perigosas do que aquelas das quais ele escapou. Não há segurança para o seu marido na Inglaterra."

Dois meses se passaram e o caso, até certo ponto, havia se apagado de nossa lembrança. Então, certa manhã, chegou um bilhete enigmático que fora colocado em nossa caixa do correio. "Valha-me Deus, sr. Holmes! Valha-me Deus!", dizia aquela carta incomum. Não havia nem sobrescrito nem assinatura. Eu ri ao ver aquela mensagem estranha, mas Holmes mostrou uma seriedade maior que a habitual.

— Que estranho, Watson! — ele disse, e ficou sentado durante muito tempo com a testa franzida.

Mais tarde, naquela mesma noite, a sra. Hudson, nossa senhoria, trouxe o recado de um cavalheiro que desejava ver Holmes dizendo que o assunto era muito importante. Logo atrás da portadora de sua mensagem entrou o sr. Cecil Barker, nosso amigo da Casa Senhorial. Seu rosto estava desfigurado.

— Tenho más notícias. Terríveis mesmo, sr. Holmes — ele disse.

— Eu temia que fosse isso — disse Holmes.

— O senhor não recebeu nenhum telegrama, recebeu?

— Recebi um bilhete que parecia um telegrama.

— É o coitado do Douglas. Dizem que o nome dele é Edwards, mas para mim ele será sempre o Jack Douglas, de Benito Canyon. Eu já lhe disse que eles partiram para a África do Sul no *Palmyra*, há três semanas.

— Exatamente.

— O navio chegou à Cidade do Cabo ontem à noite. Recebi este telegrama da sra. Douglas hoje de manhã:

Jack caiu no mar durante ventania costas Sta. Helena. Ninguém sabe como acidente ocorreu.

Ivy Douglas

— Ah, foi assim, é? — disse Holmes, pensativo. — Bem, não tenho dúvida de que foi tudo bem preparado.

— O senhor quer dizer que não foi acidente?

— Claro que não foi.

— Ele foi assassinado?

— Certamente!

— Eu também penso assim. Esses diabólicos Scowrer, esses malditos criminosos vingativos...

— Não, não, meu senhor — disse Holmes. — Há um toque de mestre aqui. Não é um simples caso de espingarda de cano serrado e de revólveres baratos. Pode-se reconhecer um mestre pelos requintes. Conheço muito bem quando Moriarty põe o dedo num caso. Esse crime é de Londres e não da América.

— Mas por quê?

— Porque foi feito por um homem que não pode falhar: uma pessoa cuja posição depende do fato de que tudo que faz deve dar certo. Um cérebro privilegiado e uma grande organização foram utilizados para a eliminação de um homem. É quebrar uma noz com o martelo. Uma extravagância, mas de qualquer modo a noz fica esmagada.

— O que esse tal homem tem a ver com tudo isso?

— Só posso dizer que a primeira notícia que chegou a nós foi por intermédio de um dos homens dele. Esses americanos foram bem aconselhados. Tendo um serviço a ser feito aqui, pediram a participação, como qualquer criminoso estrangeiro faria, desse grande consultor de crimes. A partir desse instante a vítima está condenada.

A princípio ele se contentaria em usar sua máquina para localizar a vítima dos americanos. Depois indicaria como o caso poderia ser tratado. Finalmente, quando soubesse das falhas do agente enviado, ele próprio entraria no caso com o seu toque de mestre. O senhor ouviu quando eu avisei ao seu amigo que o perigo futuro seria maior do que o perigo passado. Eu estava certo?

Barker bateu com a mão fechada na testa, demonstrando a impotência de sua raiva.

— O senhor me diz que devemos parar dessa vez? O senhor acha que ninguém jamais conseguirá agarrar esse demônio?

— Não, não estou dizendo isso — respondeu Holmes, e seus olhos pareciam estar penetrando no futuro. — Não digo que ele não possa ser vencido. Mas o senhor precisa me dar tempo. O senhor tem de me dar tempo!

Ficamos todos sentados em silêncio durante alguns minutos, enquanto aqueles olhos proféticos ainda tentavam romper o véu.

SOBRE O AUTOR

ARTHUR CONAN DOYLE nasceu em 22 de maio de 1859, em Edimburgo, capital da Escócia. Em 1876, ingressou na Universidade de Edimburgo, no curso de medicina. Foi lá que conheceu o dr. Joseph Bell, cujos surpreendentes métodos de dedução e análise foram de grande influência na futura criação de seu detetive.

Além do dr. Bell, Doyle se inspirou em Émile Gaboriau e no detetive Dupin — de Edgar Allan Poe — para conceber a primeira versão do que seria o personagem que conhecemos hoje: um tal Sherringford Holmes, posteriormente Sherlock Holmes.

Depois de muitas tentativas e frustrações, em 1887 Doyle conseguiu que sua primeira história com o detetive, *Um estudo em vermelho*, fosse publicada. A boa aceitação do público o levou a escrever a segunda história de Holmes, *O sinal dos quatro*.

Doyle acabou abandonando a medicina para seguir definitivamente a carreira literária. As histórias de Sherlock Holmes tornaram-se mais e mais populares, obrigando o autor a continuar criando casos para seu detetive. E, quanto mais Holmes expunha suas habilidades para um público estupefato, mais obscurecidas ficavam as outras obras de Doyle.

Para sua grande surpresa, a morte de Sherlock Holmes, publicada em 1893 no caso "O problema final", chocou milhares de pessoas. Assim, em meio a um turbilhão de protestos e insultos, o autor foi obrigado a ressuscitar o personagem no caso "A casa vazia", em 1903.

Em 1902, Doyle foi agraciado pelo governo inglês com o título de *sir*, pela produção do panfleto patriótico *The War in South Africa*.

Debilitado por um ataque cardíaco, *sir* Arthur Conan Doyle morreu em 7 de julho de 1930, em Crowborough, condado de Sussex, na Inglaterra.

Este livro foi impresso em 2022 para a HarperCollins Brasil.